“きほん”が身につき“ほんき”になれる

2025年版

ユーキャンの宅建士きほんの教科書

おことわり

本書は令和6年8月31日現在施行の法令、および令和7年4月1日までに施行されることが判明している法令に基づいて執筆されています。

なお、執筆以後の法改正情報等については適宜、統計資料については、資料が出そろう令和7年8月中旬～9月中に、下記「ユーキャンの本」ウェブサイト内「追補（法改正・正誤）」にて、お知らせいたします。

https://www.u-can.co.jp/book/information

「きほんが身につき、ほんきになれる。」

宅建士試験は合格率16%前後の難関の資格といわれています。その学習内容や範囲の広さに、途中で挫折してしまう人もちらほら…　そこで、私たちユーキャン宅建士講師陣は、初学者の方でも**《気づいたら読み終えていて、読み終えたら合格レベルの知識が身についている》**試験対策本を目指し、この本を制作しました。

本書の特長を紹介する前に、みなさんには宅建士試験の正体とは何かを知っていただく必要があります。実は、毎年試験で出題される内容の70～80%程度は、過去に出題された内容に類似しています。ざっくりと一言で説明すると**『過去問の知識の焼き直しが大部分の試験』**です。

そこで、本シリーズ（きほんの教科書／問題集）は、まず**過去30年分**の試験問題の徹底した分析に基づき、試験で問われる重要な知識を網羅できるよう、先に**「きほんの問題集」**を制作しました。次に、その問題集を解くために重要な知識を、初学者の方にもわかりやすいように**「きほんの教科書」**に書き起こしています。つまり、**学習の中心に過去問のエッセンスが置かれ、教科書と問題集がぴったりと呼応した、無理なく無駄なく学べるシリーズとなっています。**

また、独学の方でも最後まで学び切れるよう、ていねいな解説はもちろん、多くの工夫を盛り込みました！

① レッスン冒頭の**イントロダクション**で**スムーズな学びはじめ**
② 登場人物の対話で**イメージ**をもった**主体的**な学習
③ **カラー**の効果的な活用により**重要箇所**が**一目でわかる**
④ **具体事例（Case）**で複雑な規定や法律をわかりやすく解説
⑤ 過去試験分析に基づく指標「**学習優先度**」で効率的な学習が可能
⑥ **コンパクト**で持ち運びしやすい**４分冊**
⑦ 効率的な復習に便利で、**試験直前**まで重宝する**豪華付録「でるとこ論点帖100」**

宅建士を目指すすべての方に、日々の学習で無理なく**《きほん》**が身につき、資格取得に向けて**《ほんき》**になって取り組めるよう制作しました。

最後に、みなさんが十分に本書を活用され、宅建士試験に合格できますよう、心より祈念しています。

ユーキャン宅建士試験研究会

目次

第4章 監督・罰則

第5章 住宅瑕疵担保履行法

第3編 法令上の制限 第3分冊-①

第1章 都市計画法

第2章 建築基準法

第3章 その他の制限

第4編 税・その他 第3分冊-②

第1章 税法

第2章 価格の評定

第3章 住宅金融支援機構・景品表示法

第4章 土地・建物

豪華付録 でるとこ論点帖100 第4分冊

宅建士試験について

（1）受験資格

年齢、学歴等に関係なく、どなたでも受験できます。

（2）受験スケジュールと手続き

	インターネットによる申込み	郵送による申込み
願書配布	7月上旬から7月末頃	7月上旬から7月中旬頃
願書配布場所	一般財団法人不動産適正取引推進機構のHP	各都道府県の協力機関が指定する場所
願書受付期間	7月上旬から7月末頃	7月上旬から7月中旬頃
受験票の交付	10月初旬に受験者宛に郵送されます。	
試験実施日	例年10月第3日曜日　午後1時～午後3時（2時間） ただし、登録講習※修了者は午後1時10分～午後3時	
合格発表	例年11月下旬から12月上旬頃、不動産適正取引推進機構のホームページ上に、合格者の受験番号一覧が掲載されます。また、合格者には合格証書が送付されます。	

※登録講習とは、国土交通大臣の登録を受けた機関が実施する講習です。この講習を受講し、修了試験に合格後、「登録講習修了者証明書」の交付を受けると、試験科目の一部が免除されます。

（3）出題形式

4肢択一による50問の筆記試験で、解答方式はマークシートです。

《問題イメージ》

【問1】　○○○○○○○○○○○○○○○○○○○○○○に関する次の記述のうち，正しいものはどれか。

1　○○○○○○○○○○○○○○○○○○○○○。
2　○○○○○○○○○○○○○○○○○○○。
3　○○○○○○○○○○○○○○○○○○。
4　○○○○○○○○○○○○○○○○○○○。

(4) 科目・出題内容等

※登録講習修了者が免除される5問の内容です。

科目	出題内容	出題数
権利関係	民法、借地借家法、不動産登記法、区分所有法	14問
宅建業法	宅地建物取引業法、住宅瑕疵担保履行法	20問
法令上の制限	都市計画法、建築基準法、盛土規制法、土地区画整理法、農地法、国土利用計画法、その他の法令	8問
税・その他	不動産に関する税金、不動産鑑定評価基準、地価公示法、住宅金融支援機構法※、景品表示法※、統計※、土地※、建物※	8問

(5) 受験データ

過去5年間の受験データは以下の通りです。合格基準点は一定ではありませんが、およそ、6割から7割程度の得点となっています。

実施年度		申込者数	受験者数	合格者数	合格率	合格基準点
令和元年度		276,019人	220,797人	37,481人	17.0%	35点
令和2年度	10月試験	204,163人	168,989人	29,728人	17.6%	38点
	12月試験	55,121人	35,261人	4,610人	13.1%	36点
令和3年度	10月試験	256,704人	209,749人	37,579人	17.9%	34点
	12月試験	39,814人	24,965人	3,892人	15.6%	34点
令和4年度		283,856人	226,048人	38,525人	17.0%	36点
令和5年度		289,096人	233,276人	40,025人	17.2%	36点

(6) 試験実施機関

一般財団法人　不動産適正取引推進機構

電話：03-3435-8181　　ホームページ：https://www.retio.or.jp

※宅建士試験についての情報は例年の試験を参考としています。令和7年度実施試験についての詳細は、試験実施機関による情報をご参照ください。

本書の使い方

イントロダクション（レッスン冒頭ページ）

各レッスン冒頭1ページで、これから学ぶテーマについて、イメージを持った主体的な学びをサポートします。

学習優先度

過去試験分析に基づいた指標［低➡中➡高］です。

LESSON 01 意思表示

「この契約…」

イントロ会話

登場人物のテーマに沿った会話で、レッスンのイメージをつかみましょう。

introduction

確実に値上がりする
土地があると言われてて…
買おうかなと思っています。
確実に値上がりねぇ～
この業界長いけど…
そんなおいしい話は
ないですよ。

よかったー。まだ、契約はしていないです。

宅くんはどうやらだまされている可能性が大ですね。でも、だまされて契約を結んでも「取消し」をすれば、契約はなかったことにできますよ。

だまされて契約を結んだ場合のようなトラブルがある場合には、契約をなかったことにできます。レッスン1では、売買契約を結ぶ際のトラブルケースとその対処法についてさまざまな具体例を通して学習をします。

学習のポイント

レッスンの学習のポイントをまとめています。

学習のポイント

どんなケース	契約の相手に言えること
だまされて契約した（詐欺）	取消しできる
脅(おど)されて契約した（強迫）	取消しできる
勘違(かんちが)いして契約した（錯誤(さくご)）	一定の条件を満たすと取消しできる
相手とグルになってウソの契約をした（虚偽(きょぎ)表示）	無効となる
冗談で契約した（心裡留保(しんりりゅうほ)）	一定の条件を満たすと無効となる

※掲載しているページは本書の使い方を説明するための見本です。

文章の重要度

赤字が最も重要な事項、次に**黒太字**、長い文章で重要な箇所には黄色マーカーを付しています。

1 契約が成立した後は？

第1章 総則 L-意思表示

1. 契約とは？

契約とは「約束」のことです。たとえば、AがBに自分の家を「1,000万円で売ります（申込み）」と言い（**意思表示**）、Bが「その値段で買います（承諾）」と言った場合に、**契約は成立**します。売主や買主であるAとBのことを契約の「**当事者**」といいます。

Case 1 契約が成立すると…

Aの家をBが買うという売買契約が成立した。

ケース1のように、Aの家をBが買うという**売買契約が成立**した場合、売主Aは買主Bに「代金を支払って」と請求でき（**代金債権**）、買主Bは売主Aに対し「代金を支払う義務」を負います（**代金債務**）。他方、買主Bは売主Aに「家を引き渡して」と請求でき（**引渡債権**）、売主Aは買主Bに対して「家を引き渡す義務」（**引渡債務**）を負います。

債権とは「～してくれ」と請求できること、債務とは「～しなければならない」という義務を負うことです。そして、**売買代金**に注目すると「払って」と請求できる**売主を債権者**、「支払い義務を負う」**買主を債務者**といいます。**建物**に注目すると、「引き渡して」と請求できる**買主を債権者**、「引渡し義務を負う」**売主を債務者**といいます。

＼アドバイス／

法律を学習するときのアドバイスを2つ。まず、専門用語には「慣れること」が大切です。次に、最後まで教科書を読むと分かることがたくさんあります。多少分からなくても「最後まで読むこと」を最優先してください。

用語

【意思表示】 土地を売りたいと思って「売ります」と言う「申込み」や、その土地を買いたいと思って「買います」と言う「承諾」のように、思ったこと（意思）を言う（表示する）こと。

ケース

事例を用いて、イメージしづらい複雑な規定や法律をわかりやすく解説します。

アドバイス

試験のポイントや、理解を助けるアドバイスです。

脚注解説

難しい【用語】の説明や、【補足 】の脚注で学習をフォローします。

必須

合格に「必須！」の重要事項をまとめています。しっかりと覚えましょう。

なお、**成年後見人**が、成年被後見人に代わって、**成年被後見人が居住している建物を売却**するためには、**家庭裁判所の許可**が必要です。

必須 成年被後見人が取消しできる場合

① **成年被後見人がした契約は、原則として取り消すことができる。事前に成年後見人の同意があっても取り消すことができる。**
ただし、日用品の購入その他の**日常生活に関する行為**は、**取り消すことができない。**

② **成年後見人**が、成年被後見人に代わって**成年被後見人が居住している建物を売却**するためには、**家庭裁判所の許可**が必要である。

○×チャレンジ

学習した知識が定着するよう、○×問題にチャレンジしましょう。

○×チャレンジ

Q 成年被後見人が成年後見人の事前の同意を得て土地を売却する意思表示を行った場合、成年後見人は、当該意思表示を取り消すことができる。

A 成年被後見人は同意の意味が分からないので、成年後見人から事前に同意を得ていても成年被後見人が行った行為は取消しの対象となります。

○

4 被保佐人・被補助人が取消しできる場合

1. 被保佐人

被保佐人は、未成年者や成年被後見人と異なり、原則として、**保佐人の同意を得なくても**有効な契約を締結できます。したがって、**被保佐人**は、原則として、自分のした行為を**取り消すことはできません。** 原則

ただし、次の①～④のような行為をする場合には、**保佐人の同意が必要**です（**日用品の購入その他の日常生活に関する行為**については、**保佐人の同意は不要です。**）。**保佐人の同意を得ずに行った場合には被保佐人および保佐人は、その行為を取り消すことができます。** 例外

①**不動産の売買契約**、②宅地については5年、建物については3年を超える期間の賃貸借契約の締結、③**贈与**の申込みを拒絶（きょぜつ）すること等、④前記①～③に掲げる行為を制限行為能力者（未成年者、成年被後見人、被保佐人、被補助人）の法定代理人としてする行為です。

2. 被補助人

被補助人は、被保佐人と同様、原則として、**補助人の同意を得なくても**有効

このレッスンが終わったら「きほんの問題集」の問題○にチャレンジ！

原則・例外

試験で重要となる原則とその例外について、原則は黄色、例外は青で示しています。試験では重箱の隅をつつくように、原則と例外の違いが問われるので、注意が必要です。

問題集へのリンク

姉妹書「きほんの問題集」へのリンクを掲載しています。各レッスンを学び終えたら、すぐに問題演習に進みましょう。

試験に「でるとこ」を100のテーマにまとめています。効率的な復習に、試験直前の総まとめに役立つ一冊です。

第1編 | 権利関係

論点① 意思表示 Lesson ▶ 01

1. 意思表示のまとめ

ケース	当事者間	第三者との関係
詐欺	取消しできる	善意無過失の第三者※1に対抗できない
強迫	取消しできる	第三者※1へ対抗できる
錯誤	原則：重要な錯誤であれば取消しできる 例外：表意者に重過失あれば取消しできない（例外あり※2）	善意無過失の第三者※1に対抗できない
虚偽表示	無効	善意の第三者に対抗できない
心裡留保	原則：有効 例外：相手が悪意か善意有過失であれば、無効	善意の第三者に対抗できない

※1取消前の第三者のこと
※2相手方が表意者に錯誤があることを知り、または重過失によって知らなかったとき、相手方が表意者と同一の錯誤に陥っていたときは取り消すことができる。

2. 善意・悪意と過失の有無のまとめ

善意	ある事実を知らないこと
善意・無過失	ある事実を知らないし、知らないことに過失もないこと
善意・有過失	ある事実は知らないが、知らないことに過失があること
悪意	ある事実を知っていること

論点② 未成年者・成年被後見人 Lesson ▶ 02

(1) 未成年者が法定代理人の**同意を得ないでした行為**は、原則として**取り消すことができる。**

(2) 未成年者が**取り消すことができない**場合

① **営業の許可を得た**場合の**その営業上の行為**

② 単に権利を得、または義務を免れる行為

1

登場人物

不動さん

宅くん、大家さんの優しい上司。宅建士の資格を持ち、2人の指導をすることに…

宅くん

マイペースで天然キャラ。だけど、根はまじめ。入社3年目。

大家さん

しっかり者。頭が切れ、スパッと物事をいう。入社4年目。

著者紹介

ユーキャン宅建士試験研究会

本会は、ユーキャン宅地建物取引士合格指導講座で、豊富な講義・教材制作の経験をもつ講師が集まり結成されました。通信講座の教材制作で蓄積したノウハウを生かし、よりわかりやすい書籍作りのために日々研究を重ねています。

■ 高野　敦（権利関係、法令上の制限）

1994（平成6）年に宅建講師となって以来、「偶然の出会いを運命の出会いに！」を胸に、一人ひとりの合格に寄り添う。受験者が真剣に切磋琢磨する企業研修や教室講義を特に愛する。現在、ユーキャン宅地建物取引士合格指導講座講師として、映像講義や教材執筆を中心に活躍中！

■ 宮本　真（宅建業法、税・その他）

予備校での講義を皮切りに、10 年以上にわたり宅地建物取引士の受験指導を行っている。その間、テキスト等の執筆のほか、予備校における講義、大手金融機関や大企業における社員研修等を担当し、教材制作・講義の両面で豊富な経験を有する。

●**法改正・正誤等の情報につきましては、下記「ユーキャンの本」ウェブサイト内「追補（法改正・正誤）」をご覧ください。**
https://www.u-can.co.jp/book/information

●**本書の内容についてお気づきの点は**
・「ユーキャンの本」ウェブサイト内「よくあるご質問」をご参照ください。
https://www.u-can.co.jp/book/faq
・郵送・FAX でのお問い合わせをご希望の方は、書名・発行年月日・お客様のお名前・ご住所・FAX 番号をお書き添えの上、下記までご連絡ください。
【郵送】〒169-8682 東京都新宿北郵便局 郵便私書箱第 2005 号
ユーキャン学び出版 宅建士資格書籍編集部
【FAX】03-3378-2232
◎より詳しい解説や解答方法についてのお問い合わせ、他社の書籍の記載内容等に関しては回答いたしかねます。

●**お電話でのお問い合わせ・質問指導は行っておりません。**

カバーデザイン　喜來詩織（エントツ）
イラスト　中村竜生（onsa）

2025 年版　ユーキャンの 宅建士　きほんの教科書

2021 年 10 月 22 日 初　版　第 1 刷発行
2022 年 10 月 14 日 第 2 版　第 1 刷発行
2023 年 10 月 13 日 第 3 版　第 1 刷発行
2024 年 10 月 18 日 第 4 版　第 1 刷発行

編　者　ユーキャン宅建士試験研究会
発行者　品川泰一
発行所　株式会社 ユーキャン 学び出版
〒151-0053
東京都渋谷区代々木 1-11-1
Tel 03-3378-1400

ＤＴＰ　株式会社 明昌堂

発売元　株式会社 自由国民社
〒171-0033
東京都豊島区高田 3-10-11
Tel 03-6233-0781（営業部）

印刷・製本　望月印刷株式会社

※ 落丁・乱丁その他不良の品がありましたらお取り替えいたします。お買い求めの書店か自由国民社営業部（Tel 03-6233-0781）へお申し出ください。

 ISBN978-4-426-61613-7

冊子を取り外す際にはご注意ください

本体と各冊子は接着されています。

ていねいに取り外してくださいますようお願いいたします。

※取り外す際の損傷については、交換に応じることができません。

書籍を開いて置き、冊子を掴み、本体を下に押し付けながら、また、冊子を左右に動かしながらゆっくりとていねいに取り外してください。

2025年版

ユーキャンの

宅建士 きほんの教科書

= 第1分冊 =

第1編［権利関係］

第1編 権利関係 第1分冊

権利関係 科目概要

1. どのような科目か？

「権利関係」は、民法、借地借家法、区分所有法、不動産登記法という法律から出題されます。

民法では、「マイホームを購入する契約を結んだが、売主が引渡さない」、「引渡しを受けたマイホームが契約内容と違う」場合に、買主は売主にどのようなことを言えるのか？　というように私たちにも関係しそうな内容を学習します。また、お金を払って物を借りる賃貸借契約も学習します。ただし、土地や建物を借りる場面には、特別な法律が用意されています。それが、借地借家法です。さらに、マンションの居住者相互のための法律としての区分所有法も学習します。不動産登記法では、不動産（＝土地・建物）の登記の仕組みや手続きを学習します。

2. 出題数

権利関係の出題数は14問です。出題の内訳は、民法10問、借地借家法2問、区分所有法1問、不動産登記法1問となっています。

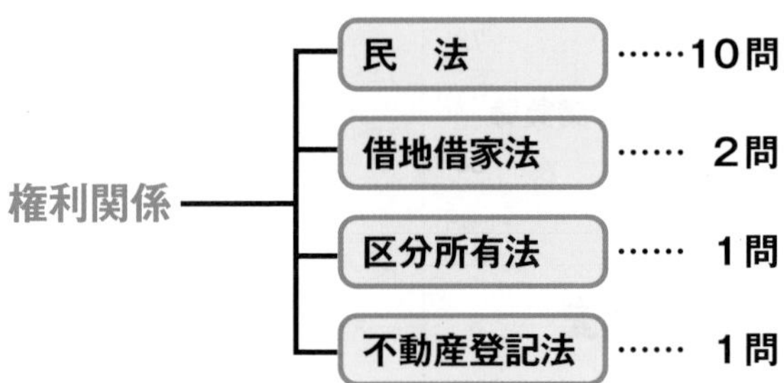

3. 学習の指針

権利関係の学習の中心は民法です。したがって、まず民法を学習しましょう。その上で、借地借家法、そして、区分所有法と積み重ねていく学習がおすすめです。最後に、不動産登記法について、仕組みを中心に学習しましょう。

ただし、民法に限らず、法律の学習には多少の“コツ”と、少しの“我慢”が必要です。まず、専門用語が多いのに面食らってしまうかもしれません。ただここでは、初めて英語を学習したときのことを思い出してください。「単語」の意味が少しずつ分かって、「文法」にも慣れてくると「英文」が読めて意味が分かるようになりました。法律も同じです。テキストを最後まで読み進めると、最初のころの「？」部分が解消し、全体の意味がはっきりと分かるようになります。ただ、英語が苦手だという方もいらっしゃいますよね。そこで、少しの“我慢”が必要です。でも、英語よりいくらか「楽」なはずです。なぜなら、法律は日本語で書いてあるからです。

最後にもう一言アドバイスです。これから学習する科目は「権利関係」と呼ばれています。実は、ここに学習を進めるヒントがあります。つまり、「誰と誰の」「どのような権利関係」が問題になっているのか？という視点で、テキストに載っているイラストを参考に読み進めてみてください。“覚えなきゃ”と気張るよりも、興味をもって最後まで読むことをおすすめします。

権利関係 過去10年間の出題一覧

ここでは、出題一覧と学習優先度を掲載しています。出題一覧は過去10年間のうち、出題された年度に●をつけています。学習優先度は、受験者の問題ごとの正答率データをもとに合格に必要な知識か否かを徹底的に解析し、ここ30年の出題傾向を踏まえて、合格するための学習優先度を総合的に判断したものです。学習優先度が高いと思われるものから順に、高・中・低の3段階で表示しています。

テーマ	H 26	27	28	29	30	R1	2	3	4	5	学習優先度
意思表示		●	●		●	●	●				高
制限行為能力者	●		●					●	●	●	中
代理	●			●	●	●					高
時効	●	●		●	●	●	●		●		高
条件					●						低
弁済・相殺・ 債権譲渡・債務引受	●	●	●		●	●		●		●	高
債務不履行・ 手付解除	●	●	●	●			●	●			高
売主の担保責任	●		●	●		●		●			高
委任・事務管理・請負等	●			●	●	●	●	●	●	●	中
物権変動		●	●	●	●	●			●	●	高
不動産登記法	●	●	●	●	●	●	●	●	●	●	中
抵当権・その他の 担保物権	●	●	●	●	●	●			●	●	高
保証・連帯債務		●		●	●		●	●			中
賃貸借・使用貸借	●	●	●	●	●	●	●	●	●	●	高
借地借家法（借家）	●	●	●	●	●	●	●	●	●	●	高
借地借家法（借地）	●	●	●	●	●	●	●	●	●	●	高
不法行為	●		●			●		●			中
所有権・地役権				●	●		●			●	中
区分所有法	●	●	●	●	●	●	●	●	●	●	高
相続	●	●	●	●	●	●	●	●	●	●	高

論点別の傾向と対策

宅建士試験は、過去問の知識が７割から８割程度出題されます。したがって、出題頻度が高く、しかも、多くの合格者が得点してきた項目を徹底的に学習することで合格がグッと近づきます。

民法：「意思表示」「代理」「時効」「売主の担保責任」「物権変動」「賃貸借」「不法行為」「相続」は、民法のなかでは出題頻度の高い項目です。これらについては、テキスト記載の知識は確実に勉強しておきましょう。それ以外の項目については、「保証・連帯債務」は、保証・連帯保証・連帯債務の違いを意識して学習してみてください。「抵当権」は、出題パターンが決まっている物上代位と法定地上権を突破口にして学習を進めてください。

借地借家法：近年は、賃貸借・借地・借家の複合問題が２問出題される傾向にあります。多少覚えなければならない知識は多いのですが、過去問を徹底的に学習すれば、出題範囲はほぼカバーできます。

区分所有法：学習範囲が広い割に配点は１点しかありません。ここで時間をかけすぎるのは受験対策として得策ではありません。

不動産登記法：学習範囲が広く、しかも、内容自体が難解です。深入りは絶対に避けるべき項目です。比較的出題頻度の高い過去問の知識のみを学習しましょう。

目標得点	8点/14問

学習優先度
高

LESSON 01 意思表示

「この契約…」

introduction
確実に値上がりする
土地があると言われてて…
買おうかなと思っています。
確実に値上がりねぇ〜
この業界長いけど…
そんなおいしい話は
ないですよ。

よかったー。まだ、契約はしていないです。

宅くんはどうやらだまされている可能性が大ですね。でも、だまされて契約を結んでも「取消し」をすれば、契約はなかったことにできますよ。

だまされて契約を結んだ場合のようなトラブルがある場合には、契約をなかったことにできます。レッスン1では、売買契約を結ぶ際のトラブルケースとその対処法についてさまざまな具体例を通して学習をします。

学習のポイント

どんなケース	契約の相手に言えること
だまされて契約した（詐欺）	取消しできる
脅（おど）されて契約した（強迫）	取消しできる
勘違（かんちが）いして契約した（錯誤（さくご））	一定の条件を満たすと取消しできる
相手とグルになってウソの契約をした（虚偽（きょぎ）表示）	無効となる
冗談で契約した（心裡留保（しんりりゅうほ））	一定の条件を満たすと無効となる

1 契約が成立した後は？

1. 契約とは？

契約とは「約束」のことです。たとえば、AがBに自分の家を「1,000 万円で売ります（申込み）」と言い（**意思表示**）、Bが「その値段で買います（承諾）」と言った場合に、**契約は成立**します。売主や買主であるAとBのことを契約の「**当事者**」といいます。

Case 1　契約が成立すると…

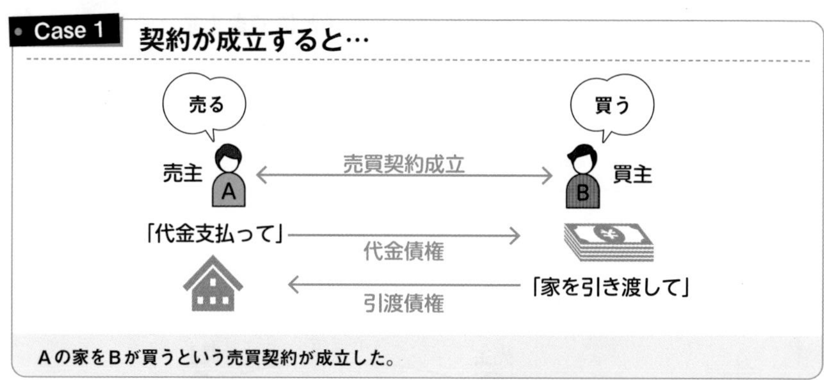

Aの家をBが買うという売買契約が成立した。

ケース1のように、Aの家をBが買うという**売買契約が成立**した場合、売主Aは買主Bに「代金を支払って」と請求でき（**代金債権**）、買主Bは売主Aに対し「代金を支払う義務」を負います（**代金債務**）。他方、買主Bは売主Aに「家を引き渡して」と請求でき（**引渡債権**）、売主Aは買主Bに対して「家を引き渡す義務」（**引渡債務**）を負います。

債権とは**「～してくれ」と請求できること、債務**とは**「～しなければならない」という義務を負うこと**です。そして、**売買代金**に注目すると「払って」と請求できる**売主を債権者**、「支払い義務を負う」**買主を債務者**といいます。**建物**に注目すると、「引き渡して」と請求できる**買主を債権者**、「引渡し義務を負う」**売主を債務者**といいます。

＼アドバイス／

法律を学習するときのアドバイスを2つ。まず、専門用語には「慣れること」が大切です。次に、最後まで教科書を読むと分かることがたくさんあります。多少分からなくても「最後まで読むこと」を最優先してください。

用語

【意思表示】 土地を売りたいと思って「売ります」と言う「申込み」や、その土地を買いたいと思って「買います」と言う「承諾」のように、思ったこと（意思）を言う（表示する）こと。

2. 契約締結(ていけつ)ルールあれこれ

誰でも、原則として、**契約を締結するかどうかを自由に決定**することができます（**契約の締結の自由**）。また、当事者は、原則として、**契約の内容を自由に決定**することができます（**契約の内容決定の自由**）。さらに、契約の成立には、原則として、**書面の作成等は不要**です（**方式の自由**）。

契約を結んだ場合、常に守らなければならないのでしょうか。もちろん、**契約は守らなければなりません**が、「だまされて契約を結んだ」、「勘違いで契約を結んだ」ような場合には、**契約をなかったことにできます**。これから、契約を**取り消し**たり、**無効**にできるケースを学習していきましょう。

2 詐欺・強迫

1. 詐欺(さぎ)

Case 2　だまされて結んだ契約は…

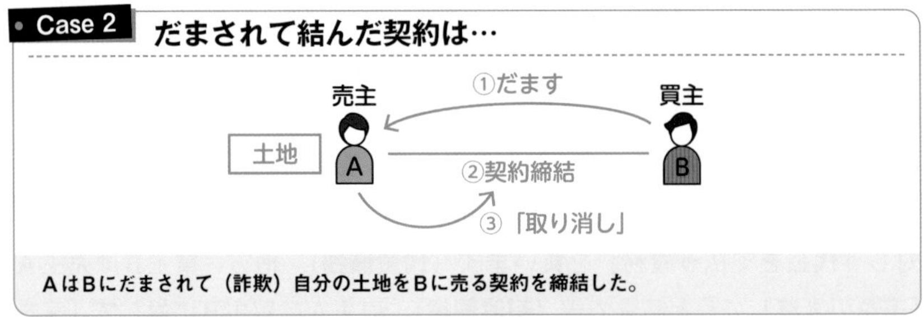

AはBにだまされて（詐欺）自分の土地をBに売る契約を締結した。

だまされて（**詐欺により**）契約を結んだ場合、その契約を**取り消すことができます**。だまされて契約を結んでも、「取り消す」と言えば契約は最初からなかったことになります。したがって、**ケース2**のAは契約を取り消すと、土地をBに引き渡す必要はなくなります。

＼アドバイス／

本試験では、事例問題が出題されます。その際「小林さんが自分の東京にある土地を木村さんに売却した」というような実際の名前は使いません。「Aが自分の甲土地をBに売却した」と出題されます。「A」「B」「甲土地」という表現に、ケース学習を通して慣れてください。

用語

【取消し】 取り消すまでは一応有効で、「取り消す」と最初から無効となる。
【無効】 契約が「無効」とは、その契約が最初からなかったことを示す。

Case 3 **第三者が登場したら…**

売主 A
買主 B
C 取消前の第三者
①だます
②売買
③売買
④取消し
甲

時系列を整理すると、①BがAをだました。②AB（当事者）でA所有の甲土地の売買契約が成立した。③Bが甲土地をCに売却（転売）した。④Aが、詐欺を理由にAB間の契約を取り消した。このケースのCのことを、取消し前に登場したので、「取消前の第三者」という。

Aをだましたは悪い人ですから、契約を取り消されても文句を言える立場にはありませんが、問題は**ケース3**のような**取消前の第三者**との関係です。

この場合、Aは、**取消し前の第三者C**が詐欺の事実を**知らず**（**善意**）、しかもそのことに不注意もない（**無過失**）のであれば**取消しを対抗**（**主張**）**できません**。この場合は、**善意無過失**のCを守ることにしました。ただし、Cが詐欺の事実を**知っている**（**悪意**）か、善意でも過失があれば（**善意有過失**）の場合には、**取消しを対抗することができます**。

2. 強迫

強迫の場合はどうなるでしょう。強迫というのは、たとえば「家を売らないと命はないよ」と脅されて契約を結んでしまったような場合です。**強迫**の場合には、契約を**取り消すことができます**。また、**取消前の第三者の善意**（**過失の有無**）・**悪意**を問わずに**取消しを対抗できます**。つまり、強迫された人は、**第三者が善意無過失**でも取消しを**対抗できます**。強迫された人を徹底的に守ることにしたわけです。

必須 **詐欺・強迫による意思表示**

① **詐欺**または**強迫**による意思表示は、**取り消すことができる**。
② **詐欺**による意思表示の取消しは、**善意無過失**の第三者に**対抗できない**。
③ **強迫**による意思表示の取消しは、**善意無過失**の第三者に**対抗できる**。

用語

【**善意**】ある事実を**知らない**こと。【**悪意**】ある事実を**知っている**こと。
【**善意無過失**】ある事実を知らず、そのことに過失もないこと。
【**善意有過失**】ある事実を知らないが、そのことに過失があること。

○×チャレンジ

Q1 詐欺による意思表示の取消しは、取消前の悪意の第三者に対抗することができる。

Q2 強迫による意思表示の取消しは、取消前の善意無過失の第三者に対抗することができる。

A1 詐欺による意思表示の取消しは、取消前の善意無過失の第三者に対抗できないが、悪意の第三者には対抗できます。

○

A2 強迫による意思表示の取消しは、取消前の第三者が悪意の場合はもちろん、善意無過失の場合にも対抗できます。

○

＼アドバイス／

テキストに書いてあることをすべて覚える必要はありません。本試験では、『必須』に掲載してある知識が形を変えて出題されます。したがって、『必須』に掲載してある知識を、問題を解きながら身に付けるようにしましょう。

3. 第三者の詐欺・強迫

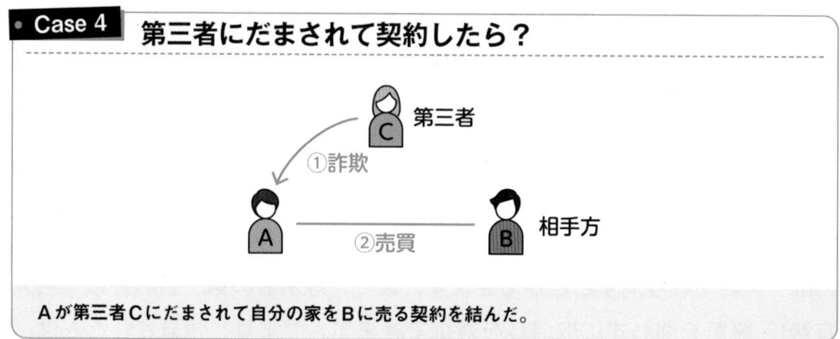
Case 4
第三者にだまされて契約したら？
第三者
C
①詐欺
A
②売買
B
相手方
Aが第三者Cにだまされて自分の家をBに売る契約を結んだ。

＼アドバイス／

当事者以外の第三者がまた登場しました。ケース4にあるような「図」を自分でも描いて、どんな事例か確認してから読み進めてください。ここでは、「相手方」が重要な登場人物です。

ケース4の場合、**相手方**Bが詐欺の事実を**知らず**、そのことに**不注意もない**とき（**善意無過失**）には、Aは**取消しをすることができません**。ただし、相手方Bが詐欺の事実を**知っている**（**悪意**）または**善意有過失**のときには、**取消しをすることができます**。

では、**第三者の強迫により契約を結んだ場合**はどうなるでしょう？この場合、強迫された者は、**相手方の善意**（**過失の有無**）・**悪意**に関係なく**取消しをすることができます**。

必須 **第三者の詐欺・強迫**

① **第三者が詐欺**を行った場合、**相手方が善意無過失**のときには、**取り消すことができない。**
② **第三者が強迫**を行った場合、**相手方が善意無過失**のときでも、**取り消すことができる。**

3 錯誤(さくご)

1. 錯誤とは

Case 5 **勘違い(かんちが)がもとで契約を結んだ…**

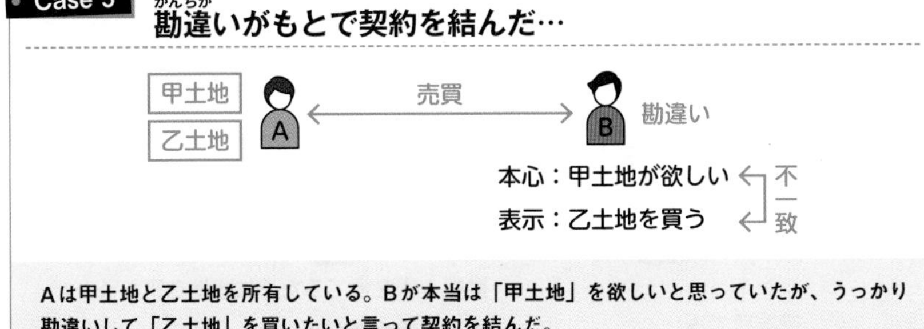

Aは甲土地と乙土地を所有している。Bが本当は「甲土地」を欲しいと思っていたが、うっかり勘違いして「乙土地」を買いたいと言って契約を結んだ。

勘違いは誰しも経験があることです。ただ、その勘違いがもとで契約を結んだ場合には、契約の相手方との関係を無視して話を進めることはできません。

ケース5の場合、Bは乙土地を買う気は全くないわけです。勘違いで「乙土地を買う」と言っただけです。買う土地を取り違えたような**意思表示の内容の重要な部分に錯誤**（勘違い）**があったときは、その意思表示をした者**（**表意者(ひょういしゃ)**）は意思表示を**取り消すことができます**。ただ、相手方Aとすれば常に取り消されたのではたまったものではありません。そこで、**勘違いで意思表示をしたB**（**表意者**）**に重大な過失**（**重過失(じゅうかしつ)**）**がある**場合には、**原則として**、意思表示の**取り消しをすることができません**。

錯誤を理由に意思表示を**取り消すことができる**のは、**表意者**、**代理人**、**承継人(しょうけいにん)**（相続人など）です。本人を保護する制度なので、**相手方は取り消すことができません**。このことは、詐欺、強迫を理由に取り消す場合も同じです。**錯**

用語
【重過失】 民法では「過失（軽過失）」と「重大な過失（重過失）」を使い分けている。錯誤取消しの場面では「重過失」の有無が問題になる。

誤を理由に**取り消すことができる**場合でも、その取消しは、**取消前の善意無過失の第三者に対抗できません**。詐欺の場合と同様、勘違いをした点に多少の落ち度はあるからです。

必須 **錯誤による取消し**

① 意思表示の内容の**重要な部分に錯誤**があった場合、表意者は意思表示を**取り消すことができる**。ただし、**表意者に重過失があるときには**、**原則**として、意思表示の**取り消しをすることができない**。
② **相手方**は錯誤を理由に意思表示を**取り消すことができない**。
③ 錯誤を理由に取り消すことができる場合でも、その取消しは、**善意無過失の第三者に対抗できない**。

2. 動機(どうき)の錯誤

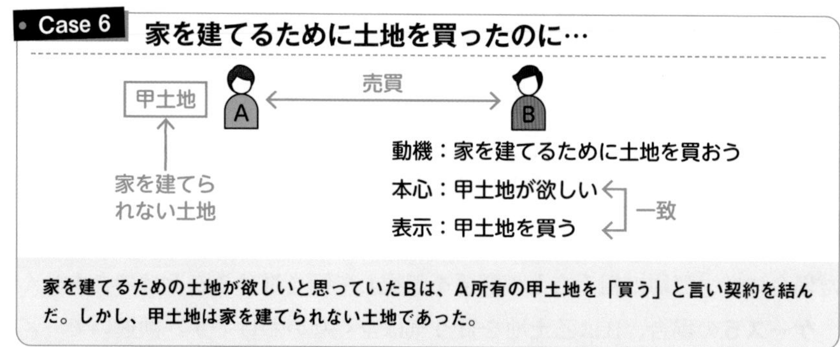

Case 6
家を建てるために土地を買ったのに…
甲土地
A
売買
B
家を建てられない土地
動機：家を建てるために土地を買おう
本心：甲土地が欲しい
表示：甲土地を買う
一致
家を建てるための土地が欲しいと思っていたBは、A所有の甲土地を「買う」と言い契約を結んだ。しかし、甲土地は家を建てられない土地であった。

すでに学習した**ケース5**は、本心は「甲土地が欲しい」と思っていたが、「乙土地を売ってくれ」と表示した場合、つまり、**本心**と**表示**が**違う**場合です。

ところが、**ケース6**は、BはAの持っている「甲土地が欲しい」と思って、「甲土地を買う」と言ったわけですから、**本心と表示に食い違いはありません**。ただ、家を建てるために土地を買うといういわば**動機**(どうき)のところ、すなわち、**「家を建てるために土地を買いたい」**と思ったが、買った土地には**家が建てられなかった**点に錯誤（表意者が法律行為の基礎とした事情についての認識が真実に反する錯誤＝**動機の錯誤**）があります。

相手方からすれば、表意者の動機は分かりにくく、この場合に取消しを認めると思わぬ損害を被ります。一方、一切取消しを認めないのは本人に酷です。そこで、**動機が相手方に表示**された場合に、取り消しの余地を認めました。動機が表示されていれば、取消しを認めても、相手方にとって不測の事態とはならないからです。そして、動機が相手方に分かればいいわけですから、**明示的**(めいじてき)**に表示**しただけでなく、**黙示的**(もくじてき)**に表示**してもいいことになります。このように、**動機の錯誤**の場合、**動機が表示**され、その錯誤が**重要な錯誤で**あれば、**取り消すことができます**。

必須 動機の錯誤

動機の錯誤（表意者が法律行為の基礎とした事情についての認識が真実に反する錯誤）の場合には、**動機が相手方に**（明示的または黙示的に）**表示**され、その錯誤が重要な錯誤であれば、表意者は意思表示の**取消しができる**。

＼アドバイス／

錯誤は少し理屈が難しいところがあります。最終的には問題の正誤の判断ができればいいのですから、多少分からなくても先に進みましょう。

ケース5で学習したように、原則 表意者は、**重過失がある**場合には、原則として、意思表示の**取り消しをすることができません**。

例外 **ただし、次の場合には、錯誤が表意者の重大な過失によるものであった場合でも、錯誤を理由に意思表示を取り消すことができます**。

①**相手方**が表意者に錯誤があることを**知り**、または**重大な過失によって知らなかった**場合、②**相手方が表意者と同一の錯誤に陥っていた**場合です。②は、たとえば、Bは家を建てるためにAの持っている甲土地を買い、Aも甲土地には建物が建てられると思って売りました。しかし、甲土地は家を建てられない土地だったときです。

＼アドバイス／

「原則として〜。ただし、〜」という法律独特の言い回しがあります。これは、「原則」と「例外」を表す場合の表現です。たとえば、「原則として、〜できない。ただし、〜の要件（条件）が揃えば、例外として〜できる。」となります。「原則」をしっかりと覚えて、そのうえで、どんな要件が揃ったら例外となるのか？　という流れで覚えるのがポイントです。

用語

【黙示的に表示】 明確には告げていなくても、表意者の他の言動等で動機が相手方にも分かることをいう。

必須 表意者に重大な過失があっても取り消せる場合

錯誤が表意者の**重大な過失による場合でも**、①**相手方**が表意者に錯誤があることを**知り**、または**重大な過失によって知らなかった**とき、②**相手方が表意者と同一の錯誤に陥っていたとき**には、錯誤を理由に意思表示**を取り消すことができる**。

OXチャレンジ

Q 錯誤が表意者の重大な過失によるものであった場合、表意者に錯誤があることを相手方が知っていたときでも、表意者は、意思表示を取り消すことができない。

A 錯誤の意思表示をした表意者に重大な過失がある場合、原則として、表意者は意思表示を取り消すことができません。ただし、表意者に重大な過失がある場合でも、相手方が表意者に錯誤があることを知り、または重大な過失によって知らなかったときは、表意者は、意思表示を取り消すことができます。

×

4 虚偽(きょぎ)表示

1. 虚偽表示とは

Case 7 AとBがウソの売買契約を結んだ…

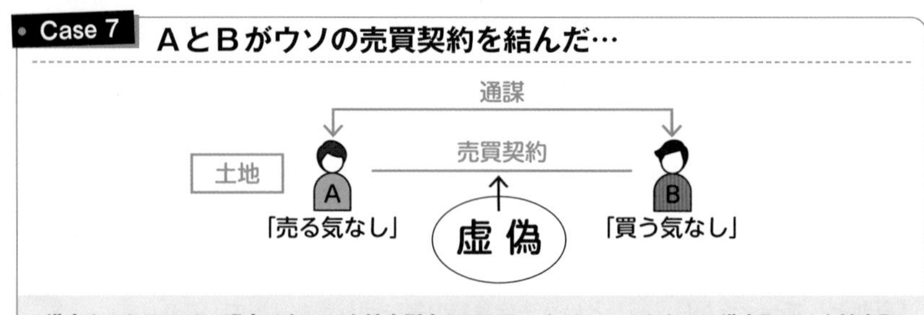

借金まみれのAは、現金はないが土地を所有している。ただ、このままでは借金取りに土地を取り上げられてしまう。そこで、Aは、本当は売る気は全くないにもかかわらず、Bと通謀(つうぼう)して（示し合わせて）土地をBに売ったことにした。

ケース7のようにAB2人が示し合わせて（通謀して）ウソ（虚偽）の契約を結んだ場合を**虚偽表示**といいます。お互いに「売る気」も「買う気」も全くないのですから、この契約は、**当事者間**では**無効**です。

2. 第三者との関係

では、次のように、第三者が登場した場合はどうなるでしょうか。

この場合、**第三者Cが善意**であれば、Aは**無効を対抗することはできません**。要するに身から出たサビということです。第三者は、**過失があっても、登記がなくても**善意であれば守られます。ただし、Cが**悪意**であれば、Aは**無効を対抗することができます**。

3. 転得者との関係

転得者とは、権利を譲り受けた第三者からさらにこれを譲り受けたものをいいます。以下のように、転得者が登場した場合はどうなるでしょう。

第三者　転得者

A ―①虚偽表示／無効― B ―②売買― C ―③売買― D

【事例①】(悪意) ………………………… (善意)

【事例②】(善意) ………………………… (悪意)

この場合は以下のように場合を分けて学習します。

(1) 第三者（悪意）→転得者（善意）の場合【事例①】

2.の例で、Aは悪意の第三者Cには虚偽表示の無効を対抗できます。では、その第三者からさらに目的物を買い受けた**転得者Dが**善意**の場合はどうなるでしょうか**。この場合、AとDを比べると、ウソの契約をしたAよりもDを守る必要がありそうです。そこで、**判例**（最高裁判所の判断）は、**転得者が善意**であれば、**虚偽表示の無効をその転得者には対抗できない**としました。

(2) 第三者（善意）→転得者（悪意）の場合【事例②】

では、**第三者が**善意で転得者が悪意の場合はどうなるでしょうか。この場合、判例は、一度**善意の第三者**が登場した以上、たとえ**転得者が悪意**でも、**虚偽表示の無効はその転得者には対抗できない**としました。

＼アドバイス／

要するに、「第三者」か「転得者」のどちらかが「善意」であれば、虚偽表示による無効は主張できません。

用語

【(不動産) 登記】 土地や建物の所在や権利関係などを、国で管理する帳簿に記録してもらう一連の手続きのこと。詳しくはレッスン11で学習する。

必須 **虚偽表示**

① **虚偽の意思表示**は、**無効**となる。
② 虚偽による意思表示の無効は、**善意の第三者に対抗することができない。**
③ 虚偽表示による意思表示の無効は、（第三者が悪意でも）**善意の転得者に対抗することができない。**
④ 虚偽表示による意思表示の無効は、**第三者が善意で転得者が悪意の**場合でも、その**転得者には対抗することができない。**

5 心裡留保（しんりりゅうほ）

Case 8 **冗談で契約を結んでしまったら…**

Aが自分の土地を全く売る気がないにもかかわらず、Bに冗談で「売る」と言った。

ケース8のように、冗談を言った者（**表意者**）がその**真意（しんい）ではないことを知って意思表示をした**場合を**心裡留保**といいます。この場合、Aは土地を「売る気」は全くないのですから、契約を無効にしたいと思います。しかし、Aが冗談で「売る」と言ったか否かは、Bにははっきり分かりません。そこで、原則 表意者がその真意ではないことを知って意思表示をしたときであっても、**原則として有効**としました。

ただし、例外 **相手方がその意思表示が表意者の真意でないことを知り（悪意）、または知ることができたとき（善意有過失）は、心裡留保による意思表示は無効となります**。

なお、**心裡留保**による意思表示の**無効**は、**善意の第三者**に**対抗することができません**。

必須 心裡留保

① 意思表示は、表意者がその真意ではないことを知ってしたとき（**心裡留保**）であっても、**原則**として、**有効**である。ただし、**相手方**がその意思表示が表意者の真意ではないことを知り（**悪意**）、または知ることができた（**善意有過失**）ときは、**無効**である。
② 心裡留保による意思表示の無効は、善意の第三者に対抗することができない。

必須 意思表示まとめ

ケース	当事者間	第三者との関係
詐欺	取消しできる	善意無過失の第三者※1に**対抗できない**
強迫	取消しできる	第三者※1に**対抗できる**
錯誤	原則：重要な**錯誤**であれば取消しできる 例外：表意者に**重過失**あれば**取消しできない**（例外あり※2）	善意無過失の第三者※1に**対抗できない**
虚偽表示	無効	善意の第三者に**対抗できない**
心裡留保	原則：有効 例外：相手が**悪意か善意有過失**であれば、**無効**	善意の第三者に**対抗できない**

※1取消前の第三者のこと
※2相手方が表意者に錯誤があることを知り、または重過失によって知らなかったとき、相手方が表意者と同一の錯誤に陥っていたときは取り消すことができる。

このレッスンが終わったら「きほんの問題集」の問題01～04にチャレンジ！

LESSON 02

制限行為能力者

子供は一人でマイホームを買えるの？

introduction

子供は一人で
マイホームを
買えると思う？
子供のころ、高いものを
買うときには親と一緒でした。
じゃないと不安で…
マイホームも一人では
買えないと思います！

マイホームの売買契約は、親の同意が必要です。同意がないのに契約を結んだら、契約を取り消すことができます。

なるほど、子供を守るためですね。

子供一人でマイホームを買わせると、大損する可能性があります。お金のありがたさ（価値）が大人に比べるとよく分からないからです。このように、一人で買物をさせると損をする可能性が高い人（制限行為能力者（せいげんこういのうりょくしゃ））をグループ分けして、①保護者（ほごしゃ）を付けたり、②契約の取消しを認めて守ることにしました。レッスン２では、以下の内容を中心に学習します。

学習のポイント

1. 制限行為能力者のグループ分け
2. 保護者の種類
3. 取り消しができる場合

1 制限行為能力者とは？

制限行為能力者の4つのグループと保護者についてまとめて学習しましょう。

グループ名	どんな人	保護者
未成年者	**18歳未満の者**	**法定代理人※**
成年被後見人	精神上の障害により事理を弁識する能力を欠く常況にある者として、家庭裁判所による後見開始の審判を受けた者	**成年後見人**
被保佐人	精神上の障害により事理を弁識する能力が著しく不十分な者として、家庭裁判所による保佐開始の審判を受けた者	**保佐人**
被補助人	精神上の障害により事理を弁識する能力が不十分な者として、家庭裁判所による補助開始の審判を受けた者	**補助人**

※親権者・未成年後見人

＼アドバイス／

上の表で、「未成年者は18歳未満の者をいう」ことだけは覚えてください。それ以外の「どんな人」の内容は一読してもらえば十分です。

未成年者は年齢（18歳未満か否か）で一律にグループ分けします。これに対して、成年被後見人・被保佐人・被補助人には能力に差があります。この違いが取り消しできる範囲に影響します。⊕

成年被後見人	被保佐人	被補助人
低い ←	能力	→ 高い

2 未成年者が取消できる場合

Case 1 親に内緒で建物を売ってしまった…

未成年者Aが、親の同意なく、自分の建物をBに売る契約を結んでしまった。

⊕補足

【意思無能力】 泥酔者のように自分の行為の結果を正常に判断できる能力（意思能力）のない状態で行った法律行為（たとえば契約）は、無効である。

未成年者が、建物や土地の売買契約を結ぶ場合には、親権者などの**法定代理人の同意**を得なければなりません。そして、原則 **未成年者が法定代理人の同意を得ないでした契約**は、原則として、**未成年者および法定代理人**は契約を**取り消すことができます**。**ケース1**のように、未成年者Ａが法定代理人の同意を得ないで、自己所有の建物を売却する契約を結んだ場合、Ａやその法定代理人はその契約を取り消すことができます。

例外 **ただし、次の①〜②の場合には取消しができません。**

① 営業の許可を得た場合のその営業上の行為

営業を許可された未成年者は、**その営業に関しては、成年者と同一の行為能力を有する**（＝大人として扱う）ことになります。たとえば、中古車販売に関する営業を許可された未成年者Ａは、その「中古車販売に関する営業」に関しては成年者と同一の行為能力を有することになります。したがって、Ａはその営業に関して結んだ契約を取り消すことはできません。ただし、成年者と同一の行為能力を有することになるのはその営業に関してのみです。

② 単に権利を得、または義務を免れる行為

たとえば、負担なく**贈与**（ぞうよ）を受けたり、借金を帳消しにしてもらうことです。

必須 未成年者が取消しできる場合

① 未成年者が法定代理人の**同意を得ないでした行為**は、原則として取り消すことができる。
② 未成年者が取り消すことができない場合
(1) **営業の許可を得た場合のその営業上の行為**
(2) 単に権利を得、または義務を免れる行為

3 成年被後見人が取消しできる場合

原則 **成年被後見人が締結した契約**は、成年被後見人自身および成年後見人が、その行為を**取り消すことができます**。事前に**成年後見人の同意**があっても取り消すことができます。

ただし、お弁当を買うなどの 例外 **日用品の購入その他の日常生活に関する行為は、取り消すことができません**。

用語

【贈与】 贈与とは、タダで物をあげる契約である。

なお、**成年後見人**が、成年被後見人に代わって、**成年被後見人が居住している建物を売却**するためには、**家庭裁判所の許可**が必要です。

必須 成年被後見人が取消できる場合

① 成年被後見人がした契約は、原則として**取り消すことができる。事前に成年後見人の同意**があっても**取り消すことができる。**
ただし、日用品の購入その他の**日常生活に関する行為**は、**取り消すことができない。**

② **成年後見人**が、成年被後見人に代わって**成年被後見人が居住している建物を売却**するためには、**家庭裁判所の許可**が必要である。

○×チャレンジ

Q 成年被後見人が成年後見人の事前の同意を得て土地を売却する意思表示を行った場合、成年後見人は、当該意思表示を取り消すことができる。

A 成年被後見人は同意の意味が分からないので、成年後見人から事前に同意を得ていても成年被後見人が行った行為は取消しの対象となります。

○

4 被保佐人・被補助人が取消できる場合

1. 被保佐人

被保佐人は、未成年者や成年被後見人と異なり、原則として、**保佐人の同意を得なくても**有効な契約を締結できます。したがって、原則 **被保佐人**は、原則として、自分のした行為を**取り消すことはできません。**

ただし、次の①～④のような行為をする場合には、**保佐人の同意が必要**です（**日用品の購入その他の日常生活に関する行為**については、**保佐人の同意は不要です**。）。例外 **保佐人の同意を得ずに行った場合には被保佐人および保佐人は、その行為を取り消すことができます。**

①**不動産の売買契約**、②宅地については5年、建物については3年を超える期間の賃貸借契約の締結、③**贈与**の申込みを拒絶（きょぜつ）すること等、④前記①～③に掲げる行為を制限行為能力者（未成年者、成年被後見人、被保佐人、被補助人）の法定代理人としてする行為です。

2. 被補助人

被補助人は、被保佐人と同様、原則として、**補助人の同意を得なくても**有効な契約を締結できます。したがって、原則 **被補助人は、原則として、自分のした行為を取り消すことはできません。**

ただし、**家庭裁判所**は、**補助人の同意が必要な行為を定めることができます。**例外 **同意が必要と定められた行為を被補助人が補助人の同意なしに行った場合には、被補助人および補助人は、その行為を取り消すことができます。**

＼アドバイス／
被保佐人の場合と異なり、同意が必要な行為を法律で一律に定めるのではなく、「不動産の売買契約を結ぶ場合は、補助人の同意が必要」のように、同意が必要な行為を具体的に家庭裁判所が定めます。

必須 **被保佐人が取消しできる場合**

原則	被保佐人は、**保佐人の同意を得なくても**有効な契約を締結できる。 ⇒**被保佐人**は、自分のした行為を**取り消すことはできない**。
例外	①**不動産の売買契約**、②宅地について5年、建物について3年を超える期間の賃貸借契約の締結、③贈与の申込みを拒絶する等の場合には**保佐人の同意が必要で**ある（ただし、日用品の購入その他の**日常生活に関する行為**については、**同意は不要**）。 ⇒**同意を得ずに行った場合**、被保佐人および保佐人は、**取り消すことができる**。

5 制限行為能力者と第三者・相手方の保護

1. 制限行為能力者がした行為は取り消すことができる場合があります。この取消しは、**第三者の善意悪意を問わず対抗することができます。**

2. 制限行為能力者が売買契約を結ぶ際に、行為能力者であることを信じさせるために**詐術**（さじゅつ）（人をだます手段）を用いた場合は、制限行為能力を理由にその契約を取り消すことはできません。同様に、同意を得なければならない行為について、詐術を用いて相手方に同意を得たと信じさせていたときも、その行為を取り消すことができません。

必須 **制限行為能力者の詐術**

制限行為能力者が、行為能力者であることを信じさせるため**詐術**を用いた場合（同意を得なければならない行為について詐術を用いて同意を得たと信じさせた場合）には、その行為を**取り消すことができない**。

 このレッスンが終わったら「きほんの問題集」の問題05～06にチャレンジ！

学習優先度 高

LESSON 03 代理

契約を他人任せにする方法…

introduction

1億円の土地の
売買契約を頼みたいけど、
宅くんには
まだ早いか…
やります！
この間も、ゲームソフト
代わりに買ってきたじゃ
ないですか！

1億円の土地とゲームソフトが同じに見えるのか～

僕もあのゲームで日本中の土地ゲットしましたよー！

代理では、「本人」「代理人」「相手方」の3人が登場します。そして、代理の仕組みについて、「本人」と「相手方」を中心に理解すると学習が進みます。

学習のポイント

❶「自己契約・双方代理」「復代理」

❷「制限行為能力者が代理人としてした行為」

❸「代理人が自分の名前で契約したら？」

❹「代理人が代理権を濫用（悪用）したら？」

❺「代理権がない人が登場した場合（無権代理）」の相手方の言えること

1 代理のきほん

Case 1 **契約を信頼できる人に任せる方法**

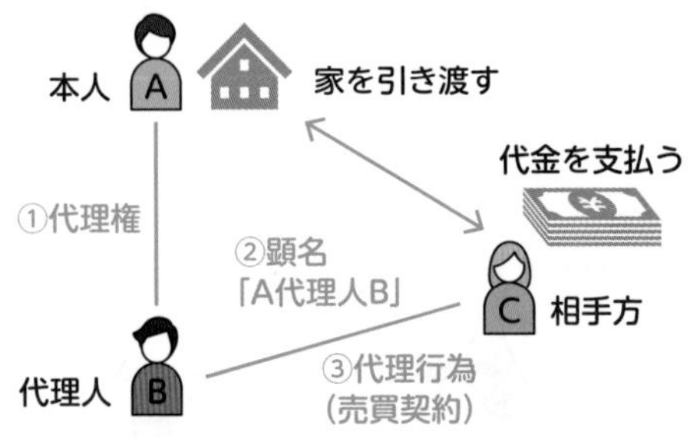

Aは手狭（てぜま）になったマイホームを売って郊外の広い家に住み替えたいと考えた。ただ、自分で契約を結ぶのは不安…そこで、その道のプロであるBに代理を頼み、希望どおりの値段でCに売却ができた。

ケース１のように、本人Ａが他人Ｂに**契約を結ぶ権限**（これを**代理権**といいます）を与えて、Ｂ（**代理人**）が、**本人の代理人だということを示して**（＝**顕名**（けんめい））、**代理権の範囲内**（＝本人に頼まれた範囲内）において行った売買契約（＝**代理行為**）は、**本人に対して直接に効力が生じます**。「**本人に対して直接に効力が生じる**」とは、実際の契約は代理人Ｂと相手方Ｃが結びますが、本人が契約の当事者になるということです。たとえば、**ケース１**では、本人Ａが売主になります。

このように、**本人に対して直接に効力が生じるためには、①代理権、②顕名、③有効な代理行為が必要です**。

＼アドバイス／

代理に登場する、「本人」「代理人」「相手方」の３人を最初に覚えることが大切です。**ケース１**のような「図」を描きながら＝イメージをもって学習を進めましょう。

2 代理権

1．代理権の種類と発生・消滅

本人が代理人に対して、代理権を授与（じゅよ）する行為（例：家を売る代理権を与えること⊕）により**任意**（にんい）**代理権**は発生します。これに対して、**法定代理権**は、法律によって当然に発生します。たとえば親は未成年の子供を代理します。また、**夫婦**は、**日常家事の範囲内**（例：商店での食料品購入契約）ではお互いに**代理権**を有します。これも法定代理権の一種です。

＼アドバイス／

試験対策としては、任意代理を中心に学習を進めましょう。

任意代理権は以下の事由により**消滅**します。

	死亡	破産手続開始の決定	後見開始の審判
本人	○	○	×
代理人	○	○	○

○＝代理権が消滅する　×＝消滅しない

2. 自己契約・双方代理・利益相反行為

Case 2　売主・買主から同時に代理権はもらえるの？

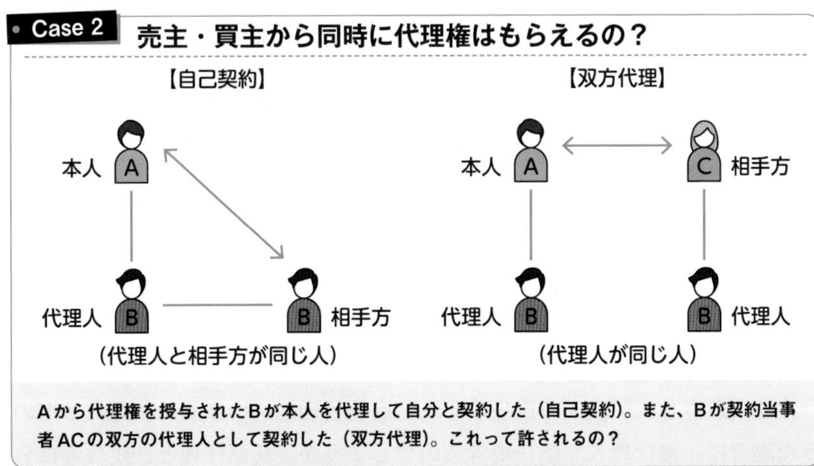

Aから代理権を授与されたBが本人を代理して自分と契約した（自己契約）。また、Bが契約当事者ACの双方の代理人として契約した（双方代理）。これって許されるの？

ケース2のように、自己契約を認めると、代理人が本人よりも**自分に有利な契約を結ぶ可能性**があります。また、双方代理を認めると、どちらか一方の本人に不利な契約を結ぶ可能性があります。

そこで、原則 **自己契約**や**双方代理**を行ったときには、**代理権がない者がした行為**（後で学習する**無権代理行為**）**とみなされ、本人に効力が生じません。**

ただし、①あらかじめ**本人の許諾**がある場合、つまり本人が「よい」と言っ

補足
売買契約締結の代理権を与えられた者は、特段の事情がない限り、相手方から当該売買契約の取消しの意思表示を受ける権限も有する。

た場合や、②**債務の履行**、たとえば、不動産の売買契約が成立した後に、所有権の移転登記の申請を代理する場合のように、本人に不利益が生じないときには、例外 **有効な代理行為となります**。

自己契約・双方代理と同じように、原則 **代理人と本人との利益が相反する行為**（利益相反行為）も、**無権代理行為**になります。たとえば、Ａが本人、Ｂが代理人、Ｃが相手方という事例で、ＢがＣに対して負う債務（借金等）について、ＢがＡを代理してＣと保証契約（Ｂの借金をＡに肩代わりをさせる契約）を締結したという場合です。

例外 **ただし、本人があらかじめ許諾した場合は有効な代理行為となります**。

＼アドバイス／
「無権代理行為」「債務の履行」「所有権の移転登記」「保証」など専門用語が登場しますが、後で学習します。専門用語で立ち止まることなく、安心して読み進めてください。

必須 **自己契約・双方代理・利益相反行為**

原則		例外	
自己契約 **双方代理**	⇒**無権代理行為**となる	①本人が**あらかじめ許諾**した場合 ②債務の履行	⇒**有効な代理行為**となる
利益相反行為		本人があらかじめ許諾した場合	

3. 代理人が選んだ代理人

代理人がさらに代理人を選任することを**復代理**といいます。代理人はどのような場合に、復代理人を選任できるのでしょうか。任意代理と法定代理に分けて学習します。

(1) 原則 **任意代理人**は、原則として、**復代理人を選任できません**。本人から信頼されて代理人となったのですからいわば当然です。ただし、例外 **①本人の許諾を得たとき、または②やむを得ない事由（たとえば病気）があるときは、復代理人を選任できます**。

(2) **法定代理人**は、自己の責任で**復代理人を選任することができます**。この場合、原則として復代理人の行為について本人に対して全責任を負います。ただし、やむを得ない事由により復代理人を選任したときは、本人に対してその選任および監督についての責任のみを負います。

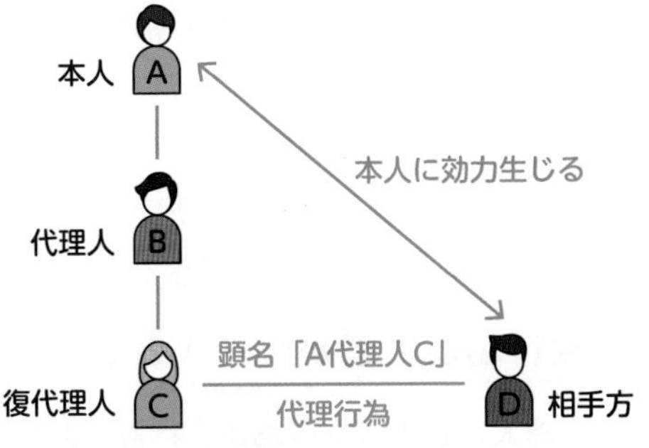

必須 **復代理**

任意代理人	原則→**復代理人を選任できない。**
	例外→次のいずれかにあたる場合、復代理人を選任できる。 ①**本人の許諾を得た**とき ②**やむを得ない事由がある**とき
法定代理人	自己の責任で**復代理人を選任できる。**

○×チャレンジ

Q Aが所有する甲地を売却する代理権をAから与えられたBが、Cの代理人にもなり、売買契約を締結することは、Cの許諾があればできる。

A 双方代理の例外になる「本人」の許諾は、各代理の本人です。本問では、AとCの2人が「本人」になります。したがって、Aの許諾も必要です。 ×

4. 制限行為能力者が代理人としてした行為

本人は、**制限行為能力者**（未成年者・成年被後見人・被保佐人・被補助人）を**代理人**とすることができます。

そして、**原則** **制限行為能力者が代理人としてした行為**は、原則として、行為能力の制限を理由に**取り消すことができません**。たとえば、Aが自己所有の土地の売却に関する代理権を未成年者Bに与え、BがCとの間で締結した売買契約について、AはBが未成年であることを理由に取り消すことはできず、代理の効果は本人Aに帰属します。なぜなら、取消しを認めなくても代理人である制限行為能力者Bが損をする可能性は低いからです。

ただし、**例外** **制限行為能力者が他の制限行為能力者の法定代理人としてし**

た行為は、代理人の行為能力の制限を理由に取り消すことができます。たとえば、未成年者Ａの法定代理人Ｂが被保佐人であり、Ｂがその保佐人の同意を得ずにＡを代理してＡ所有の土地の売買契約をＣと締結した場合、Ａは、Ｂの行為能力の制限を理由に売買契約を取り消すことができます。この場合は、制限行為能力者である本人を保護する必要があるからです。

必須 制限行為能力者が代理人としてした行為

制限行為能力者が代理人としてした行為は、**行為能力の制限によっては取り消すことができない。**
ただし、制限行為能力者が他の制限行為能力者の**法定代理人**としてした行為については、取り消すことができる。

5. 代理人が自分の名前で契約したら？

Case 3 代理人が顕名をしなかったら？

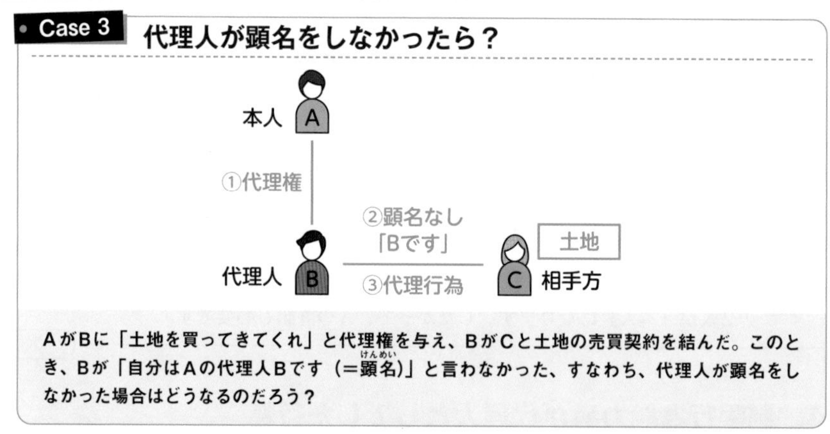

AがBに「土地を買ってきてくれ」と代理権を与え、BがCと土地の売買契約を結んだ。このとき、Bが「自分はAの代理人Bです（＝顕名（けんめい））」と言わなかった、すなわち、代理人が顕名をしなかった場合はどうなるのだろう？

Ａの代理人ＢがＣと土地の売買契約を結んだとき、Ｂが「自分はＡの代理人Ｂです（＝顕名）」と言えば、Ｃは「代金を払ってくれるのはＢではなくＡだ」と分かります。このように、相手方に誰が本人であるのかを分かってもらうために顕名をするわけです。

したがって、原則 **代理人が顕名をしなかった**場合は、**自己（代理人）のためにした**ものとみなされます。この場合、**代理人**と**相手方**の間で契約が成立します。相手方は代理人を契約の当事者と思うからです。

ただし、例外 **相手方が、代理人が本人のためにすることを知り、または知ることができたときは、本人に対して直接に効力を生じます**。

必須 **代理人が顕名をしなかった場合**

代理人が**顕名を** **しなかった**場合	原則：**自己のためにした**ものとみなす。
	例外：相手方が、代理人が本人のためにすることを**知り**、または知ることができたときは、**本人に対して直接に効力を生じる**。

6. 代理人がだまされて契約をした場合

たとえば、本人Aの代理人Bが相手方Cにだまされて契約をした場合、本人Aは何が言えるでしょうか。

代理においては、代理人がだまされて契約を結んだ場合のように、**代理行為に瑕疵**（かし）（錯誤、詐欺、強迫、悪意・善意有過失など）**があるかどうか**は、実際に契約等を行っている**代理人を基準**に判断します。したがって、**代理人**がだまされたのであれば、詐欺があったことになります。そして、代理の効力は本人に生じることから、**取消し**は、原則として**本人**がすることになります。

必須 **代理行為の瑕疵の判断基準**

代理行為に瑕疵（錯誤、**詐欺**、強迫または悪意・善意有過失など）があるかどうかは、**代理人を基準に判断**する。

7. 代理人が代理権を濫用（らんよう）（悪用）したら？

代理権の濫用とは、代理人が代理権を悪用した場合のことです。

たとえば、AからA所有の甲土地を売却することの代理権を与えられた代理人Bが、**売買代金を着服**（ねこばば）**する意図**で、Aの代理人として甲土地の売買契約をCと締結したが、**相手方CはBの意図を知っていた**とします。

この場合、**原則** Bには甲土地売却の代理権があるので、売買契約の効力は本人Aに生じるのが原則です。しかし、相手方が代理人の意図を知っているような場合にまで、本人を犠牲にして相手方を保護する必要はありません。

そこで、**例外** **代理人が自己または第三者の利益を図る目的で代理権の範囲内の行為をした場合、相手方がその目的を知り、または知ることができたときは、代理権を有しない者がした行為（無権代理行為）とみなされます**。上の例では、相手方Cが悪意なので、Bの行為は無権代理行為になり、原則として本人Aに効力が生じません。

必須 **代理権の濫用**

代理人が**自己・第三者の利益を図る目的**で代理権の範囲内の行為をした場合（**代理権の濫用**）	原則：本人に効力が生じる。
	例外：相手方がその目的を**知り**、または知ることができたときは、**無権代理行為とみなされる。** ⇒本人に効力が生じない。

3 無権代理

1. 無権代理の効力

たとえば、Bが、Aの土地について売却する代理権がないにもかかわらずCと売買契約を結んだように、**代理権を有しない者**（**無権代理人**）が代理人として結んだ契約は、原則として**本人に対して効力を生じません**。したがって、相手方Cは本人Aに対して土地を引き渡せとは請求できません。

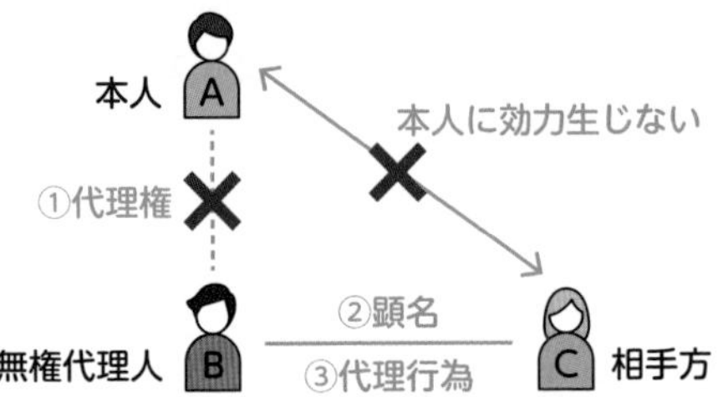

2. 本人が主張できること

無権代理人の締結した契約が、本人にとって有利な場合もありえます。そこで、**本人は**、無権代理行為を**追認**することができます。**追認**は、原則として**契約の時**にさかのぼってその**効力を生じます**。つまり、追認をすると、無権代理行為は、原則として最初から有効な代理行為となります。⊕

⊕補足
追認は、相手方または無権代理人に対して行うこともできる。ただし、無権代理人に対して追認した場合、相手方が追認の事実を知るまでは追認したことを相手方に主張できない。

本人は、**追認を拒絶**することもできます。**追認を拒絶**すると、無権代理行為は、**無効であることに確定**します。

3. 無権代理の相手方が主張できること

無権代理人の相手方は（1）**催告権**（さいこくけん）、（2）**取消権**、（3）**無権代理人への責任追及**、（4）**表見代理**（ひょうけんだいり）、の4つを主張することができます。それぞれどのような場合に主張できるのかを確実に覚えてください。

（1）催告権

本人が追認する場合もあります。そこで、相手方は、本人に対し、追認をするか否かを確答すべき旨の**催告**をすることができます（**催告権**）。相手方が無権代理について**悪意**でも催告することができます。**本人が確答しない**場合、たとえば、追認をしないままでいれば、**追認を拒絶**したものとみなされます。

（2）取消権

原則 相手方は、本人が**追認しない間**は、無権代理による契約を**取り消すことができます**（**取消権**）。無権代理が絡むような契約関係を解消したいという場合の手段です。

ただし、契約の時において代理権を有しないことを**相手方**が知っていた（**悪意**）ときは、**取り消すことはできません**。 例外 **つまり、相手方は善意の場合にのみ取り消すことができます。**

必須 催告権・取消権

本人が追認していない間	相手方は、悪意でも	催告できる※
	相手方は、善意であれば	取消しできる

※本人が確答しない場合は、追認拒絶とみなされる。

（3）無権代理人への責任追及

相手方は、**本人が追認していない**間であれば、無権代理人に対して責任追及（**履行**（りこう）**または損害賠償**（そんがいばいしょう）**の請求**）をすることができます。無権代理人への責任を追及できるか否かをまとめると次のようになります。

＼アドバイス／
ここは、覚えにくいところです。まず、相手方の立場に立って、どんな場合に無権代理人に責任追及できるか？　という視点で学習しましょう。

必須 無権代理人への責任追及（履行または損害賠償の請求）

相手方の事情	無権代理人の事情	請求
善意※1無過失	―	**できる**※3※4
善意※1有過失	悪意（無権代理人が自己に代理権がないことを知っていた場合）	**できる**※3※4
	善意（無権代理人が自己に代理権がないことを知らない場合）	できない
悪意※2	―	できない

※1代理権がないことを知らない場合
※2代理権がないことを知っている場合
※3本人が追認していない間
※4無権代理人が制限行為能力者である場合には責任追及できない。

（4）表見代理

無権代理の場合でも、相手方を保護するために、**一定の要件を満たせば、代理権のある行為**となる場合（**表見代理**）があります。どのような場合に表見代理が成立するのでしょうか？

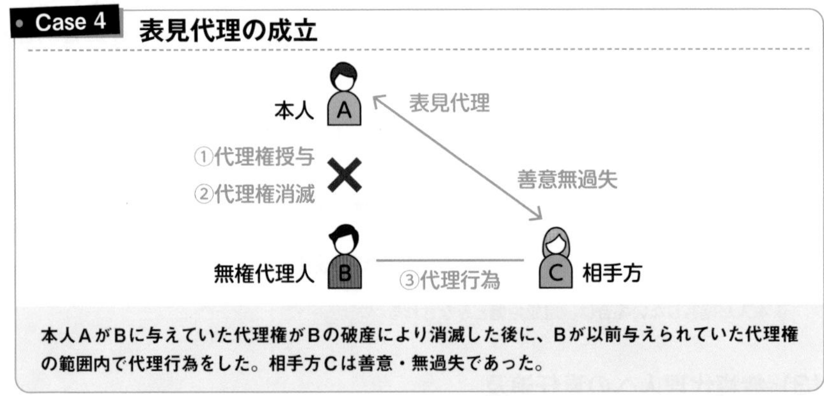

本人AがBに与えていた代理権がBの破産により消滅した後に、Bが以前与えられていた代理権の範囲内で代理行為をした。相手方Cは善意・無過失であった。

たとえば、原則 本人Aの土地を無権代理人BがCに売却した場合、原則、相手方CはAの土地を手に入れることはできません。

しかし、**ケース4**のように本人AがBに与えていた**代理権**がBの**破産により消滅**した後に、Bが以前与えられていた代理権の範囲内で代理行為をした場合に、**相手方**Cは**善意・無過失**であれば、表見代理が成立します。したがって、相手方CはAの土地を手に入れることができます。このように、例外 **表見代**

理が成立すると、無権代理であるにもかかわらず、本人に効力が生じることになります。

表見代理が成立すると、本人からすれば、いわば無権代理人が勝手にした行為を押しつけられるわけです。したがって、本人にもそれなりの責任がある場合だけ、表見代理が問題となります。他方、相手方についても保護に値するだけの事情が必要です。したがって、無権代理であることについて相手方が善意無過失の場合だけに、表見代理の主張を認めることにしました。このように、**表見代理が成立**するためには、**相手方の善意無過失**のほかに、**本人にも一定の責任が必要**です。

＼アドバイス／

本人の責任は、次の具体例3つが頭に入っていれば十分です。ここで大事なのは相手方の事情を確実に覚えることです。

必須 表見代理

本人の責任	相手方の事情	表見代理
本人が実際には代理権を与えていないのに、与えた旨の表示（**代理権の授与表示**※1）をした	**善意無過失**	**表見代理が成立し、本人に効力が生じる**
本人が以前代理権を与えていたが、それが消滅した後（**代理権消滅後**※2）に代理行為をした		
本人から与えられた代理権の範囲を越えて、代理人が行為（**権限外の行為**※3）をした	代理人の権限があると信ずべき**正当な理由がある**※4	

※1代理権の授与表示とは、たとえば、本人が代理権を与えていないのに委任状を与えた場合のこと。代理権の授与表示をされた者が、①表示された代理権の範囲内の行為をした場合と、②表示された代理権の範囲外の行為をした場合の双方を含む。

※2代理権消滅後とは、たとえば、代理人が破産手続開始の決定を受け、代理権が消滅したあとに代理行為をした場合のこと。以前代理権を与えられた者が、①与えられていた代理権の範囲内の行為をした場合と、②与えられていた代理権の範囲外の行為をした場合の双方を含む。

※3権限外の行為とは、たとえば本人が**賃貸の代理権**を与えたにもかかわらず、代理人が**売買**契約を締結してしまった場合のこと。

※4善意無過失と同じ意味。

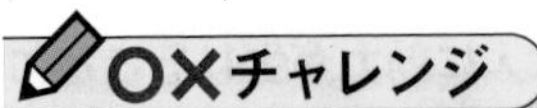

Q 本人から与えられた代理権の範囲を越えて、代理人が行為をした場合、相手方が代理人の権限があると信ずべき正当な理由があるときは、表見代理が成立する。

A 本人から与えられた代理権の範囲を越えて、代理人が行為をした場合（権限外の行為をした場合）、相手方が代理人の権限があると信ずべき正当な理由があるとき（善意無過失であるとき）は、表見代理が成立します。

○

4 無権代理と相続

1. 無権代理と単独相続

Case 5 無権代理と単独相続

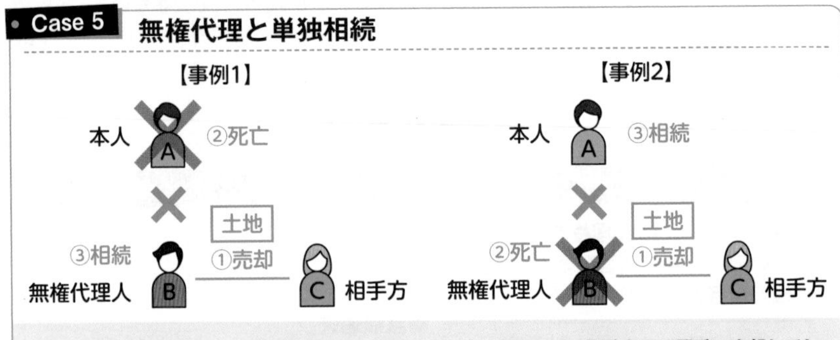

父Aの所有する土地を、代理権がないにもかかわらず、息子Bが、相手方Cに勝手に売却してしまった。その後、本人Aが死亡して無権代理人Bが単独で相続した場合（事例1）と、無権代理人Bが死亡して本人Aが単独で相続した場合（事例2）、どうなるだろうか。

（1）本人Aが死亡して無権代理人Bが本人を単独で相続【事例1】

本人Aが死亡し、**無権代理人Bが本人を単独で相続**した場合、**無権代理行為は当然に有効**になります。したがって、Bは追認を拒絶することができません。

なお、**本人Aが追認を拒絶した後死亡**し、その後、**無権代理人Bが本人を単独で相続**した場合には、**無権代理行為は有効となりません**。本人が追認を拒絶すれば無権代理行為の効力が本人に及ばないことが確定し、追認拒絶の後は本人であっても追認によって無権代理行為を有効とすることができないからです。

（2）無権代理人Bが死亡して本人Aが無権代理人を単独で相続【事例2】

本人Aは**追認**を**拒絶**することができます。つまり、当然に**有効な代理行為と**

はなりません。⊕

必須 無権代理と単独相続

【事例1】**本人が死亡** ⇒**無権代理人**が本人を単独相続	無権代理行為は、**当然に有効な代理行為**となる
【事例2】**無権代理人が死亡** ⇒**本人**が無権代理人を単独相続	無権代理行為は、**当然に有効とはならず**、本人は**追認を拒絶できる**

2. 無権代理と共同相続

無権代理人が他の相続人と共同で相続した場合にはどうなるでしょうか。

Case 6 無権代理と共同相続

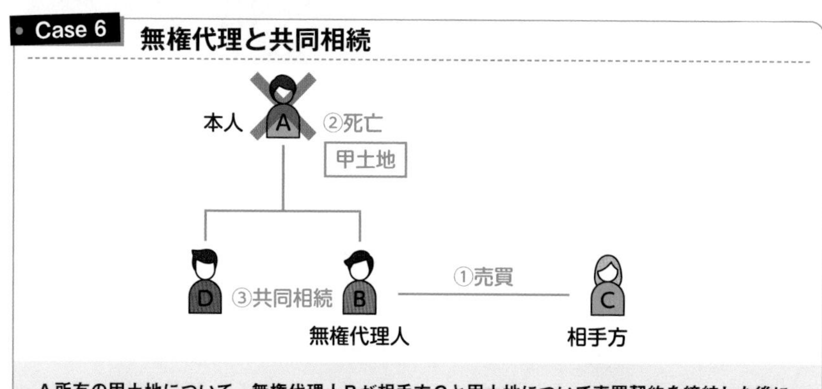

A所有の甲土地について、無権代理人Bが相手方Cと甲土地について売買契約を締結した後に、本人Aが死亡し、無権代理人Bが他の相続人Dと共同で相続した。

ケース6の場合、他の共同相続人**全員の追認**がなければ、**無権代理人の相続分についても有効にはなりません**。したがって、Dの追認がなければ、無権代理人Bの相続分についても有効とはなりません。

必須 無権代理と共同相続

無権代理人が他の相続人と**共同**で**相続**した場合、他の共同相続人**全員**の**追認**がなければ、**無権代理人の相続分についても有効にはならない**。

⊕補足
相手方が善意無過失であれば、本人Aは無権代理人としての責任を負う場合がある。

このレッスンが終わったら「きほんの問題集」の問題07～13にチャレンジ！

時効

他人の土地が自分のものになることってあるの…

introduction
お客さんの土地の一部に
隣の家が長年建っていた
みたいで…困ってます。
それは大変だね。
「待った」をかけないと
いけない。

時効取得されてしまうからですね。

そうだね。一定の期間、他人の土地を自分のものとして使うと、その土地は時効取得されてしまう…時効の完成を止めなければならない。

他人の土地が自分のものになったり（取得時効）、借金が帳消しになったり（消滅時効）することがあります。それぞれ、どのような要件が揃うと時効が完成するのか、反対に時効の完成を止める方法も学習します。さらに、時効が完成したあとについても学習しましょう。

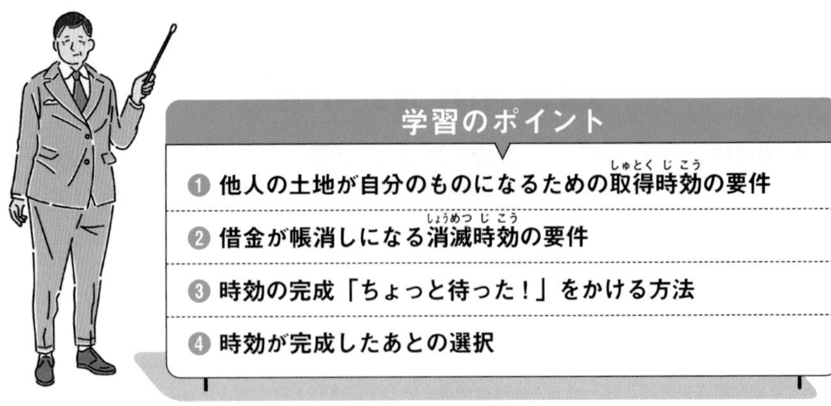

1 時効

1. 取得時効

A所有の甲土地にBが建物を建て、一定期間が経過すると、甲土地はBのものになることがあります。

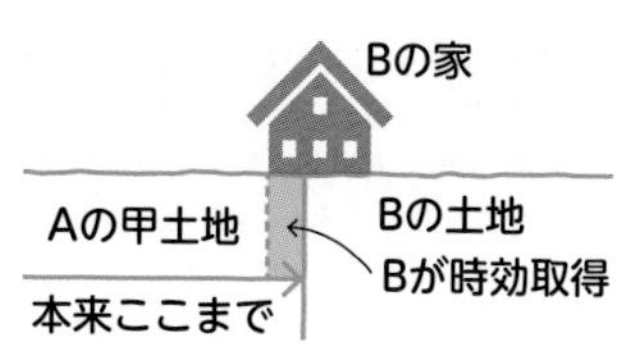

このように他人の土地が一定の条件のもとに自分のものになるのが**所有権の取得時効**です。⊕取得時効では、どんな場合に取得時効が成立するのかがポイントです。

所有の意思をもって、平穏公然（暴行強迫によらず、かつ、人目に触れないようにしないこと）と他人の物を**一定の期間占有**した者は、その**所有権を時効取得**します。

所有権を時効取得するためには**所有の意思**を持って**占有**することが必要です。たとえば、土地に建物を建てて住んでいる場合のように、自分が所有者のように（所有の意思をもって）その物を事実上支配している（占有＝実際に使っている）場合のことです。したがって、**賃借人**として長期間**占有**を続けても**所有権を時効取得することはできません**。

所有の意思をもって、平穏公然と他人の物を占有した者は、その**占有開始の時**に、**善意無過失**のときは、**10年間で時効が完成**し、その**所有権を時効取得します**。これに対して、**占有開始の時**に、**悪意**または**善意有過失**の時には、**20年間**で時効が完成します。

善意無過失か否かは、**占有開始時**を基準に判断します。したがって、**占有開始時に善意無過失**であれば、**途中で悪意**になっても**10年間で時効が完成**します。

⊕補足

Aの土地をBが自分の土地として長い間使っている場合、その長期にわたり続いている事実状態を尊重して、法律的にもBを所有者として扱おうというのが時効制度である。

必須 所有権の取得時効

所有の意思を持って平穏公然に**占有を継続**※	**占有開始時に善意無過失→10年間**	所有権を時効取得
	占有開始時に悪意または善意有過失⇒20年間	

※時効取得のための占有は、直接自分が占有していない場合にも認められる。たとえば、A所有地を所有の意思を持って平穏公然にBが2年間占有し、引き続き18年間Cに賃貸していた場合、BはCという代わりの者を通じて、間接的に占有していたと認められる。

○×チャレンジ

Q 占有者が占有開始時に善意無過失でも、その後10年間が経過する前に悪意になったときは、占有開始時から20年間経過しなければ、取得時効は完成しない。

A 善意無過失か否かは、占有開始時を基準に判断します。したがって、占有開始時に善意無過失であれば、その後悪意になったとしても10年間で取得時効が完成します。

×

2. 占有の承継

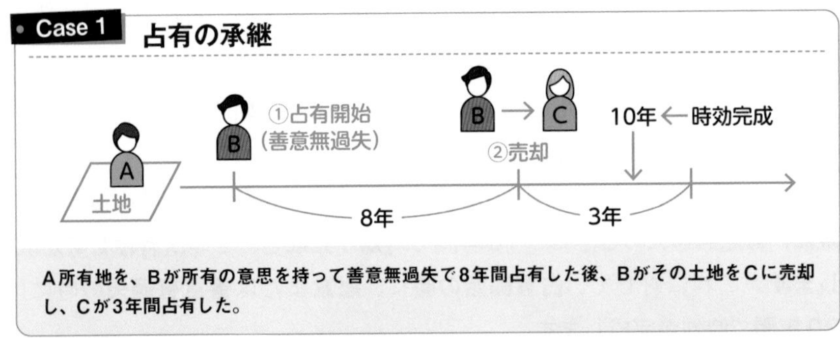

A所有地を、Bが所有の意思を持って善意無過失で8年間占有した後、Bがその土地をCに売却し、Cが3年間占有した。

C（**占有者の承継人**）は、その選択に従い、**自己の占有のみ**を主張することも、**自己の占有に前の占有者Bの占有をあわせて**主張することもできます。前の占有者Bの占有をあわせて主張する場合には、その者の**善意・悪意・過失の有無も承継する**ので、善意無過失等の判断は**前の占有者**Bが基準となります。

ケース1の場合、CがBの占有期間もあわせて主張すれば、占有期間は11年となります。さらに、Bが善意無過失である点も承継します。したがって、Cは10年間の時効取得を主張できます。

必須 占有の承継

占有者の承継人は、その選択に従い、自己の占有のみを主張することも、**自己の占有に前の占有者の占有をあわせて主張**することもできる。ただし、前の占有者の占有をあわせて主張する場合、**善意・悪意・過失の有無**は、**前の占有者の占有開始時で判断**する。

2 消滅時効（しょうめつ）

AがBにお金を貸しました。ただ、期限が到来しても、Bは支払いをせず、AもBに対して特に何もしていません。AのBに対する債権は、次に掲げる場合には、時効によって消滅します。

①債権者が**権利を行使することができる**ことを**知った時**から**５年間**行使しないとき

②**権利を行使することができる時**から**10年間**行使しないとき（人の生命または身体の侵害による損害賠償請求権の場合には、20年間）

消滅時効は、**権利を行使することができる時（起算点）**から進行します。**起算点**は、期限の種類によって異なり具体的には以下のとおりです。

ケース （売主の代金債権）	権利を行使することができる時 （時効の起算点）
確定期限の場合※1 例：10月14日に代金を支払う	期限が到来した時から
不確定期限の場合※2 例：飼い犬が死んだら代金を支払う	期限が到来した時から
期限の定めのない場合 例：代金の支払い時期を定めなかった	債権が成立した時から

※1確定期限とは、期限到来の時期が確定している場合をいいます。
※2不確定期限とは、いつかは到来する（いつか飼い犬は死ぬ）が、到来の時期が不確定な（いつ死ぬのか分からない）場合をいいます。

債権または所有権以外の財産権は、権利を行使することができる時から20年間行使しないときは、時効によって消滅します。

ただし、**所有権は時効消滅しません**。この「所有権は時効消滅しない」ことと、取得時効で学んだ「所有権を時効取得する」ことは紛らわしいところです。

次のように理解してください。たとえば、Aが自己所有の甲土地を10年間使わなかったとしても、Aの所有権は時効で消滅しません。ただ、このAの甲土地をBが時効取得した場合には、Bが甲土地の所有権を取得しますから、結果としてAは甲土地の所有権を失います。

必須 消滅時効

1. 債権は、次に掲げる場合には、時効によって消滅する。
   ①**債権者が権利を行使することができることを知った時**から**5年間**行使しないとき
   ②**権利を行使することができる時**から**10年間**行使しないとき（人の生命または身体の侵害による損害賠償請求権の場合には、20年間）
2. 所有権は時効消滅しない。

3 時効の完成猶予・更新

Case 2 時効の完成「ちょっと待った！」

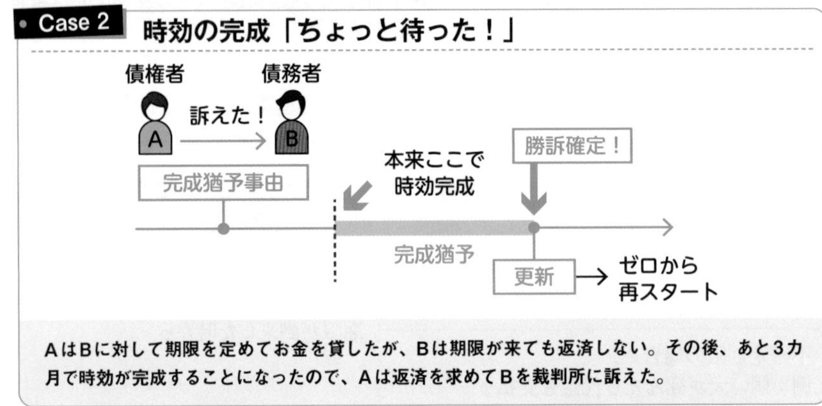
債権者
債務者
訴えた！
A
B
完成猶予事由
本来ここで
時効完成
勝訴確定！
完成猶予
更新
ゼロから
再スタート
AはBに対して期限を定めてお金を貸したが、Bは期限が来ても返済しない。その後、あと3カ月で時効が完成することになったので、Aは返済を求めてBを裁判所に訴えた。

ケース2のように**裁判上の請求**などの事由がある場合には、時効期間の進行自体は止まりませんが、**本来の時効期間が満了しても時効が完成しません**（**時効の完成猶予**（かんせいゆうよ））。したがって、**ケース2**では、3カ月が経過して本来の時効期間が満了しても、訴訟中は時効が完成しません。そして、Aが裁判で勝って**確定判決を得た**場合等には、それまでの時間の経過がゼロになり、**新たに時効が進行します**（**時効の更新**（こうしん））。すごろくの「振り出しに戻る」と同じことです。

時効の完成猶予事由は、①**裁判上の請求**、②強制執行（きょうせいしっこう）、担保権（たんぽけん）の実行、③仮差押え、仮処分、④**催告**（**裁判外の請求**）などがあります。

＼アドバイス／

ここでは、①裁判上の請求と④催告（裁判外の請求）が重要です。

権利（債務）の承認があった場合には、直ちに**時効の更新が生じます**。時効の完成が猶予されるのではありません。権利の承認とは、たとえば、債務者の利息の支払いや支払猶予の申入れ（支払いを待ってほしいと頼むこと）のように、債務者から権利者に対して、権利の存在を知っている旨を表示することです。

必須 時効の完成猶予・更新

事由	効果
裁判上の請求	**時効の完成が猶予**され、確定判決等によって**権利が確定**したときは、**時効の更新**が生じる。
催告（裁判外の請求）	催告から6カ月間**時効の完成が猶予**される。 **時効の更新の効果を生じない**。
権利（債務）の承認	**時効の更新**が生じる。

4 時効の援用と時効利益の放棄

時効が完成するとどうなるのでしょうか。

Case 3 時効が完成したら？

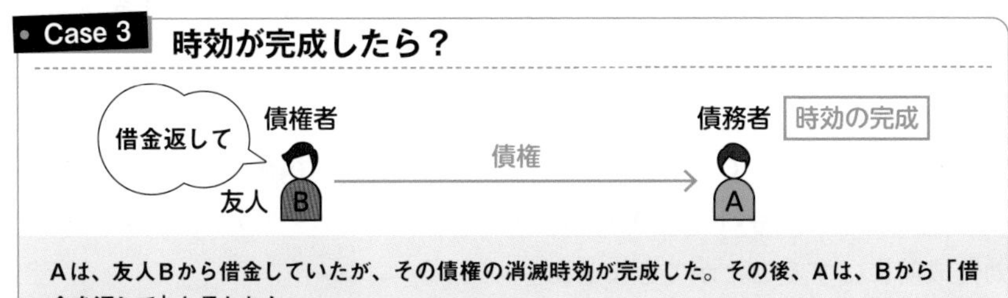

Aは、友人Bから借金していたが、その債権の消滅時効が完成した。その後、Aは、Bから「借金を返して」と言われた。

ケース3のAは、①借金は返さない（**時効の援用**）、②借金は返す（**時効利益の放棄**）、という2つのうちいずれかを選択できます。

1. 時効の援用

「借金は返さない」というように**時効の利益を主張**することを、**時効の援用**といいます。このように、時効が完成しても自動的に時効の効果（権利の取得や消滅）が生じるのではなく、時効によって利益を受ける者が、**時効を援用**してはじめて**時効の効果が発生**します。

時効の援用は、**「当事者」**がすることができます。所有権の取得時効であれば占有者（時効取得する者）です。債権の消滅時効であれば**債務者**です。また、消滅時効では、**保証人**（他人の債務の肩代わりをする者）、**物上保証人**（他人の債務を担保するために抵当権を設定した者）、**抵当不動産の第三取得者**（抵当権が設定されている不動産を買い取った者）なども含まれます。ただし、後順位抵当権者は、先順位抵当権の被担保債権の消滅時効を援用できません。

＼アドバイス／
保証人、物上保証人など専門用語が登場しますが、それぞれ後で学習します。専門用語は気にせずに学習を進めてください。

債務者が**時効の完成を知らない**で債務の一部を弁済したような場合（**承認した場合**）、もはやその**時効の援用をすることはできません**。**ケース3**のように、AがBから借金をしている場合に、時効が完成したことを知らずに、AがBに利息を支払ったときには、Aは時効の援用はできません。Bからすれば「Aは時効の援用をしない」と思うわけですから、その期待を裏切ることはできないからです。

時効の援用をした場合に、その**時効の効力**は、その**起算日**にさかのぼって生じます。たとえば、Aの所有する甲土地をBが時効取得した場合、Bは、甲土地の占有を開始した時（起算日）に所有権を取得したことになります。

2. 時効利益の放棄

時効の援用に対して「借金は返す」と言うように、積極的に**時効による利益を受けないこと**を**時効利益の放棄**といいます。ただし、時効利益の放棄は、時効完成前にはすることができません。

必須 時効の援用と時効の効力

① 消滅時効の援用ができる者（援用権者）
⇒債務者、保証人、**物上保証人**、抵当不動産の第三取得者等
② 債務者が時効の完成を知らないで**債務の承認**をした場合は、**時効の援用はできない**。
③ 時効の効力は、その**起算日**にさかのぼる。

このレッスンが終わったら「きほんの問題集」の問題14〜16にチャレンジ！

学習優先度 低

LESSON 05 条件

転勤が決まったら家を売ってくれるって…

introduction

お客さんとの
交渉は上手く
いってる？
はい。
なんでも転勤が決まったら
家を売ってくれるそうなので、
気長に待ってます…

停止条件だね。わかるかな？

停止条件？　自動車が一時停止するところの話ですか？

「転勤が決まったら家を売る」というように、「転勤が決まったら＝条件」が満たされたら、「家を売る＝効力」が発生する条件を「停止条件（ていしじょうけん）」といいます。

学習のポイント

1. 停止条件付契約とは？
2. 条件の成否未定の間における権利の処分等
3. 条件の成就の妨害
4. 条件の成否未定の間における利益の侵害の禁止

1 条件

1. 停止条件

Case 1 試験に受かったら家が手に入る？

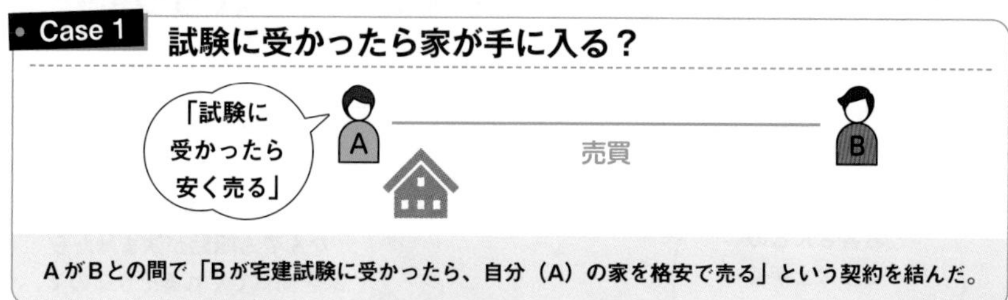

AがBとの間で「Bが宅建試験に受かったら、自分（A）の家を格安で売る」という契約を結んだ。

ケース1の「試験に受かったら家を格安で売る」というように、**契約の効力の発生**についている条件を**停止条件**といいます。条件が満たされる（成就する）まで契約の効力の発生が停止しているという意味です。停止条件付きの契約では、原則として、**停止条件が成就した時**からその**効力を生じます**。停止条件付きの契約が成立したときではありません。したがって、**ケース1**では、「Bが宅建試験に受かったら、自分（A）の家を格安で売る」という契約の成立時ではなく、Bが宅建試験受かった時に、BはAの家を手に入れることができます。

2. 条件の成否未定の間における権利の処分等

条件の成否が未定である間における**当事者の権利義務**は、処分（**譲渡**等）・**相続**等することができます。たとえば、AがBに対して「自分（A）の転勤が決まったら家を売る」と契約を結び、Aの転勤が未定の間に、Bが死亡した場合には、Bの相続人CはBの立場を相続します。したがって、Aの転勤が決まったら、CはAの建物を手に入れることができます。

用語

【譲渡】 売買など権利・財産などを、他人に譲りわたすこと。

3. 条件の成就の妨害

Case 2 条件の成就の妨害

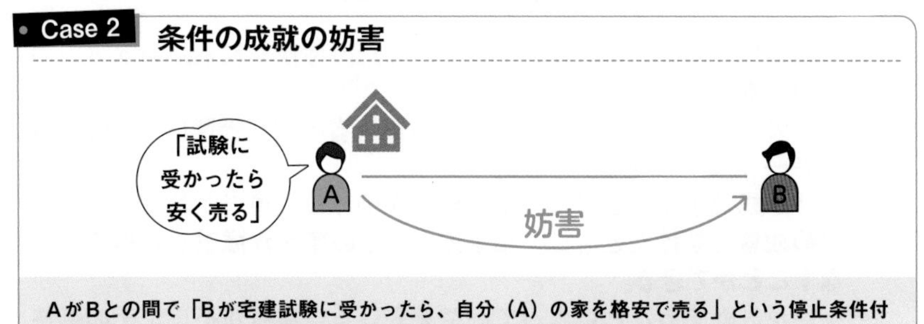

AがBとの間で「Bが宅建試験に受かったら、自分（A）の家を格安で売る」という停止条件付き契約を結んだ。その後、Aは、わざと邪魔してBに試験を受けさせなかった。

ケース2のように、**条件が成就することによって不利益を受ける当事者**が**故意にその条件の成就を妨げた**ときは、相手方は、その**条件が成就したものとみなすことができます**。したがって、Bは条件が成就したものとみなすことができます。

ケース2とは逆に、Bが不正な手段で宅建試験に合格したような場合には、Aは、その条件が成就しなかったものとみなすことができます。つまり、この場合には、BはAの家を格安の値段で手に入れることはできません。このように、**条件が成就することによって利益を受ける当事者**が**不正にその条件を成就させた**ときは、相手方は、その条件が**成就しなかったものとみなすことができます**。

4. 条件の成否未定の間における利益の侵害の禁止

たとえば、AがBに「Bが宅建士試験に合格したら、Aの別荘をタダであげる」という停止条件付き**贈与契約**を結んだ後、Bの試験の合否が未定の間にAの放火によりその別荘が焼失した場合、AはBに対して損害賠償責任を負います。このように、条件付きの契約をした当事者は、条件の成否が未定である間は、条件が成就した場合にその契約から生ずべき**相手方の利益を害することができません**。

5. 解除（かいじょ）条件

たとえば「銀行からの融資を受けられなければ、売買契約は消滅する」というように、契約の効力の消滅に付いている条件を解除条件といいます。条件が満たされた場合には契約は解除＝なかったことになります。

必須 条件付き契約

① **停止条件付契約**では、原則として、**停止条件が成就した時**からその**効力を生じる。**
② 条件の成否が未定である間における**当事者の権利義務**は、処分（譲渡等）・**相続**等できる。
③ 条件が成就することによって不利益を受ける当事者が**故意にその条件の成就を妨げた**ときは、相手方は、その**条件が成就したものとみなすことができる。**
④ 条件が成就することによって利益を受ける当事者が**不正にその条件を成就させた**ときは、相手方は、その**条件が成就しなかったものとみなすことができる。**
⑤ 条件付契約をした当事者は、条件の成否が未定である間は、条件が成就した場合にその契約から生ずべき**相手方の利益を害することができない。**相手方の利益を害した場合、損害賠償責任を負うことがある。

OXチャレンジ

Q A所有の甲土地について、AとBが停止条件付きで売買契約を締結した場合で、条件の成否が未定の間にBが死亡したときは、Bの相続人Cは、Bの権利義務を相続することはできない。

A 条件の成否が未定である間における当事者の権利義務は、相続することができます。したがって、条件の成否が未定の間に当事者であるBが死亡した場合、Bの相続人Cは、Bの権利義務を相続することができます。

×

学習優先度 高

LESSON 06 弁済・相殺・債権譲渡・債務引受

お客さんの彼女が家賃を払ってくれるらしいけど…

家賃を払ってくれないお客さんがいて…でも、お客さんがお付き合いしている彼女が来て、「私が払います」と言ってきました。

それ。お客さんが「OK」出したか、確認してね。

お客さんのかわりに彼女が払う場合、そのお客さんがイヤと言えば、払えないんだよ。

そうなんですか？　でも、お客さん泣いて喜んでいたので大丈夫です！

彼女の場合、弁済(べんさい)をするについて正当な利益を有しない第三者にあたりそうです。この場合には、原則として、「債務者＝彼氏」の意思に反して弁済をすることができません。レッスン6では、以下を中心に学習します。難解な内容もありますが、最後まで読み切ることを優先してください。

学習のポイント

1. 「弁済」では、借金を「誰が」「誰に」返せるのかについて
2. 「相殺(そうさい)」では、一言で借金を返す方法について
3. 「債権譲渡(さいけんじょうと)」では、債権を売る場合のあれこれについて
4. 「債務引受(さいむひきうけ)」では、債権者の立場に立って考えてみる

1 弁済

1. 弁済とは

A所有の絵画をBが100万円で買った場合、Aはこの絵画をBに引き渡せば、Bの債権（Aに対する絵画の引渡債権）は消滅し、他方、BがAに代金全額を支払えば、Aの債権（Bに対する代金支払債権）は消滅します。

このように、**弁済とは、債務者が債務の内容どおりの給付を行うことです。履行**ともいいます。**債務者が債権者に対して債務の弁済をしたときは、その債権は消滅します**。なお、弁済をする者は、弁済と引換えに、弁済を受領する者に対して受取証書（領収書）の交付を請求することができます。⊕

2. 代物弁済・供託とは

AからBが100万円を借りているとします。この場合、BはAとの間で、自分の土地をAに譲渡し登記を移転させることで債務を消滅させる旨の契約をすることができます。そして、Bが契約通りのこと（**代物弁済**）をすれば、**債権は消滅**します。

上の例で、BがAに借金を返そうとしたのですが、Aの所在が不明で返すことができない場合、弁済していないのですから、Aの債権は消滅しません。このような一定の場合には、弁済の目的物を**供託所**（法務局など）に**供託**する（預ける）ことで、**債権を消滅**させることができます。

2 受領権限のない者への弁済

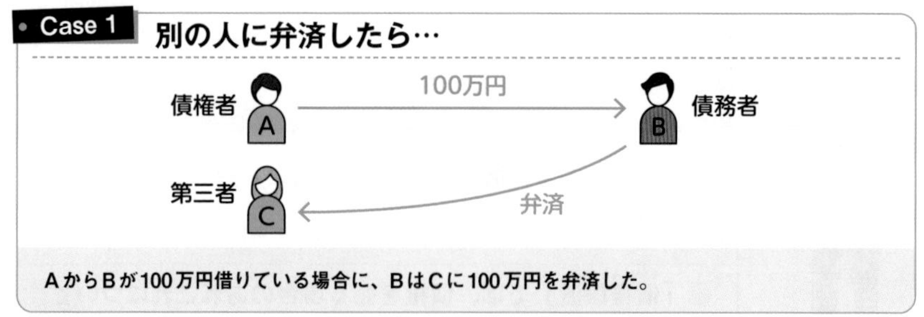
Case 1
別の人に弁済したら…
債権者
A
100万円
B
債務者
第三者
C
弁済
AからBが100万円借りている場合に、BはCに100万円を弁済した。

⊕補足

受取証書の交付に代えて、その内容を記録した電磁的記録の提供を請求することができる。ただし、弁済を受領する者に不相当な負担を課するものであるときは請求できない。

AからBが100万円借りている場合、債務者Bが債権者Aに100万円を弁済すればAの債権は消滅します。このように、**債権者**や弁済の受領権限（じゅりょうけんげん）がある者（**受領権者**）に弁済すれば、**有効な弁済**となり、**債権は消滅**します。

では、**ケース1**のように、**受領権者以外の者に弁済した**場合はどうなるでしょう。 原則 この弁済は、原則として無効であり、Bが改めてAに弁済しなければ、Aの債権は消滅しません。

ただし、 例外 **取引上の社会通念に照らして受領権者としての外観を有する者に対して、善意無過失で弁済した場合には、有効な弁済になります**。受領権者としての外観を有する者とは以下に掲げる者のことです。⊕

- ・代理権がないにもかかわらず債権者の**代理人と詐称（さしょう）した者**
- ・**相続人と詐称した者**
- ・**預金通帳と届出印を所持**して銀行に来た者
- ・**受取証書（＝領収書）を持参**して弁済を請求してきた者など

必須 受領権者としての外観を有する者に対する弁済

原則：受領権者以外の者に弁済しても、その弁済は無効で債権は消滅しない。

例外：次の場合には、弁済は有効となり、債権は消滅する。

誰に	どのように	効果
①**債権者の代理人と詐称した者・相続人と詐称した者** ②**預金通帳と届出印を所持**して銀行に来た者 ③**受取証書（＝領収書）を持参**して弁済を請求してきた者	**善意無過失**で弁済	**債権は消滅**

○×チャレンジ

Q 債務者が、債権者の代理人と称した者に、善意で弁済した場合、その弁済は有効となる。

A 債務者が受領権者以外の者に弁済した場合、原則、その弁済は無効となる。ただし、債務者が善意「無過失」で債権者の代理人と詐称した者に弁済した場合は、有効な弁済になる。したがって、債務者が「善意」であっただけでは、弁済は有効にならない。

×

⊕ **補足**

受領権者としての外観を有する者に対する弁済の場合を除き、受領権者以外の者に対してした弁済は、債権者がこれによって利益を受けた限度においてのみ、その効力を有する。

3 第三者の弁済

Case 2 別の人が弁済したら…

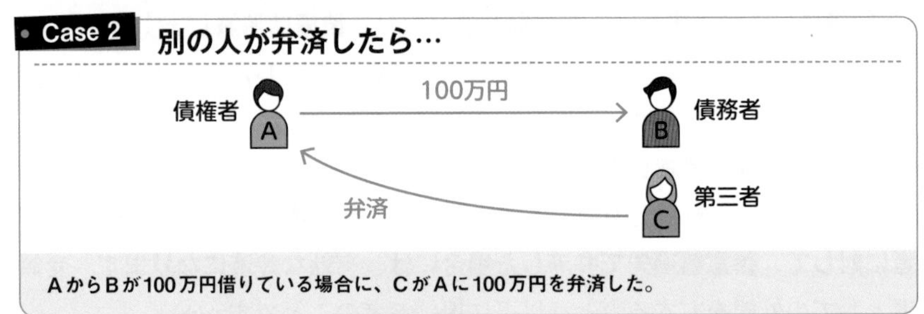

AからBが100万円借りている場合に、CがAに100万円を弁済した。

債務の弁済は、**原則**として、**債務者以外の第三者**もすることができます（**第三者の弁済**）。⊕債権者からすれば誰から弁済を受けても同じことだからです。したがって、**ケース2**のCの弁済は原則として有効となり、Aの債権は消滅します。ただし、ここは以下のように場合を分けて考えます。

① 原則 弁済をするについて**正当な利益を有**（ゆう）**しない第三者**は、原則として、**「債務者」の意思に反して弁済をすることができません**。ただし、例外 **債務者の意思に反することを「債権者」が知らなかったときは、弁済をすることができます**。

これに対して、**弁済をするについて正当な利益を有する第三者**は、**債務者の意思に反して弁済**をすることができます。

以下は、「正当な利益を**有する**第三者」「正当な利益を**有しない**第三者」の具体例です。

正当な利益を有する第三者	債務の弁済について法律的利害関係がある者のこと。抵当不動産の第三取得者・物上保証人、借地上の建物の賃借人（敷地の地代について）など。
正当な利益を有しない第三者	債務者と親子、兄弟、友人・知人関係にすぎない者のこと。

＼アドバイス／
抵当不動産の第三取得者・物上保証人、借地上の建物の賃借人と専門用語が登場しますが、ここは、立ち止まることなく先に進んでください。

⊕補足
債務の性質が第三者の弁済を許さないとき（芸能人の出演義務など）、当事者が第三者の弁済を禁止・制限する旨の意思表示をしたときは、第三者は弁済をすることはできない。

② 原則 弁済をするについて**正当な利益を有しない第三者**は、原則として、「債権者」**の意思に反して弁済をすることができません**。この「正当な利益」は①と同じです。ただし、 例外 **その第三者が債務者の委託を受けて弁済をする場合において、そのことを「債権者」が知っていたときは、弁済をすることができます**。

これに対して、**弁済をするについて正当な利益を有する第三者**は、**債権者の意思に反して**弁済をすることができます。

必須 第三者の弁済

債務の弁済は、原則、債務者以外の第三者もできる。

「**債務者**」の意思に反して弁済できるか？	**正当な利益を有しない第三者**※1は、**弁済できない**。 ただし、債務者の意思に反することを債権者が**知らなかったとき**は、弁済できる。
	正当な利益を有する第三者※2は、**弁済できる**。
「**債権者**」の意思に反して弁済できるか？	**正当な利益を有しない第三者**※1は、**弁済できない**。 ただし、その第三者が債務者の委託を受けて弁済をする場合において、そのことを**債権者が知っていたとき**は、弁済できる。
	正当な利益を有する第三者※2は、**弁済できる**。

※1債務者と**親子**、**兄弟**、**友人・知人関係**にすぎない者など。
※2**物上保証人**など、また、たとえばA所有地をBが借りてその土地の上に建物を建て、その建物をBからCが借りて住んでいるとする。この場合のC（**借地上の建物の賃借人**）のこと。

4 弁済による代位（だいい）

第三者が弁済をした場合、支払ったお金の回収はどうするのでしょうか。たとえば、Aに対するBの債務を弁済したCは、支払った分の返還をBに請求することができます。これを**求償**（きゅうしょう）といいます。

さらに、AのBに対する債権を担保するためにBの土地に抵当権［▶L12］が設定されている場合、弁済をしたCは、Aの抵当権を行使して、支払った分を回収することができます。

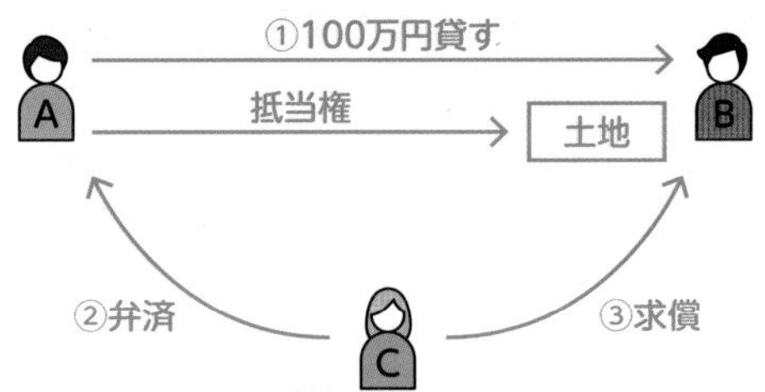

このように、債務者のために弁済をした者は、債権者の有していた権利を行使することができます。これを**弁済による代位**（だいい）といいます。

債務者の親など弁済することについて**正当な利益を有しない者**が弁済した場合は、**債権譲渡の対抗要件**（後で詳しく学習します）が必要です。これに対して、物上保証人など弁済することについて**正当な利益を有する者**が弁済した場合は、**債権譲渡の対抗要件は不要です**。なお、いずれの場合も、**債権者の承諾は不要**です。

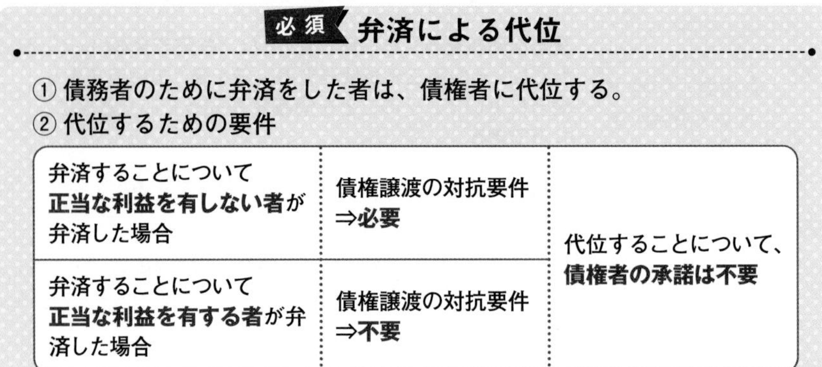

必須 弁済による代位

① 債務者のために弁済をした者は、債権者に代位する。
② 代位するための要件

弁済することについて**正当な利益を有しない者**が弁済した場合	債権譲渡の対抗要件⇒**必要**	代位することについて、**債権者の承諾は不要**
弁済することについて**正当な利益を有する者**が弁済した場合	債権譲渡の対抗要件⇒**不要**	

5 相殺（そうさい）

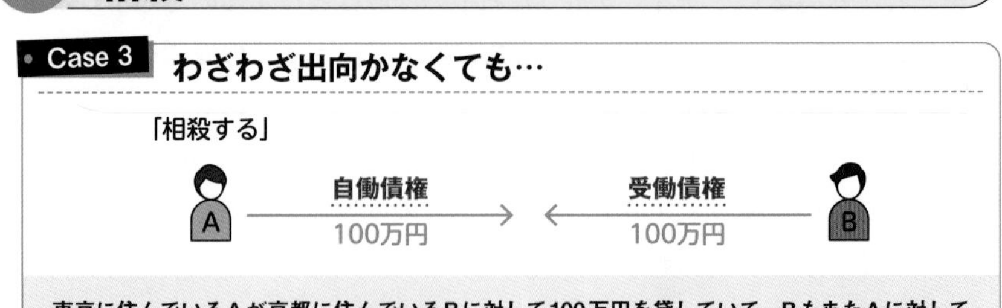

Case 3 わざわざ出向かなくても…

東京に住んでいるAが京都に住んでいるBに対して100万円を貸していて、BもまたAに対して100万円を貸している。AがBに相殺すると言った。

当事者は「**相殺する**」という一言で、**債権を対当額で消滅させる**ことができます。**ケース3**では、**AがBに「相殺する」と言った**ので、**対当額の100万円の債権は消滅**します。Aの側からすれば、Bに対して負っていた100万円の債務は消滅します。同じように、Bの側から「相殺する」と言った場合も対当額で債権が消滅します。このように、相殺は、「相殺する」と言うだけで弁済と同じ結果になる便利な制度です。したがって、お互いに債権を持ち合う関係にあるAとBは、相殺に対する期待を持ちます。

1．相殺適状（そうさいてきじょう）

相殺が可能な状態（相殺適状）にあれば、当事者の一方の意思表示で、相殺を行うことができます。相殺適状となるための要件はいろいろありますが、試験対策上重要なものだけ学習していきます。

(1) 原則 当事者間に債権が対立すること

ケース3では、AB当事者間に債権が対立し、相殺できました。では、次の場合には相殺できないのでしょうか。

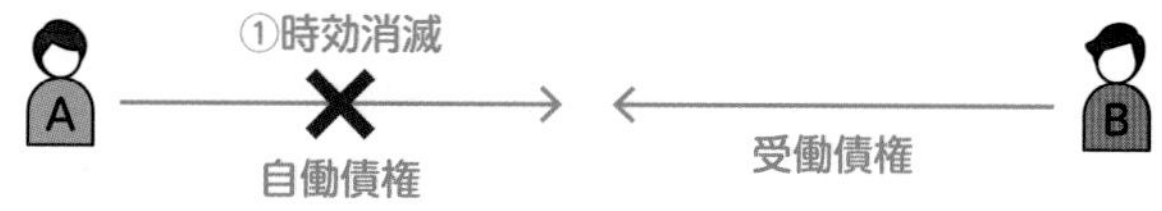

上の例のように、Aの債権が時効消滅した場合、当事者間に対立する債権がなくなっているので、本来ならば、Aは相殺できないはずです。ただし、時効消滅する前に相殺適状にあれば、その時点で決済されたと考えて、わざわざ相殺の意思表示をしないこともありえます。したがって、例外 **自働（じどう）債権（さいけん）が時効消滅した後でも、その前に相殺適状になっていれば、相殺をすることができます**。

(2) 原則 両債権が弁済期にあること

ただし、例外 **自働債権の弁済期が到来すれば相殺できます**。たとえば、AのBに対する債権の弁済期が4月10日、BのAに対する債権の弁済期が4月20日とします。

用語

【自働債権・受働債権】「相殺する」と言った人が持っている債権を「自働債権」といい、「相殺する」と言われた人が持っている債権を「受働債権」という。

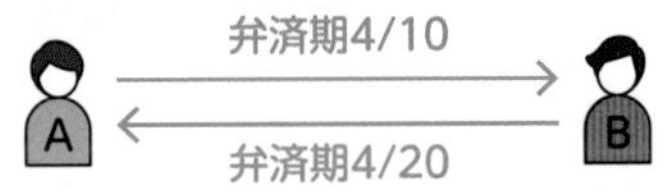

Aが4月10日に相殺を主張した場合、相殺を主張するAの債権（**自働債権**）の**弁済期は到来**しているので、Aの**相殺の主張は認められます**。これに対して、Bが4月10日に相殺を主張した場合は、Bの債権（自働債権）の弁済期はまだ到来していないので、Bの相殺の主張は認められません。

(3) 相殺制限等の意思表示

相殺適状にあっても、当事者が相殺を禁止し、または制限する旨（**相殺制限等**）の意思表示をした場合には、相殺制限等の意思表示は、第三者がこれを**知り**、または**重大な過失によって知らなかったときに限り**、その第三者に対抗することができます。

必須 相殺の要件

1. 原則として、当事者間に債権が対立すること
   ただし、**自働債権が時効消滅した後**でも、**その前に相殺適状**になっていれば、**相殺できる。**
2. 原則として、両債権が弁済期にあること
   ただし、**自働債権の弁済期が到来**すれば**相殺できる。**

2. 差押えと相殺

AのBに対する債権をAの債権者Cが**差し押さえた後**、BがAに対する債権（**反対債権**ともいいます）を取得したとします。Cを**差押債権者**といい、Bのことは差押えを受けた債権の**第三債務者**（だいさんさいむしゃ）といいます。

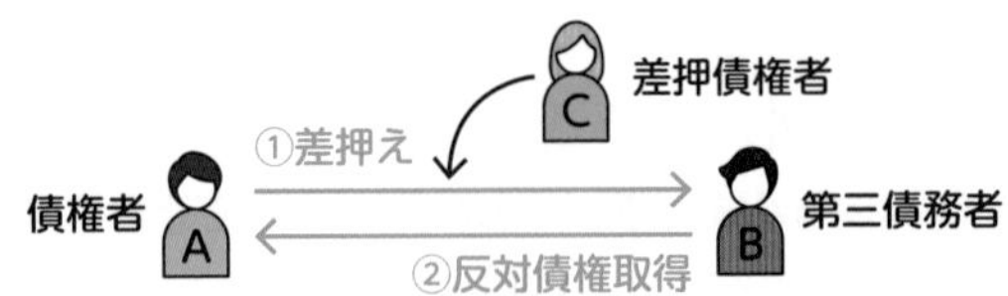

この場合には、**第三債務者**Bから**差押債権者**Cに対して**相殺を対抗することはできません。**

しかし、AのBに対する債権をAの債権者Cが**差し押さえる前**に、BがAに対する反対債権を取得していた場合、Bは相殺できることを期待しており、他方、債権者CもBが相殺をすることは想定できます。したがって、**第三債務者**

が、受働債権の**差押え前に自働債権を取得**していれば、相殺適状になった時点で**相殺**し、差押債権者に**対抗できます**。

＼アドバイス／
まず、図を描いて専門用語と登場人物に慣れることを優先してください。丸暗記する必要はありません。その後に、事例と結論を押さえましょう。

必須 **差押えと相殺**

差押えを受けた債権の**第三債務者**は、
① **差押え後**に取得した債権による相殺をもって、原則として、**差押債権者に対抗することはできない。**
② **差押え前**に取得した債権による相殺をもって**対抗することができる。**

3. 不法行為等に基づく損害賠償債権と相殺

たとえば、Aが**悪意**（**加害の意思**）により自分の自動車をBの自動車にぶつけて壊したとします。このように、Aが悪意による不法行為によりBに損害を与えたことで、BがAに対して**不法行為に基づく損害賠償債権**を取得し、他方でAはBに対してお金を貸している（**貸金債権を有している**）とします。

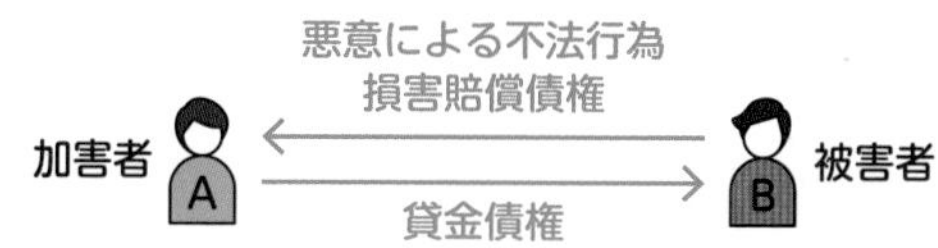

この場合、**加害者**であるAは、①**悪意による不法行為に基づく損害賠償債権を受働債権とする相殺はできません**。これに対して、**被害者Bは相殺できます**。

同様に、②**人の生命または身体の侵害**（たとえば人身事故）**による損害賠償債権を受働債権とする相殺はできません**。

なお、上記①②の被害者Bの債権が第三者Cに譲渡された場合であれば、加害者Aは相殺できます。

用語
【悪意】 ここでの「悪意」とは、「ある事実を知っている」という意味ではなく、「加害の意思」という意味で使う。

必須　不法行為等に基づく損害賠償債権と相殺

1. ①悪意（加害の意思）による不法行為に基づく損害賠償債権、または ②人の生命または身体の侵害（たとえば人身事故）による損害賠償債権を受働債権とする相殺はできない。
⇒上記の加害者は相殺できない。
2. ①悪意による不法行為に基づく損害賠償債権、②人の生命または身体の侵害による損害賠償債権を自働債権とする相殺はできる。
⇒被害者は相殺できる。

6 債権譲渡

1．債権譲渡・譲渡制限の意思表示

Case 4　債権を「売る」？

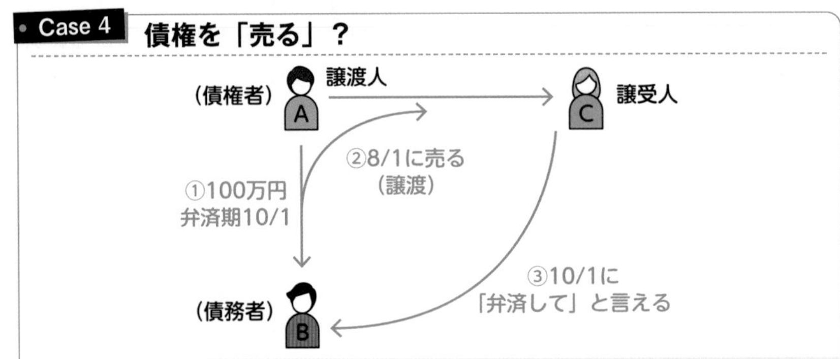

AがBに、弁済期を10月1日とし100万円貸した。その後、8月1日に、Aは100万円が必要になった。しかし、Aは8月1日には、Bに「100万円返して」とは言えない。そこで、AはBに対する債権を、Cに譲渡した。

債権を「売る」こと、すなわち「譲渡」することを債権譲渡といいます。**ケース4**で、AはCに債権譲渡することで、必要だった100万円を手に入れることができます。他方、Cは、10月1日にBに対して100万円の弁済を請求できます。この場合のAを**譲渡人**（ゆずりわたしにん）、Cを**譲受人**（ゆずりうけにん）、Bを**債務者**といいます。ここでも、まず、登場人物の呼び名を覚えましょう。

債権は、原則として、自由に譲り渡すことができます。ただ、当事者は、**譲渡を禁止**し、または**制限**する旨の意思表示（**譲渡制限の意思表示**）をすることができますが、**譲渡制限に反する譲渡**も**有効**です。たとえば、AのBに対する債権に譲渡制限の意思表示がなされていても、Aがこれに反してCにこの債権

を譲渡した場合でも、その譲渡は有効となります。⊕

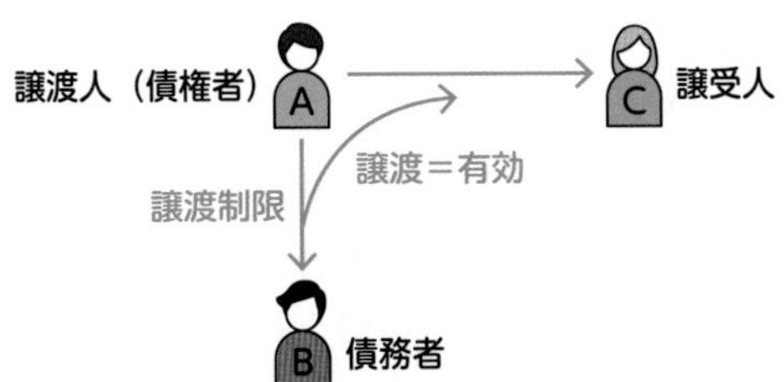

もっとも、譲渡制限に反する譲渡がなされた場合に、原則 **譲渡制限の意思表示がされたことを知り、または重大な過失によって知らなかった譲受人に対しては、債務者は、履行を拒むことができ、かつ、譲渡人に対する弁済等をもって譲受人に対抗することができます**。前の例で、AB間で譲渡制限の意思表示がされていたとしても、譲受人Cは債権を取得します。この場合に、特約につきCが悪意または善意重過失のときには、債務者BはCに対して100万円を支払うことを拒むことができ、かつ、譲渡人Aに100万円を弁済したことをもってCに対抗することができます。

ただし、例外 **債務者が履行をしない場合に、譲受人が相当の期間を定めて譲渡人への履行を催告し、その期間内に履行がないときは、債務者は譲受人への履行を拒むことができません**。つまり、債務者Bが弁済しない場合に、譲受人Cが相当期間を定めて譲渡人Aへの履行を催告し、その期間内にBが弁済をしないときは、BはCへの100万円の支払いを拒むことができなくなります。

必須 債権譲渡・譲渡制限の意思表示

1. 債権は、原則として、自由に譲り渡すことができる。
   当事者が譲渡を禁止・制限する旨の意思表示（**譲渡制限の意思表示**）はできるが、**譲渡制限に反する譲渡**も有効である。
2. 譲渡制限に反する譲渡がなされた場合に、譲渡制限の意思表示がされたことを**知り**、または**重大な過失によって知らなかった**譲受人に対しては、債務者は、**履行を拒むことができ**、かつ、**譲渡人に対する弁済等をもって譲受人に対抗することができる**。
   ただし、債務者が履行をしない場合に、譲受人が相当の期間を定めて譲渡人への履行を催告し、その期間内に履行がないときは、債務者は譲受人への履行を拒むことができない。

⊕ 補足
預貯金債権（預金口座または貯金口座に係る預金または貯金に係る債権）が譲渡された場合には、悪意または善意重過失の譲受人との関係では、その譲渡は無効となる。

2. 債権譲渡の対抗要件

(1) 債務者との関係

前に学習した**ケース４**で、ＡがＢに対して有する債権をＣに譲渡した場合のＢの立場を考えてみましょう。この場合、譲受人Ｃが債務者Ｂに「お金を返して」と言ってきた場合、Ｂの立場に立って考えるとこうなります。「お金を借りたＡではなく、Ｃに返して本当にいいの？」と不安になります。そこで、ＣがＢに「お金を返して」と言うためには、**譲渡人Ａによる債務者Ｂへの通知**または債務者Ｂの**承諾**が必要です（**債権譲渡の対抗要件**）。**債務者への通知**は、原則として、**譲渡人**が行わなければなりません。これに対して、**承諾**は、**譲渡人・譲受人**のいずれに対して行ってもかまいません。

(2) 債権の二重譲渡

次は、ＡがＢに対して持っている債権を、ＣとＤに二重に譲渡した場合を考えてみましょう。この場合、ＣとＤのどちらがＢに対して「自分にお金を返せ」と言えるでしょうか。

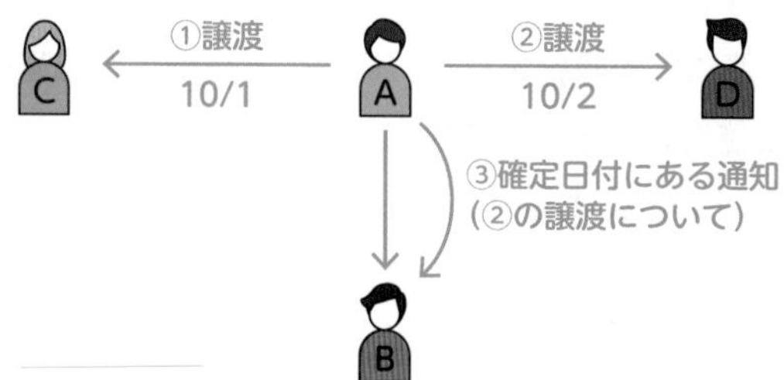

債権の二重譲渡がなされた場合には、**確定日付**（かくていひづけ）**のある通知・承諾を先に備えた方が優先**します（**債権譲渡の対抗要件**）。すなわち、上の例では、確定日付のある通知を備えたＤがＢに対して「自分にお金を返せ」と言えます。

では、ＡがＢに対して持っている債権を、ＣとＤに二重に譲渡し、ＣとＤの**両方について確定日付のある通知**がなされた場合はどうなるでしょうか。この場合には、債務者Ｂに**先に通知が到達した方が優先**します。「通知の到達の先後」で判断し、「確定日付の先後」で優劣を判断するのではありません。

用語

【**確定日付**】内容証明郵便の日付や公正証書の日付などのこと。

必須 債権譲渡の対抗要件

1. **債務者との関係**
債権譲渡は、譲渡人が債務者に**通知**をし、または債務者が**承諾**をしなければ、債務者に対抗することができない。
2. 債権の二重譲渡が行われた場合～**譲受人相互の関係**
通知または承諾は、**確定日付のある証書**によってしなければ、債務者以外の**第三者に対抗することができない**。
(1) 確定日付がある通知または承諾がある者とない者の優劣は？
⇒**確定日付がある**通知または承諾がある者が**優先する**。
(2) 双方ともに確定日付がある通知または承諾があるときは？
⇒通知が**到達した日時**または承諾の日時の**先後で決める**。

○×チャレンジ

Q AのBに対する債権が、Cに譲渡された後にDにも譲渡された場合で、Dに対する通知にのみ確定日付があるときには、先に債権の譲渡を受けたCがDに優先する。

A 債権が二重譲渡された場合、確定日付のある通知（または承諾）がある者が優先します。譲渡の先後ではありません。

×

3. 債権譲渡における債務者の抗弁・相殺権

債権譲渡は、譲渡人と譲受人との間で行うものです。債権譲渡によって債務者が不利な立場に置かれるいわれはありません。そこで、債務者の立場を守る規定があります。

(1) 債務者の抗弁権

Aが家をBに売るときに、「建物の引渡し」と「代金の支払い」を同じ日にする旨の売買契約を締結しました。その後、売主Aが買主Bに対して有する代金債権をCに譲渡し、AがBにその旨の通知をしました。

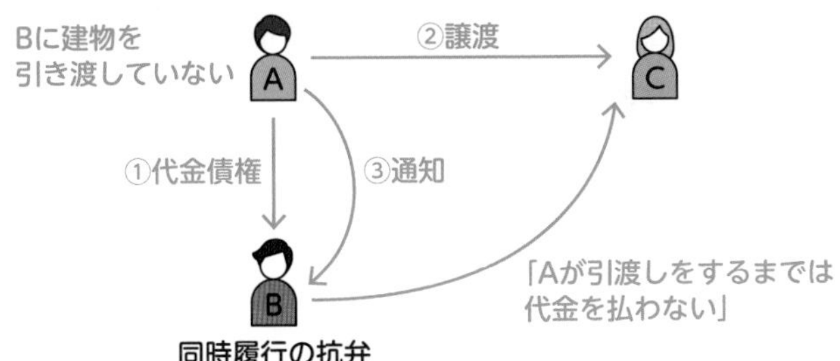

上の例で、買主Bは売主Aに「Aが引渡しをするまでは代金を払わない」と主張することができます（**同時履行の抗弁権** ▶L7❷）。**債権譲渡が行われた場合でも、**Bは**譲渡人**Aに対して主張できたことをそのまま**譲受人**Cに主張することができます。したがって、**B**は、「Aが引渡しをするまでは代金を払わない」と**C**に主張できます。このように、債務者は、対抗要件具備時（備える時）までに**譲渡人に対して生じた事由**をもって**譲受人に対抗することができます**。

(2) 債務者の相殺権

AがBに対する金銭債権をCに譲渡し、その旨をBに通知したとします。ただ、この通知が到達する前に、BはAに対する債権を取得していました。この場合、Bは相殺をCに対して主張することができます。

このように、債務者は、**対抗要件具備時より前に取得**した**譲渡人に対する債権による相殺**をもって**譲受人に対抗することができます**。

必須 債権の譲渡における債務者の抗弁・相殺権

1. 債務者は、対抗要件具備時までに**譲渡人に対して生じた事由**をもって**譲受人に対抗することができる。**
2. 債務者は、対抗要件具備時より前に取得した**譲渡人に対する債権による相殺**をもって**譲受人に対抗することができる。**

4. 将来債権の譲渡

債権の譲渡は、その意思表示の時に債権が現に発生している必要はありません。たとえば、賃貸借契約から将来発生する賃料債権のように、譲渡された時点ではまだ発生していない債権（**将来債権**）でも、債権が特定されていたときは、特段の事情がない限り、債権譲渡は有効です。譲渡時点でその債権発生の可能性が低かったことは譲渡の効力を直ちに否定するものではありません。

債権が譲渡された場合、その意思表示の時に債権が現に発生していないときは、**譲受人**は、**発生した債権を当然に取得**します。たとえば、債権譲渡した翌月に賃料が発生した場合には、譲受人はその賃料債権を取得します。

将来債権の譲渡の場合も、**対抗要件**を備えることができます。

必須 **将来債権の譲渡**

1. 債権の譲渡は、その意思表示の時に**債権が現に発生していることを要しない。（将来債権）**
2. 債権が譲渡された場合において、その意思表示の時に債権が現に発生していないときは、譲受人は、**発生した債権を当然に取得**する。
3. 将来債権の譲渡の場合も、対抗要件を備えることができる。

7 債務引受

BがAに金銭債務を負っている場合、債務の引き受けとは、債務者Bの債務を引受人（ひきうけにん）Cが引き受ける契約のことです。**債務者**Bも引き続き**債務を負担**する**併存的（へいぞんてき）債務引受**と、**債務者**Bが**債務を免れる免責的（めんせきてき）債務引受**があります。

【併存的債務引受】

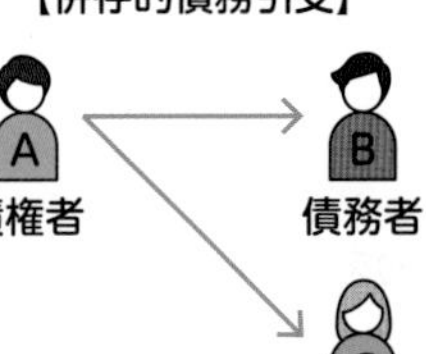

【免責的債務引受】

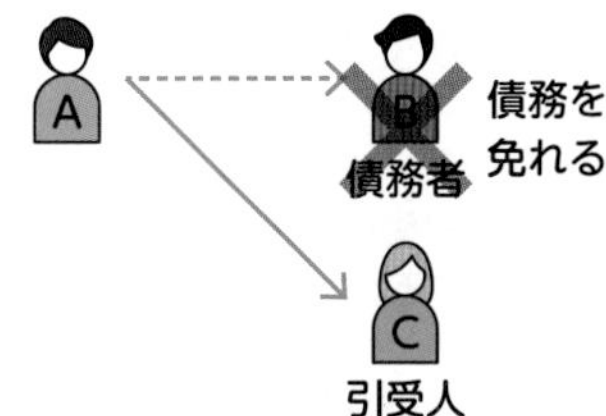

＼アドバイス／

債権者の立場でみると、併存的債務引受が行われた場合は、本来の債務者（原債務者）以外に請求できる相手（引受人）が増え、免責的債務引受が行われた場合は、請求できる相手が原債務者から引受人にかわることになります。

1. 併存的債務引受

併存的債務引受の引受人は、債務者と連帯（れんたい）して、債務者が債権者に対して負担する債務と同一の内容の債務を負担します。つまり、併存的債務引受における**債務者と引受人**は、特段の事情のない限り、**連帯債務関係**に立ちます（連帯債務 ▶L13⑤）。したがって、前の例では、債権者Aは**債務者Bと引受人Cの双方に請求**できることになります。

併存的債務引受を、誰と誰の間で契約を締結できるかをまとめると、以下のようになります。

①**債権者**と**引受人**となる者との契約によってすることができる。
②**債務者**と**引受人**となる者との契約によってすることができる。この場合において、併存的債務引受は、**債権者**が引受人となる者に対して**承諾**をした時に、その効力を生ずる。

引受人は、併存的債務引受により負担した自己の債務について、その効力が生じた時に債務者が主張することができた抗弁をもって債権者に対抗することができます。

2. 免責的債務引受

免責的債務引受の引受人は、債務者が債権者に対して負担する債務と同一の内容の債務を負担し、**債務者は自己の債務を免れます**。前の例では、債権者Aは債務者Bの代わりに**引受人Cにのみ請求**できることになります。

免責的債務引受について、誰と誰の間で契約を締結できるかをまとめると以下のようになります。

①**債権者**と**引受人**となる者との契約によってすることができる。この場合において、免責的債務引受は、債権者が債務者に対してその契約をした旨を通知した時に、その効力を生ずる。
②**債務者**と**引受人**となる者が契約をし、**債権者**が引受人となる者に対して**承諾**をすることによってすることができる。

引受人は、免責的債務引受により負担した自己の債務について、その効力が生じた時に債務者が主張することができた抗弁をもって債権者に対抗することができます。また、引受人は、免責的債務引受により引き受けた債務を履行した場合でも、一定の場合を除いて、債務者に対して求償権を取得しません。

必須 債務引受

	併存的債務引受	免責的債務引受
引受人と債務者の責任は？	《引受人》**債務者と連帯**して、債務者が債権者に対して負担する債務と同一の内容の**債務を負担する** 《債務者》**引受人と連帯して債務を負担する**	《引受人※》債務者が債権者に対して負担する債務と同一の内容の**債務を負担する** 《債務者》**自己の債務を免れる**
誰と誰の間の契約で？	**債権者**と引受人となる者	**債権者**と引受人となる者 ⇒債権者が債務者に対してその契約をした旨を**通知**した時に、その効力を生ずる
	債務者と引受人となる者 ⇒債権者が引受人となる者に対して**承諾**をした時に、その効力を生ずる	**債務者**と引受人となる者 ⇒債権者の引受人となる者に対する**承諾**が必要である

※債務を履行した場合でも、一定の場合を除いて、債務者に対して求償権を取得しない。

このレッスンが終わったら「きほんの問題集」の問題19〜24にチャレンジ！

LESSON 07 債務不履行・手付解除

学習優先度 高

売主が建物を引渡さないって、買主が怒っています…

introduction

この間仲介した売買で、
売主が建物を引渡さないって、
買主が怒っていますけど…
「怒ってます」って…
何もアドバイス
してないの？

だって、売主さんが悪いわけで…僕に言われても…

そうだけど。「この場合、買主は、債務不履行を理由に損害の賠償や契約を解除もできますけど、まずは、売主さんと連絡をとってみてください」くらいのアドバイスはしようよ…

マイホームの売買で、売主が約束の日にマイホームを引渡さないので、買主が損害を被ったとします。このレッスンでは、この場合に、「買主が売主に主張できることは何か」について学習します。

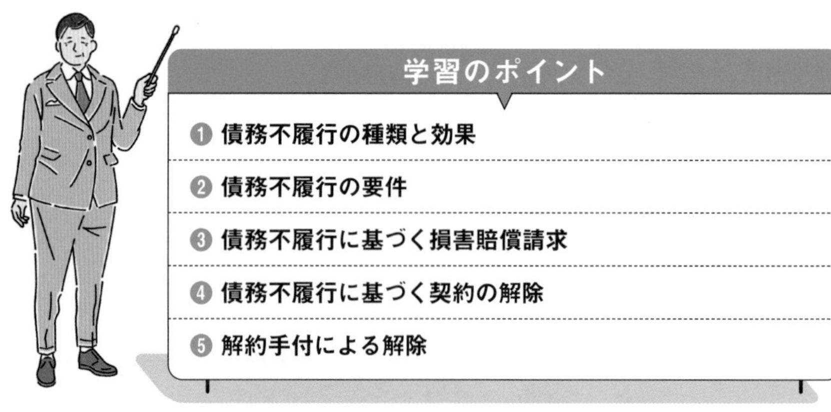

学習のポイント

❶ 債務不履行の種類と効果
❷ 債務不履行の要件
❸ 債務不履行に基づく損害賠償請求
❹ 債務不履行に基づく契約の解除
❺ 解約手付による解除

1 債務不履行の種類と効果

＼アドバイス／

以下は債務不履行＝約束違反について学習を進めますが、売買契約において、売主が約束違反をした場合の買主の立場に立って学習すると理解しやすくなります。

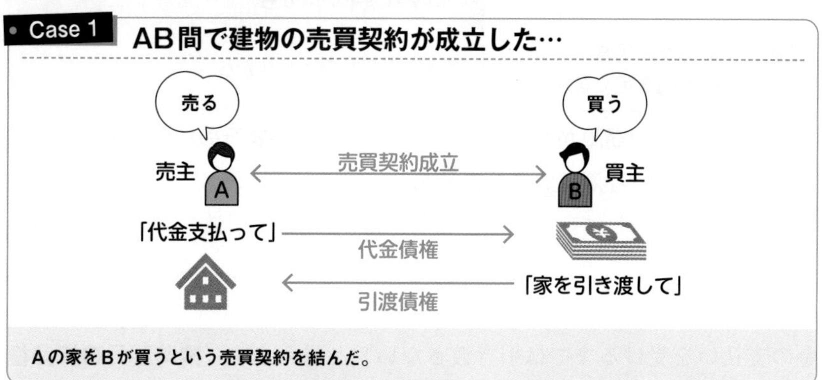

ケース１の場合、売主Aは「家の引渡債務」を負い、買主Bは「代金の支払債務」を負います。そして、お互いに約束を果たせば、契約関係は終了します。

これから学習する内容は、「約束違反＝**債務不履行**」があった場合に債権者が債務者に言えることです。債務不履行といっても、**ケース１**の例では、**①約束の時期を過ぎる場合**（**履行遅滞**（りこうちたい））と、**②約束を果たすことができなくなる場合**（**履行不能**（りこうふのう））などがあります（債務不履行の種類）。いずれの場合も、**債務不履行**があれば、**債権者**は、**損害賠償請求**および**解除**をすることができます（債務不履行の効果）。

2 債務不履行の要件

履行遅滞と履行不能を分けて学習しましょう。

1. 履行遅滞

履行遅滞になる時期は、次のように期限の種類によって異なります。

ケース（買主の代金債務）	履行遅滞となる時期
確定期限の場合 例：3月8日に支払う	期限が到来した時から
不確定期限の場合 例：飼い犬が死んだら支払う	①期限の到来後に債務者が履行の請求を受けた時 ②債務者が期限の到来を知った時 のいずれか早い時から
期限の定めのない場合 例：支払い時期を定めなかった	履行の請求を受けた時から

ただし、上記の**期限が到来**しても、債務者が**同時履行の抗弁権**等を主張できる場合には、**履行遅滞は成立しません**。

たとえば、AがBに家を売却するときに、「建物の引渡し」と「代金の支払い」を同じ日にすると決めたとします（**同時履行**）。この場合、履行期にBが代金（履行）の提供をしないで「建物を引き渡せ」と言ってきても、Aは「代金の支払いを受けるまでは引き渡さない」と言えます（**同時履行の抗弁権**）。こうしておけば、Aは、建物だけ引き渡して代金の支払いを受けられないということにはなりません。反対に、Aが建物引渡しの提供をしないで「代金を支払え」と言ってきても、同じことです。

このように同時履行の抗弁権とは、**相手方が債務の履行の提供をするまでは、自己の債務の履行を拒むことができる権利**をいいます。そして、**同時履行の抗弁権に基づいて履行しなかった**場合、**履行遅滞とはなりません**。したがって、上の例で、Bは、Aの**債務不履行責任**（損害賠償・契約の解除）を追及するためには、自分の代金支払債務について**履行の提供**をして、Aの**同時履行の抗弁権を消滅**させなければなりません。

必須 **同時履行の抗弁権**

同時履行の抗弁権とは、相手方が債務の履行の提供をするまでは、自己の債務の履行を拒むことができる権利をいう。
たとえば、AB間の売買契約で、
⇒売主Aが、**同時履行の抗弁権に基づいて履行しなかった場合、履行遅滞とはならない。**
⇒売主Aは、**履行の提供**をすれば、買主Bに**履行遅滞責任**（損害賠償・契約の解除）**を追及**できる。

用語

【履行の提供】 たとえば、買主が代金を用意して、売主にいつでも支払えるように準備が整ったことである。

2. 履行不能

履行不能とは**債務を履行することが不可能になった場合**、たとえば、建物の売主Aが、その建物をタバコの火の不始末で全焼させてしまい、買主Bに建物を引き渡せなくなった場合のことです。**不能かどうかは、契約その他の債務の発生原因と取引上の社会通念に照らして判断します**。債務が**履行不能**になった場合、**債務は消滅**し、債権者はその債務の履行を請求することができません。上の例で、売主Aの建物引渡債務は消滅し、買主Bは建物の引渡しを請求できません。

債務不履行をした債務者は、債権者から、①損害賠償請求、②契約を解除される場合があります。以下で学習していきましょう。

3 債務不履行に基づく損害賠償請求

1. 損害賠償請求

債務不履行の場合、債権者は、これによって生じた損害の賠償を請求することができます。**債務不履行を理由とする損害賠償請求権の成立**には、原則として、**債務者の責めに帰すべき事由（帰責事由）が必要**です。この帰責事由の有無は、契約その他の債務の発生原因および取引上の社会通念に照らして判断されます。そして、賠償されるべき損害は、履行遅滞と履行不能で異なります。

AがBに自分の甲建物を売却する契約を締結した事例で学習をしましょう。

(1) 履行遅滞の場合

A（債務者）の準備不足（**帰責事由**）で、甲建物の引渡しが遅れた（**履行遅滞**）場合、B（債権者）は、**建物の引渡し**とともに、**履行が遅れたことによる損害の賠償**（**遅延(ちえん)賠償**）**を請求**することができます。

(2) 履行不能の場合

甲建物が、Aの火の不始末（**帰責事由**）で全焼した（**履行不能**）場合のように、履行されないことが確実か、履行されない可能性が高い場合には、**債務の履行に代わる損害の賠償**（**塡補(てんぽ)賠償**）を請求することができます。具体的には、以下の場合です。

①**履行不能**のとき

②債務者が債務の履行を拒絶する意思を明確に表示したとき

③契約が解除され、または債務不履行による解除権が発生したとき

なお、AがBに甲建物を売却する**契約を締結した後**に甲建物が全焼した場合（**後発的不能**）だけでなく、**契約締結の前日**に甲建物が全焼していた場合、つまり、契約に基づく債務の履行（家の引渡し）がその契約の成立時に不能（**原始的不能**）でも、BはAに損害賠償を請求できます。

前述の（1）（2）のように、原則 債務不履行を理由とする損害賠償請求権の成立には、原則として、**債務者の帰責事由が必要**です。

ただし、例外 **履行遅滞中に、債権者と債務者のどちらにも帰責事由がなく履行不能になったときは、債務者に帰責事由があるとみなされます**。たとえば、Aの準備不足（帰責事由）で、甲建物の引渡しが遅れた場合に、その履行遅滞中に、甲建物が第三者による放火で全焼した場合、Aに帰責事由があるとみなされます。

2. 損害賠償の範囲

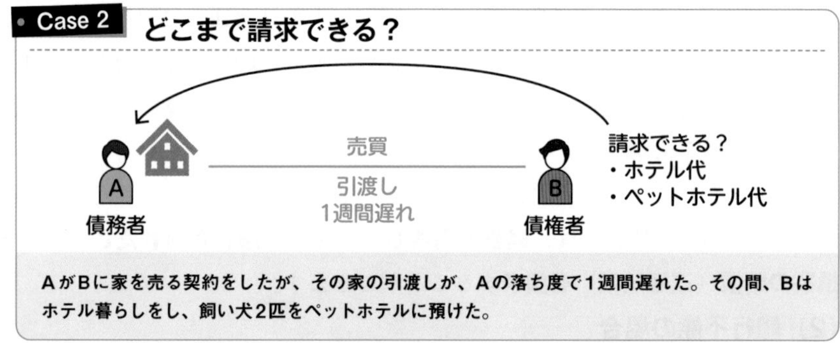

Case 2
どこまで請求できる？
売買
引渡し
1週間遅れ
A
債務者
B
債権者
請求できる？
・ホテル代
・ペットホテル代
AがBに家を売る契約をしたが、その家の引渡しが、Aの落ち度で1週間遅れた。その間、Bはホテル暮らしをし、飼い犬2匹をペットホテルに預けた。

＼アドバイス／

ケース2では、建物の引渡債務を問題にしています。したがって、買主が「債権者」で売主が「債務者」です。確認してから読み進めてください。

損害賠償は、原則として金銭で行います。そして、原則 損害賠償の範囲は、

用語

【原始的不能・後発的不能】 家の売買契約を例にとると、売買契約を結ぶ前日にその家が滅失した場合を原始的不能、売買契約を結んだ次の日にその家が滅失した場合を後発的不能という。

債務不履行によって「**通常生ずべき損害**」です。ただし、例外 **「特別の事情によって生じた損害」であっても、債務者が債務不履行時にその事情を予見すべきであったときは、債権者は、その賠償を請求することができます**。

ケース2のホテル代は「通常生ずべき損害」にあたりそうです。ペットホテル代については、Aがそのことを予見すべきであったのであれば「特別の事情によって生じた損害」として賠償責任を負う可能性があります。

3. 過失相殺

ケース2で、買主（債権者）Bの過失によって連絡がつかないために、売主（債務者）Aの引渡しがさらに1週間遅れた場合に、その分までAに負担させるのは公平ではありません。このように、債務の不履行またはこれによる損害の発生・拡大に関して**債権者に過失**があったときは、裁判所は、これを考慮して、**損害賠償の責任**およびその**額を定めます**（**過失相殺**）。したがって、上の例のように債権者にも過失があったために、損害が広がったような場合には、その分の賠償額を減額されます。

4. 賠償額の予定

損害賠償を請求するために債権者は自分が損をしたことと、いくら損をしたのかを証明しなければなりません。しかし、いちいち損害を証明するのは非常に面倒です。そこで、損害を証明しなくても損害を賠償してもらえるように、賠償すべき額をあらかじめ当事者間で定めておくことができます。これを「**損害賠償額の予定**」といいます。このように契約の当事者は、債務の不履行について損害賠償の額を予定することができます。賠償額の予定をしても、履行の請求または解除権を行使することができます。なお、違約金は、賠償額の予定と**推定**（すいてい）されます。

用語

【推定】 法律が一応こうであろうと判断を下すこと。ただし、当事者が別の合意があることを証明すれば推定はくつがえる。

第3章 契約① L7債務不履行・手付解除

必須 債務不履行を理由とする損害賠償請求

1. 債務不履行を理由とする**損害賠償請求権**の成立には、原則として、**債務者の責めに帰すべき事由（帰責事由）が必要**である。
2. 債務の不履行またはこれによる損害の発生・拡大に関して**債権者に過失があった**ときは、裁判所は、これを考慮して、**損害賠償の責任**および**その額を定める**（過失相殺）。
3. 当事者は、債務の不履行について**損害賠償の額を予定**することができる。賠償額の予定をしても、履行の請求または解除権を行使することができる。**違約金**は、**賠償額の予定と推定**される。

○×チャレンジ

Q 当事者は、債務の不履行について損害賠償の額を予定した場合には、解除権を行使することはできなくなる。

A 賠償額の予定をしても、履行の請求または解除権を行使することはできます。

×

5. 金銭債務

Aが建物をBに売る契約をした場合、Bは代金を支払う債務を負います。この**買主が負う債務を金銭債務**といいます。金銭債務は、次の①〜③のように売主が負う建物を引き渡す債務と違った取り扱いがされます。

＼アドバイス／

ここでは、代金債務を問題にしています。したがって、売主が「債権者」で買主が「債務者」です。土地・建物の引渡債務が問題となる場面とは逆になるので、注意しましょう。

①損害賠償の額は、債務者が遅滞の責任を負った最初の時点における**法定利率**（現在は年3%）によって定める。ただし、約定（やくじょう）利率が法定利率を超えるときは、約定利率による。

②損害賠償については、債権者は、損害の証明をすることを要しない。

③損害賠償については、債務者は、不可抗力をもって抗弁とすることができない。
⇒金銭債務は常に履行遅滞となり、履行不能とはならない。

用語

【法定利率】 法定利率は3年を1期とし、1期（3年）ごとに見直される（変動制）。最初の期である現在の法定利率は、年3%である。

Case 3 **建物が天災で全壊した…買主は代金を支払うの？**

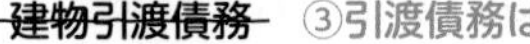

AB間で建物の売買契約を締結したが、その引渡し前に建物が天災で全壊した。

ケース3では、Aが建物をBに引き渡す前に、その建物が天災によって全壊したため、Aの引渡債務は履行不能になって消滅します。この場合、Bは代金の支払いを拒むことができます。このように、**当事者双方の責めに帰することができない事由**によって**債務を履行することができなくなった**（建物が天災によって全壊した）ときは、**債権者**（買主）は、**反対給付**（はんたいきゅうふ）**の履行**（代金の支払い）**を拒むことができます**（**債務者の危険負担**）。

ケース3とは違い、**債権者のみに帰責事由がある場合**、すなわち、Aが建物をBに引き渡す前に、Bの火の不始末によって建物が全焼してしまった（債権者Bの帰責事由によって滅失）とします。この場合、A（債務者）の引渡債務は履行不能になって消滅しますが、**ケース3**の当事者双方に帰責事由がない場合とは違い、Bは代金の支払いを拒むことはできません。このように、**債権者の責めに帰すべき事由**によって債務を履行することができなくなったときは、**債権者は、反対給付の履行を拒むことができません**。

＼アドバイス／

内容は難しいのですが、建物の売買で、「建物が天災により全壊→買主は代金を払わなくていい」「建物が買主の落ち度で全焼→買主は代金を払わなければならない」と考えると納得がいくところです。

必須 債務者の危険負担等

建物の売買契約において建物の引渡債務が

当事者双方に帰責事由がなく履行不能となった場合	⇒債権者は反対給付の履行を拒絶できる ＝買主は、代金の支払いを拒絶できる
債権者の帰責事由により履行不能となった場合	⇒債権者は反対給付の履行を拒絶できない ＝買主は、代金の支払いを拒絶できない

用語

【反対給付】 売買契約における目的物と代金のように、対価（見返り）の関係に立つもの。

4 債務不履行に基づく契約の解除

1．法定解除と約定解除

すでに学習したように債務不履行をした場合には、損害を賠償しなければなりません。とともに、契約を白紙に戻されることもあります。このように、**有効に成立した契約を白紙に戻すことを解除といいます。**

債務不履行を理由とする解除のほかに、当事者で解除できる場合を決めておくこともできます。

解除	法定解除	債務不履行による解除のように、法律の規定に基づき解除すること
	約定解除	手付解除のように、契約の当事者があらかじめ解除権留保の合意をし、その合意に基づき解除すること

2．債務不履行による解除

債務不履行に基づく解除をするために**催告が必要な場合と催告が不要な場合**とがあります。

(1) 催告が必要な場合

A所有の建物をBに売却したが、Aが約束の期日となっても引き渡さない場合、Bはいきなり A との契約を解除することはできません。債務不履行があっても、解除をするためには、原則として、相当の期間を定めて履行の催告をし、その期間内に履行がないことが必要です。したがって、Bは、催告をしなければ解除をすることができません（**催告による解除**）。

このように、原則 当事者の一方がその**債務を履行しない**場合において、相手方が相当の期間を定めてその**履行の催告**をし、その期間内に**履行がない**ときは、相手方は、**契約の解除をすることができます**。

ただし、その 例外 **期間を経過した時における債務の不履行がその契約および取引上の社会通念に照らして軽微**（けいび）（たとえば、不履行の部分が数量的にわずか）**であるときは、契約の解除をすることができません**。

(2) 催告が不要な場合

A所有の建物をBに売却したが、引渡し前に、Aの失火により建物が全焼した場合（**履行不能**）は、履行が不可能なのですから、催告をしても無意味です。この場合には**催告をすることなく、直ちに**契約の**解除**をすることができます。

催告によらない解除ができるのは、次の場合です（**催告によらない解除**）。

＼アドバイス／
次の①と②は重要です。しっかり覚えましょう。それ以外は一読しておいて下さい。

①債務の**全部の履行が不能**であるとき

②債務者がその**債務の全部の履行を拒絶する意思を明確に表示**したとき

③債務の一部の履行が不能である場合または債務者がその債務の一部の履行を拒絶する意思を明確に表示した場合において、残存する部分のみでは契約をした目的を達することができないとき

④契約の性質または当事者の意思表示により、特定の日時または一定の期間内に履行をしなければ契約をした目的を達することができない場合（定期行為）において、債務者が履行をしないでその時期を経過したとき

⑤①〜④に掲げる場合のほか、債務者がその債務の履行をせず、債権者が催告をしても契約をした目的を達するのに足りる履行がされる見込みがないことが明らかであるとき

ＡとＢが建物の売買契約をし、Ｂがその建物を見に行ったときの火の不始末で、建物が全焼したとします。この場合、Ａの引渡債務は、債権者Ｂの責めに帰すべき事由により履行不能になりますが、Ｂは契約を解除することができません。このように、債務の不履行が**債権者の責めに帰すべき事由**によるものであるときは、**債権者**は、**契約の解除をすることができません**。

必須 債務不履行による解除

1. 当事者の一方がその債務を履行しない場合において、相手方が**相当の期間を定めてその履行の催告**をし、その**期間内に履行がない**ときは、相手方は、**契約の解除**をすることができる。ただし、その期間を経過した時における債務の不履行がその契約および取引上の社会通念に照らして**軽微**（たとえば、不履行の部分が数量的にわずか）であるときは、**契約の解除をすることができない**。
2. 次の場合には、債権者は、**催告をすることなく**、直ちに**契約の解除**をすることができる。

①債務の**全部の履行が不能**であるとき。

②債務者がその**債務の全部の履行を拒絶する意思を明確に表示**したとき。

3. 債務の不履行が**債権者の責めに帰すべき事由**によるものであるときは、**債権者**は、**契約の解除をすることができない**。

3. 解除の効果

Case 4 契約を解除したら、当事者間では…

AB間で建物の売買契約を締結した。売主Aは建物を引渡し、買主Bが代金の半分を支払った。2カ月後、Bが残代金を支払わないのでAが適法に解除した。

契約を**解除**すると、**契約は最初からなかった**ことになります。したがって、当事者が契約により受け取った物があれば、当事者はそれを**返還する義務**を負います（**原状回復義務**）。この当事者が負う原状回復義務は、同時履行の関係に立ちます。⊕

ケース4では、AとBはお互いに原状回復義務を負います。BはAに建物を返還し、Aは、Bに受領した代金の半分を返します。その際、**受領した時からの利息**をつけなければなりません。同様に、金銭以外の物を返還するときは、その**受領の時以後に生じた果実も返還**しなければなりません。果実とは、物から生じる収益（賃料など）のことです。たとえば、A所有の賃借人のいるアパートの売買契約が解除された場合、売主Aは代金に利息をつけて返還し、買主Bはアパートと賃借人から受け取っていた賃料分のお金（果実）を返還する必要があります。

なお、**債務不履行により損害を受けた**のであれば、**解除**をしたうえで、原則として、**損害賠償を請求**することができます。

必須 解除の効果（当事者間）

① 当事者の一方がその解除権を行使したときは、各当事者は、**原状回復義務**を負う。
② 解除権の行使は、**損害賠償の請求**を妨げない。

⊕ **補足**

解除の場合と同様に、契約が取り消されたときも、当事者は原状回復義務を負う。この当事者が負う原状回復義務は、同時履行の関係に立つ。

4. 解除と第三者

Case 5　契約の解除と第三者の関係

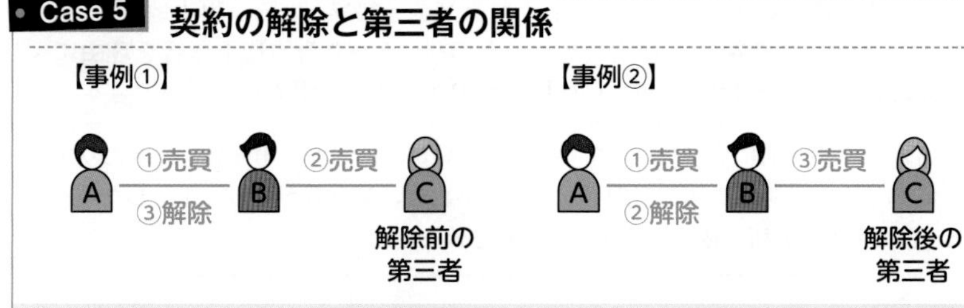

AがBに建物を売却し、Bがその建物をCに転売した後、AがAB間の契約を解除した【事例①】。AがBに建物を売却し、AがAB間の契約を解除した後に、Bがその建物をCに転売した【事例②】。

【事例①】で、Cは、Aの解除の前に登場していることから「**解除前の第三者**」といいます。解除をした場合でも、第三者の権利を害することはできません。ただし、第三者は、登記を備える必要があります（この場合、第三者の善意・悪意は問いません）。要するに、第三者Cは登記を備えていれば解除権者Aに「勝ち」ます。したがって、Cが登記をしている場合、Aは、建物の返還を請求することができません。

【事例②】で、Cは、Aの解除の後に登場していることから「**解除後の第三者**」といいます。解除後の第三者との関係は対抗問題となり、解除権者と解除後の第三者のいずれか先に登記を備えた人が「勝ち」ます（この場合、第三者の善意・悪意は問いません）。要するに、AとCのうち先に登記を備えた人が「勝つ」ということです。したがって、先にCが登記をしている場合、Aは、建物の返還を請求することができません。

必須　解除と第三者

① 解除権者と解除前の第三者との関係
　⇒解除前の第三者が登記を備えていれば、第三者の勝ち（第三者の善意悪意は問わない）

② 解除権者と解除後の第三者との関係
　⇒先に登記を備えた人の勝ち（第三者の善意悪意は問わない）

Q Aが自己所有の甲土地についてBと売買契約を締結し、Bが甲土地をCに転売しC名義の所有権移転登記をした。その後、AがBの債務不履行を理由にAB間の契約を解除した場合、Aは、Cに甲土地の所有権を主張することができる。

A Aが解除する前にCが登場しているので、Cは「解除前の第三者」にあたります。この場合、解除前の第三者が登記をしていれば、第三者が勝ちます。したがって、Aは、Cに甲土地の所有権を主張することができません。

5 解約手付による解除

1. 手付の種類

手付とは、契約の締結に際して当事者の一方が相手方に対して交付する金銭などのことです。売買では、買主が売主に交付します。手付と一言でいっても実はさまざまな意味があります。

①証約手付	契約が成立した証拠を残す趣旨の手付
②違約手付	買主が代金を支払わないようなときに、没収する趣旨で支払われる手付
③損害賠償額の予定としての手付	損害賠償額を手付の額に制限する趣旨で支払われる手付→債務不履行があった場合、買主は手付金を没収され、売主は手付金の倍額を損害賠償金として交付する
④解約手付	**買主は手付を放棄し、売主は手付の倍額を現実に提供して契約を解除**することができる手付

＼アドバイス／

ここでは、上記の④の解約手付を中心に学習します。①から③は一読しておけば十分です。深入りは絶対にしないでください。

2. 解約手付

解約手付というのは、**手付の金額だけの損失**を覚悟すれば、相手方の債務不履行がなくても自分の都合で**自由に契約を解除することができる手付**のことをいいます。約定解除の一種です。**売買契約**において**手付が交付**された場合には、**解約手付と推定**されます。

たとえば、AB間で建物の売買契約をした際に、BがAに手付金100万円を支払ったとします。この場合、**買主Bは手付金を放棄**して解除できます。他方、**売主Aは手付の倍額**（200万円）をBに**現実**（実際）**に提供**して契約を解除できます。ただし、債務不履行による解除の場合とは異なり、**解約手付による解除**をした場合には、**損害賠償の請求は認められません。**

なお、売買契約の締結に際して解約手付が支払われていても、債務不履行があれば債務不履行による解除ができ、損害賠償請求もできます。手付による解除と債務不履行による解除はまったく別の制度だからです。

Case 6 相手方が履行に着手したら…

AB間でA所有の建物の売買契約を結んで、BがAに手付を交付した。その後、Bが代金を銀行から借りてAのもとに持参（履行に着手）した。

ケース6のように、Bが**履行に着手**したときに、Aが「やっぱり契約を手付解除します」と言ったとします。これを自由に認めると、履行に着手したBが損をする可能性があります。そこで、**相手方が契約の履行に着手した後は、手付解除することはできない**ことにしました。したがって、**ケース6**で、Aは手付解除することはできません。ただ、Bは手付解除することはできます。

必須 解約手付による解除

買主が売主に手付を交付したときは、**買主**はその**手付を放棄**し、**売主**はその**倍額を現実に提供**して、契約の解除をすることができる。ただし、その**相手方が契約の履行に着手した後**は、契約の解除をすることはできない。

○×チャレンジ

Q Aが自己所有の甲土地についてBと売買契約を締結し、Bが手付をAに交付した。その後、Aが履行に着手した場合、Bは、手付による解除をすることができない。

A 相手方が履行に着手した後は、手付による解除はできません。したがって、Aが履行に着手した場合、Bは手付解除できません。

○

用語

【履行に着手】 たとえば、「いつでも代金を支払えるようにする」とか「代金の一部を支払うこと」をいう。

このレッスンが終わったら「きほんの問題集」の問題25〜30にチャレンジ！

学習優先度 高

LESSON 08 売主の担保責任

売って終わりじゃありません…

土地や建物の売主が引渡した物が契約に適合しない場合、買主は売主に、どんなことを言えた？

確か…損害賠償・契約の解除に追完請求や代金の減額請求が問題になったと思います。

そもそも、売主は、種類・品質・数量に関して契約内容に適合する物を引き渡す義務がありますし、不動産売買では、登記を移転する義務も負います。

…何も言うことがない…

このレッスンでは、売主の担保責任を中心に学習します。前提として、売主はどのような義務を負うのかを確認します。そのうえで、ケースごとに義務を果たせない場合にどのような責任を負うのかについて学習します。また、責任を負う期間と責任を免れる特約についても学習します。

学習のポイント

1. 売主の義務
2. 売主の担保責任
3. 担保責任の期間
4. 担保責任を負わない特約
5. 契約上の地位の移転

1 売主の義務

売買の目的が物の場合、売主は、買主に対して、**種類・品質・数量**に関して、**契約内容に適合する物を引き渡す義務**を負います。また、売買の目的物が**土地・建物**であれば、売主は買主に**登記**［▶L11、L12］**を移転する**（**対抗要件を備えさせる**）**義務**も負います。

では、売主が**契約内容に適合する物を引き渡さなかった**（**契約不適合**）場合、売主はどのような責任を負うのでしょうか？　以下で、**売主の担保責任**について学習します。

2 売主の担保責任

1．種類・品質・数量に関する契約不適合

Case 1 **物の種類・品質・数量が約束と違う…**

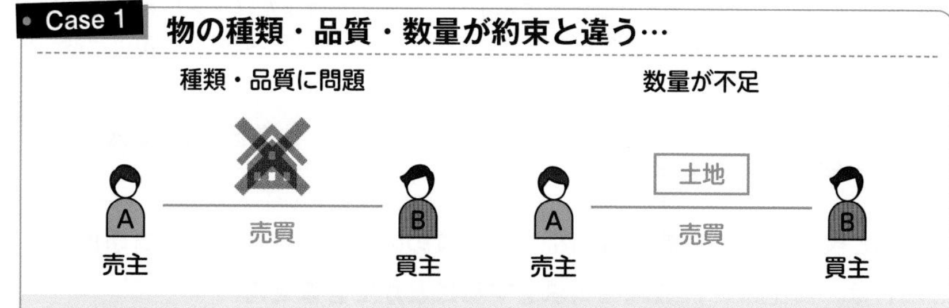

AB間の建物の売買で、売主が買主に引き渡した建物の建築材などの種類、品質に問題があった。
AB間の土地の売買で、面積を基準に代金を決めた土地について面積（数量）が不足していた（100m²の土地として売買契約をしたが、実際には90m²しかなかった）。

ケース1のように、引き渡された目的物が**種類・品質・数量に関して契約内容に適合しない**（**契約不適合**）ときは、買主は、レッスン7で学習した債務不履行の規定に基づく**損害賠償請求や契約の解除**のほか、このレッスンで学習する**追完請求や代金減額請求**をすることができます。したがって、**ケース1**でBは、Aに損害賠償請求や契約の解除のほか、追完請求や代金減額請求をすることができます。

（1）追完請求権

買主は、売主に対し、**目的物の修補**（修理）、**代替物**（取引上、同種・同等・同量の他の物で代えることができる物）**の引渡し**、**不足分の引渡し**による履行**の追完を請求**することができます。どの方法にするかは、買主の希望に沿うの

が原則です。ただし、売主は、買主に不相当な負担を課すものでないときは、買主が請求した方法と異なる方法による追完をすることができます。なお、契約不適合が**買主（債権者）の責めに帰すべき事由（帰責事由）**による場合は、買主は、**追完請求をすることができません**。

（2）代金減額請求権

原則 引き渡された目的物が**契約不適合**の場合、買主が**相当の期間**を定めて**履行の追完の催告**をし、その**期間内に履行の追完がない**ときは、買主は、その不適合の程度に応じて**代金の減額**を請求することができます。

ただし、例外 **次に掲げる場合には、買主は、催告をすることなく、直ちに代金の減額を請求することができます**。

①**履行の追完が不能**であるとき
②売主が履行の**追完を拒絶する意思を明確に表示**したとき
③契約の性質または当事者の意思表示により、特定の日時または一定の期間内に履行をしなければ契約をした目的を達することができない場合において、売主が履行の追完をしないでその時期を経過したとき
④①～③に掲げる場合のほか、買主が催告をしても履行の追完を受ける見込みがないことが明らかであるとき

なお、契約不適合が**買主（債権者）の責めに帰すべき事由（帰責事由）**による場合は、買主は、**代金減額請求をすることができません**。

必須 物の種類、品質、数量が契約内容に適合しない場合

引き渡された目的物が種類・品質・数量に関して契約内容に適合しない（**契約不適合**）場合に、買主が、売主に主張できること

⑴ 債務不履行の規定に基づく、**損害賠償請求**および**解除権の行使**
⑵ 追完請求 履行の**追完（目的物の修補・代替物の引渡し・不足分の引渡し）を請求**できる。ただし、契約不適合が**買主の帰責事由**による場合は、**追完請求できない**。
⑶ 代金減額請求 買主が**相当期間を定めて履行の追完の催告**をし、その期間内に履行の**追完がない**ときは、買主は、その不適合の程度に応じて**代金減額**を請求できる。ただし、①履行の追完が不能、②売主が履行の追完を拒絶する意思を明確に表示したなどの場合には、催告をすることなく、直ちに代金減額を請求できる。なお、契約不適合が**買主の帰責事由**による場合は、**代金減額を請求できない**。

Aを売主、Bを買主とする甲建物の売買契約が成立し、Aは甲建物をBに引き渡したが、甲建物は品質に関して契約の内容に適合しないものであった。この場合、契約不適合がBの責めに帰すべき事由によるものであるときは、Bは、Aに対して履行の追完を請求することができない。

A 買主に帰責事由がある場合、担保責任を追及することはできません。

○

2. 権利に関する契約不適合

Case 2 権利に関する不適合がある場合

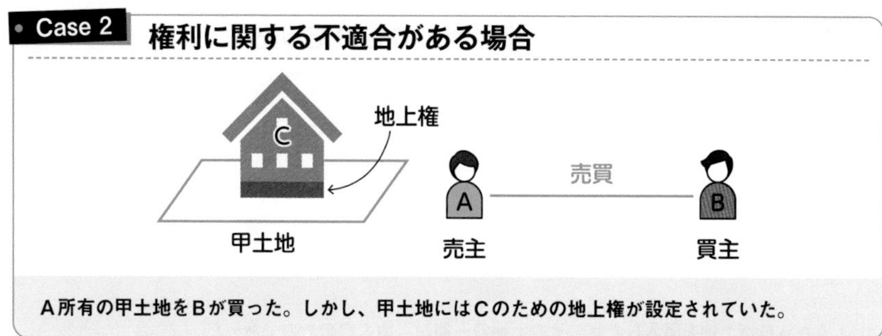

A所有の甲土地をBが買った。しかし、甲土地にはCのための地上権が設定されていた。

地上権（ちじょうけん）とは、他人の土地において工作物（**建物**等）を所有するため、**その土地を使用する権利**です。**ケース2**の場合、地上権者Cが甲土地に建物を建てられるので、その土地を買ったBは自分の建物を建てられません。この場合、買主Bは、債務不履行の規定に基づく**損害賠償請求**、**契約の解除**のほか、**追完請求**、**代金減額請求**をすることができます。⊕

次に、A所有の甲土地をBが購入したところ、甲土地にはAがCに対して負っている債務を担保するためにCの抵当権［▶L12］が設定され登記されていたとします。この場合に、Aが借金を返せず**抵当権が実行**されると、買主Bは**土地の所有権を失います**。

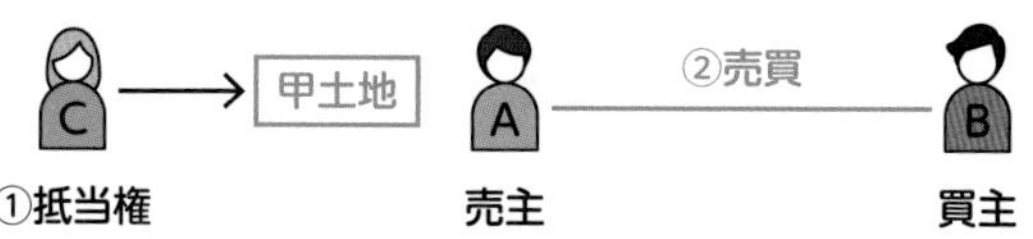

⊕補足
賃借権［▶L14］が設定されている場合も、その権利を持っている者が土地を使えるので、同様である。

したがって、抵当権がないことを契約内容にしていた場合には、**権利に関する契約不適合**の問題が生じます。この場合も、買主は、債務不履行の規定に基づく**損害賠償請求**、**契約の解除**のほか、**追完請求**、**代金減額請求**をすることができます。

なお、買い受けた不動産について契約の内容に適合しない抵当権が存していた場合において、買主が**費用を支出**してその不動産の**所有権を保存**したときは、買主は、売主に対し、その**費用の償還を請求**することができます。

3. 権利が他人のものだった場合

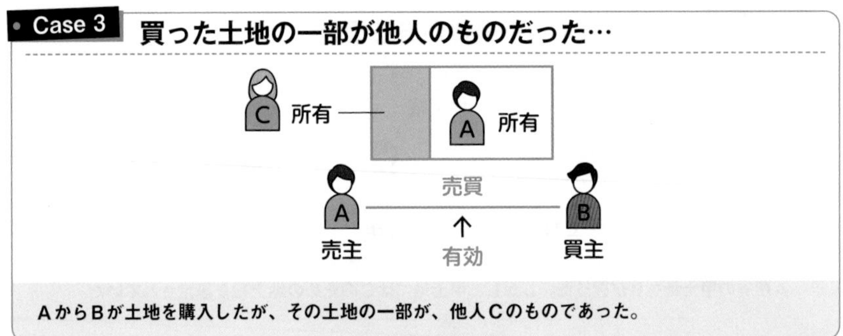
Case 3
買った土地の一部が他人のものだった…
C 所有
A 所有
売買
有効
A 売主
B 買主
AからBが土地を購入したが、その土地の一部が、他人Cのものであった。

他人の物（ケース3のような**一部が他人の物**である場合を含む）の**売買契約も有効**です。この場合、**売主**は、**目的物を取得して買主に移転する義務**を負います。そして、売主がその他人の土地を買主に移転できない場合、買主は、債務不履行の規定に基づく**損害賠償請求**、**契約の解除**のほか、**追完請求**、**代金減額請求**をすることができます。**ケース3**の売主Ａは、Ｃ所有の土地を取得して買主Ｂに移転する義務を負います。移転できない場合には、売主の担保責任を負います。

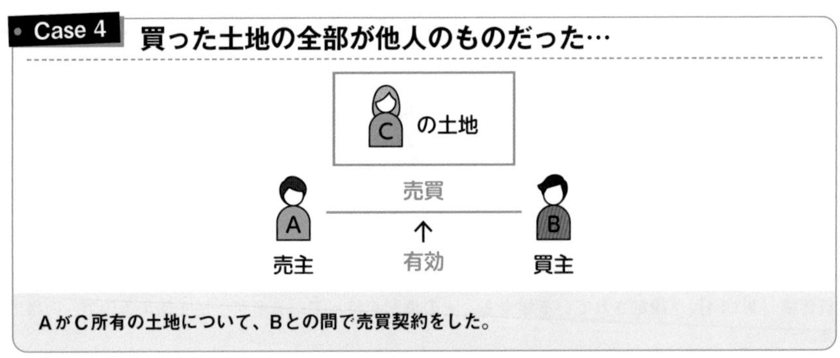
Case 4
買った土地の全部が他人のものだった…
C の土地
売買
有効
A 売主
B 買主
AがC所有の土地について、Bとの間で売買契約をした。

ケース4のような（**全部**）他人物売買契約も**有効**です。この場合、売主Aは、C所有の土地を取得して買主Bに移転する義務を負います。Aがその土地を取得してBに移転できない場合、Bは、債務不履行の規定に基づく**損害賠償請求**や**契約の解除**をすることができます。なぜなら、他人物売買では、売主は所有者から権利を取得して買主に移転する義務を負うので、その義務を履行しないことは債務不履行にあたるからです。なお、全部他人物売買では、**追完請求**、**代金減額請求をすることはできない**点には注意してください。

必須 **権利に関する不適合がある・（一部）他人物売買の場合**

1. 権利に関する不適合がある場合

ケース	買主が主張できること
地上権等が設定されている土地の売買	債務不履行の規定に基づく**損害賠償請求・契約の解除** **追完請求・代金減額請求※**
抵当権が設定されている土地の売買	

2. **他人物売買**（一部が他人の物である場合を含む）**契約**は**有効**である。

ケース	買主が主張できること
目的物の**一部が他人の物**である場合	債務不履行の規定に基づく**損害賠償請求・契約の解除** **追完請求・代金減額請求※**
目的物の**全部が他人の物**である場合	債務不履行の規定に基づく**損害賠償請求・契約の解除**

※契約不適合が**買主**（債権者）**の帰責事由**による場合には、**契約解除**、**追完請求**、**代金減額請求はできない**（なお、買主（債権者）に帰責性があることにより、結果的に売主（債務者）に帰責性がないといえる場合、買主は、売主に対して、債務不履行を理由とする損害賠償請求もできない。L7-3参照）。

4．買主の代金支払拒絶権

売買の目的について**権利を主張する者があること**等により、買主がその買い受けた**権利**を**取得することができず**、または**失うおそれがある**ときは、買主は、その危険の程度に応じて、**代金**の**支払を拒むことができます**。ただし、売主が相当の**担保を供した**ときは、**支払を拒むことはできません**。

3 担保責任の期間

Case 5 **不適合を知った時から２年経ってしまった…**

不適合あり

A　売買　B　2年

引渡し　不適合を知った　経過した

AB間で建物の売買契約が締結された。Bは、建物の引渡し後に品質について契約不適合があることを見つけたが、2年経過してしまった。

ケース5のように、原則 **種類**または**品質**に関して契約の内容に適合しない目的物を買主に引き渡した場合、買主がその**不適合を知った時から１年以内にその旨を売主に通知しない**ときは、買主は、その不適合を理由として、**損害賠償請求・契約の解除・追完請求・代金減額請求することができません**（**種類・品質に関する担保責任の期間制限**）。したがって、BはAに、原則として、売主の担保責任を追及できません。

ただし、例外 **売主が引渡しの時にその不適合を知り、または重大な過失によって知らなかったときは、期間制限が適用されません**。つまり、買主は1年を過ぎても売主に責任追及ができます。

＼アドバイス／
期間制限があるのは、種類または品質に関して契約の内容に適合しない目的物を買主に引き渡した場合だけです。

必須 **担保責任の期間制限**

目的物の**種類**または**品質**に関する担保責任の期間制限※

原則	不適合を**知った時から１年以内**にその旨を売主に通知しなければ、**売主の担保責任を追及できない**。
例外	売主が引渡しの時に不適合を**知り**、または**重大な過失によって知らなかった**ときは、**期間制限はない**。

※目的物の数量不足・権利に関する不適合がある場合・一部が他人の物である場合・全部が他人の物である場合には期間制限はない。

契約不適合を整理すると、次のようになります。

	引き渡した物に以下の不適合あり		
	種類・品質	数量・権利・一部他人物	全部他人物
損害賠償請求 契約の解除	債務不履行に基づいてできる		
追完請求 代金減額請求	できる		**できない**
期間制限	**あり**	なし	

4 担保責任を負わない特約

原則 売主と買主とで「**売主は担保責任を負わない**」旨の特約をした場合、その特約は、原則として**有効**です。

ただし、例外 **①売主が知りながら買主に告げなかった事実、②売主が自ら第三者のために設定し、または第三者に譲り渡した権利（たとえば、誰も住んでいないアパートの売買のはずが、実は売主が第三者に賃貸していた場合）については、責任を免れることができません。**

必須 担保責任を負わない旨の特約

原則	「売主は**担保責任を負わない**」旨の特約は**有効**
例外	①売主が知りながら買主に告げなかった事実、②売主が自ら第三者のために設定し、または第三者に譲り渡した権利については、責任を免れることができない。

5 契約上の地位の移転

契約上の地位の移転とは、たとえば、売買契約において売主や買主の地位を第三者に移転することをいいます。契約上の地位を移転するためには、以下の要件を満たすことが必要です。

①契約の当事者の一方（契約上の地位の**譲渡人**）と第三者（**譲受人**）との間で契約上の地位を譲渡する旨の**合意**があること
②契約の**相手方**がその譲渡を**承諾**したこと

このレッスンが終わったら「きほんの問題集」の問題31～33にチャレンジ！

学習優先度 中

LESSON 09 委任・事務管理・請負等

人生いろいろ契約もいろいろ…

introduction

お客さんから、
アパートの管理を
頼まれました。
なるほど。
準委任契約ですね。

依頼を受けるにあたって、注意することはなにかな？

そうですね。仕事の内容は当然確認するとして、後は、報酬についてきちんと詰めておかないと…後々トラブルになるのはいやですからね。

このレッスンでは、「委任」「事務管理」「請負」「贈与」そして「定型約款(ていけいやっかん)」について学習していきます。それぞれどんな場面で登場する契約なのか？　各契約の登場人物とその契約の特徴はどのようなものか？　について以下の順で学習しましょう。

学習のポイント

1. **委任（委任契約と準委任契約、受任者の権利・義務、委任の終了）**
2. **事務管理（事務管理、管理者の義務と権利）**
3. **請負（請負契約、請負人の報酬請求権、請負人の担保責任、契約の解除）**
4. **贈与（贈与契約、担保責任）**
5. **定型約款**

1 委任

1. 委任契約と準委任(じゅんいにん)契約

委任は、当事者の一方（**委任者**）が法律行為（契約の締結など）をすることを相手方（**受任者**(じゅにんしゃ)）に委託し、相手方がこれを承諾することによって、その効力を生じます。また、**準委任契約**とは、土地の管理の委託などの**法律行為以外の事務**を委託する場合に結ぶ契約です。⊕

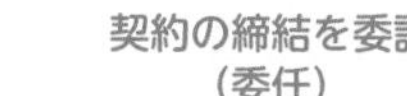

委任者 A

土地の管理を委託
（準委任）

＼アドバイス／

委任契約と準委任契約は、法律上は同じに扱うので区別する必要はありません。

2. 受任者の権利・義務

（1）報酬

受任者は、**特約がなければ**、委任者に対し**報酬を請求することができません。**そして、特約によって請求できる報酬は次の２つに分けられます。

①委任事務の履行自体に対する報酬

受任者は、この報酬を受けるべき場合には、**委任事務を履行した後**でなければこれを請求することができません。

＼アドバイス／

「委任事務の履行自体に対する報酬」は、たとえば、アパートの管理を委託されたときの報酬をイメージしてください。

さらに、次に掲げる場合には、**既にした履行の割合に応じて報酬を請求**することができます（**割合的報酬請求**）。

・委任者の**責めに帰することができない事由**によって委任事務の**履行をすることができなくなった**とき
・委任が履行の**中途で終了**したとき

⊕補足

受任者は、委任者の許諾を得たとき、またはやむを得ない事由があるときでなければ、復受任者（受任者が委託した受任者）を選任することができない。

②成果に対する報酬

委任事務の履行により得られる**成果に対して報酬を支払う**ことを約した場合において、その成果が引渡しを要するときは、報酬は、その成果の引渡しと同時に支払わなければなりません。

＼アドバイス／

「成果に対する報酬」とは、売買の媒介の依頼を受けた宅建業者が、売買契約を成立させたときに受け取る報酬をイメージしてください。

次の場合、受任者が既にした履行のうち可分な部分の給付によって委任者が利益を受けるときは、その部分を**履行の成果**とみなし、受任者は、委任者が**利益を受けた割合に応じて報酬を請求**できます（**割合的報酬請求**）。

・委任者の帰責事由によらずに委任事務の履行が不能になったとき
・委任が履行の中途で解除されたとき

（2）費用

委任事務を処理することについて**費用を要する**ときは、委任者は、受任者の請求により、その**前払い**をしなければなりません（**受任者による費用の前払請求**）。また、受任者は、委任事務を処理するのに必要と認められる**費用を支出**したときは、委任者に対し、その費用および支出の日以後におけるその利息の償還を請求することができます（受任者による費用等の償還請求等）。

（3）受任者の義務

受任者は、**報酬の有無にかかわらず**、**善良なる管理者の注意**をもって、委任された事務を処理しなければなりません。この義務を**善管注意義務**といいます。

また、受任者は、委任者の請求があるときは、いつでも**委任事務の処理の状況を報告**し、委任が終了した後は、遅滞なくその経過および結果を報告しなければなりません。

3. 委任の終了

（1）委任の解除

当事者は、いつでも委任契約を**解除**することができます。ただし、解除をし

用語

【善管注意義務】 職業や社会的地位等に応じて一般的に要求される程度の注意義務のことである。これに対するものとして、「自己の財産に対するのと同一の注意義務」がある。

た者は、①**相手方に不利な時期に解除**をした場合、②委任者が受任者の利益（専ら報酬を得ることによるものを除く）をも目的とする委任を解除した場合には、**やむを得ない事由があったときを除き**、相手方の**損害を賠償**しなければなりません。

(2) 委任の終了

委任契約が終了する原因をまとめると次のようになります。

	死亡	破産手続開始の決定	後見開始の審判
委任者	○	○	×
受任者	○	○	○

○＝委任契約が終了する　×＝終了しない

受任者の死亡などによって**委任が終了**した場合に、**急迫**（きゅうはく）**の事情がある**ときは、受任者またはその相続人は、委任者またはその相続人が委任事務を処理することができるまで、**必要な処分**をしなければなりません（**委任の終了後の処分**）。

委任の終了後の処分をまとめると以下のようになります。

委任終了	急迫の事情がある	受任者等は、委任の終了後の処分をしなければならない
	急迫の事情がない	受任者等は、委任の終了後の処分は必要ない

委任契約の終了事由は、これを**相手方に通知**したとき、または相手方がこれを**知っていた**ときでなければ、相手方に対抗することができず、そのときまで当事者は委任契約上の義務を負います（**委任の終了の対抗要件**）。

必須 委任

1. 受任者の権利・義務
   (1) 受任者は、**特約がなければ**、委任者に対し**報酬を請求**することができない。特約によって請求できる報酬の種類・請求時期は次のとおり。

ケース	報酬の請求時期
委任事務の履行自体に対する報酬	原則、委任事務を履行した後※
委任事務の履行により得られる成果に対する報酬	原則、成果が引渡しを要する場合、その成果の引渡しと同時※

※委任者の帰責事由によらずに委任事務が履行不能となったときなど、割合的報酬を請求できる場合がある

(2) 受任者は、委任者に**費用の前払請求**ができる。
(3) 受任者は、**報酬の有無を問わず、善管注意義務**を負う。

2. 委任の終了

(1) **当事者**は、**いつでも**委任契約を**解除**できる。ただし、**解除をした者**は、相手方に**不利な時期に解除**をした場合には、**やむを得ない事由があったときを除き、損害を賠償**しなければならない。
(2) 委任の終了原因

	死亡	破産手続開始の決定	後見開始の審判
委任者	○	○	×
受任者	○	○	○

○＝委任契約が終了する　×＝終了しない

○×チャレンジ

Q 受任者は、報酬の特約がある場合のみ、善良な管理者の注意をもって、委任事務を処理する義務を負う。

A 受任者は、報酬の特約の有無にかかわらず、善良な管理者の注意をもって、委任事務を処理する義務を負います。

×

2 事務管理

1. 事務管理

事務管理とは、たとえば、「Aが、遊園地で迷子になっている他人の子を親のもとに届けるために管理事務所に行く」といったように、**法律上の義務がないのに、他人のために仕事をすること**をいいます。この場合、義務なく他人のために事務（仕事）の管理を始めた者（**管理者**）は、その事務の性質に従い、**最も本人の利益に適合する方法**によって、その事務の管理（**事務管理**）をしなければなりません。

また、「Aが、隣人Bの留守中に台風が接近して、屋根の一部が壊れていたB宅に甚大な被害が生じる差し迫ったおそれがあったため、Bからの依頼なくB宅の屋根を修理した」場合も、事務管理の一例です。このように、本人（B）の身体、名誉または財産に対する**急迫の危害を免れさせる**ために事務管理をした場合を、緊急事務管理といいます。

＼アドバイス／

人の子をその親から頼まれて世話をする場合は準委任にあたります。この場合は、委任という契約関係があります。これに対し、迷子を親もとに届けるという事務管理の場合には、契約関係はありません。

2. 管理者の義務と権利

管理者は、事務を行うにあたって**善管注意義務**を負います。ただし、**緊急事務管理**の場合は、管理者は、**善管注意義務を負いません**。また、**本人の請求**があるときは、いつでも**事務の処理の状況を報告**し、事務が終了した後は、遅滞なくその経過および結果を報告しなければなりません。

管理者が、その管理において、本人のために**有益な費用を支出**したときは、本人に対し、その**償還を請求**することができます。管理が**本人の意思に反しない**場合は、**全額請求**できます。しかし、管理者は、原則として本人に**報酬の請求はできません**。

必須 事務管理

管理者の義務と権利

注意義務	**善管注意義務**を負う。ただし、**緊急事務管理**の場合は負わない。
報告義務	本人の請求があるときは、いつでも**事務の処理の状況を報告**しなければならない。
有益な費用の償還請求権	管理が**本人の意思に反しない**場合、**全額の償還請求**ができる。
報酬請求権	原則として、**報酬請求できない**。

3 請負

1. 請負契約

たとえば、自宅を新築する場合には、大工さんに、「家を建ててください。報酬を支払います。」と頼みます。このように請負契約とは、**請負人**がある**仕事を完成**することを約し、**注文者**がその**仕事の結果**に対してその**報酬を支払う**ことを約束する契約です。仕事を頼む人を**注文者**、頼まれる人を**請負人**といいます。

2. 請負人の報酬請求権

報酬は、仕事の目的物の引渡しと同時に、支払わなければなりません。ただし、物の引渡しを要しないときは、仕事の完成後です。建築請負のように、目的物の引渡しを要する場合には、**目的物の引渡し**と**報酬の支払い**は**同時履行の関係**に立ちます。つまり、注文者が報酬を支払わないのであれば、請負人は目的物の引渡しを拒むことができます。

次の場合、請負人が既にした仕事の結果のうち、可分な部分の給付によって注文者が利益を受けるときは、その部分を仕事の完成とみなして、請負人は、注文者が受ける利益の割合に応じて報酬を請求することができます（**割合的報酬請求権**）。

①注文者の帰責事由によらずに仕事を完成することができなくなったとき
②請負が仕事の完成前に解除されたとき

3. 請負人の担保責任

(1) 請負人の担保責任と通知期間の制限

引き渡された物が**契約内容に適合しない**（**契約不適合**）場合、注文者は、債務不履行の規定に基づく**損害賠償請求**や**解除**のほか、**追完請求**や**報酬の減額請求**をすることができます。このように、請負人は、売買契約の売主と同様の担保責任を負います。

また、売買と同様に、**種類**または**品質**に関する**不適合の場合**には**担保責任の期間制限**があります。原則 注文者は、**不適合を知った時から1年以内**にその旨を請負人に**通知**しなければ、原則として、不適合を理由として担保責任の追及をすることができません。ただし、例外 **請負人が引渡し時に不適合を知り、または重大な過失によって知らなかったときは、期間制限の適用はありません。**

担保責任を負わない旨の特約をした場合、その特約は**有効**です。ただし、請負人が知りながら注文者に告げなかった事実については、責任を免れることができません。

(2) 請負人の担保責任の制限

注文者が提供した材料の性質または注文者が与えた指図（指示）によって不適合が生じた場合、注文者は、その不適合を理由として、**履行の追完請求**、**報酬の減額請求**、**損害賠償請求**および**契約の解除**をすることは**できません**。なお、

請負人がその材料または指図が不適当であることを**知りながら告げなかった**ときは、請負人の担保責任は制限されません。

4. 契約の解除

請負人が**仕事を完成しない間**は、**注文者**は、**いつでも損害を賠償して契約の解除**をすることができます（**注文者による契約の解除**）。

注文者が破産手続開始の決定を受けたときは、請負人または破産管財人は、契約の解除をすることができます。ただし、**請負人**は、**仕事を完成した後**は、**契約の解除をすることはできません**（**注文者についての破産手続の開始による解除**）。

必須 **請負**

1. 目的物の引渡しを要する請負契約における**目的物引渡債務**と**報酬支払債務**とは、**同時履行の関係**に立つ。
   ※請負人は、注文者が受ける利益の割合に応じた報酬を請求できる場合がある。
2. 請負人の担保責任（≒売主の担保責任）

引き渡された物が**契約内容に適合しない**（**契約不適合**）場合、注文者は、**損害賠償請求・解除・追完請求・報酬の減額請求**ができる。
種類または**品質**に関する**不適合**の場合、原則、担保責任の**期間制限**がある。
担保責任を負わない旨の特約は有効である。ただし、請負人が知りながら注文者に告げなかった事実については、責任を免れない。

3. 契約の解除

請負人が**仕事を完成しない間**は、**注文者**は、**いつでも損害を賠償して契約を解除**できる（注文者による契約の解除）。
注文者が破産手続開始の決定を受けたときは、請負人または破産管財人は、契約を解除できる。ただし、**請負人**は、**仕事を完成した後**は、**契約を解除できない**（注文者についての破産手続の開始による解除）。

4 贈与

1. 贈与契約

売買は、代金を受け取って目的物を渡します。これに対して、贈与とは、**タダ**で物をあげる契約です。物をあげる側を**贈与者**（ぞうよしゃ）、もらう側を**受贈者**（じゅぞうしゃ）といいます。売買契約と同様、他人物を贈与するという契約も認められています。

2. 契約の成立と書面の作成

贈与契約は、売買契約と同様、当事者の合意により成立し、**書面を作成しなくても有効に契約は成立**します。⊕

原則 **書面によらない贈与**は、各当事者が**解除**をすることができます。この解除権は、債務不履行の解除とは別のものです。贈与がタダで物をあげる契約であることを考慮して、書面で契約しない場合は、贈与の約束を簡単にやぶることが認められているのです。

ただし、例外 **履行の終わった部分については、解除をすることができません**。たとえば、Aが自分の建物についてBと書面によらないで贈与契約を結んだとします。この場合、AもBもこの契約を解除できます。しかし、Aがこの建物をBに引き渡し、または所有権の移転登記がなされた（履行の終わった）場合には、解除できなくなります。

3. 贈与契約の担保責任

贈与契約も契約である以上、当事者は履行義務を負います。贈与者は、贈与の目的である物または権利を、贈与の目的として特定した時の状態で引き渡し、または移転することを約したものと推定されます。つまり、当事者は、贈与する時の状態で引き渡せばOKという合意をしたものと推定されます。したがって、これと異なる合意があったことが立証されない限り、贈与者は、レッスン8で学習した担保責任を負わないことになります。ただし、次のケースでは、贈与者は担保責任を負います。

たとえば、「AがBに建物を贈与する代わりに、BがAの生活の面倒をみる」というように、何らかの負担の付いた贈与を、**負担付贈与**（ふたんつき）といいます。負担付贈与については、贈与者は、その負担の限度において、売主と同じく担保の責任を負います。したがって、負担付贈与の場合、受贈者が負担を履行しないときは、原則として、贈与者は贈与契約を解除できます。

⊕補足

「書面を作成しなくても有効に契約は成立」するとは、書面を「作成しても」「作成しなくても」よいということ。書面によってなされた贈与契約は、解除することができない。

必須 贈与

① **書面によらない贈与**は、各当事者が**解除**できる。ただし、**履行の終わった部分**※については、**解除**できない。
※不動産の贈与では、「不動産の引渡し」または「所有権の移転の登記」が終了した場合のことをいう。

② **負担付贈与**において、贈与者は、その負担の限度において、**担保責任を負う**。受贈者が負担を履行しないときは、原則として、贈与者は贈与契約を解除できる。

5 定型約款（ていけいやっかん）

現代社会では、鉄道やバスの運送のような**大量の取引を迅速（じんそく）に行う**ため、**詳細で画一的な取引条件等**を定めた約款を用いることが必要です。このような場面で登場するのが**定型約款**です。

1. 定型取引

鉄道会社と乗客との取引のように、ある特定の者（鉄道会社）が不特定多数の者（乗客）を相手方として行う取引であって、その内容の全部または一部が画一的であることがその双方にとって合理的なものを**定型取引**といいます。

2. 定型約款の合意

民法の原則によれば、契約の当事者は契約の内容を認識しなければ契約に拘束（こうそく）されません。ただし、**定型取引を行うことの合意（定型取引合意）をした者**（たとえば、鉄道の乗客）は、次の①または②の場合には、**定型約款**（定型取引において、契約の内容とすることを目的としてその特定の者（たとえば、鉄道会社）により準備された条項の総体）**の個別の条項についても合意**をしたものとみなされます。

用語

【定型取引】定型取引とは、鉄道やバスの運送約款、電気・ガスの供給約款、保険約款、インターネットサイトの利用規約などのこと。

このレッスンが終わったら「きほんの問題集」の問題34～39にチャレンジ！

①定型約款を契約の内容とする旨の合意をしたとき。

②定型約款を準備した者（定型約款準備者）があらかじめその定型約款を契約の内容とする旨を相手方に表示していたとき。

3. 定型約款の合意を除外する場合

相手方（たとえば、鉄道の乗客）の**権利を制限または義務を加重する条項**（**契約内容**）であって、その定型取引の態様・実情や取引上の社会通念に照らして信義則に反して**相手方の利益を一方的に害すると認められるもの**（**条項**）については、**合意をしなかったものとみなされます**。

＼アドバイス／

定型約款については、大まかなイメージを持てれば十分です。

MEMO

LESSON 10

物権変動

土地の売買契約を締結したら…

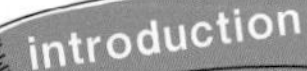

たとえば土地の売買で、売主が代金をもらっていないのに買主から「契約を締結した以上、その土地は俺のものだ」と言われたら？

確か、土地の売買契約が成立したときに、土地は買主のものになると思います。

そうだね。原則として、契約締結時に、所有権は移転するよね。

ただ、特約を結んでおけば、その特約の通りになったと思います。

土地の売買契約では、契約成立時に、所有権が売主から買主に移転します。ただし、「代金全額の支払いがあったときに所有権は移転する」旨の特約を結んでおけば、その特約どおりになります。このレッスンでは、不動産の売買で、「売主と買主」と「売主と第三者」の関係を中心に学習します。いろいろなレッスンで登場する重要な知識ばかりです。以下の順に学習していきましょう。

学習のポイント

1. 物権変動（所有権の移転時期、物権変動の対抗要件、登記が不要な物権変動）
2. 取消し・解除・時効完成と第三者（取消権者と第三者、解除権者と第三者、時効取得者と第三者）
3. 相続と登記

1 物権変動（ぶっけんへんどう）

物権とは、特定の物を直接支配する権利のことをいい、所有権や地上権、抵当権などがあります。ここでは、これらの権利の移転について学んでいきます。

1. 所有権の移転時期

A所有の甲土地をBが買う契約を結んだ場合、原則として、原則 売買契約を結んだときに、甲土地はBの物になります。つまり甲土地の所有権がAからBに移転します。

ただし、例外 **「代金を全額支払ったときに所有権がAからBに移転する」という特約を結ぶことができます。この場合、特約どおり、代金全額支払ったときに甲土地の所有権は移転します。**

必須 契約（売買契約など）による所有権の移転時期

原則	**契約時**に移転する。
例外	特約があれば、**特約のとおり**になる。 例：甲地の売買契約において、所有権移転時期を代金の完済時とする特約がある場合、代金の完済時に甲地の所有権が移転する。

なお、A所有の甲土地をBがAを強迫して買う契約を結んだ場合に、Aがこの契約を取り消すと、契約は最初からなかったことになります。したがって、AB間の**契約が取り消される**と、甲土地の**所有権は初めからBに移転しなかった**ことになります。

2. 物権変動の対抗要件

第三者が登場する契約での**物権変動**については、次の3つを覚えてください。

＼アドバイス／

この先、内容が難しいところもありますが、「誰」と「誰」の間の問題で、結局、どちらが「勝つ」のか、という視点で学習を進めてください。

用語

【物権変動】 Aの土地所有権がBに移転したり、Aの土地にCのために抵当権を設定した場合のように、物権（所有権や抵当権）の移転・設定をまとめて物権変動という。

(1) 二重譲渡

土地や建物が二重に譲渡（売却）された場合について考えてみましょう。

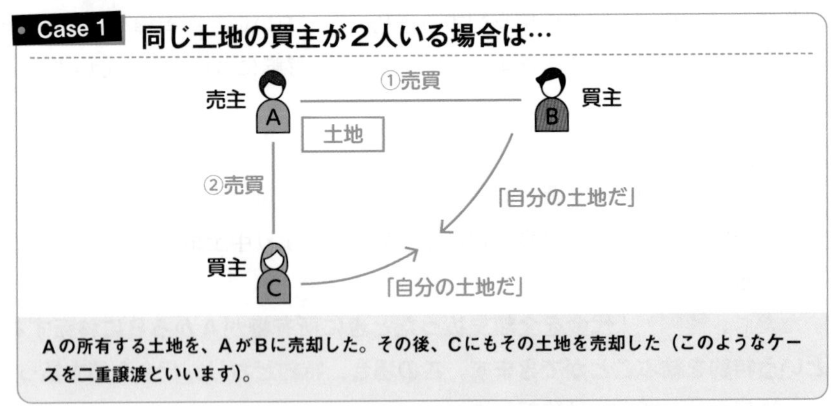

Ａの所有する土地を、ＡがＢに売却した。その後、Ｃにもその土地を売却した（このようなケースを二重譲渡といいます）。

ケース１のような**二重譲渡**では、ＢとＣのどちらが土地の所有権を主張することができるのでしょうか。**契約の先後では決まりません**。この場合、**不動産に関する所有権の取得は、原則として、登記をしなければ、第三者に対抗（主張）することができません**（**対抗問題**）。第三者の**善意・悪意**は関係ありません。したがって、Ｂは、登記（＝対抗要件）を備えなければ、原則として、Ｃに（所有権の取得を）対抗することができません。同様に、Ｃも、登記を備えなければ、原則として、Ｂに（所有権の取得を）対抗することができません。要するに、**先に登記を備えた者**が**勝ち**ます。

(2) 抵当権の設定

Ａ所有の土地について、Ｂへの売却（所有権移転）と、Ｃへの**抵当権**設定が行われた場合について考えてみましょう。

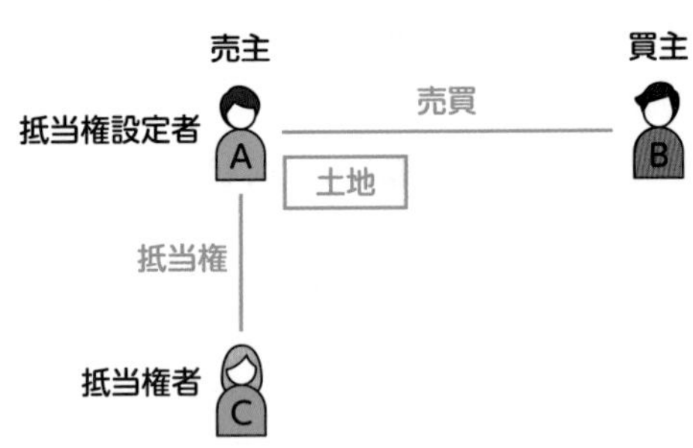

用語

【抵当権】 債務者が債務を弁済できない場合を見越して、債権者が不動産に権利（抵当権）を設定しておくことで、不動産を競売にかけて債権を回収できる仕組み。［▶L12］

Bの所有権移転登記が先に行われると、**CはBに対して抵当権を主張できません**。この場合、Bは抵当権なしの土地を取得します。

これに対し、Cの**抵当権設定登記が先**であれば、**CはBに対して抵当権を主張できます**。この場合、Bは抵当権の付いた土地を取得することになります。⊕

(3) 賃貸借契約が結ばれていた場合

A所有の土地について、Bへの売却（**所有権移転**）と、Dとの**賃貸借契約**が結ばれた場合について考えてみましょう。

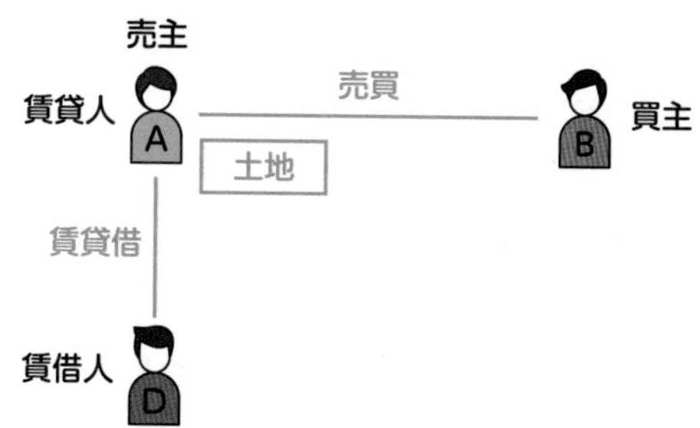

Bの**所有権移転登記が先**に行われると、DはBに対して**賃借権**（ちんしゃくけん）（「**土地を使わせろ**」と言える権利）**を主張できません**。この場合、BはDに土地の明渡しを請求できます。

これに対し、Dの**賃借権設定登記が先**であれば、DはBに対して**賃借権を主張できます**。この場合、Bは新たな賃貸人となります［賃貸借契約▶L14］。

＼アドバイス／

物権変動での「勝ち」「負け」は「登記」で決まります。まず、このルールをしっかり確認してください。

必須 **登記が問題（対抗問題）となる場面**

ケース	「誰」と「誰」	結論
二重譲渡	**「第一買主」**と**「第二買主」**の関係	**「登記を先に備えた者」が勝つ※**
売買と抵当権	**「買主」**と**「抵当権者」**の関係	
売買と賃貸借	**「買主」**と**「賃借人」**の関係	

※借地借家法では、賃借権の登記以外に、借地上の建物登記、建物の引渡しがある場合にも対抗力を認めています。詳しくはレッスン15・16借地借家法で学習します。

⊕**補足**

「抵当権付きの土地」を取得した買主（抵当不動産の第三取得者）は、要するに、抵当権が実行されると、その土地の所有権を失うことになる。

○×チャレンジ

Q **Aが、自己が所有する甲土地をB（第一の買主）に譲渡した後、C（第二の買主）にも二重に譲渡し、その旨の登記を行った場合、先に甲土地を譲り受けたBは、甲土地の所有権の取得をCに対抗することができる。**

A 不動産の二重譲渡があった場合、原則として、登記をしなければ、所有権の取得を第三者に対抗（主張）できません。したがって、第一の買主Bは、甲土地の所有権の取得を第二の買主Cに対抗できません。

×

3. 登記が不要な物権変動

(1) 契約当事者

Aの所有する土地をBがAから買い受けた場合、BはAに対してこの土地の所有権は自分にあると主張できます。

このように**当事者間**では、**登記がなくても、**所有権の取得を**対抗（主張）できます**。

＼アドバイス／
理屈を考えると難しい問題もありますが、ここは、以下で事例と結論をしっかりと覚えましょう。

(2) 転々譲渡（てんてんじょうと）

A所有の土地を、AからB、BからCへと売却（**転々譲渡**）した場合、Cから見てAを**前主**（ぜんしゅ）といいます。Cから見て前主Aは第三者にあたらないので、Cは、登記がなくても、Aに対して所有権の取得を主張することができます。

(3) 相続

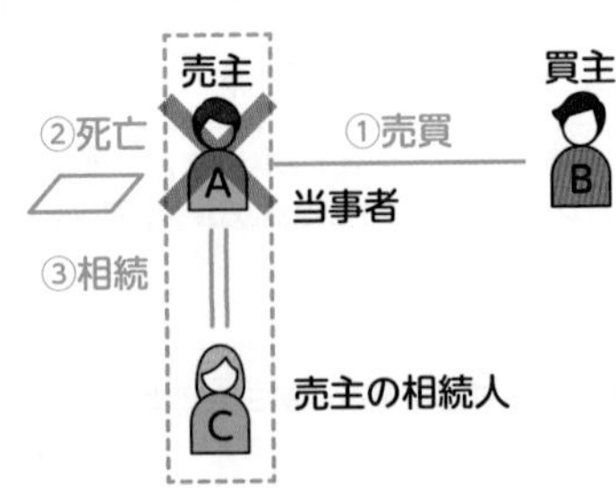

A所有の土地をBが買い受けた後に、Aが死亡して、Cが**相続**した場合、**買主はB、売主の相続人Cに対して、登記がなくても所有権の取得を主張できます**。BとCが当事者の関係に立つからです。したがって、Bは、登記がなくても所有権の取得をCに主張できます。

必須 **登記がなくても権利を主張できる場合**

1. **買主**は、**売主**に対して、**登記がなくても**、所有権の取得を主張できる。
2. A（前主）→B→C（買主）と譲渡された場合、**買主**は、**登記がなくても**、**前主**に対して所有権の取得を主張できる。
3. **買主**は、**売主の相続人**に対して、**登記がなくても**、所有権の取得を主張できる。

(4) 不動産の二重譲渡

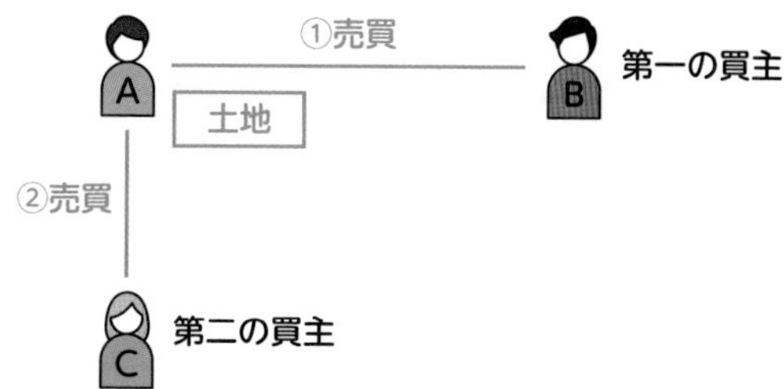

不動産の二重譲渡が行われた場合でも、①**詐欺や強迫によって登記の申請を妨げた第二の買主**や、②**第一の買主のために登記を申請する義務を負う第二の買主**に対しては、**第一の買主**は**登記なしに所有権の取得を主張**できます。同様に、③第一の買主が登記を備えていないことに乗じ、第一の買主に高値で売りつけて利益を得る目的で売主をそそのかして第二の買主となった者（**背信的悪意者**(はいしんてき)）に対しては、**第一の買主**は**登記なしに所有権の取得**を主張できます。

前述の①から③の例で**第一の買主**Bは、**登記がなくても**、**第二の買主**Cに**所有権の取得**を主張することができます。この場合、仮にCが登記を備えていても、Bは所有権の取得をCに主張することができます。

(5) 不法占有者・無権利者

不法占有者や、**無権利者**に対しては、**登記がなくても**、所有権の取得等を主

用語

【相続】 ある人が死亡すると相続が開始し、死亡した者（被相続人）の残した権利義務などが、相続する者（相続人）に引き継がれる。売主が死亡すると相続人がその売主の地位を相続する。

張することができます。無権利者とは、たとえば、A所有建物をBが買った後、Bが移転登記を受ける前にAがCに仮装譲渡し、登記をC名義に移転した場合のCのことです。

必須 登記がなくても権利を主張できる場合

1. 不動産の**二重譲渡**が行われた場合、第一の買主は、以下の①～③の者に対しては、**登記がなくても**、所有権の取得を主張することができる。
①詐欺や強迫によって登記の申請を妨げた第二の買主
②第一の買主のために登記を申請する義務を負う第二の買主
③第一の買主が登記を備えていないことに乗じ、第一の買主に高値で売りつけて利益を得る目的で売主をそそのかして第二の買主となった者（**背信的悪意者**）
2. **不法占有者**や、**無権利者**に対しては、**登記がなくても**、所有権の取得等を主張することができる。

2 取消し・解除・時効完成と第三者

ここから学習する内容は、「いつ」第三者が登場するかによって、結論が異なります。事例をしっかり確認しながら学習しましょう。

1. 取消権者と第三者

（1）取消権者と取消前の第三者との関係［▶L1］

（2）取消権者と取消後の第三者との関係

Aは、Bにだまされて A所有の土地の売買契約をBと締結しました。Aが取り消した後、Bがその土地をCに売却した場合、Cは取消し後に登場しているので「**取消後の第三者**」といいます。

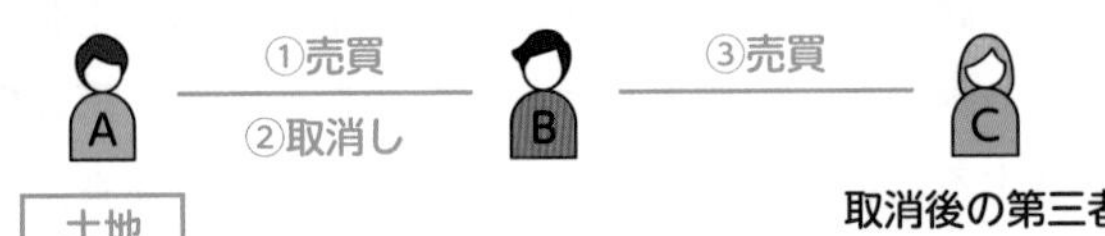

取消権者と取消後の第三者では、**登記を先にした者が勝ちます**。したがって、AとCは登記を先に備えた方が勝ちます。この場合、第三者の善意・悪意は関係ありません。AとCの関係は、**Bを起点とした二重譲渡**（A←B→C）**と類似する関係に立つ**からです。

AがBの**強迫**によって取り消した場合も同じです。**登記を先にした者が勝ち**

ます。

2. 解除権者と第三者

(1) 解除権者と解除前の第三者との関係 [▶L7]

(2) 解除権者と解除後の第三者との関係

A所有の土地について、AとBが売買契約を締結したが、AがBの債務不履行を理由に契約を解除しました。その後、Bがその土地をCに売却した場合、Cは解除後に登場しているので「**解除後の第三者**」といいます。

解除権者と解除後の第三者では、**登記を先にした者が勝ちます**。第三者の善意・悪意は関係ありません。したがって、AとCは登記を先に備えた方が勝ちます。この場合のAとCの関係は、**Bを起点とした二重譲渡**(A←**B**→C)**と類似する関係に立つ**からです。

3. 時効取得者と第三者

(1) 時効取得者と時効完成前の第三者との関係

A所有の土地についてBの取得時効が完成しました。Bの取得時効の完成前に、AがCにその土地を売却した場合、Cは時効完成前に登場しているので「**時効完成前の第三者**」といいます。

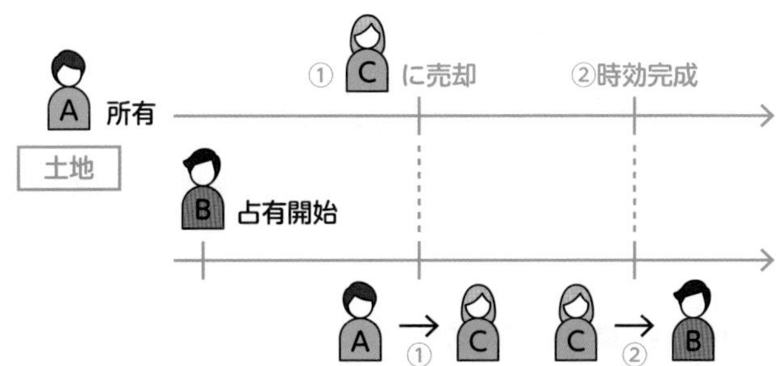

時効取得者は、**登記がなくても**、時効完成前の第三者に対して対抗することができます。したがって、Bは、登記がなくても、Cに対して対抗することができます。この場合のBとCは**当事者と同様の関係**(**C→B**)に立つからです。

(2) 時効取得者と時効完成後の第三者との関係

A所有の土地についてBの取得時効が完成しました。Bの取得時効の完成後に、AがCにその土地を売却した場合、Cは時効完成後に登場しているので**「時効完成後の第三者」**といいます。

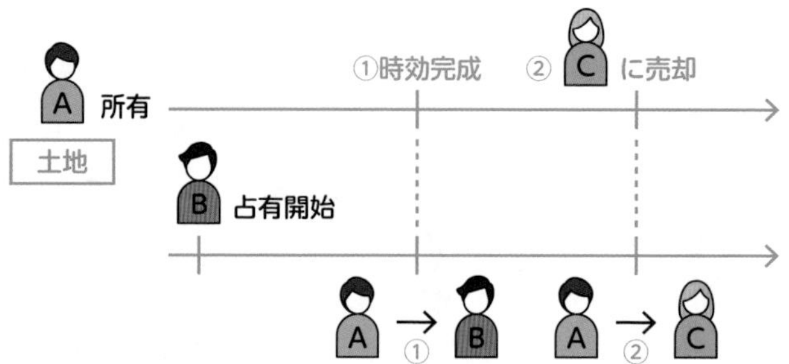

時効取得者と時効完成後の第三者では、登記を先にした者が勝ちます。したがって、BとCは登記を先に備えた方が勝ちます。この場合のBとCの関係は、**Aを起点とした二重譲渡に類似する関係**（B←**A**→C）**に立つ**からです。

必須 取消し・解除・時効完成と第三者

	～前の第三者との関係	～後の第三者との関係
取消し	・詐欺による取消しは、善意無過失の第三者には主張できない ・強迫による取消しは、善意無過失の第三者にも主張できる	**「登記を先に備えた者」が勝つ**※
解除	第三者が登記を備えると、解除を主張できない※	
時効完成	時効取得者は、登記がなくても、時効による取得を主張できる（**時効取得者が勝つ**）	

※第三者の善意悪意は関係なし

○×チャレンジ

Q A所有の甲土地に関するAB間の売買契約が解除された後、BがCに甲土地を譲渡した場合、Aは、登記をしなければ、解除後の第三者であるCに、所有権を対抗することができない。

A 解除権者と解除後の第三者では、登記を先にした者が勝ちます。したがって、Aは、登記をしなければ、解除後の第三者Cに所有権を対抗することができません。 ○

3 相続と登記

相続が起こった場合、相続人と第三者との関係はどのようになるのでしょうか。

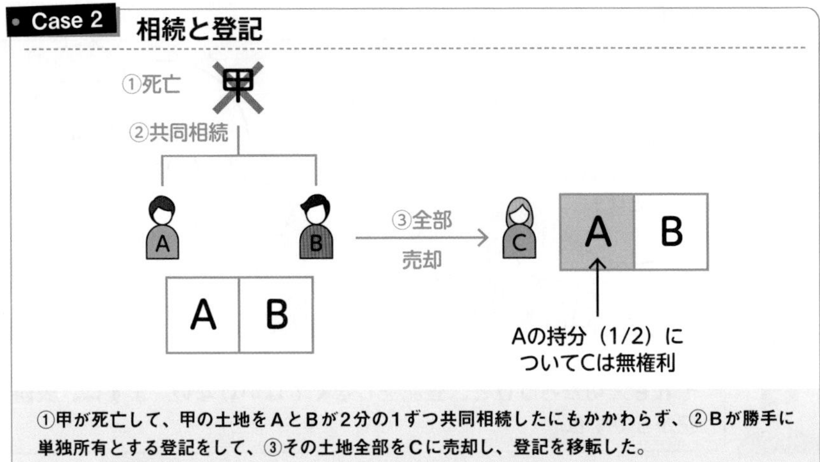

Case 2 相続と登記
①死亡
甲
②共同相続
A
B
③全部
売却
C
A B
A B
Aの持分（1/2）について
Cは無権利
①甲が死亡して、甲の土地をAとBが2分の1ずつ共同相続したにもかかわらず、②Bが勝手に単独所有とする登記をして、③その土地全部をCに売却し、登記を移転した。

ケース2のAは、登記がなくても、Cに自分の権利を主張できます。この場合、相続した土地について単独登記されていても、**B**は、**Aの持分**（土地についての2分の1の権利）については**無権利**です。したがって、**C**もAの持分については、**無権利**となります。よって、**A**は、**登記がなくても**、**自己の持分**を**無権利者**Cに主張することができます。

必須 相続と登記

1. **無権利者**に対しては、**登記がなくても**、所有権の取得等を主張することができる。
2. 土地を共同相続した後、遺産分割前に共同相続人の1人が単独所有とする登記をして、第三者に売却し、その登記をした場合でも、他の共同相続人は、**自己の持分**について、**登記がなくても**、第三者に対抗できる。

このレッスンが終わったら「きほんの問題集」の問題40～45にチャレンジ！

学習優先度
中

LESSON 11

不動産登記法

マイホームを新築したら…

introduction

マイホームを
新築したら、しなければ
ならないことは？
まずは、友達呼んで
ホームパーティーですね。

それも大切だろうけど、登記をしなくてはいけない。まずは、表題登記からですね。

「トウキ」「ヒョウダイトウキ」ってなんですか？　食器の名前？　まさか新しいスイーツ？

建物を新築した場合には、建物の所在、種類、構造、床面積などについて登記（表題登記）を申請する義務があります。表題登記がなされると、所有権の保存の登記を申請することになります。このレッスンでは、登記の仕組みを学習したあとに登記のさまざまなルールも学習します。

学習のポイント

1. 不動産登記法（不動産登記の役割、不動産登記の仕組み）
2. 表示に関する登記と権利に関する登記
3. 共同申請主義とその例外
4. 登記の申請方法等
5. 合筆の登記

1 不動産登記法

1. 不動産登記の役割

みなさんがマイホームを購入するときに、そのマイホームを「誰が所有」しているか分かると安心して取引できます。そこで、不動産の表示や不動産の権利関係を明確にし、不動産の取引の安全と円滑を図るために不動産登記制度があります。

2. 不動産登記の仕組み

(1) 不動産登記とは、その不動産が「どのようなもの」か、「誰が所有」しているかを記録しているものであり、またその不動産で「誰がどのようなことをしたのか」を記録したものです。それら登記の記録がまとめられたものを**登記記録**（とうきぎろく）といいます。

(2) 土地は切れ目なく続くので所有者の意思により区分されます。その区分された**一単位の土地**を「**一筆**（いっぴつ）」の土地といいます。

そして、**一筆の土地**または**一個の建物**ごとに取引されるので、**登記記録**は、原則として、**一筆の土地**ごとまたは**一個の建物**ごとに**1つ作成**されます。

(3) 1つの登記記録は、①**表題部**（ひょうだいぶ）、②**権利部**（けんりぶ）に区分され、**権利部**はさらに**甲区**（こうく）と**乙区**（おつく）に区分されます。

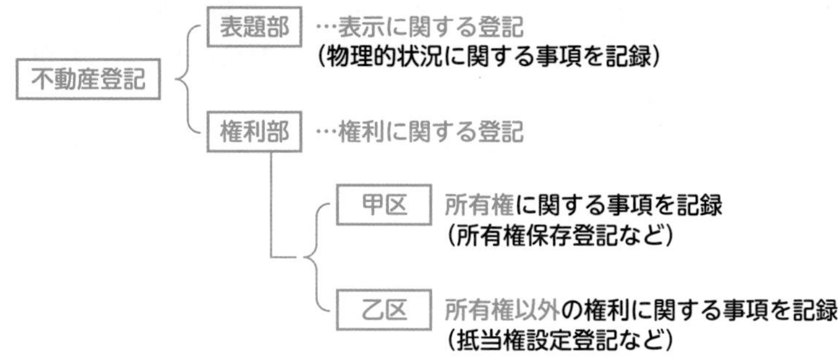

表題部	**表示に関する登記**が記録される。 表示に関する登記とは、たとえば、建物の所在、種類、構造、床面積などの不動産の物理的な状況を明らかにする情報で、いわば不動産のプロフィールである。
権利部	**権利に関する登記**が記録される。 土地や建物の**所有権**・**抵当権**・地上権・**賃借権**・**配偶者居住権**［▶L20⑦］などの権利に関する記録がなされる。たとえば、最初の所有者は誰で、次の所有者は誰で、いつ抵当権が設定されたかなど、いわば土地や建物の履歴書である。

必須 **登記することができる権利・登記記録**

1. 登記することができる権利⇒所有権・**抵当権**・**賃借権**・**配偶者居住権**など
2. 登記記録のまとめ

表示に関する登記	表題部に記録	土地および建物の表示に関する事項	
権利に関する登記	権利部に記録	**甲区**	**所有権**に関する事項 例：所有権の保存の登記など
		乙区	**所有権以外**の権利に関する事項 例：抵当権・賃借権など

2 登記記録の手順

Aが、**建物を新築**した場合を例にあげて、登記記録の手順を学習しましょう。
(1) 最初に表題部を作成します。この表題部には、建物の所在、種類、構造、床面積、建物の名称があるときは、その名称などを記録します。これがないとどの建物の登記記録かが分からないからです。

この表題部を作成するためには、建物を新築した**Aの申請が必要**です。そしてAが申請すると、登記官が表題部を作成します。この**表題部の最初の登記**のことを**表題登記**(ひょうだいとうき)といいます。表題部には、所有者Aの氏名・住所も記録されます。この表題部に所有者として記録される者を「**表題部所有者**(ひょうだいぶしょゆうしゃ)」といいます。この言い方は確実に覚えましょう。以下の登記記録の見本をご覧ください。

〈建物の表題部〉

○県○市○町1丁目1－1　　　全部事項証明書　（建物）

表題部（主である建物の表示）			調整 余白	不動産番号 9876543210000
所在図番号	余白			
所　　在	○市○町一丁目101番地		余白	
家屋番号	101番		余白	
①種　類	②構造	③床面積m^2	原因及びその日付（登記の日付）	
居　　宅	木造かわらぶき2階建	1階　80:00 2階　70:00	令和○年○月○日新築 （令和○年○月○日）	
所有者	○市○町二丁目1番1号　A　⬅表題部所有者			

(2) **表題登記がなされると**、Aは**所有権の保存**（ほぞん）**の登記**を申請することができます。**所有権の保存の登記**とは、**甲区に最初に記録される所有権の登記**のことです。以下の見本の権利部（甲区）の順位番号1のところをご覧ください。

〈建物の権利部〉

権利部（甲区）（所有権に関する事項）			
順位番号	登記の目的	受付年月日・受付番号	権利者その他の事項
1	所有権保存	平成○年○月○日 第○○○号	所有者　○市○町二丁目1番1号 A
2	所有権移転	平成○年○月○日 第○○○○号 受付番号	原因　平成○年○月○日　売買 所有者　○市○町四丁目4番4号 B　⬅登記名義人

(3) そして、表題部所有者の記録は、権利部が作成されたときに抹消（まっしょう）されます。前の〈建物の**表題部**〉の見本で、表題部の一番下に記載されているのが表題部所有者（A）で、下線が引かれています。下線が引かれているのは、**抹消されたという意味です。

また、〈建物の**権利部**〉の見本で、**順位番号**2に「A」から売買で所有権を譲り受けた「B」名義の**所有権の移転**（いてん）**の登記**がなされています。このように、甲区には、建物の所有者が誰かを記録します。歴代の所有者がそこに名前を連ね、最新（一番最後）の名前が**現在の所有者＝登記名義人**（めいぎにん）です。

試験対策上重要なのは、所有権の保存の登記の申請ができる者です。まとめると次のようになります。

必須 所有権の保存の登記の申請ができる者

所有権の保存の登記は、次に掲げる者**以外の者は**、申請することができない。

①**表題部所有者**またはその**相続人**その他の一般承継人
②所有権を有することが確定判決によって確認された者
③収用によって所有権を取得した者
④区分建物※において、表題部所有者から所有権を取得した者

※「区分建物」とは、たとえば、マンションのこと。

OXチャレンジ

Q 表題部所有者の相続人は、所有権の保存の登記を申請することができる。

A 表題部所有者の相続人は、所有権の保存の登記を申請することができる者にあたります。

○

(4) 物権変動のところで学習したように、所有権と抵当権は登記を先にした方が勝ちます。では、この先後はどのように判断するのでしょうか？

権利の順位は、原則として、**順位番号**によります。ただし、**所有権**と**抵当権**のように、別の区の場合（たとえば、所有権と抵当権の優劣を決める）は**受付番号**によります。前の〈建物の**権利部**〉の見本の**受付番号**（第○○○○号）の先後で判断します。

3 登記の手続き①
表示に関する登記と権利に関する登記

登記は、表示に関する登記と権利に関する登記に分かれます。それぞれ手続きに違いがあります。

必須 表示に関する登記と権利に関する登記

1. 表示に関する登記と権利に関する登記の異同

表示に関する登記	権利に関する登記	
①当事者の申請または官庁・公署（こうしょ）の嘱託（しょくたく）に基づく登記（申請主義） ②**登記官の職権に基づく登記**	当事者の申請または官庁・公署の嘱託に基づく登記（申請主義）	
原則として、対抗力なし	対抗力あり	
一定の場合に**申請義務あり**	原則	**申請義務なし**
	例外	相続・相続人に対する遺贈による所有権の移転の登記（相続登記）は、**申請義務あり**

2. **申請義務が課せられる場合**（表示に関する登記）

どんな場合	誰が	いつまでに
新たに生じた土地または表題登記がない土地の所有権を取得した	所有権を取得した者	所有権の取得の日から**1カ月以内**
新築した建物または区分建物以外の**表題登記がない建物の所有権を取得**した		
建物が滅失した	表題部所有者または所有権の登記名義人	滅失の日から**1カ月以内**
地目※（例：田から宅地に）、地積について変更があった		変更があった日から1カ月以内
建物の種類、構造および床面積について変更があった		

※地目とは、「田」「宅地」「山林」など**土地の用途を表すもの**

登記の手続き②
共同申請主義とその例外

A所有の土地をBに売却した場合、AからBへの**所有権の移転の登記**は、AとBが**共同で申請**しなければなりません。

売買

売主 A

買主

登記義務者　　(共同申請)　　登記権利者

上の例の**売主**Aのように、権利に関する登記をすることで、登記上、直接に不利益を受ける登記名義人を**登記義務者**、**買主**Bのように、登記上、直接に利益を受ける者を**登記権利者**といいます。売買の場合に、買主（登記権利者）の単独での登記を認めると、場合によってはウソのこともありえます。そこで、**権利に関する登記**は、**原則**として、**登記義務者と登記権利者が共同で申請**しなければなりません（**共同申請主義**）。共同ですることで真実に合致した登記がなされる可能性が高いからです。これに対して、**表示に関する登記**は、**単独で申請**することができます。試験対策として重要なのは、**権利に関する登記**を**単独で申請**することができる場合を覚えることです。

必須　共同申請主義とその例外

1. **権利に関する登記**は、**原則**として、**登記義務者と登記権利者が共同で申請**しなければならない（共同申請主義）。
2. 次の場合には一定の者が**単独で登記を申請**することができる（**共同申請主義の例外**）。

共同申請ができない場合
①**相続・合併**による権利の移転の登記
②所有権保存登記
③**所有権の抹消登記**※1
④登記名義人の氏名・名称・住所の変更・更正の登記※2
単独申請でも登記の正確性が確保される場合
⑤**判決**（登記手続きを命じる確定判決）による登記
⑥相続人に対する**遺贈**による所有権の移転の登記
特殊な登記の場合
⑦**仮登記**（仮登記義務者の承諾がある場合）
⑧**仮登記の抹消登記**
⑨**信託**に関する登記

※1　所有権移転登記がなされていない所有権の登記（所有権保存登記）を抹消する場合のことであり、所有権移転登記の抹消登記は、原則どおり共同申請になる。

※2　変更の登記とは、登記事項に変更があった場合にする登記のこと。更正の登記とは、登記事項に錯誤または遺漏があった場合に当該登記事項を訂正する登記のこと。

登記の手続き③ 登記の申請方法等

(1) 登記の申請は、①**電子情報処理組織を使用する方法**（インターネットを利用して申請する方法）か、②**申請情報を記載した書面**（申請情報の全部または一部を記録した磁気ディスクを含む。）**を提出する方法**のいずれかにより行います。

(2) そして、申請の際には**登記識別情報**（とうきしきべつじょうほう）を提供しなければならない場合があります。

登記識別情報とは、登記名義人本人の申請であることを確認するためのパスワードです（パスワードとは、「ABC－123－XYZ－456」のように英数字がランダムに羅列（られつ）されたものです）。

たとえば、Aの申請により自己名義で所有権の保存の登記がなされた場合に、Aに対して**登記識別情報**が通知されます。その後、Aがその不動産をBに売却し所有権移転登記を申請する際、Aはその**登記識別情報を登記所に提供**しなければなりません。その登記識別情報はAしか知らないはずなので、A本人からの申請である可能性が高いことになります。このように、登記権利者および登記義務者が共同して権利に関する登記の申請をする場合には、原則として、申請人は、その**申請情報と併せて登記義務者の登記識別情報を提供**しなければなりません。

(3) 登記記録は、ハードディスク上の磁気データとして記録されていることから、その内容を直接見るためには、プリントアウトしたものを見ることになります。そこで、**何人も**（＝誰でも）、登記官に対し、手数料を納付して、**登記記録に記録**されている事項の全部または一部を**証明した書面**（**登記事項証明書**（とうきじこうしょうめいしょ））の**交付**を請求することができます。

(4) なお、登記手続きは複雑で専門性が高いために、一般的には専門家（司法書士）にお願いします。その際に、委任契約を締結しますが、**登記の申請をする者の委任による代理人の権限は、本人が死亡しても消滅しません**。

6 仮登記（かりとうき）

1．仮登記に基づく本登記の申請

(1) 権利に関する登記をしておけば自分の権利を守ることができますが、そのためには申請情報や登記識別情報を用意しなければなりません。しかし、登記に必要なものすべてを用意できない場合もあります。そこで、**一定の場合、本登記（ほんとうき）の代わりに仮登記をすることができます。**

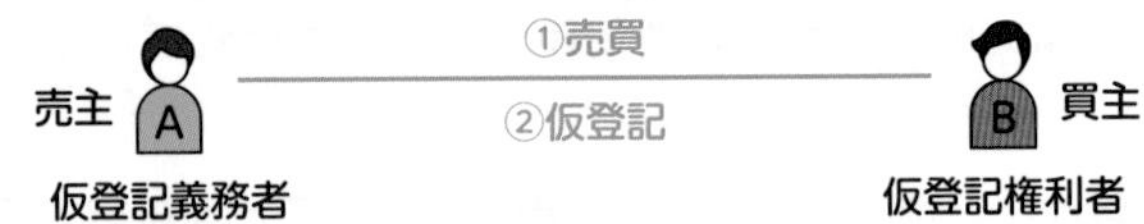

仮登記は以下の場合にのみすることができます。

①登記すべき権利の変動は生じているが、登記の申請をするために登記所に対し提供しなければならない一定の**情報を提供することができない**とき
②登記すべき権利の変動は生じていないが、将来、権利変動が生じる予定があり、その**請求権を保全（ほぜん）**しようとするとき

(2) **仮登記**のままでは**対抗力が認められていません**が、本登記に改められると、**本登記の順位は仮登記の順位**によります。以下で具体例を通して学習しましょう。

Aが土地をBとCに**二重に譲渡**し、第一の買主Bが所有権の移転の登記の本登記をすることができないために**仮登記**をした後に、第二の買主Cが**所有権の移転の登記**をしました。この場合、Bは、**仮登記**のままではCに所有権を**対抗することができません**。

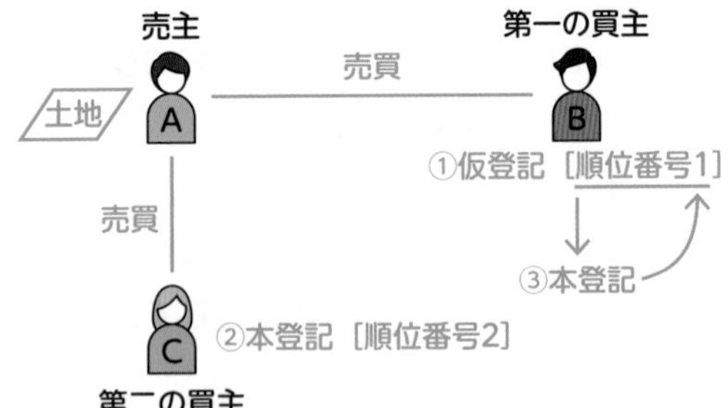

その後、Bが、**仮登記に基づく本登記の申請**をすると、**仮登記の順位**が**本登記の順位**になります（**順位保全の効力**）。したがって、前のケースでは、Bの

本登記の順位番号は、Cの登記の順位番号よりも先になります。したがって、Bは、Cに所有権を対抗できます。この**仮登記に基づく本登記の申請**には以下の要件が必要になります。

必須 **所有権に関する仮登記に基づく本登記**

所有権に関する**仮登記に基づく本登記**は、登記上の利害関係を有する第三者がある場合には、当該**第三者の承諾**があるときに限り、**申請**することができる。

2. 仮登記の抹消（まっしょう）の申請

仮登記をしておく必要がなくなれば、その**仮登記を抹消**することができます。では、A所有の土地に、B名義の所有権移転の仮登記がなされている場合、この仮登記の抹消手続きはどのように行えばいいのでしょう。

仮登記も権利の登記ですから、共同申請主義が原則ですが、**仮登記**は文字どおり仮のものなので、**AB共同**でも、**B（仮登記の名義人）単独**でも、**Bの承諾を得てA単独**の申請もできます。

必須 **仮登記の抹消の申請**

1. 仮登記の抹消は、**仮登記の登記名義人**が**単独で申請**することができる。
2. **仮登記の登記名義人の承諾**がある場合における当該**仮登記の登記上の利害関係人**も、**単独**で仮登記の抹消を申請することができる。

7 合筆（がっぴつ）の登記

合筆とは、数筆（すうひつ）の土地を一筆の土地にまとめることをいいます。合筆をするためには、対象となる土地の地目（ちもく）や所有権の登記名義人等が同じでなければなりません。

＼アドバイス／

試験対策として重要なのは、以下の「合筆」できない場合です。合筆については、ここまで学習した不動産登記法の内容を確実に覚えた上で余裕があれば学習を進めてください。

必須 合筆できない場合

① 相互に接続していない土地の合筆の登記
② 地目または地番区域が相互に異なる土地の合筆の登記
③ 表題部所有者または所有権の登記名義人が相互に異なる土地の合筆の登記
④ 表題部所有者または所有権の登記名義人が相互に持分を異にする土地の合筆の登記
⑤ 所有権の登記がない土地と所有権の登記がある土地との合筆の登記
⑥ 所有権の登記以外の権利に関する登記がある土地の合筆の登記

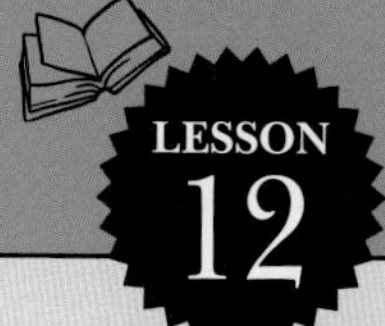

学習優先度 高

LESSON 12

抵当権・その他の担保物権

貸したお金を確実に回収するには…

introduction

貸したお金が
確実に返ってくる
方法はある？
全然大丈夫です。
僕、お金の貸し借りは
しない主義ですから…

お金の貸し借りをしないのはいいことかもしれないけど…抵当権の仕組みくらいは知っておいてほしい。勉強しよう…

分かりました。そのうち、始めましょう…

お金を貸す際に、借主の土地に抵当権を設定しておけば、仮に弁済がなくても、抵当権を実行して土地を競売（きょうばい）にかけ、その代金から優先的に弁済を受けられます。抵当権は債権者の（貸したお金を回収する）立場に立って学習すると理解しやすくなります。

学習のポイント

- ❶ 抵当権（債権者平等の原則、抵当権を設定した場合）
- ❷ 抵当権の目的物・抵当権の効力が及ぶ範囲
- ❸ 物上代位・法定地上権
- ❹ 抵当権付きの不動産の賃借人・抵当不動産の第三取得者
- ❺ 1つの土地・建物に複数の抵当権を設定した場合
- ❼ 根抵当権
- ❽ その他の担保物権

1 抵当権は便利？

1．債権者平等の原則

1,000万円の甲土地を所有しているAが、Bから1,000万円を借り、さらに、Cからも3,000万円を借りました。その後、Aは、約束の日にBに返済しませんでした。

この場合、Bは「自分が先にお金を貸したのだから、甲土地を競売にかけて優先的にお金をとる」と主張できません。**債権者は平等に扱われ、債権額に応じて弁済を受けることになっているからです**（**債権者平等**（びょうどう）**の原則**）。前の例では、Bの債権が1,000万円、Cの債権が3,000万円で、合計4,000万円の債権に対して、甲土地は1,000万円です。したがって、**Bの配当額**は、1,000万円×1/4＝**250万円**、**Cの配当額**は1,000万円×3/4＝**750万円**となります。

2．抵当権を設定した場合

1,000万円の甲土地を所有しているAが、Bから1,000万円を借り、その際に、甲土地にBのために**抵当権が設定**され、登記もなされました。その後、AはCからも3,000万円を借りました。この場合、AがBに返済しなかったときは、Bは**抵当権を実行**し、土地を競売にかけその代金から**1,000万円の配当**を受けることができます。この場合は、Cと配当を分ける必要はありません。抵当権は、優先的に弁済を受けることができる権利だからです。

このように、**抵当権とは、債務者が債務を弁済できない場合、債権者は抵当権を実行して、抵当権を設定した土地や建物等を競売にかけて、その代金から優先的に弁済を受けることができる権利**です。

抵当権の設定を受けた人を**抵当権者**、抵当権の設定をした人を**抵当権設定者**、抵当権等で担保されている債権を**被担保債権**（ひたんぽさいけん）といいます。また、Aの借金のために、Aの親Dが自分の土地に抵当権を設定することもできます。このように、他人の借金のために、抵当権を設定する者を**物上保証人**（ぶつじょうほしょうにん）といいます。⊕

⊕補足

【物上保証人】物上保証人は、債務者が債務を弁済できない場合、抵当権を実行され、抵当目的物を競売にかけられて、抵当目的物の所有権を失ってしまう可能性がある。

抵当権者
（債権者） A　被担保債権 → B（債務者）
抵当権 → Cの土地　C 抵当権設定者

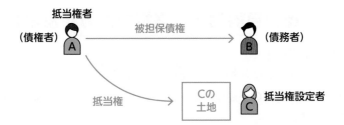

＼アドバイス／
上のイラストを使って、「抵当権者」「抵当権設定者」「被担保債権」の呼び方を早い段階で覚えて下さい。教科書が読みやすくなります。

抵当権は、**抵当権者**（債権者）と**抵当権設定者**（債務者・物上保証人）との間の**契約によって設定**されます。

3. 抵当権の対抗要件

物権変動で学習したように抵当権は**登記**しなければ**第三者に対抗できません**。**同一の不動産**について**複数の抵当権を設定**することもできます。その抵当権の順位は、**登記の前後**により決まります。

＼アドバイス／
以下の具体例を通して、抵当権のイメージをしっかりつけましょう。

たとえば、1億円の甲土地を所有しているAが、Bから7,000万円借金をして、甲土地に抵当権を設定し登記しました。さらに、AがCから5,000万円借金をしたときに、甲土地に抵当権を設定し登記することもできます。

この場合、先に抵当権の設定登記をしたBのことを**1番抵当権者**（**先順位抵当権者**）といい、Bの後に抵当権の設定登記をしたCのことを**2番抵当権者**（**後順位抵当権者**）といいます。

Aが借金を返さなければ、**抵当権を実行**し、競売により甲土地を1億円のお金にして、**まずBが7,000万円、次にCが3,000万円**の弁済を受けることになります。なお、Cの債権は5,000万円ですから、残りの2,000万円についてもAに請求できます。ただ、その2,000万円は抵当権では担保されません。

2 抵当権の目的物・抵当権の効力が及ぶ範囲

1．抵当権の目的

抵当権は、①土地、②建物、③**地上権**、④**永小作権**に設定することができます。土地と建物は別個の不動産ですから、**土地と建物**のそれぞれ**別々**に抵当権を設定できます。

2．抵当権の効力の及ぶ範囲

(1) 土地に抵当権を設定した場合

土地に抵当権を設定した場合、その土地の上に存する**建物**にはその**抵当権の効力は及びません**。この場合の「**効力が及ばない**」というのは、要するに、抵当権を実行する際に、土地の上に存する建物は競売にかけて**お金に換えることはできない**ということです。

(2) 建物に抵当権を設定した場合

建物に抵当権を設定した場合、建物が建っている**土地**にはその**抵当権の効力は及びません**。これに対して、抵当権設定当時、その建物の中にある畳（この場合の建物を主物、畳を従物といいます）には抵当権の効力が及びます。このように、抵当権の効力は、抵当権設定時から存在する従物に及びます。この場合の「**効力が及ぶ**」というのは、抵当権を実行する際に、建物だけでなくその中の畳も一緒に競売にかけて**お金に換えることができる**ということです。

また、たとえば、A所有の甲土地をBが建物を建てるために借り（**借地権**を設定し）て、甲土地に建物を建てました。その後、BがCからお金を借りる際にこの**借地上の建物に抵当権を設定**したとします。このように、**借地上の建物に抵当権を設定**した場合、土地の賃借権等の**借地権にも抵当権の効力が及びます**。

(3) 利息

お金を貸すときには利息を取ることができます。このように抵当権者が、**利息等を請求する権利を有する**ときは、原則として、その満期となった最後の**2**

用語

【地上権・永小作権】 地上権とは、土地に工作物（たとえば建物）や竹木を所有することができる権利のこと。永小作権とは、その土地で耕作や牧畜ができる権利のこと。
【借地権】 建物所有を目的とする地上権または土地の賃借権のこと。

年分についてのみ**優先的に弁済**を受けることができます。ただし、後順位抵当権者等がいない場合には、抵当権者は、満期のきた最後の2年分を超える利息についても優先的に弁済を受けることができます。

3. 抵当権の性質

(1) 付従性

お金を借りるときに抵当権を設定し、その後、予定どおりに借金を返せたらどうなるのでしょうか。**被担保債権**の**全額が弁済により**消滅すると、**抵当権も**消滅します。これを**付従性**（ふじゅうせい）といいます。そもそも、被担保債権が成立しなければ、抵当権は成立しません。

(2) 随伴性

被担保債権が譲渡されて移転すれば、**抵当権も移転**します。これを、**随伴性**（ずいはんせい）といいます。

(3) 抵当目的物の使用・収益・処分

Aが自宅を購入するときにBからお金を借りる際、Aが自宅にBのために抵当権を設定したとします。この場合、Aは自宅を使うこと（住むこと）ができます。このように、抵当権設定者は、**抵当目的物を抵当権者に引き渡す必要はなく**、使う（**使用**）、賃貸する（**収益**）、売却する（**処分**）ことができます。抵当権者はいざというときに抵当権を実行して、抵当目的物をお金に換えることができればいいからです。また、抵当目的物が**売却**されて第三者（**抵当不動産の第三取得者**（だいさんしゅとくしゃ））が所有することになっても、あらかじめ**抵当権の設定登記**がなされていれば、**抵当権を実行することができます**。

前述のように、抵当権設定者は、抵当目的物を使用することができます。ただし、抵当権者は、抵当権設定者が**通常の利用方法を逸脱**（いつだつ）**する行為**（たとえば、抵当権が設定されている建物の解体）をするのであれば、その行為をやめるよう請求することができます。このことを、**抵当権に基づく妨害排除請求**（ぼうがいはいじょ）といいます。

必須 抵当権の効力の及ぶ範囲・抵当権の性質

① 借地上の建物に抵当権を設定した場合、**借地権**にも抵当権の効力は及ぶ。
② 抵当権設定者は、抵当目的物を**使用・収益・処分**できる。
③ 抵当権者は、抵当権設定者が**通常の利用方法を逸脱**する行為をする場合、抵当権に基づく**妨害排除請求権**を行使できる。

3 物上代位（ぶつじょうだいい）

Case 1 抵当権を設定していた建物が全壊したが保険に…

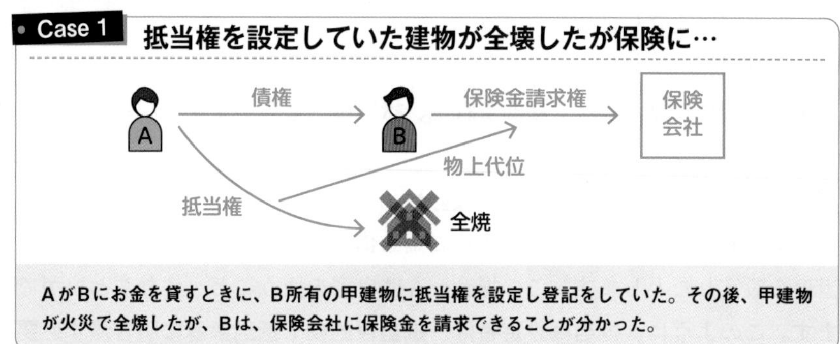

AがBにお金を貸すときに、B所有の甲建物に抵当権を設定し登記をしていた。その後、甲建物が火災で全焼したが、Bは、保険会社に保険金を請求できることが分かった。

ケース1の抵当権者Aは、その保険金を手に入れることができます。これを、**物上代位**といいます。その保険金は建物の価値そのものだからです。このように、抵当権者は、抵当目的物の売却、賃貸、滅失または損傷（そんしょう）によって債務者が受けるべき金銭（**売買代金債権、賃料債権、損害賠償請求権、保険金請求権**）に対して、**物上代位**することができます。ただし、抵当権者は、その**払渡しまたは引渡しの前に差押え**をしなければなりません。したがって、Aは、保険金の払渡しの前に差押えをしなければなりません。⊕

⊕補足
転貸賃料債権に対しては、原則として、**物上代位することはできない**。

Case 2 物上代位と敷金

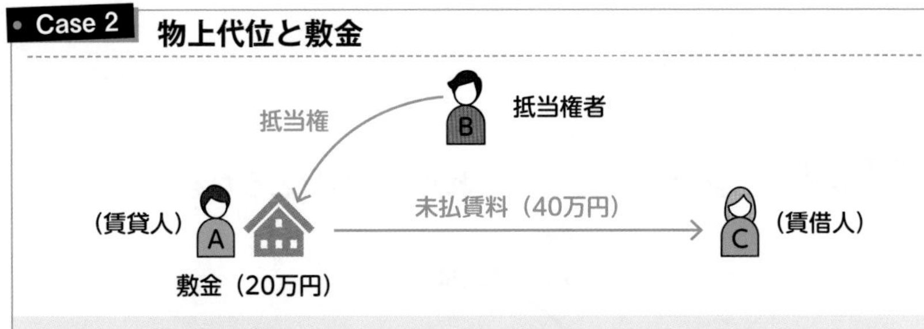

AがBから1,000万円借金するに際して、自己所有の甲建物に抵当権を設定・登記をした後、Aは甲建物をCに賃貸（賃料10万円）し、Cから敷金（20万円）を受け取った。一方、Bが物上代位権を行使して、AのCに対する未払賃料債権を差し押さえた。その後、Cは賃料を支払うことなく、4カ月後に賃貸借契約が終了し、建物を明け渡した。

ケース2の場合、敷金が、当然に賃借人の債務（＝未払賃料）に充当されるので、賃借人は、抵当権者に対して賃料債務の消滅を主張することができます。したがって、CがAに預けた敷金20万円は、Cの未払賃料40万円に充当されることになり、抵当権者Bは、敷金に充当された20万円相当の未払賃料については物上代位権を行使できません。すなわち、未払賃料40万円全額には行使できないことになります。結果として、Cは、40万円ではなく、残りの20万円を抵当権者Bに支払えばよいことになります。

＼アドバイス／

みなさん賃借人Cの立場に立ってみましょう。未払賃料40万円はAに払うべきものですが、敷金20万円があるので、その分は未払賃料に充当されます。つまり、未払賃料40万円－敷金20万円＝未払賃料20万円となります。そして、この20万円について抵当権者Bは物上代位することができるので、みなさん(C)の立場からは、この20万円をBに支払うことになるわけです。

必須 物上代位

① 抵当権者は、**保険金請求権**、**賃料債権**等に対して、**物上代位**することができる。ただし、その**払渡しの前に差押え**をしなければならない。

② **転貸賃料債権**に対しては、原則として、**物上代位することはできない**。

③ 抵当権者による物上代位権に基づく賃料債権の差押えがあった後に、賃貸借契約が終了し目的物が明け渡された場合、**敷金**が当然に**賃借人の債務**（未払賃料）**に充当される**。

用語

【敷金】 いかなる名目によるかを問わず、賃料債務など賃貸借に基づいて生ずる賃借人の賃貸人に対する債務を担保する目的で、賃借人が賃貸人に交付する金銭のこと。

4 法定地上権

1. 法定地上権の成立要件

Case 3 土地の抵当権が実行されたら建物はどうなる？

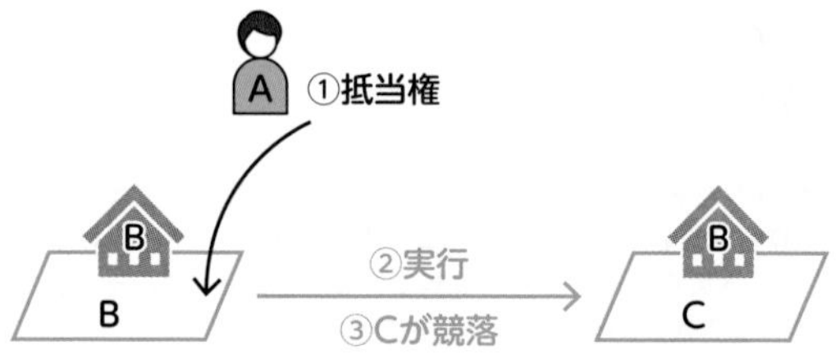

Bが甲土地と乙建物を所有していた。甲土地にAのために抵当権を設定した。その後、抵当権が実行され、競売によりCが甲土地の所有権を取得した。

ケース3では、抵当権が実行された結果、**甲土地の所有者はC**に、**乙建物の所有者はB**となります。このままでは、甲土地を使う権利（賃借権か地上権）がないBは、乙建物を取り壊して、甲土地をCに明け渡さなければなりません。そこで、一定の要件を満たす場合には、法律上当然に地上権の成立を認めて、建物を守ることにしました（**法定地上権**）。したがって、乙建物のために法定地上権が成立すると、甲土地の上に存続することができます。

法定地上権の成立要件をまとめると次のようになります。

必須 **法定地上権の成立要件**

以下の要件を満たすと法定地上権が成立する。
① **抵当権設定当時、土地の上に建物が存在**すること（更地ではないこと）
② **抵当権設定当時**、土地と建物の**所有者が同一**であること
③ **抵当権の実行**により、土地と建物の**所有者が異なる**に至ったこと

＼アドバイス／

法定地上権では、どんな場合に成立するか＝成立要件が大切です。

2. 法定地上権が成立しない場合

Case 4　1番抵当権設定時は土地と建物は別の所有者…

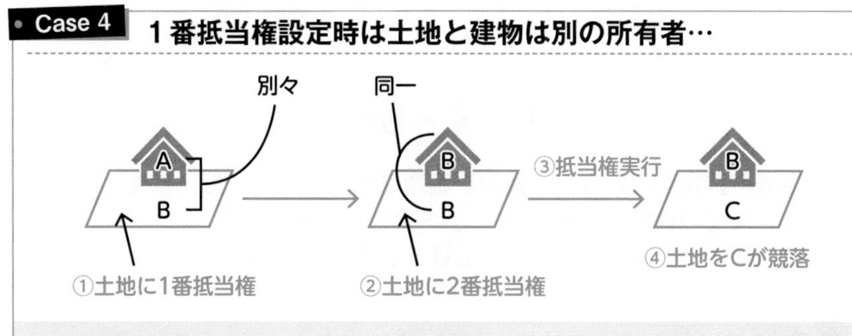

土地に1番抵当権が設定された当時、土地（B）と建物（A）の所有者が異なっていたが、土地についての2番抵当権設定時に土地（B）と建物（B）の所有者が同一人となった。その後、抵当権が実行されて、土地をCが競落した。

ケース4の場合、**抵当権の実行**・競売により土地（C）と建物（B）の**所有者が異なる**に至ったとしても、**建物について法定地上権は成立しません。**この場合は、**土地についての1番抵当権設定時**を基準に**法定地上権の要件を満たすか判断**します。なぜなら、この場合に法定地上権の成立を認めると、土地と建物の所有者が同一ではないから、法定地上権が成立しないと思って抵当権の設定を受けた1番抵当権者が損をするおそれがあるからです。

必須　法定地上権の成立が問題になる事例

土地に1番抵当権が設定された当時、土地と地上建物の**所有者が異なっていたが**、土地についての2番抵当権設定時に土地と地上建物の所有者が同一人となった場合でも、**地上建物について法定地上権は成立しない。**

Case 5　抵当権設定時は建物が建っていなかった…

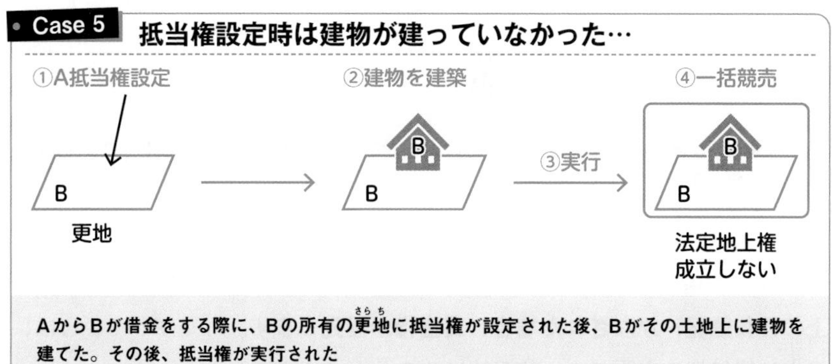

AからBが借金をする際に、Bの所有の更地（さらち）に抵当権が設定された後、Bがその土地上に建物を建てた。その後、抵当権が実行された

ケース5の場合も、**抵当権設定当時**に**建物が存在していない**以上、**法定地上**

権は成立しません。この場合、Aは土地と建物を一括して競売することができます。これを、**一括競売**といいます。ただし、**土地の代価**についてのみ優先弁済を受けることができます。

必須 **一括競売**

抵当権の設定後に抵当地に建物が築造されたときは、抵当権者は、土地とともにその建物を競売することができる（**一括競売**）。ただし、**土地の代価**についてのみ優先弁済を受けることができる。

○×チャレンジ

Q 土地に抵当権を設定した当時、土地と建物の所有者が異なる場合、その後、土地と建物の所有者が同一になったとしても、法定地上権は成立しない。

A 法定地上権が成立するためには、抵当権設定当時、土地と建物の所有者が同一であることが必要です。したがって、土地に抵当権を設定した当時、土地と建物の所有者が異なる場合、その後、土地と建物の所有者が同一になったとしても、法定地上権は成立しません。

○

5 抵当権付きの不動産の賃借人

Case 6 **抵当権付きの不動産の抵当権が実行された…**

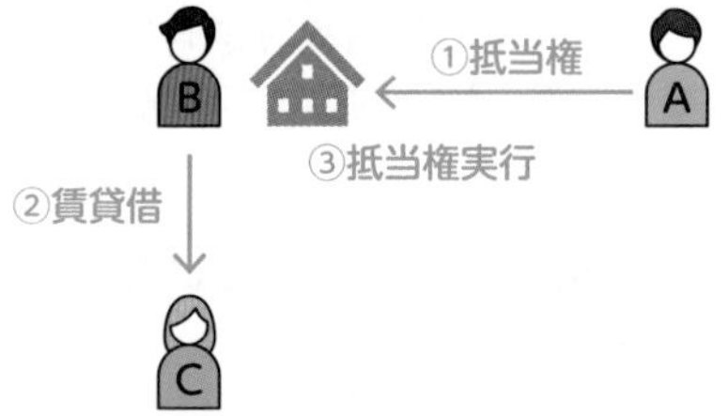

債権者Aが債務者Bの所有する建物に抵当権を設定した。その後、Bはその建物をCに賃貸していたが、抵当権が実行された。

ケース6の場合、登記（対抗要件）の先後で優劣を決めます。

(1) **先に賃借権の登記**（借家の場合には**建物の引渡し**、借地の場合には**借地上の建物登記**）**がなされた場合**、**賃借権が優先**します。したがって、Cは、買受人に賃借権を主張でき、住み続けることができます。

(2) **原則** **先に抵当権の設定登記**がなされた場合、**抵当権が優先**します。したがって、Cは、買受人に賃借権を主張できず、出ていかなくてはなりません。

なお、競売開始手続前から抵当権の目的物である建物を使用収益していた賃借人等（抵当建物の使用者）は、競売で買受人が買い受けた時より、6カ月間は買受人に明け渡す必要はありません（明渡し猶予制度）。したがって、Cは6カ月間、明渡しが猶予されます。

例外 **抵当権に対抗できない賃借権であっても、以下の①から③の要件をすべて満たす場合には、例外的に、賃借権を対抗できます**。

①賃借権が登記されていること
②賃借権の登記前に抵当権の登記をしたすべての抵当権者が同意をすること
③同意の登記がされていること

必須 抵当権と賃借権の関係

1. **賃借権の登記**（建物の引渡し、借地上の建物登記）**が先**であれば、買受人に**賃借権を主張できる**。
2. **抵当権の登記が先**であれば、買受人に**賃借権を主張できない**。ただし、以下の要件をすべて満たす場合、例外的に、賃借権を対抗できる。
   ①賃借権が登記されていること
   ②賃借権の登記前に抵当権の登記をしたすべての抵当権者が同意をすること
   ③同意の登記がされていること

6 抵当不動産の第三取得者の保護

抵当権設定者Bは、Aのために抵当権を設定し登記した土地をCに売却することができます。このような場合に、抵当権の設定された不動産を取得したCを**抵当不動産の第三取得者**といいます。

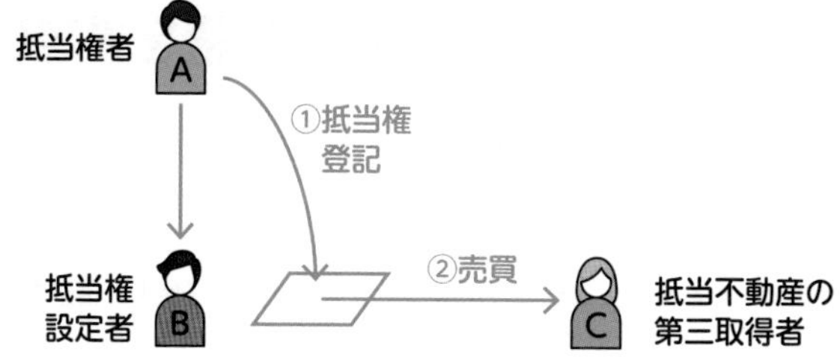

第三取得者Cは、抵当権が実行されてしまえば土地の所有権を失う運命にあります。以下では、第三取得者が土地の所有権を守る方法について学習します。

(1) 第三取得者は、原則として、債務者に代わって**債務を弁済**し、**抵当権を消滅**させることができます（**第三者弁済**）。そして、弁済した第三取得者は、弁済額の償還を債務者に求めることができます。

(2) 第三取得者が、**抵当権者の請求**に応じてその抵当権者にその**代価を弁済（代価弁済）**したときは、抵当権は、その**第三取得者のために消滅します**。

(3) 第三取得者は、抵当権の実行としての競売による差押えの効力が発生する前に、**抵当権消滅請求**をすることができます。抵当権消滅請求をするときは、登記をした各債権者に対し、法律が定める内容を記載した書面を送付しなければなりません。そして、登記をしたすべての債権者が第三取得者の提供した代価または金額を承諾し、かつ、第三取得者がその承諾を得た代価または金額を払い渡しまたは供託したときは、抵当権は消滅します。ただし、**主たる債務者**、**保証人**・連帯保証人は、**抵当権消滅請求をすることができません**。

(4) 第三取得者は、その競売において**買受人**となることができます。

必須 抵当不動産の第三取得者の保護

① 第三取得者が、抵当権者の請求に応じてその抵当権者にその代価を弁済（代価弁済）したときは、抵当権は、その第三取得者のために消滅する。

② 抵当権消滅請求

誰が	第三取得者 （主たる債務者、保証人・連帯保証人は請求できない）
いつまでに	抵当権の実行としての競売による差押えの効力が発生する前
どのように	法律が定める内容を記載した書面を送付

7 1つの土地・建物に複数の抵当権を設定した場合

同一不動産に複数の抵当権が設定された場合の**抵当権相互の関係**について、

用語

【主たる債務者・保証人】 たとえば、AからBが借金をして保証人C（他人の借金の肩代わりをする役割を負う者）がいる場合、Bを主たる債務者という。

抵当権設定者甲、第一順位A（被担保債権額400万円）、第二順位B（被担保債権額400万円）、第三順位C（被担保債権額400万円）の抵当権者がいる具体例で学習を進めます。

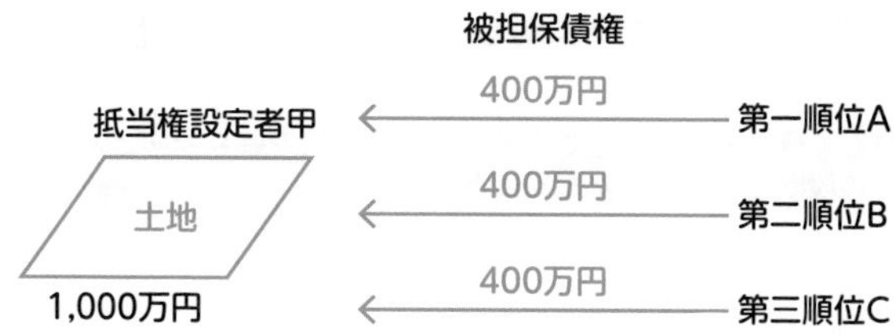

1. 順位上昇の原則

前の例で、第一順位Aの抵当権の被担保債権が**全額弁済**されれば、**第一順位の抵当権は消滅します**。この場合、**後順位抵当権の順位が上昇**し、**第二順位Bが第一順位**に、**第三順位Cが第二順位**になります（**順位上昇の原則**）。

2. 抵当権の順位の変更

前の例で、第一順位C、第二順位B、第三順位Aのように、**抵当権の順位**を変えることができます（**抵当権の順位の変更**）。この場合、抵当権が実行されると、**変更後の順位の順に配当されます**。抵当権の順位の変更には、順位の変更によって影響を受ける**各抵当権者の合意**と**利害関係者の同意**が必要です。そして、抵当権の順位の変更は、**登記をしなければ効力が生じません**。

3. 抵当権の順位の譲渡・放棄

前の例で、**AがCに対して抵当権の順位の譲渡・放棄**をした場合、**AとCの配当額が変わりますが、Bには影響を与えません**。このように、**抵当権の順位の譲渡・放棄**は、**抵当権者間**で行うもので、**譲渡・放棄をした者**と**された者**との間で、**配当を再分配する制度**です（配当額の計算については後で学習します）。他の抵当権者に影響を与えない点が、抵当権の順位の変更と異なります。

用語

【利害関係者】 利害関係者とは、抵当権の被担保債権の差押債権者等をいい、債務者や抵当権設定者は含まない。

4. 抵当権の譲渡・放棄

たとえば、第一順位A、第二順位B、第三順位Cの抵当権者の他に一般債権者（抵当権等の設定を受けていない）Dがいるとします。**抵当権の譲渡・放棄**は、**抵当権者が無担保債権者Dに対して行うものです**。⊕

＼アドバイス／
以下は、少し難しく分かりにくいところです。問題演習を繰り返すことで知識が付きます。今の段階では一読したら先に進みましょう。

5. 配当額の計算

配当額の計算方法は、次のとおりです。

抵当権の順位の譲渡・放棄	抵当権の譲渡・放棄
①譲渡や放棄がない場合の配当額を計算する。	
②**両方の抵当権者の配当の合計額**を配当しなおす。 譲渡は、**譲渡された者が優先**する。 放棄は、**債権額に応じて配当**する。	②譲渡・放棄した抵当権者の配当額を配当しなおす。 譲渡は、譲渡された者が優先する。放棄は、債権額に応じて配当する。

以下の例で、抵当権の順位の譲渡・抵当権の順位の放棄の具体的な配当額を計算します。第一順位抵当権者A（被担保債権400万円）、第二順位抵当権者B（被担保債権400万円）、第三順位抵当権者C（被担保債権400万円）土地の競売代金が1,000万円とします。

(1) AからCへの**抵当権の順位の譲渡**がある場合

①競売代金を1,000万円として、**抵当権の順位の譲渡がない場合の配当額を計算**する	A（被担保債権400万円） **→第一順位【配当額400万円】**
	B（被担保債権400万円） →第二順位【配当額400万円】
	C（被担保債権400万円） **→第三順位【配当額200万円】**
②**両方の抵当権者の配当の合計額**（600万円）を配当しなおす。 譲渡の場合は、**譲渡された者が優先**する。	**A→第三順位：【配当額200万円】**
	B→第二順位：【配当額400万円】
	C→第一順位：【配当額400万円】

⊕補足

「抵当権の順位の譲渡・放棄」と「抵当権の譲渡・放棄」をまとめて「**抵当権の処分**」という。

（2）AからCへの**抵当権の順位の放棄**がある場合

①競売代金を1,000万円として、**抵当権の順位の放棄がない場合の配当額を計算**する	**A**（被担保債権400万円） **→第一順位**【配当額**400万円**】
	B（被担保債権400万円） →第二順位【配当額400万円】
	C（被担保債権400万円） **→第三順位**【配当額**200万円**】
②**両方の抵当権者の配当の合計額**（600万円）を配当しなおす。 放棄の場合は、**債権額に応じて配当**する。	**AとC→同一順位** **A**：【配当額**300万円**】（＝600万円×400/800） **C**：【配当額**300万円**】（＝600万円×400/800）
	B→第二順位：【配当額400万円】

＼アドバイス／

ここまで学習した内容は、非常に紛らわしいところです。まず、「抵当権の順位の変更」と「抵当権の順位の譲渡」および「抵当権の順位の放棄」とはどのようなことなのかを確認しましょう。そのうえで「配当額の計算」について学習をしてください。なお、抵当権の譲渡・放棄の「配当額の計算」は、ほとんど出題がありません。気にせずに先に進みましょう。

必須　抵当権の順位の変更・譲渡・放棄

（1）同一不動産について数個の抵当権が設定されたときは、その抵当権の順位は、**登記の前後**による。

（2）**抵当権の順位の変更**には、**各抵当権者の合意と利害関係者**（抵当権設定者は含まれない）**の同意**が必要である。抵当権の順位の変更は、登記をしなければ効力が生じない。

（3）抵当権の順位の譲渡・放棄が行われた場合の配当額の計算

抵当権の順位の譲渡・放棄	抵当権の譲渡・放棄
①譲渡や放棄がない場合の配当額を計算する。	
②**両方の抵当権者の配当の合計額**を配当しなおす。 譲渡は、**譲渡された者が優先**する。 放棄は、**債権額に応じて配当**する。	②譲渡・放棄した抵当権者の配当額を配当しなおす。 譲渡は、譲渡された者が優先する。 放棄は、債権額に応じて配当する。

8 根抵当権（ねていとうけん）

1. 根抵当権とは

A社が商品の仕入れをするために、自社の土地に抵当権を設定してB銀行からお金を借りたとします。この場合、A社は、商品が売れたら借金を返して抵当権を消滅させ、また、商品を仕入れるときに借金をして抵当権の設定を繰り返すことになります。これは非常に面倒なことです。そこで、このような場合に利用されるのが**根抵当権**です。

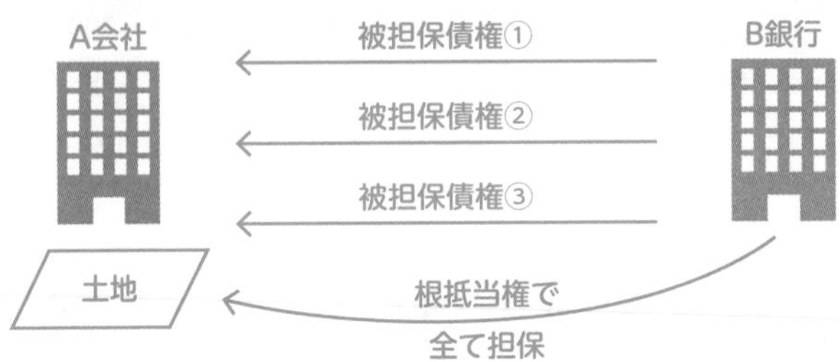

上の例のA社は、自社の土地に**根抵当権**を設定し、商品の仕入れのための借入金については1億円（**極度額**（きょくどがく））までは、B銀行から融資を受けられるとすることができます。このように、**根抵当権は、一定の範囲内**に属する**不特定の債権**を**極度額を限度として担保**する目的で設定されます。

根抵当権の**被担保債権**は、**一定の範囲に属する不特定の債権**でなくてはなりません。たとえば、「債務者との消費貸借取引から生じる債権」というように、被担保債権の範囲を一定の種類の取引から生じる債権に限定する必要があります。

2. 元本（がんぽん）の確定と極度額の変更

根抵当権は、設定の段階ではどの債権を担保するのかは決まっていません。このままでは、根抵当権は実行できません。そこで、どの債権を担保するのかを決めるのが元本の確定です。

極度額の変更は、**利害関係を有する者の承諾**を得なければすることができません。たとえば、極度額を増額すると、後順位抵当権者の配当額が減る可能性があるからです。この場合には、後順位抵当権者の承諾が必要になります。

3. 普通抵当権と根抵当権の違い

普通抵当権の場合、**利息**については、原則として、満期となった最後の**2年分**に限って優先弁済を受けることができます。これに対して、**根抵当権者**は、確定した元本、利息その他の定期金、損害賠償について、**極度額を限度**として、根抵当権を行使することができます。

普通抵当権の場合、**被担保債権を取得**した者は、**抵当権も取得**します（随伴性）。これに対して、元本の確定前に、**根抵当権者から被担保債権を取得**した者は、**根抵当権を取得できません**。なお、元本の確定後は、普通の抵当権と同様に、被担保債権を取得した者は、根抵当権も取得します。

必須 普通抵当権と根抵当権の比較

	普通抵当権	根抵当権
被担保債権	特定の債権を担保するために設定	一定の範囲に属する不特定の債権を極度額の限度において担保するために設定
利息等	原則、満期となった最後の2年分についてのみ担保	極度額を限度として担保
被担保債権を取得した者	抵当権を行使できる	根抵当権を行使できない※

※元本確定前の根抵当権の場合

9 その他の担保物権

抵当権のほかにも債権を担保する物権として、留置権（りゅうちけん）、先取特権（さきどりとっけん）、質権（しちけん）があります。

(1) 留置権

AからBがアパートを借りて住んでいます。そのアパートの窓ガラスが壊れたので、Bが代金を払って修理しました。この場合、Aがその修理代金（被担保債権）を支払うまで、賃貸借が終了しても、Bはそのアパート明け渡す必要はありません。代金（被担保債権）の支払いがあるまで留置権を行使できます。

(2) 先取特権

AからBがアパートを借りて住んでいます。Bが家賃を支払わない場合、A

は、Bの部屋にあるテレビや家具などをお金に換えて、そのお金を家賃（被担保債権）に充てることができます（先取特権）。抵当権と似た制度です。

(3) 質権

質屋に腕時計を預けてお金（＝被担保債権）を融通（ゆうずう）してもらうのが質権の典型的な例です。

留置権と**先取特権**は、法律上自動的に設定されるので**法定担保物権**といい、**抵当権**と**質権**は、当事者の契約により設定されるので**約定担保物権**といいます

必須 法定担保物権と約定担保物権

法定担保物権	・留置権　・先取特権
約定担保物権	・抵当権　・質権

LESSON 13 保証・連帯債務

学習優先度 中

貸したお金を回収するには…

introduction

抵当権以外に、
貸したお金を回収する
方法はある？
ですから。お金の
貸し借りはしない
主義ですってば…

それはいいことです。でも、仕事で必要なことですから…今回は、保証について少しは勉強してね…

そのうち、気が向いたら必ず勉強します。

ここでは、保証について学習します。たとえば、AからBが借金する際に、Cを保証人としたとします。こうしておけば、Bが借金を返せない場合に、Aは、CにBの借金の返済を求めることができます。

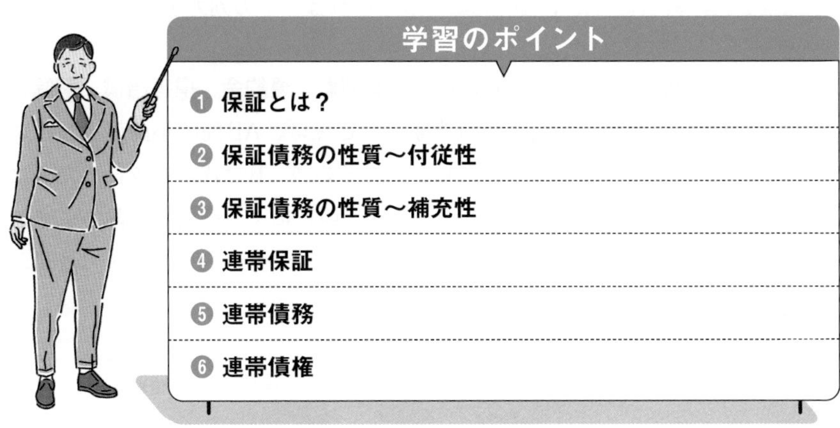

学習のポイント

1. 保証とは？
2. 保証債務の性質～付従性
3. 保証債務の性質～補充性
4. 連帯保証
5. 連帯債務
6. 連帯債権

1 保証とは？

AがBにお金を貸すことになりました。この場合に、AがBの所有地に抵当権の設定を受けておけば、Aは、Bが借金を返せないときには、抵当権を実行して優先的に弁済を受けることができます。

同じケースで、BのAに対する債務についてCが**保証人**となり、Bが債務を弁済できないときにCが**全財産をもって弁済をする責任を負う**ことにすることもできます。これが**保証**という制度です。この場合のAを**債権者**、Bを**主**(しゅ)**たる債務者**（主債務者(しゅさいむしゃ)）、Cを**保証人**といいます。⊕

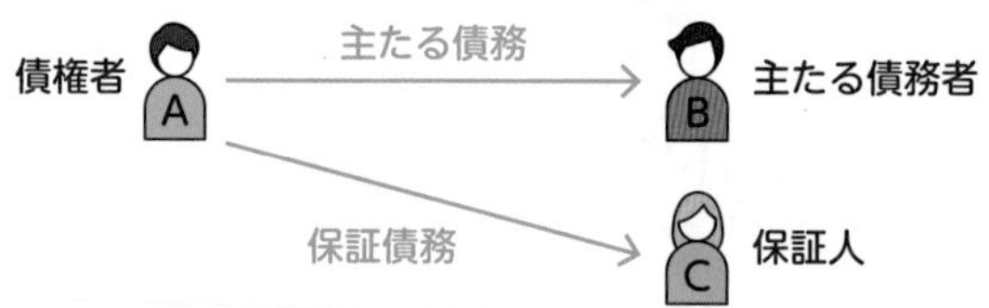

保証人は、**主たる債務者がその債務を履行しないとき**に、**その履行をする責任を負います**。**保証契約**は、**債権者**と**保証人**となろうとする者が締結します。保証契約は、債務者の委託を受けなくても、また債務者の意思に反してもすることができます。保証は債権者のための制度だからです。この**保証契約**は**書面**または**電磁的記録**（電子的方式、磁気的方式その他人の知覚によっては認識することができない方式で作られる記録であって、電子計算機による情報処理の用に供されるものをいう）でしなければ、その**効力を生じません**。

必須 保証契約

保証契約は書面または電磁的記録でしなければ、その効力を生じない。

保証債務の範囲には、主たる債務に関する**利息**、違約金、損害賠償、解除にともなう**原状回復義務**なども含まれます。たとえば、AB間の不動産売買において売主Aの保証人にCがなったとします。その後、Bは代金を支払ったのにAがその不動産を引き渡さないことから債務不履行により契約が解除されました。この場合、特に反対の意思表示がない限り、Aが受け取った代金の返還義務（原状回復義務）についてもCは保証する責任を負います。

⊕補足

主たる債務者（主債務者）が負う債務を「主たる債務（主債務）」、保証人が負う債務を「保証債務」という。

2 保証債務の性質～付従性～

保証において、主たる債務者と保証人には役割分担があります。すなわち、主たる債務と保証債務は、主従の関係にあり、従たる債務である**保証債務は、主たる債務の影響を受けます**。これを**付従性**といいます。具体的には以下が問題となります。

(1) 主たる債務が成立しなければ、保証債務も成立しません。主たる債務が弁済等で消滅すれば、保証債務も消滅します。

(2) **保証債務**の内容が**主たる債務より重い**ときは、**これを主たる債務の限度に減縮されます**。たとえば、主たる債務の額が500万円の場合に、保証債務の額を1,000万円としても、保証債務は500万円に減縮されます。同様に、**主たる債務**の内容が保証契約の締結後に**加重**されたときであっても、**保証人の負担は加重されません**。たとえば、主たる債務500万円（保証債務500万円）が保証契約の締結後に1,000万円となっても、保証債務は500万円のままで、1,000万円にはなりません。

(3) 保証人は、主たる債務者が主張することができる抗弁（たとえば、同時履行の抗弁権）をもって債権者に対抗することができます。

(4) たとえば、AからBが家を買い、その代金債務についてCが買主Bの保証人になったとします。ただ、この売買契約はBの錯誤によるもので、取り消せる可能性があります。この場合、AB間の契約が取消しされるか否か確定するまで、保証人Cは履行を拒絶できます。このように、**主たる債務者が債権者に対して相殺権、取消権または解除権を有する**ときは、これらの権利の行使によって主たる債務者がその債務を免れるべき限度において、**保証人**は、債権者に対して**債務の履行を拒むことができます**。

(5) **主たる債務者に生じた事由**は、**原則**として、**保証人に影響**します。

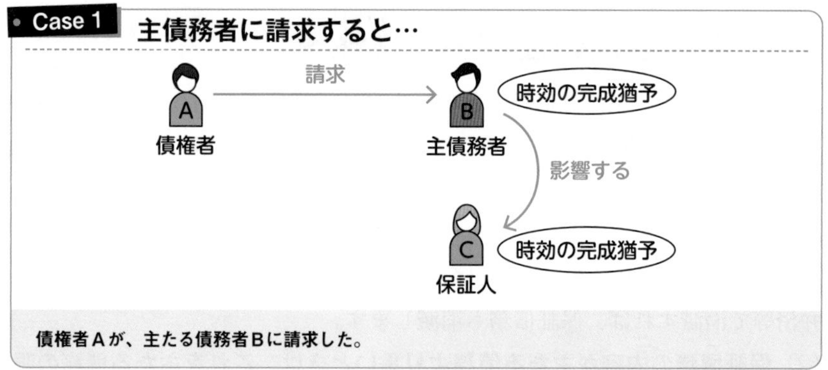

債権者Aが、主たる債務者Bに請求した。

ケース1では、債権者Aが主たる債務者Bに請求をすると、保証人Cにも請求したことになり、**主たる債務**のみならず**保証債務**の**時効の完成も猶予**されます。このように**主たる債務者**に対する履行の請求その他の事由によって**時効の完成猶予および更新した**場合には、**保証債務も時効の完成猶予および更新したことになります**。同様に、主たる債務が一部免除されたり、**期限が猶予**（支払期限を延ばすこと）されたりすれば、保証債務も一部免除され、期限が猶予されます。

以上のように、**主たる債務者に生じた事由**は、**原則**として、**保証人**に**影響します**。

(6) これに対して、**保証人に生じた事由**は、**原則**として、**主たる債務者に影響しません**。

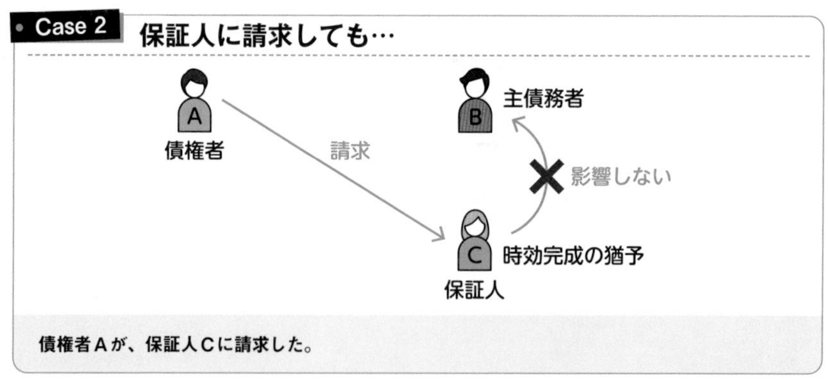

債権者Aが、保証人Cに請求した。

ケース2のように、債権者Aが保証人Cに請求しても、**保証債務**の**時効の完成は猶予**されますが、**主たる債務**は**時効の完成の猶予はされません**。

以上のように、原則 **保証人に生じた事由**は、**原則**として、**主たる債務者に**

影響しません。ただし、例外 **保証人が債権者に弁済した場合などは影響し、主たる債務も消滅します**。そして、**保証債務を弁済した保証人**は、**主たる債務者**に弁済した全額を**求償**することができます。同様に、代物弁済、供託なども主たる債務者に影響します。

必須 保証人の負担・主たる債務者について生じた事由の効力等

1. 主たる債務の内容と保証人の負担
   ①保証債務の内容が主たる債務より重いときは、これを主たる債務の限度に減縮される。
   ②主たる債務の内容が保証契約の締結後に加重されたときであっても、保証人の負担は加重されない。
2. **主たる債務者に生じた事由**は、原則として、**保証人に影響**する。
3. **保証人に生じた事由**は、原則として、**主たる債務者に影響しない**。
ただし、保証人が債権者に**弁済**した場合などは影響し、**主たる債務も消滅する**。

○×チャレンジ

Q 主たる債務者が履行を請求された場合であっても、保証債務の時効の完成は猶予されない。

A 主たる債務者に生じた事由は、原則として、保証人に影響します。主たる債務者が請求を受けた場合、主たる債務の時効の完成が猶予されます。この場合、付従性により、保証債務の時効も完成が猶予されます。

3 保証債務の性質～補充性～

保証人は、主たる債務者が弁済できない場合に補充的に弁済する責任を負う役割の人です。これを、**補充性**といいます。

補充性の表れとして、①**催告の抗弁権**と、②**検索の抗弁権**があります。

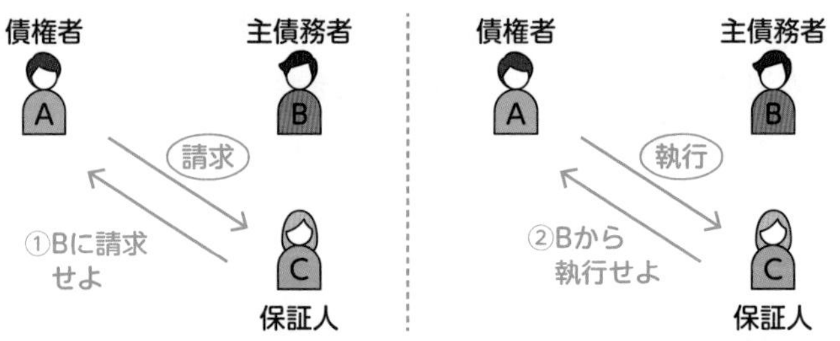

①債権者が、主たる債務者に履行を請求しないで、いきなり保証人に履行を請求した場合、保証人は、**まず主たる債務者に請求**をするよう主張できます（**催告の抗弁権**）。

②債権者が主たる債務者に催告をした後でも、保証人が、主たる債務者に弁済の資力があり、かつ、**強制執行**（きょうせいしっこう）が容易にできることを証明した場合、債権者は、まず、**主たる債務者の財産について執行**をしなければなりません（**検索の抗弁権**）。

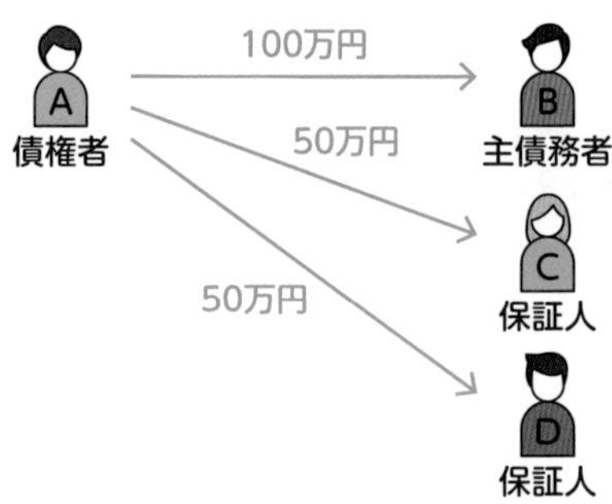

上の図のように、BのAに対する100万円の債務をCとDの2人が別々に保証した場合（**共同保証**）、CとDは、それぞれ50万円の保証債務を負うことになります。このように、数人の保証人がいる場合、原則として、それぞれの保証人が負う**保証債務の額**は**保証人の数で割った額**になります（**分別**（ぶんべつ）**の利益**）。また、主たる債務者に代わり弁済した保証人は、主たる債務者に対して**求償**することができます（**保証人の求償権**）。

必須 **催告・検索の抗弁権、分別の利益**

保証人には、①催告の抗弁権、②検索の抗弁権、③分別の利益がある。

用語

【強制執行】 請求者の権利を実現させるために裁判所が行う手続きのこと。

4 連帯保証（れんたいほしょう）

1. 連帯保証とは

AがBにお金を貸すときに、Cに保証人になってもらえば、Aはひとまず安心できます。ただし、**保証人**Cは**催告の抗弁権**や**検索の抗弁権**を使って何かと言い逃れができます。保証人のこの言い逃れを封じて、より債権者に都合がいい保証があります。これを**連帯保証**といいます。

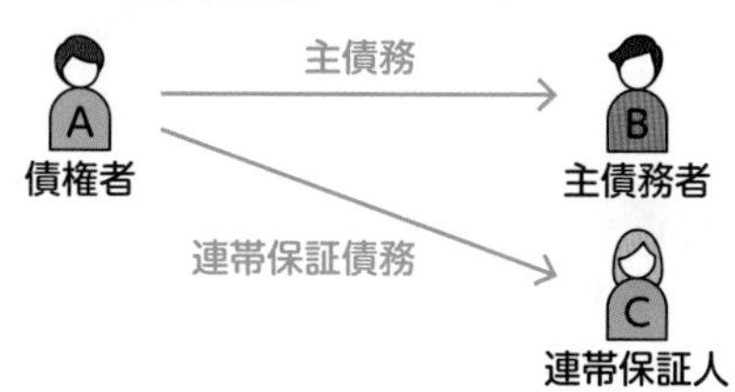

連帯保証とは、主たる債務者と**連帯して債務を保証**する保証債務です。連帯保証も保証ですから、保証のところで学習した知識があてはまることが多くあります。以下では、**普通の保証**との違いを意識して学習してください。

2. 普通の保証と連帯保証の違い

連帯保証も**普通の保証と同様**に、**債権者と連帯保証人**となろうとする者との間で連帯保証契約を締結することにより成立します。その**連帯保証契約**は**書面**（または電磁的記録）でしなければ、その効力を生じません。また、普通の保証と同様に**付従性**は認められます。ここまでは、普通の保証と同じです。

しかし、**連帯保証**は普通の保証と違い**補充性は認められません**。したがって、**連帯保証人**は、**催告・検索の抗弁権を行使することができません**。また、連帯保証人には普通の保証のような**分別の利益もありません**。したがって、他に保証人がいても、連帯保証人は主たる債務者の債務全額について保証人としての責任を負うことになります。

以上から、たとえば、AがBに1,000万円を貸し付け、Cが連帯保証人となった場合、債権者Aは、自己の選択により、主たる債務者Bおよび連帯保証人Cに対して、各別にまたは同時に、1,000万円の全額請求をすることができます。

必須 **普通の保証と連帯保証の違い**

	普通の保証	連帯保証
催告の抗弁権	○	×
検索の抗弁権	○	×
分別の利益	○	×

○：あり　×：なし

3. 主たる債務者と連帯保証人に生じた事由

主たる債務者に生じた事由、連帯保証人に生じた事由がどのように影響するのかについて学習します。

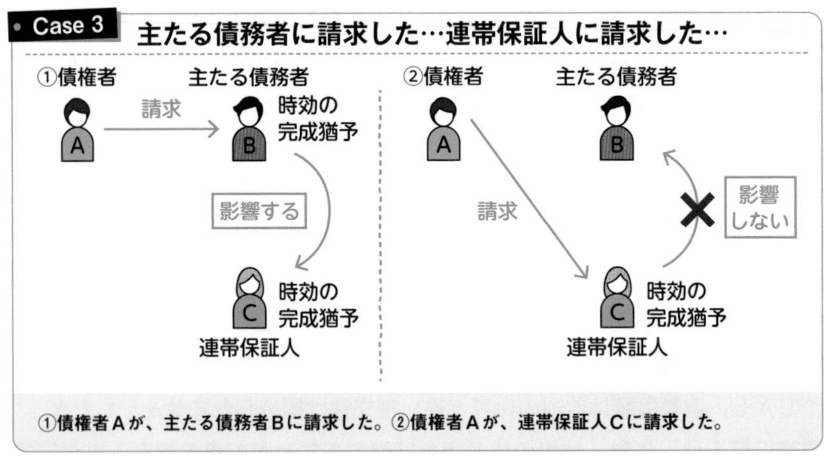

連帯保証も保証ですから、**主たる債務者に生じた事由**は、**原則**として、**連帯保証債務にも影響します**。ここは、普通の保証と同じです。**ケース3**の①のように、**債権者**Aが**主たる債務者**Bに**請求**をすると、**主たる債務**のみならず**連帯保証債務**の**時効の完成も猶予**されます。

原則 **連帯保証人について生じた事由は**、**原則**として、**主たる債務に影響しません**。ここも、普通の保証と同じです。**ケース3**の②のように、債権者Aが連帯保証人Cに請求すると、**連帯保証債務**の**時効の完成は猶予**されますが、**主たる債務**の**時効の完成は猶予されません**。

ただし、**例外** **主たる債務者に影響しない事由であっても、債権者と主たる**

債務者の特約によって、主たる債務者に影響すると定めることができます。たとえば、債権者と主たる債務者の間で「**連帯保証人に対する請求**は、**主たる債務者にも効力を生じる**」との特約をすれば、連帯保証人に対する請求は、主たる債務者にも効力を生じます。

また、**連帯保証人**が債権者に**弁済**などした場合は影響し、**主たる債務も消滅**します。そして、連帯保証債務を弁済した連帯保証人は、主たる債務者に弁済した全額を**求償**することができます。同様に、代物弁済、供託なども主たる債務者に影響します。ここは、普通の保証と同じです

必須 主たる債務者に生じた事由と連帯保証人に生じた事由

① **主たる債務者に生じた事由**は、原則として、**連帯保証債務にも影響する**。

② 連帯保証人に生じた事由

原則	連帯保証人に生じた事由は、**主たる債務に影響しない**。
例外	・主たる債務者に影響しない事由であっても、債権者と主たる債務者の特約によって、**主たる債務者に影響すると定めることができる**。 ・連帯保証人による弁済等の効果は、主たる債務に影響する。

〇✕チャレンジ

Q 債権者が、連帯保証人に請求した場合、連帯保証債務及び主たる債務も時効の完成が猶予される。なお、債権者と主たる債務者間の特約はないものとする。

A 連帯保証人に対する「請求」による時効の完成猶予の効力は、原則として、主たる債務者には及びません。

✕

5 連帯債務（れんたいさいむ）

1. 連帯債務の成立

甲の別荘（3,000万円）をABCの3人で買ったとします。このように、複数の債務者がいる場合、**債務額**は債務者の**人数で割った額**になるのが原則です（**分割債務**（ぶんかつさいむ）**の原則**）。いわゆる、割勘（わりかん）です。したがって、債権者甲は、1人ひとりに1,000万円ずつ請求しなければなりません。代金を払わない人がいれば、その分損をします。

しかし、ABCが**連帯債務**を負うことにすれば、甲は、全員に3,000万円の

全額の請求ができることになります。つまり、連帯債務では、各債務者がそれぞれ独立に全部の弁済をする義務があります。以上のように、**債権者は、連帯債務者に対して、債務の全部**または一部の履行を請求することができます。この請求は、**全員に同時**にすることもできるし、順次にすることもできます。

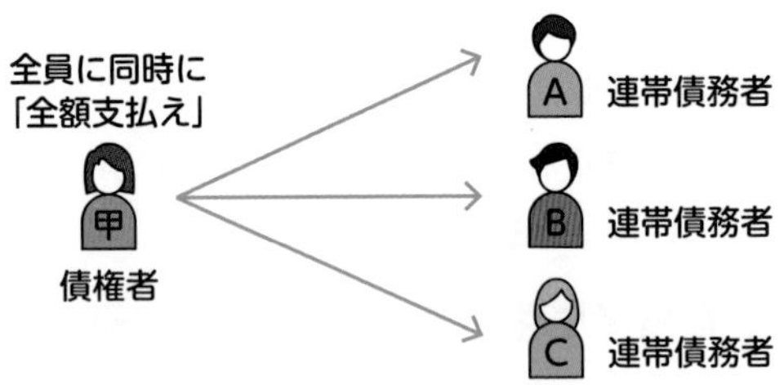

連帯債務は、債務の目的がその性質上可分（かぶん）（たとえば、金銭債務）である場合において、**法令の規定**または**当事者の意思表示**によって、**数人が連帯して債務を負担**するときに成立します。

法令の規定で成立する具体例としては以下の場合があります。

日常家事債務の夫婦双方で負う連帯責任［▶L3 ❷］
併存的債務引受における債務引受人と債務者の負う債務［▶L6 ❼］
共同不法行為者の責任［▶L17 ❹］

2. 連帯債務の割合と求償

連帯債務では、**連帯債務者が負担する債務の割合**（**負担部分**）を**特約**によって定めることができます。たとえば、甲から3,000万円の別荘を共同購入したABCの**負担部分を平等**と定めた場合、ABCの負担部分は各々**3分の1**となります。

＼アドバイス／

「負担部分」はあまり難しく考えないことがポイントです。たとえば、皆さんが、お友達と3人で3,000円のDVDを買う場合、それぞれが1,000円ずつ出し合うのが普通でしょう。それが負担部分です。この程度のイメージを持ってください。

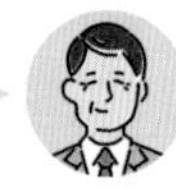

下の図のように、Aが、甲に3,000万円全額弁済をした場合、その負担部分の割合に従って、他の連帯債務者に求償することができます。この場合、Aは、BとCにそれぞれ1,000万円（**弁済した額**3,000万円×**負担部分の割合**1/3）を求償できます。

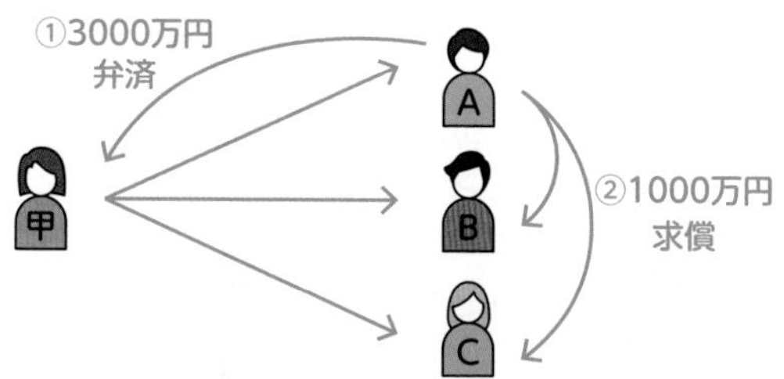

上の図の事例と違い、Aが債権の一部**900万円**弁済をした場合にも、Aは、BとCにそれぞれ**300万円**（**弁済した額**900万円×**負担部分の割合**1/3）求償できます。

以上のように、**連帯債務者の1人が債務を弁済**した場合、弁済した額が自己の負担部分を超えるかどうかにかかわらず、その**負担部分の割合に従って**、他の連帯債務者に**求償することができます**。弁済のほか、代物弁済、供託、相殺などで共同の免責を得たときも、求償権は発生します。

必須 **連帯債務（成立・請求・求償）**

1. 債務の目的がその性質上可分である場合において、法令の規定または当事者の意思表示によって、数人が連帯して債務を負担するときに連帯債務は成立する。
2. 債権者は、**各連帯債務者**に対して、**債務の全部**または一部の履行の請求を、**全員**に同時または順次にすることができる。
3. **連帯債務者の1人が債務を弁済**※した場合、弁済した額が自己の負担部分を超えるかどうかにかかわらず、その**負担部分の割合に従って**、他の連帯債務者に**求償**することができる。

※弁済のほか、代物弁済、供託、相殺なども含む

3. 連帯債務の効力（相対効と絶対効）

連帯債務者の1人に生じた事由が、他の連帯債務者にどのように影響するのかを学習していきます。債権者甲、連帯債務者ABCとし、連帯債務額は3,000万円、各自の負担部分は1,000万円ずつとします。

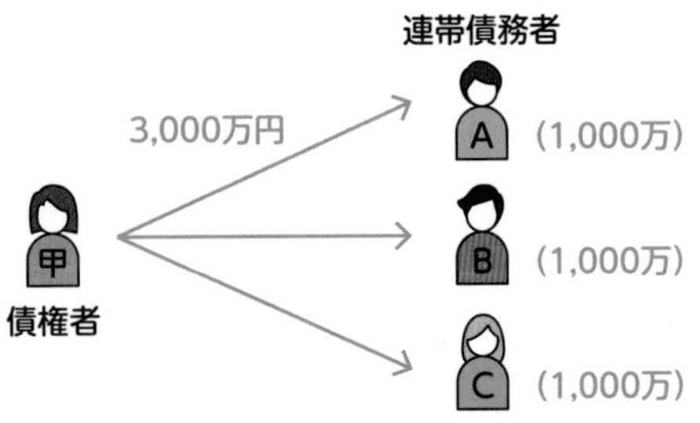

（1）相対効（そうたいこう）

原則 **連帯債務者の１人について生じた事由は、原則として、他の債務者に影響しません**（**相対効**）。たとえば、Ａが債務（権利）の承認をして、Ａの債務の消滅時効が更新されても、ＢやＣが承認したことにはならず、BCの債務の時効は更新されません。

（2）絶対効（ぜったいこう）

例外 **連帯債務者の１人について、①弁済等、②更改（こうかい）、③相殺、④混同（こんどう）があったときは、他の債務者に影響します**（**絶対効**）。

更改・混同については、前の図を使って説明します。

意味	具体例
更改とは、新たな債務を成立させ、従来の債務を消滅させる契約のこと。	甲とAの間で、3,000万円の連帯債務を消滅させる代わりに、Aの土地の所有権を甲に移転させる債務を成立させるような場合のこと。
混同とは、債権者の地位と債務者の地位が同一人物に帰属すること。	甲が死亡してAが単独相続した場合のこと。この場合、相続人Aからすれば自分が自分に対して債権（債務）を有していても仕方がないので、Aは、弁済をしたものとみなされる。

＼アドバイス／

更改と混同については具体例を通してイメージをつけてください。

なお、**相対効とされている事由**について、**債権者および他の連帯債務者が特約をしたときは、当該他の連帯債務者に対する効力は、その特約に従います**。たとえば、債権者甲に対してABCが連帯債務を負っている場合に、甲とＢとの間で「Ａに対する履行の請求はＢに対しても効力を生じる」との特約をした場合、甲のＡに対する履行の請求は、Ｂに対しても効力を生じます。この場合、Ｃに対しては効力を生じません。Ｃにも効力を及ぼしたいのであれば、甲とＣ

との間の特約が必要になります。

Case 4 連帯債務者の一人が相殺したら…

甲＝債権者、ABC＝連帯債務者、連帯債務額は3,000万円、各自の負担部分は1,000万円ずつとし、Aが甲に対して2,000万円の債権を有している。この場合に、Aが甲に対する債権2,000万円で相殺した。

ケース4では、Aが相殺した2,000万円について連帯債務が消滅し、ABCはそれぞれ1,000万円の連帯債務を負担することになります。

必須 連帯債務の相対効・絶対効

原則：**連帯債務者の１人について生じた事由は、他の債務者に影響しない**（相対効）。なお、相対効とされている事由について、債権者および他の連帯債務者が特約をしたときは、当該他の連帯債務者に対する効力は、その特約に従う。

例外：連帯債務者の１人について、①**弁済等**、②更改、③**相殺**、④混同があったときは、**他の債務者に影響する**（絶対効）。

＼アドバイス／

普通の保証と連帯保証は、いずれも保証なので付従性があります。したがって、主たる債務者に生じた事由は、原則として、（連帯）保証人に影響します。他方、（連帯）保証人に生じた事由は、原則として、主たる債務者に影響しません。
連帯債務の場合には、各債務者間に付従性はなく、債務者の１人に生じた事由は他の債務者に影響しないのが原則です。

6 連帯債権（れんたいさいけん）

賃貸人をA、賃借人をBとする建物の賃貸借［▶L14］において、Aの承諾を得て、Bが転借人Cに転貸（てんたい）（又貸し）をした場合を例にします。以下では、転借人（てんしゃくにん）Cの賃料について見てみましょう。

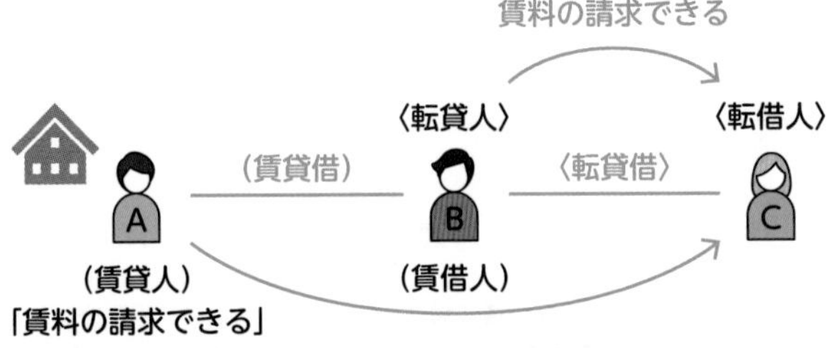

この場合、**賃貸人A**と**転貸人（てんたいにん）B**はそれぞれ**転借人C**に賃料を請求できます。また、**CがAに賃料を弁済**すれば、**Aの賃料債権**だけでなく、**Bの転貸料債権も消滅**します。

このように、**複数の債権者**ABがいる場合、**各債権者**が債務者Cに対して債務の一部または**全部の履行を請求**できて、他方、**債務者**が**債権者の1人に弁済**すれば**全員の債権が消滅**する関係を、**連帯債権**といいます。

＼アドバイス／

連帯債権では、前の例を通して、どのような場面で問題になるのかを理解してください。

連帯債権が成立するのは、金銭債権のように債権が性質上可分で、法令の規定または当事者の意思表示がある場合です。

連帯債権では、連帯債権者の一人について生じた事由は、他の連帯債権者に対してその効力を生じないのが原則です（相対効）。例外として、請求、弁済、更改、免除、相殺、混同は効力を生じます（絶対効）。なお、相対効とされている事由について、特約により、他の連帯債権者に影響を及ぼすことができます。

学習優先度 高

LESSON 14 賃貸借・使用貸借

台風でアパートの窓ガラスが壊れた…

台風で借りたアパートの窓ガラスが壊れたのに、貸主さんは何もしてくれないときはどうしたらいいでしょうか？

その場合には、自分で窓ガラスを修理して、その代金を貸主に請求すればいいと思います。

そうだね。必要費は直ちに償還請求できたね。

そもそも、貸主側にはアパートを普通に住めるようにする義務がありますからね。

アパートの貸し借りのような賃貸借では、借主は貸主に賃料を支払う義務を負います。他方、貸主は、借主に対して、アパートを使わせる義務を負います。

学習のポイント

❶ 賃貸借
❷ 存続期間の定めのある場合と定めのない場合
❸ 賃貸借の対抗要件(賃貸借の対抗要件、賃貸人の地位の移転)
❹ 転貸・賃借権の譲渡
❺ 転貸・賃借権の譲渡と賃料請求
❻ 賃貸借契約の解除と転借人　❼ 敷金
❽ 使用貸借・地上権

1 賃貸借

1. 賃貸借契約

たとえば、レンタルDVDショップAからBがDVDを借りるときに結ぶ契約が**賃貸借契約**です。売買契約同様に非常に身近な契約です。Bは、賃料を支払ってDVDを借ります。このように、**賃貸借は、賃貸人がある物の使用収益（しようしゅうえき）を賃借人にさせることを約束し、賃借人がこれに対してその賃料を支払うことおよび引渡しを受けた物を契約が終了したときに返還することを約する契約です**。同様に、アパートを借りて住む場合にも賃貸借契約を結びます。民法では、賃貸する目的物を問わず、同じに扱います。

賃貸借では、賃貸人は賃借人に**賃料の支払いを請求**でき、賃借人は賃貸人に**賃料を支払う義務**を負います。⊕他方、賃貸人は、賃借人に対して、**賃貸目的物を使用収益させる義務**を負います。そして、賃借人は、賃貸人に対して、**使用収益させるよう請求できる権利**（**賃借権**（ちんしゃくけん））を有することになります。

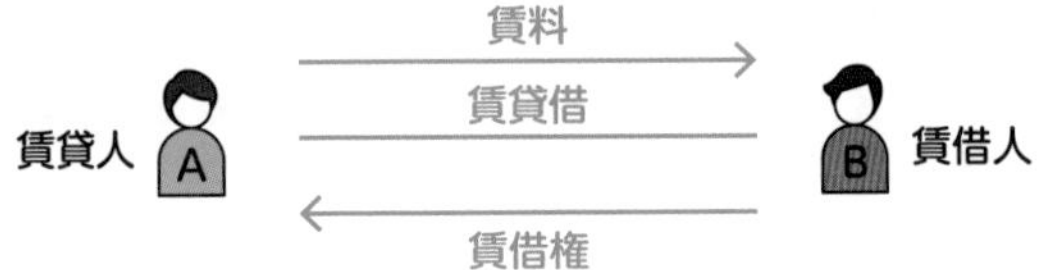

2. 賃貸物の修繕

原則 賃貸物の修繕が必要な場合、賃貸人は、賃貸物の使用収益に必要な修繕（しゅうぜん）をする義務を負います。

ただし、例外 **賃借人の責めに帰すべき事由によってその修繕が必要となったときは、この義務は負いません**。なお、賃貸人が賃貸物の保存に必要な行為（たとえば、修繕）をしようとするときは、賃借人は、これを拒むことができません。

賃借物の修繕が必要である場合において、次に掲げるときは、**賃借人**は、その**修繕をすることができます**。

⊕補足
賃料は、原則として、毎月末に支払わなければならない。

①賃借人が賃貸人に修繕が必要である旨を通知し、または賃貸人がその旨を知ったにもかかわらず、賃貸人が相当の期間内に必要な修繕をしないとき
②急迫の事情があるとき

3. 必要費と有益費

賃借人が賃貸人の負担に属する**必要費**を支出した場合、賃貸人に対し、**直ちに**その**償還を請求**できます。たとえば、家を借りて住んでいる人が、壊れた窓ガラス代を支出したような場合です。また、賃借人が**有益費**を支出した場合、賃貸人は、**賃貸借の終了の時**に、目的物の価格の増加が現存している場合に限り、**支出された費用**または**増価額**のいずれかを選択して、**償還**しなければなりません。たとえば、家に雨戸を設置するために代金を支出した場合です。

4. 賃借物の一部滅失・全部滅失

賃借物の**一部が滅失**その他の事由により使用収益をすることができなくなった場合、それが**賃借人の責めに帰することができない事由による**ものであるときは、賃料は、その使用収益をすることができなくなった部分の割合に応じて、当然に**減額**されます。また、残存する部分のみでは賃借人が**賃借をした目的を達することができない**ときは、賃借人は、**契約の解除**をすることができます。

賃借物の**全部が滅失**その他の事由により使用収益をすることができなくなった場合には、賃貸借は、これによって**終了**します。

2 賃貸借の存続期間

1. 存続期間を定める場合と定めない場合

賃貸借は、**存続期間を定める**ことも、**存続期間を定めない**こともできます。存続期間を定める場合には、その期間は**50年を超えることができません**。したがって、50年を超える期間を定めた場合は、50年に短縮されます。

原則 存続期間を定める賃貸借の場合には、原則として、中途解約（当事者の一方が任意に賃貸借契約を解約）することはできません。

ただし、例外 **当事者の一方または双方が中途解約できる旨の特約（解約する権利の留保）をすることができます**。たとえば、土地の賃貸借でこの特約を結んでいれば、賃貸借の解約の申入れをすることができ、解約申入れ後1年が

経過すれば、賃貸借は終了します。⊕

存続期間を定める場合の**更新**と、存続期間を定めない場合の**解約申入れ**について、以下でまとめて学習しましょう。

必須 存続期間を定める場合と存続期間を定めない場合

1. 存続期間を定める場合

(1) 賃貸借の存続期間は**50年**を超えることはできない。

(2) 中途解約

原則	**中途解約はできない。**
例外	中途解約できる旨の**特約**があればすることができる。この場合、存続期間を定めのない賃貸借の場合と同じく解約の申入れをすることができる。

2. 契約の更新と解約申入れ

存続期間を定める場合	存続期間を定めない場合
期間満了で終了 ⇓	当事者はいつでも**解約申入れ**できる ⇓
①合意による更新 ②黙示の更新※	①土地については1年 ②建物については3カ月 経過した時に終了

※期間満了後、賃借人が賃借物の使用収益を継続する場合に、賃貸人がこれを知りながら異議を述べないときは、従前の賃貸借と同一の条件で更に賃貸借をしたものと推定される。この場合、期間の定めのない賃貸借の場合と同じく解約の申入れをすることができる。

2. 賃借人の原状回復義務

賃借人は、賃借物を受け取った後にこれに生じた損傷（**通常の使用収益によって生じた賃借物の損耗および賃借物の経年変化を除く**）がある場合において、賃貸借が終了したときは、その損傷を原状に復する義務を負います。ただし、その損傷が賃借人の責めに帰することができない事由によるものであるときは、原状に復する義務を負いません。

賃借人の原状回復義務についてまとめると次のようになります。

⊕補足

契約期間満了による終了、解約申入れによる終了のほか、借りた物が全部壊れた場合も、賃貸借は終了する。

必須 賃借人の原状回復義務

損傷の内容	原状回復義務の有無
賃借物を受け取った後に生じた損傷	⇒賃借人に原状回復義務あり ただし、損傷に**賃借人の帰責事由**がない場合、**原状回復義務なし**
通常の使用収益によって生じた賃借物の損耗・賃借物の経年変化による損傷	⇒賃借人に**原状回復義務なし**

3 不動産賃貸借の対抗要件

1. 不動産賃貸借の対抗要件

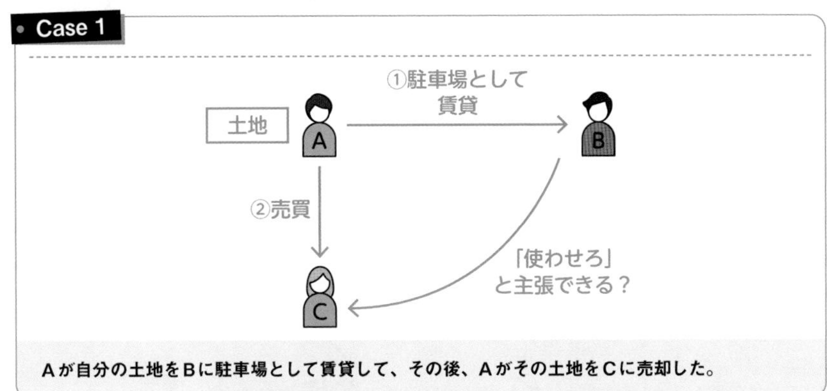

Aが自分の土地をBに駐車場として賃貸して、その後、Aがその土地をCに売却した。

ケース1の場合、原則 原則として、賃借権は、第三者に対抗（主張）できません。したがって、BはCに「その土地を使わせろ」と言えません。

ただし、例外 **賃借権の登記（または、借地借家法の規定による賃貸借の対抗要件）を具備すれば、第三者に不動産賃借権を主張することができます**。したがって、Bは、賃借権の登記をすれば、Cに「その土地を使わせろ」と言えます。

賃借権の登記等をしなければ対抗できない「第三者」には、**不動産の買主**、**抵当権者**、**不動産を二重に賃借した者**も含みます。たとえば、A所有の土地を

補足
賃借人による、契約の本旨に反する使用または収益によって生じた損害の賠償は、貸主が返還を受けた時から1年以内に請求しなければならない。

賃借したBは、その土地を買い受けたCに、その土地に抵当権の設定を受けたDに、そして、その土地を二重に賃借したEに対して、賃借権の登記をしなければ対抗できません。

必須 **不動産賃借権と対抗要件**

不動産賃借権は、
原則→第三者に対抗できない。
例外→賃借権の登記等をすれば、第三者に賃借権を対抗することができる。

不動産の賃借人は、賃借権の登記等を備えた場合、次のような請求をすることができます。

不動産の占有を第三者が妨害(ぼうがい)している	⇒その第三者に対する妨害停止請求
不動産を第三者が占有している	⇒その第三者に対する返還請求

2. 賃貸人の地位の移転

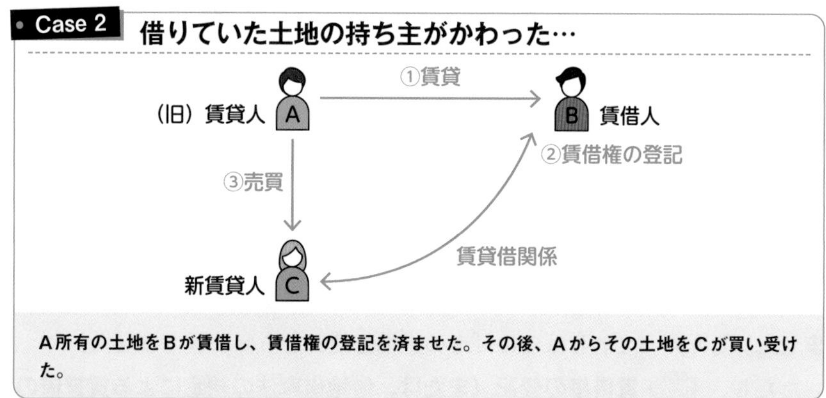
Case 2
借りていた土地の持ち主がかわった…
①賃貸
(旧) 賃貸人
A
B
賃借人
②賃借権の登記
③売買
賃貸借関係
新賃貸人
C
A所有の土地をBが賃借し、賃借権の登記を済ませた。その後、Aからその土地をCが買い受けた。

(1) **原則** **賃借人が賃借権の登記**等を備えた後に、その**不動産が譲渡**された場合には、その不動産の**賃貸人たる地位**は、**譲受人に移転します**（**賃貸人たる地位の移転**）。したがって、**ケース2**では、賃貸人たる地位は、AからCに自動的に移転します。**例外** ただし、不動産の譲渡人および譲受人が、賃貸人たる地位を**譲渡人に留保**する旨およびその**不動産を譲受人が譲渡人に賃貸する**旨の合意をしたときは、**賃貸人たる地位**は、**譲受人に移転しません**。
(2) **賃貸人たる地位を移転する場合には、賃借人の承諾は不要です**。賃借人

の承諾なく賃貸人たる地位が移転しても、賃借人は目的物を前と同様に使い続けることができ、何も不都合はないからです。

(3) **賃貸人たる地位**の移転は、賃貸物である**不動産について所有権の移転の登記**をしなければ、**賃借人に対抗することができません**。具体的には、**ケース2**でCがBに賃貸人として賃料を請求するためには、買い受けた土地の所有権移転の登記が必要になります。

＼アドバイス／
少し分かりにくいところです。AがBに甲土地を貸し賃借権の登記を済ませ、その後、その土地をCに売却した例で説明すると、Aが土地を売却する場合には「Bの承諾」は不要ですが、新賃貸人CがBに賃料を請求する場合には甲土地の所有権移転「登記が必要」となります。

(4) また、ケース2でBが**賃借権の登記等を備えていない**場合は、賃貸人たる地位はAからCに移転しないのが原則ですが、**AとCの合意により**、**賃貸人の地位をCに移転**することができます（**合意による不動産の賃貸人たる地位の移転**）。

この場合も、**賃借人の承諾は不要**ですが、賃貸物である不動産について**所有権の移転の登記**をしなければ、賃貸人たる地位の移転を**賃借人に対抗できません**。

必須 **賃貸人たる地位の移転**

1. **賃借権の登記**（または借地借家法の規定による賃貸借の対抗要件）**を備えた不動産が譲渡**された場合、その不動産の**賃貸人たる地位**は、その**譲受人に移転**する。ただし、不動産の譲渡人および譲受人が、賃貸人たる地位を譲渡人に留保する旨およびその不動産を譲受人が譲渡人に賃貸する旨の合意をしたときは、賃貸人たる地位は、譲受人に移転しない。
2. 賃貸人たる地位の移転について、**賃借人の承諾は不要である。**
3. 賃貸人たる地位の移転を、**賃借人に対抗**するためには、賃貸物である不動産について**所有権の移転の登記**をしなければならない。

4 転貸・賃借権の譲渡

「転貸」と「賃借権の譲渡」について、それぞれ具体例を通して学んでいきましょう。

(1) 転貸

(2) 賃借権の譲渡

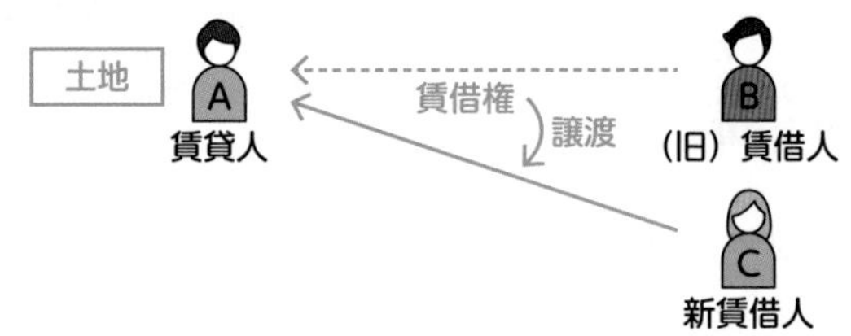

転貸も賃借権の譲渡も、賃貸目的物を**使う人が**（**B**から**C**に）**変わる**点は同じです。ただし、以下の点が大きく違います。違いをしっかり理解してください。

転貸	賃貸人と賃借人の**賃貸借契約**と、転貸人と転借人の**転貸借契約**が存在する。
賃借権の譲渡	**賃借人**は契約から**離脱**し、**賃貸人**と**新しい賃借人**との間に**賃貸借契約**が存在するのみ。

賃借人は、賃貸人の承諾を得なければ、賃借物を転貸・賃借権を譲渡することはできません。賃貸人は賃借人を信頼して契約を結んだのですから、勝手に使う人を替えることはできないということです。なお、賃貸人の承諾の相手方は、賃借人でも転借人・譲受人でもかまいません。

そして、原則 **賃借人が賃貸人の承諾を得ずに第三者に賃借物の使用または収益をさせたときは、賃貸人は、原則として契約の解除をすることができます。**信頼関係が損なわれたならば当然です。

ただし、例外 **背信行為（はいしんこうい）と認めるに足（た）りない特段の事情がある場合には、賃貸人は賃貸借契約を解除できません。**「背信行為と認めるに足りない特段の事情」とは信頼を裏切ったとはいえないような場合のことです。たとえば、Aの建物をBが借りて長年住んでいたのですが、Bの定年退職を契機に、ずっと同居していた長男Cに賃借権を譲渡したような場合です。

必須 **転貸・賃借権の譲渡**

1. **転貸・賃借権の譲渡**をする場合には、**賃貸人の承諾**が必要である。なお、賃貸人の承諾の相手方は、賃借人でも転借人・譲受人でもよい。
2. 賃借人が賃貸人の**承諾を得ず**に第三者に使用・収益をさせた場合
原則→賃貸人は、**契約を解除**できる。
例外→背信行為と認めるに足りない特段の事情がある場合には、賃貸人は**契約を解除できない**。

無断で転貸した場合や賃借権の無断譲渡以外でも、賃借人に賃料の不払い等の債務不履行があれば、賃貸人は賃貸借契約を解除することができます。その際、原則 賃貸人は**催告**をした上で、賃貸借契約を解除する必要があります。ただし、例外 **賃借人が信頼関係を破壊し、契約の継続を著しく困難にした場合には、賃貸人は、催告することなく直ちに契約の解除をすることができます**。

5 転貸・賃借権の譲渡と賃料請求

Aの土地をBが借りた後、Aの承諾を得て、転貸や賃借権の譲渡をした場合、賃貸人Aは、①誰に、②いくら賃料請求できるのでしょうか。

1. 転貸の場合

賃借人が適法に賃借物を転貸したときは、転借人は、賃貸人と賃借人との間の賃貸借に基づく賃借人の債務の範囲を限度として、賃貸人に対して転貸借に基づく債務を直接履行する義務を負います。つまり、上の例では、**C**は、**Aに対してもBに対しても義務を負います**。したがって、**賃貸人A**は、**転借人C**にも**直接賃料を請求**することができます。この場合、**Cは賃借人Bの債務の範囲を限度として義務**を負います。そして、Cは、AかBのどちらかに支払えば、支払った分の賃料債務を免れます。

前述のように、転借人C**は賃借人の債務の範囲を限度**として義務を負います。具体的には以下のようになります。

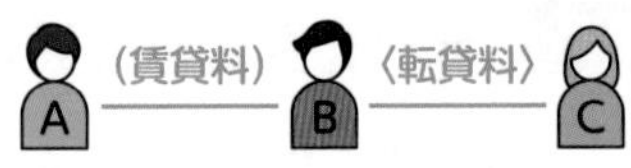

①　（8万円）　〈8万円〉
②　（10万円）　〈8万円〉
③　（8万円）　〈10万円〉

図①　転貸料と賃貸料が同額（賃貸料＝転貸料）の場合

⇒AはCに8万円を請求することができます。

図②　転貸料が賃貸料より安い（賃貸料＞転貸料）場合

⇒AはCに8万円を請求することができます。

図③　転貸料が賃貸料より高い（賃貸料＜転貸料）場合

⇒AはCに8万円を請求することができます。

要するに、**賃貸人**は、**転借人**に対して、賃貸料と転貸料のいずれか「**安いほう**」を限度に請求することができます。

2. 賃借権の譲渡の場合

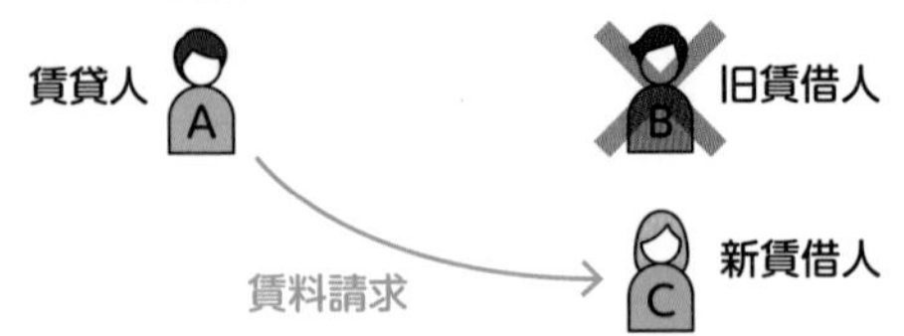

賃借権を譲渡した**B**は、**賃貸借関係を離脱**し、**AとCが賃貸借契約の当事者**となります。したがって、**A**は、賃借権の譲受人である**新賃借人C**に対してのみ**賃料請求**することができます。

必須　転貸・賃借権の譲渡と賃料請求のまとめ

転貸	賃貸人は、**賃借人**、**転借人**に賃料を請求できる。 ただし、**転借人**は、**賃借人の債務の範囲を限度**として義務を負う。
賃借権の譲渡	賃貸人は、**新賃借人**に対してのみ請求できる。

6 賃貸借契約の解除と転借人

賃貸借契約と転貸借契約の関係について、Aを賃貸人、Bを転貸人、Cを転借人とする例で学んでいきましょう。

①賃貸借
③終了

②転貸借

転貸借（BC間の契約）は、**賃貸借**（AB間の契約）を**基礎**とするものですから、**賃貸借が終了**すると、**転貸借**も影響を受けます。それでは、どのように影響を受けるのでしょうか。場合を分けて学習していきます。

(1) AB間の賃貸借が**期間満了で終了**すれば、転貸借も原則として終了します。ただし、借地借家法の適用がある場合には例外があります。詳しくはレッスン15で学習します。

(2) AB間の契約がBの賃料滞納などの**債務不履行によって賃貸人によって解除**された場合、解除を転借人Cに対抗できます。債務不履行されたAを守るためです。なお、賃借人の賃料不払いを理由に解除する場合、転借人に通知等をして賃料を賃借人に代わって支払う機会を与える必要はありません。

(3) AB間の契約を**AB両者の合意によって解除**した場合には、解除の当時、賃貸人が賃借人の債務不履行による解除権を有していたときを除き、そのことを転借人Cに対抗することはできません。したがって、Cの賃借権（転借権）は存続します。ABがグルになってのCの追い出しを認めないためです。

必須 賃貸借契約の解除と転借人

1. 賃貸借契約が賃借人の**債務不履行**で解除された場合、転借人に**対抗できる**。その際、転借人に通知等をする必要はない。
2. 賃貸借契約を**合意解除**しても、原則として、転借人には**対抗できない**。

○×チャレンジ

Q AがBに甲建物を賃貸し、BがAの承諾を得て甲建物をCに適法に転貸している。Aは、Bの賃料の不払いを理由に甲建物の賃貸借契約を解除するには、Cに対して、賃料支払の催告をして甲建物の賃料を支払う機会を与えなければならない。

A 賃貸人は、賃借人の債務不履行を理由に賃貸借契約を解除する場合、転借人に賃料を支払う機会を与える必要はありません。

×

7 敷金（しききん）

1. 不動産の賃貸借契約では、賃借人が賃貸人に敷金を支払うことがあります。この**敷金**とは、いかなる名目（めいもく）（呼び方）によるかを問わず、賃料債務など**賃貸借に基づいて生ずる賃借人の賃貸人に対する債務を担保する目的**で、賃借人が賃貸人に交付する金銭をいいます。

(1) 賃貸借継続中に、賃借人が家賃を支払えなかった場合、賃貸人は、敷金から家賃を差し引くことができます。このように、**賃貸人**は、賃借人が賃貸借に基づいて生じた債務を履行しないときは、敷金をその債務の弁済に充てることができます。ただし、この場合に、**賃借人**は、**賃貸人**に対し**敷金をその債務の弁済に充てることを請求することはできません**。

(2) 賃貸人は、賃貸借が終了し、かつ、**賃貸物の返還を受けたとき**は、賃借人に対し、敷金の額から賃貸借に基づいて生じた賃借人の賃貸人に対する債務の額を控除した残額を**返還しなければなりません**。たとえば、家賃10万円、敷金20万円の賃貸借で、賃借人の債務が未納の家賃1カ月分の場合、賃貸人は、20万円－10万円＝10万円を**建物の明渡しを受けたときに返還**することになります。

このように**建物の明渡しが先**ですから、**建物明渡債務**と**敷金返還債務**とは、原則として、**同時履行の関係に立ちません**。

必須 敷金

① 敷金とは、いかなる名目によるかを問わず、賃料債務など賃貸借に基づいて生ずる**賃借人の賃貸人に対する債務を担保**する目的で、賃借人が賃貸人に交付する金銭をいう。

② 賃貸借継続中の敷金の充当
賃借人が賃貸借に基づいて生じた債務を履行しない場合
⇒**賃貸人**は、敷金をその債務の**弁済に充てることができる**。
⇒**賃借人**は、賃貸人に対し、敷金をその債務の**弁済に充てることを請求できない**。

③ 敷金の返還時期
賃貸人は、賃貸借が終了し、かつ、**賃貸物の返還を受けたときに**、敷金（賃借人の債務を控除した残額）を返還しなければならない。
⇒**建物明渡債務**と**敷金返還債務**は、原則として、**同時履行の関係に立たない**。

2. **賃借権の譲渡**の場合（**賃借人**が替わった場合）や**賃貸人たる地位の移転**の場合（**賃貸人**が替わった場合）に、敷金に関する権利義務関係が新賃借人や新賃貸人に承継されるのでしょうか。場合を分けてしっかりと覚える必要があります。

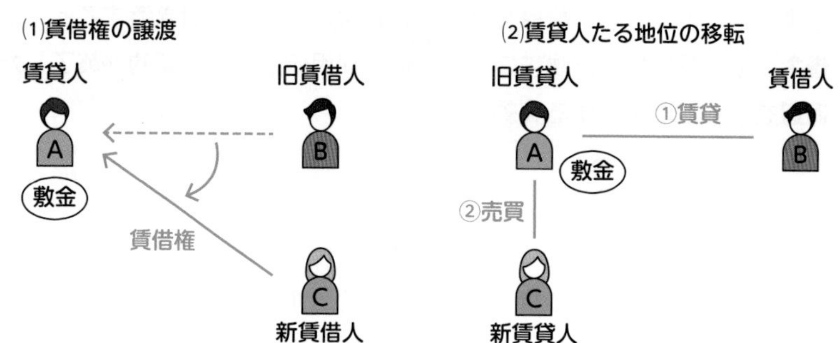

(1) 賃借権の譲渡（賃借人が替わった場合）

賃貸人は、賃借人が適法に**賃借権を譲り渡した**ときは、**賃借人**に対し、敷金の額から賃貸借に基づいて生じた賃借人の賃貸人に対する債務の額を控除した残額を**返還しなければなりません**。つまり、この場合、原則として、敷金は承継されません（Bが敷金返還請求権をCに譲渡するなど特段の事情があれば承継されます）。したがって、BはAに対して敷金の返還を請求できます。

(2) 賃貸人たる地位の移転（賃貸人が替わった場合）

この場合、**敷金**は、旧賃貸人に対する賃借人の未払賃料等に充当され、その残額が**新賃貸人に移転**します。敷金は、旧賃貸人から新賃貸人に原則として承継されます。したがって、BはCに対して敷金の返還を請求できます。

必須 **賃借人・賃貸人の交替と敷金関係**

1. **賃借権の譲渡**の場合（賃借人が替わった場合）
敷金は、原則として、新賃借人に**承継されない**。賃貸人は、敷金（賃借人の債務を控除した残額）を返還しなければならない。
2. **賃貸人たる地位の移転**の場合（賃貸人が替わった場合）
敷金（賃借人の債務を控除した残額）は、新賃貸人に**承継される**。

8 使用貸借・地上権

1. 使用貸借

たとえば、AのDVDを友人Bがタダで借りて、見終わったら返す約束をしたとします。このように、**使用貸借**とは、**貸主**がある物を引き渡すことを約束し、**借主**がその受け取った物について**無償**で使用収益をして**契約が終了したときに返還**をすることを約する契約です。

使用貸借とは、物を**無償**で貸し借りする契約です。すなわち、賃料を支払って借りるのが賃貸借、タダで借りるのが使用貸借です。

使用貸借契約は、**当事者間の合意によって成立**します。ただし、書面によらない使用貸借の場合、借主が借用物を受け取るまで、貸主は契約の解除をすることができます。

使用貸借については不動産の賃貸借との違いを中心に以下で学習しましょう。

必須 不動産賃貸借と使用貸借

不動産賃貸借	使用貸借
①賃料を払って借りる	①無償（タダ）で借りる
②必要費は貸主が負担する	②通常の必要費は借主が負担する
③無断で賃借権の譲渡・転貸が行われた場合、原則として賃貸人は賃貸借契約を解除できる	③無断で使用借権の譲渡・転貸が行われた場合、貸主は使用貸借契約を**解除できる**
④賃借権の登記があれば第三者に対抗できる	④使用借権を第三者に**対抗できない**
⑤賃借人の死亡により賃借権は相続の対象となる	⑤**借主の死亡**により**終了**し、使用借権は相続の対象にならない
⑥借地借家法の適用がある	⑥借地借家法の**適用がない**

＼アドバイス／

使用貸借では、終了と解除についても問われます。少しややこしいところですが、みなさんが、お友達との間で映画DVDの貸し借りをする場面を念頭におくと理解しやすいです。たとえば、「この映画すごくよかったから観てみて、観終わったら返してくれればいいから」と貸すこともありますよね。これを法律的にみると「期間を定めないが、使用目的を定めた」場合といいます。

必須 使用貸借の終了と解除

例：AがBに映画のDVDを貸した。

ケース		使用貸借の終了と解除
期間を定めた （例：来週末に返して）		・期間満了により終了 ⇒借主は、いつでも契約を解除できる
期間を定めなかった	使用収益の目的を定めた（例：見終わったら返して）	・借主が定めた目的に従い使用収益を終えると終了 ⇒貸主は、借主が目的に従い借主が使用収益をするのに足りる期間を経過したときは、契約を解除できる ⇒借主は、いつでも契約を解除できる
	使用収益の目的も定めなかった	⇒貸主は、いつでも契約を解除できる ⇒借主は、いつでも契約を解除できる

2. 地上権

地上権とは、**他人の土地**において工作物（たとえば、**建物**）または竹木（ちくぼく）を所有するため、その**土地を使用する権利**のことです。以下で、賃借権と地上権の違いのポイントだけ押さえましょう。

賃借権	地上権
①賃料を払って借りる ②貸主に修繕義務あり ③無断転貸・賃借権の譲渡は原則できない	①地代を払ってもタダでもいい ②地主に修繕義務なし ③地上権の譲渡は原則自由にできる

＼アドバイス／

このレッスンで学習した「賃貸借」と、この後学習する「借地借家法」は早い段階で得意分野にしましょう。出題頻度が高く、しかも、出題範囲がある程度絞れるので得点源にしやすいところだからです。

LESSON 15 借地借家法（借家）

アパートの家賃の値上げを要求された…

introduction

問題です。貸主は、家賃の値上げを要求できるでしょうか？
はい。借賃が不相当になったときは、貸主は、将来に向かって、借賃の増額や減額を請求することができます。

借賃を一定期間は増額しない旨の特約を結んでいたら…

その特約は、有効です。したがって、増額請求することはできません。

借賃が、租税その他の負担の増減、経済事情の変動や近傍同種の建物の借賃などに比較して不相当になったときは、当事者は、将来に向かって、借賃の額の増減（増額や減額）を請求することができます。

学習のポイント

❶ 借地借家法　❷ 借家契約の存続期間
❸ 期間の定めがある場合～契約の更新
❹ 期間の定めのない場合～解約申入れ
❺ 転貸と賃借権の譲渡等　❻ 建物賃借権の対抗要件
❼ 造作　❽ 借賃の増減額請求
❾ 定期建物賃貸借と取壊し予定の建物の賃貸借

1 借地借家法（しゃくちしゃくやほう）

賃貸借契約は、簡単に言うと「賃料」を支払って「物」を借りる契約です。そして、借りる「物」はDVDでも建物や土地でも、民法の世界では同じに扱います。ただ、住むために建物や土地を借りることは生活には必須です。もし、借りられないとしたら生活できません。

そこで、弱い立場にある建物や土地の賃借人を守るために、民法とは別に「**借地借家法**」という特別の法律を作り、民法の規定を修正しました。

借地借家法に**特別のルールが定められている**場合、民法の規定は適用されず、**借地借家法の規定が適用**されます。ただし、**借地借家法に規定のない事項**は、**民法が適用**されます。

このレッスンで学習する 原則 借地借家法の借家の規定は、建物の賃貸借契約に適用されます。

ただし、 例外 **建物の賃貸借であっても、一時使用のために建物を賃借したことが明らかな場合には適用しません**。また、使用貸借には適用されません。この場合は、民法の規定を適用します。

必須 借地借家法が適用される場合と適用されない場合

建物の賃貸借契約	適用される※
一時使用のために建物を賃借したことが明らかな場合	適用されない

※借地借家法の規定と異なる特約を結んだ場合、その特約が**賃借人に不利**なものであれば、原則として**無効**となる。

＼アドバイス／
借地借家法が「適用される場合」と、「適用されない場合→民法を適用」の区別はしっかり理解しましょう。

2 借家契約の存続期間

借地借家法の適用のある建物の賃貸借契約（**借家契約**）では、①**存続期間の定めがある場合**と、②**存続期間の定めがない場合**の２つがあります。存続期間を定める場合のルールは次のとおりです。民法と比較して学習してください。

必須 民法の賃貸借と借家の存続期間

		民法	借家
期間を定める場合	最長	50年を超えることはできない	**制限なし**
	最短	制限なし	**1年未満の期間**を定めたときは、**原則**として**期間の定めのない**ものとなる
期間を定めないこと		可能	可能

3 契約の更新と解約の申し入れ

1．存続期間の定めがある場合

(1) 借家契約は**合意により更新**できます。

(2) **合意による更新がない**場合でも、借主保護のために自動的な更新（**法定更新**）が認められています。

当事者が**期間の満了の１年前から６カ月前**までの間に、相手方に対して更新をしない旨の通知（**更新拒絶の通知**）または条件を変更しなければ更新をしない旨の通知をしなかった場合、契約を**更新**したものとみなされます（**法定更新**）。この場合の更新後の契約条件（たとえば、賃料）は、従前と同一です。ただし、**存続期間**は、**期間の定めがない**ものとなります。

＼アドバイス／

賃貸人からの更新しない旨の通知がなければ更新されます。要するに、賃借人は何もしなくても、契約は更新されるわけです。

当事者は、更新拒絶の通知もできますが、**賃貸人による更新拒絶の通知**には、**正当事由**が必要です。

そして、正当事由の有無は次の①から④を**総合的に考慮**して決めます。

①建物の賃貸人および賃借人が建物の使用を必要とする事情

②建物の賃貸借に関する従前の経過

③建物の利用状況および建物の現況

④建物の賃貸人が提供する財産上の給付（立退料・移転料）の申出

なお、上記④の財産上の給付（立退料・移転料）を申し出たことは、正当事由の有無の判断にあたって斟酌（判断材料の1つとして考慮）することはできますが、財産上の給付があれば、直ちに、正当事由ありとみなされるわけではありません。**正当事由の有無の判断の考え方**は、後で学習する**借地**［▶L16］でも同じです。

更新拒絶の通知をした場合でも、期間満了後に**賃借人が使用を継続**し、**賃貸人が遅滞なく異議を述べなかった**（「出て行ってくれ」と言わなかった）ときは、**更新**したものとみなされます（**法定更新**）。更新後の契約条件は、従前と同一です。ただし、存続期間は、期間の定めがないものとなります。

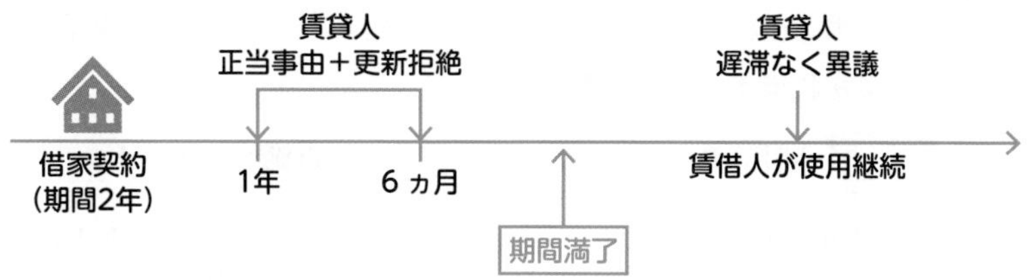

必須 **期間の定めがある借家契約の更新**

1. 当事者が期間の満了の1年前から6カ月前までの間に、**更新をしない旨の通知**（または条件を変更しなければ更新をしない旨の通知）**をしなかった**場合⇒**更新**したものとみなす。
2. **賃貸人**による更新拒絶の通知⇒「**正当事由**」が必要。
3. 更新拒絶の通知をした場合でも、期間満了後に賃借人が**使用を継続**し、賃貸人が**遅滞なく異議を述べなかった**場合⇒**更新**したものとみなす。
4. 更新後の契約条件（賃料など）⇒従前と同一。ただし、**存続期間**は、**期間の定めがない**ものとなる。

〇✕チャレンジ

Q 建物賃貸借契約の賃借人が、その期間が満了する1年前から6カ月前までの間に賃貸人に対して更新する旨の通知をしなかった場合、賃貸借は更新しない。

A 期間満了の1年前から6カ月前までの間に、当事者が相手方に対して、更新拒絶の通知をしなければ、建物賃貸借は更新したものとみなされます。この問題では、当事者が更新拒絶の通知をしていないので、更新したものとみなされます。

✕

2. 存続期間の定めがない場合

期間の定めのない借家契約の場合、当事者は、いつでも**解約の申入れ**をすることができます。

(1) 賃借人が解約の申入れをする場合

民法の規定通り、**3カ月の経過で契約は終了**します。

(2) 賃貸人が解約の申入れをする場合

正当事由がなければなりません。解約の申入れの日から**6カ月が経過すると契約は終了**します。なお、正当事由は、6カ月経過時にもなければなりません。建物賃借人を保護するためです。

賃貸人が正当事由のある解約申入れをした場合でも、その日から6カ月経過後に賃借人が使用を継続し、賃貸人が遅滞なく異議を述べなかった場合、更新したものとみなされます（**法定更新**）。

必須 期間の定めのない借家契約の解約申入れ

賃貸人からの解約の申入れには、**正当事由が必要**である。解約申入れ後**6カ月経過**で契約が終了する。ただし、6カ月経過後、賃借人が使用を継続し、賃貸人が遅滞なく異議を述べなかった場合、更新したものとみなされる。

4 転貸と賃借権の譲渡等

借家の転貸・賃借権の譲渡については、民法の賃貸借［▶L14］のところで学習した知識がそのまま使える場合がほとんどです。ここでは、特別なルールがある場合を中心に学習します。

(1) 建物の賃貸人Aの承諾を得て賃借人Bから建物を転借した転借人Cは、借地借家法上、原則として、建物賃借人Bと同様の保護が与えられます。たとえば、建物賃貸人と賃借人の法定更新についても、建物転借人がする使用継続は、建物賃借人の使用継続とみなされます。

(2) 次に、賃貸借契約と転貸借契約の関係について学習をします。Aを賃貸人、Bを転貸人、Cを転借人とします。

転貸借（BC間の契約）は、賃貸借（AB間の契約）を基礎とするものですから、賃貸借が終了すると、転貸借も影響を受けます。

賃貸借が終了する原因は、①**期間満了による場合**、②**解約の申入れの場合**、③賃借人の**債務不履行による解除**の場合、④賃貸人と賃借人が**合意解除**する場合などがあります。③と④は賃貸借［▶L14］で学習した知識がそのまま使えます。ここでは、上記①と②について学習します。

建物の賃貸借が、①**期間満了**または②**解約の申入れによって終了**するときは、建物の賃貸人は、建物の転借人にその旨の**通知**をしなければ、その**終了を建物の転借人に対抗することができません**。そして、建物の賃貸人がこの通知をしたときは、建物の転貸借は、その**通知がされた日から6カ月を経過**することによって**終了**します。借地借家法はこのようにして転借人の保護を図っています。

必須 **建物の賃貸借の終了と転貸借**

建物の転貸借がなされている場合に、建物の賃貸借が、**期間満了**、**解約の申入れ**によって終了するとき

① 建物の賃貸人は、建物の転借人にその旨の**通知**をしなければ、その**終了を対抗できない**。
② 建物の転貸借は、その通知後6カ月を経過することによって終了する。

5 建物賃借権の対抗要件

Case 1 住んでいる建物の所有者がかわった…

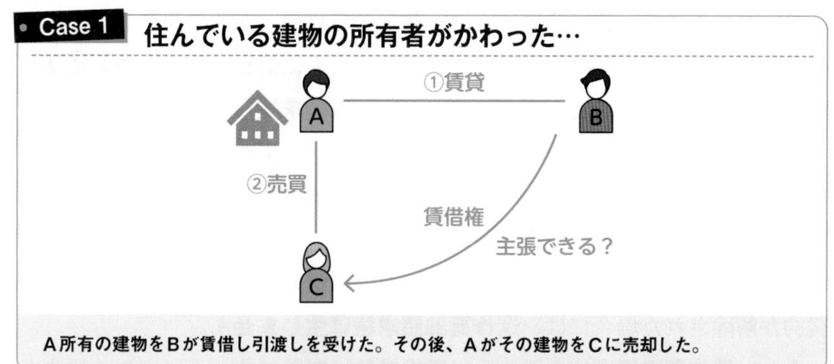

A所有の建物をBが賃借し引渡しを受けた。その後、Aがその建物をCに売却した。

ケース1の場合、**賃借権の登記**、または**建物の引渡し**（たとえば、実際にその建物に住んでいる）を受ければ、**建物賃借権を第三者に対抗することができ**

ます。賃借権の登記は賃貸人の協力なしではできません（賃貸人と賃借人が共同で申請しなければなりません）。そこで、借地借家法は「**建物の引渡し**」でも第三者に対抗できるようにして、建物賃借人の保護を図りました。したがって、**ケース1**のBは建物の引渡しを受けているので、Cに「住み続けさせろ」と主張できます。

必須 **建物賃借権の対抗要件**

賃借権の登記、または**建物の引渡し**を受ければ、**建物賃借権を第三者に対抗**できる。

○×チャレンジ

Q Aは、B所有の甲建物について賃貸借契約（以下「本件契約」という。）をBと締結して建物の引渡しを受けた。本件契約期間中にBが甲建物をCに売却した場合、Aは甲建物に賃借権の登記をしていなくても、Cに対して甲建物の賃借権があることを主張することができる。

A 建物賃借権は、①賃借権の登記か、②建物の引渡しを受けていれば、第三者に主張することができます。Aは、建物の引渡しを受けているので、Cに対して賃借権を主張することができます。

○

6 造作買取請求権（ぞうさくかいとりせいきゅうけん）

建物の賃借人が、建物の賃貸人の同意を得て建物に付加した**造作**（畳・建具（たてぐ）など）がある場合、建物の**賃借人**は、建物の賃貸借が**期間の満了**、または**解約の申入れによって終了**するときに、建物の**賃貸人**に対し、その**造作を時価（じか）で買い取るよう請求することができます**（**造作買取請求権**）。

建物の賃貸借が期間の満了または解約の申入れによって終了する場合における建物の**転借人**と**賃貸人**との間も同じです。つまり、この場合、建物の**転借人は賃貸人に造作買取請求権を行使できます**。

ただし、建物の賃借人の賃料不払いなどの**賃借人の債務不履行により賃貸借契約が解除**された場合には、**造作買取請求権は生じません**。

なお、**造作買取請求権を認めない旨の特約**は**有効**です。仮に、この特約を無効としても、賃貸人は、賃借人からの造作設置の同意を拒めば済むだけだからです。

必須 造作買取請求権のまとめ

1. 造作買取請求権

建物の賃貸借が**期間満了**または**解約申入れで終了**	**賃借人⇒造作買取請求**できる。
	建物の適法な**転借人⇒造作買取請求**できる。
建物の賃貸借が**賃借人の債務不履行で終了**	**賃借人⇒造作買取請求できない**。

2. **造作買取請求を認めない旨の特約は有効**。

7 借賃（しゃくちん）の増減請求（ぞうげんせいきゅう）

Case 2 大家さんに「家賃を値上げしたい」と言われた…

賃貸借

「2年間家賃は値上げない」旨の特約

A所有の建物をBが賃借した。契約の際「2年間は家賃を値上げしない」特約をした。

建物の**借賃**が、①土地・建物に対する租税その他の負担の増減、②土地・建物の価格の上昇・低下その他の経済事情の変動、または、③近傍同種の建物の借賃などに比較して**不相当になった**ときは、**当事者**は、**将来に向かって**、借賃の額の**増減**（**増額**や**減額**）**を請求**することができます。

ただし、一定期間は借賃を「**増額**」**しない旨の特約**がある場合には、その期間内の**増額を請求することはできません**。したがって、**ケース2**の場合、2年間はAの家賃の値上げは認められません。

これに対して、一定期間は借賃を「**減額**」しない旨の特約がある場合、そもそも、この特約は、賃借人に不利なものとして**無効**となります。したがって、特約があっても、借賃の「減額」を請求することができます。

借賃の増額や減額について当事者間に協議が調（ととの）わないときは、次のようになります。

（1）借賃の増額について当事者間に協議が調わないとき

借賃の増額の**請求を受けた者**（たとえば、**賃借人**）は、増額を正当とする裁判が確定するまでは、**相当と認める額の建物の借賃を支払えばよい**とされています。ただし、その裁判が確定した場合に、既に支払った額に不足があるときは、その不足額に年1割の割合による支払期後の利息を付してこれを支払わなければなりません。

(2) 借賃の減額について当事者間に協議が調わないとき

借賃の減額の**請求を受けた者**（たとえば、**賃貸人**）は、減額を正当とする裁判が確定するまでは、**相当と認める額の建物の借賃の支払を請求**することができます。ただし、その裁判が確定した場合に、既に支払を受けた額が正当とされた建物の借賃の額を超えるときは、その超過額に年1割の割合による受領の時からの利息を付してこれを返還しなければなりません。

なお、**賃料減額の裁判が確定**した場合には、**減額請求をした時点**から賃料が減額されます。

ここまで学習したことで重要な知識は次のようになります。

必須 **借賃の増減請求**

1. 建物の**借賃が不相当**になった場合、当事者は、将来に向かって、借賃の額の**増減**（増額や減額）**を請求**することができる。

一定期間は借賃を「**増額**」しない旨の特約がある場合	その期間内の借賃の増額請求はできない。
一定期間は借賃を「**減額**」しない旨の特約がある場合	この特約は、賃借人に不利なものとして無効となる。 ⇒借賃の減額請求ができる。

2. 建物の借賃の減額について当事者間に協議が調わないときは、その請求を受けた者（たとえば賃貸人）は、減額を正当とする裁判が確定するまでは、相当と認める額の建物の借賃の支払を（賃借人に）請求することができる。

借賃の減額を正当とする裁判が確定した場合	**減額請求をした時点**から賃料が減額される。

8 定期建物賃貸借(ていきたてもの)と取壊し(とりこわ)予定の建物の賃貸借

借家契約には、契約の**更新がなく**、一定期間経過後には必ず契約が終了する**定期建物賃貸借**と**取壊し予定の建物の賃貸借**があります。

＼アドバイス／

定期建物賃貸借は出題頻度が高く、試験対策上、非常に重要な項目です。しっかり、学習しましょう。

1. 定期建物賃貸借（定期借家）

期間の定めがある建物の賃貸借をする場合においては、**公正証書**［個人や会社などからの嘱託により、公証人（裁判官・検事などを長く務め法務大臣が任命した者）がその権限に基づいて作成する文書］**による等書面**（**または電磁的記録**）によって契約をするときに限り、**契約の更新がない**こととする旨を定めることができます（**定期建物賃貸借**）。この場合、**1年未満の期間**（たとえば、6カ月）の定めをしても、**その期間の定めは有効**です。

このように、定期建物賃貸借は、更新がないことから、賃借人を保護する規定があります。まとめると次のようになります。

必須 定期建物賃貸借における借主の保護

1. 賃貸人による説明

定期建物賃貸借契約を締結しようとする建物の賃貸人は、**あらかじめ**、建物の賃借人に対し建物の賃貸借は契約の**更新がなく**、**期間の満了**により当該建物の賃貸借は**終了**する旨を記載した**書面**※1※2を**交付**して**説明**※3しなければならない。**説明しなかった**ときは、**更新がない旨の定めは無効**となる。

※1この書面は、賃借人が、その契約に係る賃貸借は契約の更新がなく、期間の満了により終了すると認識しているか否かにかかわらず、**契約書**とは**別個独立の書面**（事前説明書）であることを要する。

※2建物の賃貸人は、書面の交付に代えて、建物の賃借人の**承諾**を得て、当該書面に記載すべき事項を**電磁的方法**（電子メール等）**により提供**することで、書面を交付したものとみなされる。

※3この事前説明はテレビ会議等のITを活用することができる。ただし、対面による事前説明と同様に取り扱われるためには、**事前説明書**を、賃借人に**あらかじめ送付**していることなどの要件を満たさなければならない。

2. 契約が終了する旨の通知

期間が1年以上である場合、賃貸人は、期間満了の**1年前から6カ月前まで**の間に、期間満了により契約が終了する旨の**通知**をしなければ、その**終了を賃借人に対抗することができない**。※4

用語

【電磁的記録】 電子的方式、磁気的方式その他人の知覚によっては認識することができない方式で作られる記録であって、電子計算機による情報処理の用に供されるもの。たとえば、電子文書など。

3. 賃借人からの解約の申入れ（中途解約）

居住用建物（床面積が**200m²未満**のもの）の定期建物賃貸借において、転勤、療養、親族の介護等のやむを得ない事情により、賃借人が建物を自己の生活の本拠として**使用することが困難**となったときは、**賃借人**は、**解約の申入れ**をすることができる。賃貸借は、解約の申入れの日から**1カ月で終了**する。※4

※4これらに反する特約で、建物賃借人に不利なものは無効。

〇×チャレンジ

Q 定期建物賃貸借契約は、契約期間中は賃借人から中途解約を申し入れることはできない。

A 定期建物賃貸借契約には、やむを得ない事情がある場合に、所定の要件を満たせば賃借人からの解約の申入れが認められる場合があります。

×

以下の事項をすべて満たしている場合には、テレビ会議等でITを活用した事前説明も、対面による事前説明と同様に取り扱われます。ここでは、②をしっかりと覚えておきましょう。

①賃貸人および賃借人が、事前説明に係る書面（事前説明書）および説明の内容について十分に理解できる程度に映像を視認でき、かつ、双方が発する音声を十分に聞き取ることができるとともに、双方向でやりとりできる環境において実施していること

②**事前説明書**を、賃借人に**あらかじめ送付**していること

③賃借人が、事前説明書を確認しながら説明を受けることができる状態にあることならびに映像および音声の状況について、賃貸人が事前説明を開始する前に確認していること

④賃貸人の代理人が事前説明を行う場合には、委任状等の代理権の授与を証する書面を提示し、賃借人が、当該書面を画面上で視認できたことを確認していること

なお、賃貸人は、ITを活用した事前説明を開始した後、映像を視認できないまたは音声を聞き取ることができない状況が生じた場合には、直ちに説明を中断し、当該状況が解消された後に説明を再開しなければならない。

＼アドバイス／

以下の、普通借家と定期建物賃貸借の比較も、試験対策上大切です。

必須 普通借家と定期建物賃貸借の比較

	普通借家	定期建物賃貸借
期間の定め	不要	**必要**※1
書面の要否	不要	**必要**※2
対象建物	用途の制限なし※3	用途の制限なし※3
借賃の増減額請求	当事者は、将来に向かって借賃の額の増減を請求することができる	
	一定の期間建物の借賃を増額しない旨の特約がある場合には、その定めに従う	**借賃の改定に係る特約がある**場合には、借賃増減額請求権の規定は適用されない

※1 1年未満の期間の定めをしても、その期間の定めは有効。
※2「書面」であればよく、公正証書に限定されない。電磁的記録でもよい。
※3居住用建物でも事業用の建物でもよい。

2. 取壊し予定の建物の賃貸借

取壊し予定の建物の賃貸借について試験対策上重要な知識をまとめると以下のようになります。

必須 取壊し予定の建物の賃貸借

次の条件を満たす場合、**建物を取り壊すこととなる時**に**賃貸借が終了**する旨の建物の賃貸借契約をすることができる。

1. 法令または契約により一定の期間を経過した後に建物を取り壊すべきことが明らかな場合
2. 建物を取り壊すこととなる時に賃貸借が終了する旨を定めた場合
3. 2の特約を、建物を取り壊すべき事由を記載した**書面**※で行った場合

※特約がその内容等を記録した電磁的記録によってされたときは、その特約は、同項の書面によってされたものとみなされる。

このレッスンが終わったら「きほんの問題集」の問題71～77にチャレンジ！

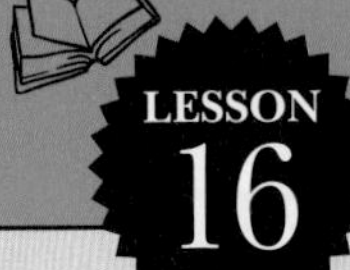

学習優先度 高

LESSON 16 借地借家法（借地）

借地契約って何種類もあるんだ…

introduction

商売を始めるために、
土地を借りてお店を建てたい。
というお客さんが
いるのですが…
借地契約には
たくさんの種類があるから、
しっかりと説明しなくては
いけないね。

更新制度等が適用されず、一定期間経過後には土地を地主に返すタイプの事業用定期借地権を勧めてみたらいい。

わかりました！ジ…ジギョウヨウ…なんでしたっけ？

借地契約にも様々なタイプのものがあります。全部を一度に頭に入れようとすると混乱します。まずは普通の借地契約について学習します。その後に、問題となっている事業に適した借地契約について学習しましょう。

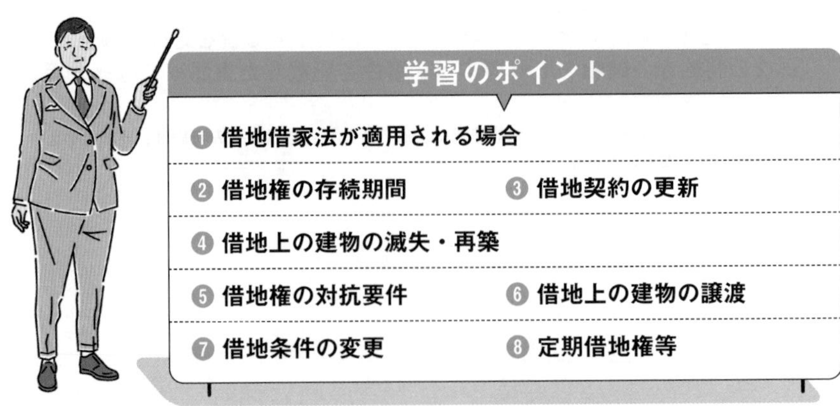

1 借地借家法が適用される場合

原則 借地借家法の借地の規定は、**建物所有を目的**とする**地上権**または**土地の賃借権**（これらの権利を「**借地権**（しゃくちけん）」⊕といいます。）に適用されます。

ただし、例外 **一時使用のために借地権を設定したことが明らかな場合には、原則として適用しません**。この場合は、**民法の規定を適用**します。

必須 借地借家法が適用される場合

建物所有を目的とする地上権または**土地の賃借権**	**⇒適用される※**
一時使用のために借地権を設定したことが明らかな場合	**⇒適用されない**

※借地借家法の規定と異なる特約を結んだ場合、その特約が賃借人に不利なものであれば、原則として無効となる。

借地権を設定した者を「**借地権設定者**（しゃくちけんせっていしゃ）」といいます。いわゆる地主のことです。これに対して借地権の設定を受けた者を「**借地権者**（しゃくちけんしゃ）」といいます。

2 借地権の存続期間

借地権者は、借地契約を結んで自分でお金を出して家を建てます。その借地契約が1年や2年で終了して、建物を取り壊すことになると、借地権者は大損します。非常に重要な意味を持つ**借地権の存続期間**については、以下のように決められています。

⊕補足
【借地権】 他人Aの土地に建物を建てる方法として、Aと建物所有を目的とする賃貸借契約を締結する方法と、地上権を設定する2つの方法があり、この2つをまとめて「借地権」という。

必須 借地権の存続期間

借地権の存続期間は、**30年**とする。ただし、契約でこれより**長い期間**を定めたときは、その期間とする。

契約で30年より**長い期間**（たとえば50年）を定めたとき	⇒**その期間**（50年）となる
契約で30年より**短い期間**（たとえば20年）を定めたとき	⇒**30年**となる
期間を定めないとき	⇒**30年**となる

＼アドバイス／

要するに、借地権の存続期間は、「最低でも30年間」ということです。また、借家と違い「期間を定めない」という借地契約はありません。

3 借地契約の更新

1. 合意(ごうい)による更新

当事者が合意したら、**借地契約は更新**されます。そして、更新後の存続期間は、以下のように定められています。

(1) 当事者が合意で借地契約を更新する場合

1回目の更新の場合	⇒**20年**
2回目以降の更新の場合	⇒**10年**

(2) 契約で上記より長い期間を定めた場合

契約で上記より長い期間を定めた場合には、その定めた期間となりますが、20年（または10年）より短い期間を定めたときは、20年（または10年）となります。

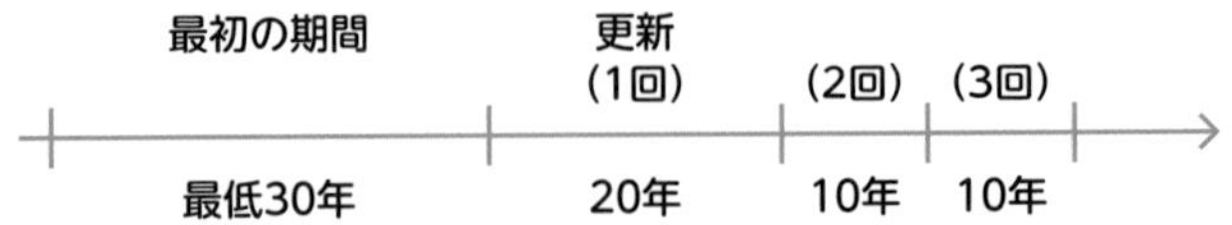

2. 請求等による更新

更新の合意がない場合でも**更新が認められる**場合があります（**法定更新**）。

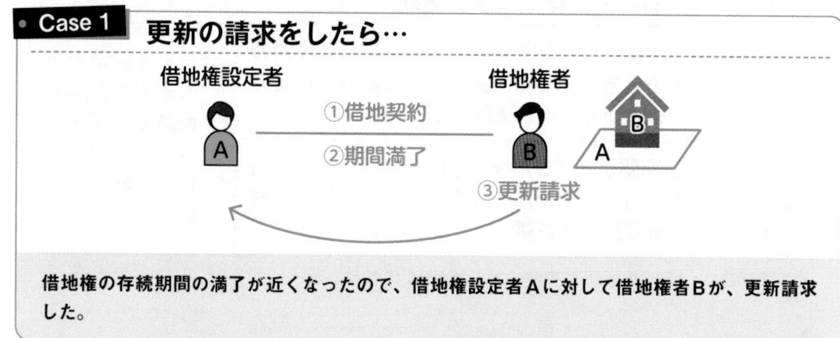
Case 1
更新の請求をしたら…
借地権設定者
借地権者
①借地契約
②期間満了
③更新請求
A
B
B
A
借地権の存続期間の満了が近くなったので、借地権設定者Aに対して借地権者Bが、更新請求した。

借地権の存続期間が満了する場合に、原則 借地権者が契約の**更新を請求**したときは、**建物がある場合に限り**、従前の契約と同一の条件で契約を**更新**したものとみなされます（**請求による更新**）。したがって、**ケース1**では、Bの建物あれば更新したものとみなされます。

ただし、例外 **借地権設定者が遅滞なく「正当事由」ある異議を述べたときは、契約は更新されません**。「正当事由」の有無は、借家契約と同様に判断します。すなわち、①借地権設定者および借地権者が土地の使用を必要とする事情、②借地に関する従前の経過、③土地の利用状況、④借地権設定者が提供する財産上の給付の申出を**総合的に考慮して有無を判断**します。

原則 借地権の**存続期間が満了した後**、借地権者が**土地の使用を継続**するときも、**建物がある場合に限り**、従前の契約と同一の条件で契約を**更新**したものとみなされます（**使用継続による更新**）。ただし、例外 **借地権設定者が遅滞なく「正当事由」ある異議を述べたときは、契約は更新されません**。正当事由の有無の判断は、前述の請求による更新と同じです。

請求による更新や使用継続による更新後の存続期間も、合意による更新と同様、**1回目**の更新は**20年**、**2回目以降**は**10年**となります。

必須 借地契約の更新

請求による更新と使用継続による更新

<table>
<tr><td>借地権の存続期間が満了する場合に、借地権者が契約の更新を請求したときは、建物がある場合に限り、従前の契約と同一の条件※で契約を更新したものとみなされる。</td><td rowspan="2">⇒借地権設定者が遅滞なく正当事由ある異議を述べたときは、契約は更新されない。</td></tr>
<tr><td>借地権の存続期間が満了した後、借地権者が土地の使用を継続するときも、建物がある場合に限り、従前の契約と同一の条件※で契約を更新したものとみなされる。</td></tr>
</table>

※存続期間は、1回目の更新は20年、2回目以降は10年となる。

○×チャレンジ

Q 借地権の当初の存続期間が満了する場合において、借地権者が借地契約の更新を請求したときに、建物がある場合は、借地権設定者が遅滞なく異議を述べたときでも、その異議の理由にかかわりなく、従前の借地契約と同一の条件で借地契約を更新したものとみなされる。

A 借地権の存続期間が満了する場合において、借地権者が契約の更新を請求したときは、建物がある場合に限り、従前の契約と同一の条件で契約を更新したものとみなされます（請求による更新）。ただし、借地権設定者が遅滞なく「正当事由」のある異議を述べたときは、更新されません。したがって、異議の理由にかかわりなく更新されるわけではありません。

×

3. 建物買取請求権（たてものかいとりせいきゅうけん）

存続期間が満了した場合において、**契約の更新がない**ときは、**借地権者**は、**借地権設定者**に対し、**建物を時価で買い取るべきことを請求**することができます（**建物買取請求権**）。建物の価値が残っている場合にはその分を借地権者の手元に残るようにするためです。

ただし、**借地権者の債務不履行を理由とする解除**により**契約が終了**する場合、**建物買取請求権は認められません**。地代を約束どおりに納めないような約束違反をする借地権者は守らないということです。

必須 建物買取請求権

1. **存続期間が満了**したが**契約の更新がない**場合、**建物買取請求**できる。
2. **借地権者の債務不履行を理由とする解除**により**契約が終了**する場合、**建物買取請求できない**。

4. 存続期間の満了と借地上の建物の賃借人

たとえば、A所有地を建物所有目的でBが賃借し建物を所有し、この建物をBがCに賃貸しているとします。

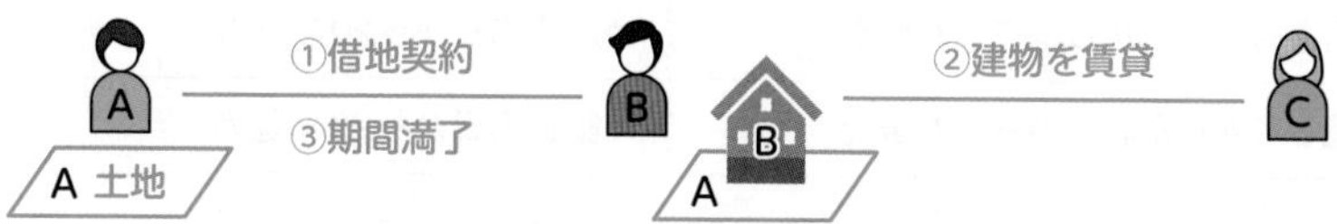

上の例で、借地権の存続期間の満了によってCが土地をAに明け渡すべきときは、Cが借地権の存続期間が満了することをその1年前までに知らなかった場合に限り、裁判所は、Cの請求により、Cがこれを知った日から1年を超えない範囲内において、土地の明渡しにつき相当の期限を許与することができます。

たとえば、裁判所が6カ月の期限の許与をしたときは、建物の賃貸借は、その期限が到来することによって終了します。したがって、Cはこの土地をAに明け渡さなければなりません。

4 建物の滅失（めっしつ）・再築（さいちく）

借地権の存続期間中に建物が滅失しても、**借地権は消滅しません**。借地権者としては、建物を再築して土地を利用し続けたいと思うことがあるでしょう。他方、借地権設定者としても、最低30年はその土地は使えない代わりに、その間は地代が手に入ると期待しているからです。建物の滅失と再築について、以下のように場合を分けて学習を進めていきます。

① **当初の存続期間中**の滅失・再築
② 更新後の存続期間中の滅失・再築

1. 当初の存続期間中の滅失・築造

借地権の存続期間が満了する前に建物の滅失（借地権者または転借地権者による取壊しを含む。）があった場合において、借地権者が残存期間を超えて存

用語

【当初の存続期間中】 最初に借地権を設定した期間内ということ。

続すべき**建物を築造**したときは、その建物を築造するにつき**借地権設定者の承諾がある場合に限り**、借地権は、承諾があった日または建物が築造された日のいずれか早い日から**20年間存続**（延長）します。

承諾をもらってから築造した場合	⇒承諾の日から20年延長
築造してから承諾をもらった場合	⇒築造の日から20年延長

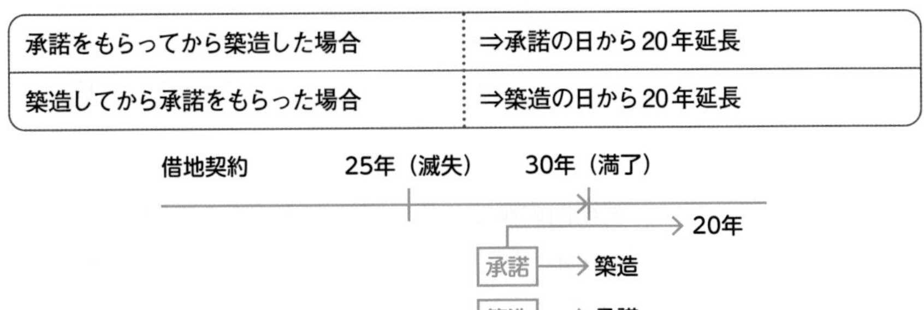

ただし、①当事者が20年より長い期間（30年）を定めた場合はその期間(30年)、または、②残存期間（25年）の方が20年より長い場合は残存期間(25年）となります。

なお、借地権者が借地権設定者に対し残存期間を超えて存続すべき建物を新たに築造する旨を通知した場合、借地権設定者がその通知を受けた後2カ月以内に異議を述べなかったときは、その建物を築造するにつき借地権設定者の承諾があったものとみなされます。

また、**承諾がなくとも建物の築造はできます**。借地権の存続期間中に建物が滅失しても、借地権は消滅しないからです。ただし、**存続期間に変更はありません**。たとえば、当初の契約から25年目に築造した場合の存続期間は5年間となります。

2. 更新後の存続期間中の滅失・築造

更新後に建物が滅失した場合に、借地権者が建物の築造を希望しないときは、借地権者は、賃貸借の解約申入れ（または地上権の放棄）をすることができます。そして、借地権は、賃貸借の解約の申入れがあった日から3カ月経過することによって消滅します。期間の定めがある場合は、途中解約ができないのが原則ですが、借地権者に途中解約することを認めたことになります。

借地権者が建物の築造を希望し、残存期間を超えて存続すべき建物を築造した場合は、借地権設定者の承諾の有無で運命が分かれます。

①借地権設定者の**承諾がある場合**には、**1.** で学習したように借地権は原則

として**20年延長されます**。

②借地権者が、借地権設定者の**承諾を得ないで建物を築造した場合**には、**借地権設定者**は、賃貸借の**解約申入れ**（または地上権の消滅請求）をすることができます。そして、借地権は、賃貸借の解約の申入れがあった日から3カ月経過することによって消滅します。

必須 借地上の建物滅失と借地権

1. 当初の存続期間中に建物が滅失した場合

築造について**承諾がある場合**	⇒借地権は**20年間延長**
築造について**承諾がない場合**	⇒存続期間の**延長なし**

2. 契約更新後に建物が滅失した場合
①**借地権者**は、賃貸借の**解約申入れ**（または地上権の放棄）ができる。
②借地権者が、借地権設定者の承諾を得ないで建物を築造した場合には、**借地権設定者**は、賃貸借の**解約申入れ**（または地上権の消滅請求）ができる。

○×チャレンジ

Q 借地権の当初の存続期間満了前に建物が滅失し、借地権者が残存期間を超えて存続すべき建物を築造した場合、借地権設定者の承諾がなくても、借地権は建物が築造された日から当然に20年間存続する。

A 借地権の存続期間が満了する前に建物の滅失があった場合、借地権者が残存期間を超えて存続すべき建物を築造したときは、その築造について借地権設定者の承諾がある場合に限り、借地権は、承諾があった日または建物が築造された日のいずれか早い日から20年間存続します。当然に20年延長するわけではありません。

×

5 借地権の対抗要件

1. 借地権の対抗要件

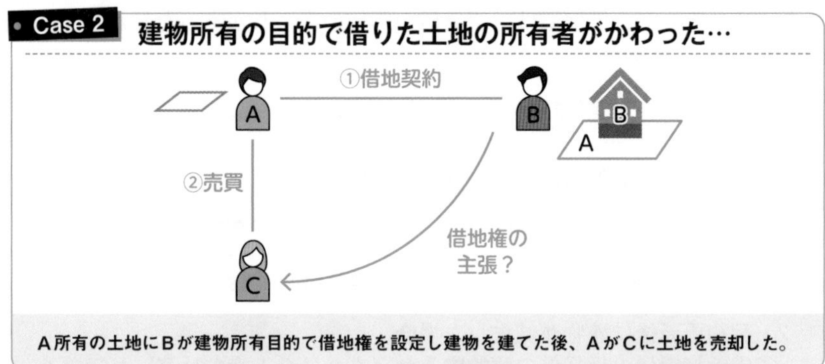

Case 2
建物所有の目的で借りた土地の所有者がかわった…
①借地契約
A
B
B
A
②売買
借地権の
主張？
C
A所有の土地にBが建物所有目的で借地権を設定し建物を建てた後、AがCに土地を売却した。

借地権の登記がなくても、借地権者が借地上に**借地権者名義**（めいぎ）**で登記**されている建物を所有するときは、借地権を**第三者に対抗することができます**。

したがって、**ケース２**の場合に、Bが借地上の建物について**自己名義の所有権の保存登記**をしているのであれば、その登記後に登場したCに「土地を使わせろ」と言えます。

同様に、借地上の建物に借地権者が自己を所有者と記載した**表示の登記**（表示に関する登記）をしていれば借地権を**第三者に対抗することができます**。なお、登記された建物の地番が、実際と多少相違していても、建物の種類・構造・床面積等の記載とあいまって、**建物の同一性を認識**できれば借地権を**第三者に対抗することができます**。

ただし、建物の登記名義は**借地権者自身**のものでなければなりません。たとえば、**ケース２**でBが、自分の長男D名義や配偶者（はいぐうしゃ）E名義など**他人の名義**で登記していた場合には、借地権を**第三者に対抗することができません**。

2. 借地上の建物の滅失と対抗要件

借地上の**借地権者名義の登記のある建物**が**滅失**した場合、借地権者がその建物を特定するために必要な事項、滅失した日、再築する旨を土地上の見やすい場所に**掲示**すれば、**滅失の日から２年間**は、借地権を対抗することができます。建物の登記は、建物自体が滅失してしまえば、その登記は無効となります。しかし、建物の再築を短期間ですることはできません。そこで、２年間だけ登記に代わる公示方法を認めたことになります。

必須 **借地権の対抗要件**

1. 借地権の登記か**借地権者名義の建物の登記**※がある場合、**借地権を第三者に対抗できる。**
 ※建物の登記は、**表示に関する登記**でもよい。
 ※登記された建物の地番が、実際と多少相違していても、建物の種類・構造・床面積等の記載とあいまって、建物の同一性を認識できればよい。
2. 建物の登記名義が借地権者「**以外**」の場合には、借地権を**第三者に対抗できない。**
3. 借地上の**借地権者名義の登記のある建物が滅失**した場合、一定事項を掲示すれば、**2年間**、借地権を**第三者に対抗できる。**

○×チャレンジ

Q 借地権は、借地権の登記がなくても、土地の上に借地権者名義の登記がなされている建物を所有するときは、これをもって第三者に対抗することができる。

A 借地権者が借地権の登記をしていなくても、借地上の建物について借地権者名義の登記があれば、借地権者は借地権を第三者に対抗することができます。

○

6 借地上の建物の譲渡

1. 借地上の建物の譲渡

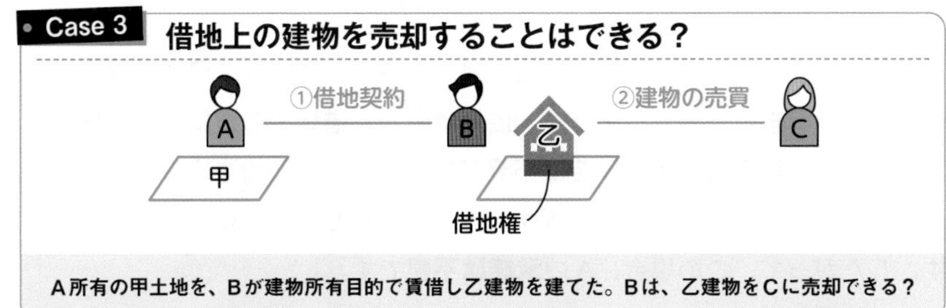

Case 3
借地上の建物を売却することはできる？
①借地契約
②建物の売買
A
B
C
甲
乙
借地権
A所有の甲土地を、Bが建物所有目的で賃借し乙建物を建てた。Bは、乙建物をCに売却できる？

ケース3で、**乙建物**はBの所有物です。したがって、**自由に売却**（譲渡）できます。しかし、乙建物は借地上に建っている建物ですから、**借地権**がないとその建物をCが買い受けたとしても、Aから建物を収去して土地を明け渡せと言われてしまいます。そうならないためには、**借地上の建物を譲渡**するときは、

借地権の譲渡や**転貸**を行う必要があります。したがって、借地権の譲渡や転貸についての**賃貸人の承諾が必要**となります。**ケース3**では、Aの承諾は必要です。

＼アドバイス／
「建物の所有権」と「建物を建てる権利＝借地権」は別に考えるということです。少し理屈っぽいのですが、慣れてしまいましょう。

ただ、常に承諾してくれるとは限りません。そこで、**賃貸人の承諾**の代わりに**裁判所から許可を受けられる制度**が設けられています。

2. 借地権設定者の承諾を得られない場合の手段

借地権者が**借地上の建物を第三者に譲渡しようとする場合**に、第三者に賃借権の譲渡または転貸をしても、借地権設定者に不利となるおそれがないにもかかわらず、**借地権設定者が承諾しない**ときは、「**借地権者**」は、承諾に代わる裁判所の許可を**申し立てることができます**。

また、**第三者が競売により借地上の建物を取得した場合**において、第三者（建物取得者）が賃借権を取得しても借地権設定者に不利となるおそれがないにもかかわらず、借地権設定者がその賃借権の譲渡を**承諾しない**ときは、その「**第三者**（建物取得者）」は、承諾に代わる裁判所の許可を**申し立てることができます**。この申立ては、建物の代金を支払った後2カ月以内に限りすることができます。

3. 借地上の建物の賃貸

Aから借りた甲土地の上に乙建物を建てたBが、乙建物をCに**賃貸**する場合には、Aの承諾が必要でしょうか。借地権者が、借地上の建物を「**賃貸**」する場合には、借地権設定者の**承諾は不要**です。借地上の建物を賃貸しても、それはあくまで建物を賃貸したにすぎず、土地を転貸したことにはならないからです。したがって、この場合、Aの**承諾は不要**です。

必須 借地上の建物の譲渡（競売）・賃貸

1. 借地上の建物を**譲渡**するときは、借地権の譲渡や転貸についての**賃貸人の承諾**が必要である。
2. 土地の賃借権の譲渡または転貸の許可

借地上の建物を第三者に**譲渡しようとする場合**	その第三者への賃借権の譲渡・転貸について、借地権設定者の**承諾を得られない**とき	⇒裁判所は、「**借地権者**」の申立てにより借地権設定者の承諾に代わる許可を与えることができる
第三者が借地上の建物を**競売により取得した**場合	その第三者への賃借権の譲渡について、借地権設定者が**承諾しない**とき	⇒裁判所は、「**第三者**（建物取得者）」の申立てにより※、借地権設定者の承諾に代わる許可を与えることができる

※申立ては、建物の代金を支払った後2カ月以内に限りすることができる。

3. 借地上の建物を**賃貸**する場合には、借地権設定者の**承諾は不要**である。

7 借地条件の変更

借地契約は最低でも30年続きます。その間にさまざまな状況が変化することがあります。以下では、そんな場合の借地借家法の規定をまとめました。

必須 借地条件の変更等

1. 借地条件の変更・増改築の許可

建物の種類等を制限する旨の借地条件がある場合	裁判所は、**当事者**の申立てにより、その**借地条件を変更**することができる※
増改築を制限する旨の借地条件がある場合	裁判所は、**借地権者**の申立てにより、その増改築についての借地権設定者の**承諾に代わる許可**を与えることができる※

※存続期間の延長等の借地条件の変更等もできる。

2. 借家同様に、借地も地代等の増減請求権が認められる（▶L15 7）。

8 定期借地権等

普通の借地権と違って、**更新制度等が適用されず**、一定期間経過後には土地が返ってくるタイプの借地権が3種類（**①事業用定期借地権**、**②一般定期借地権**、**③建物譲渡特約付き借地権**）定められています。

1. 事業用定期借地権

借りた土地に店舗などの事業用建物を建てる場合に、**事業用定期借地権**を設定することができます。このように、**専ら事業の用に供する建物**（居住の用に供するものを**除く**）の所有を目的とし、かつ、存続期間を**10年以上50年未満**として借地権を設定する場合、**更新**や**建物の築造による存続期間の延長がなく**、**建物買取請求権のない**借地権を設定することができます。この契約は、「**公正証書**」によってしなければなりません。

「専ら事業の用に供する建物（居住の用に供するものを除く）」とは、①**事業専用の建物であり**、しかも、②**居住用の建物でないこと**、という意味です。したがって、事業の一環として居住用の賃貸マンションを建築する目的の場合、この建物は居住用建物なので、事業用定期借地権は設定できません。

2. 一般定期借地権

一般定期借地権とは、**期間を50年以上**とする代わりに、**更新や建物買取請求を認めない**特約を定めたものです。したがって、期間経過後は、建物を収去し更地にして地主に返すことになります。この特約は、**公正証書による等書面**⊕によってしなければなりません。

3. 建物譲渡特約付き借地権

Aの甲土地をBが借りて乙建物を建てる際に、「30年後に、Bは乙建物をAに譲渡する」旨の特約を定めるのが、**建物譲渡特約付き借地権**です。30年後に乙建物がBからAに譲渡されると、混同により**借地権が消滅**し、土地がAに返ってきます。ただし、この特約は、**書面でする必要はありません**。

⊕**補足**

特約がその内容を記録した電磁的記録によってされたときは、その特約は、書面によってされたものとみなされる。

必須 普通借地権と定期借地権等

	普通借地権	事業用定期借地権	一般定期借地権	建物譲渡特約付き借地権
存続期間	30年以上	**10年以上 50年未満**	**50年以上**	30年以上
更新	認める	**認めない**	**認めない**	建物譲渡により借地権が消滅するので**更新なし**
建物買取請求権	認める	**認めない**	**認めない**	―
書面の要否	不要	**公正証書が必要**	**必要**※1	不要
建物の用途制限	なし	**専ら事業用**※2 **(居住用を除く)**	なし	なし

※1電磁的記録によってなされたときは、書面によってされたものとみなす。
※2一個の建物の一部を事業用、一部を居住用とすることはできない。

このレッスンが終わったら「きほんの問題集」の問題78〜84にチャレンジ!

LESSON 17 不法行為

会社の仕事でお客さんに損害を与えると…

introduction
今日の午後、お客さんと物件の下見ですね。車の運転、気を付けてね…
はい。もちろんです。事故でも起こしたら会社にも迷惑かけちゃいますしね。

そうなんだよ。君も大変なことになるし、会社も責任を負うことになるからね。

使用者責任が問題になるんですね。

わき見運転をして歩行者にケガをさせると、ドライバーは、損害を賠償しなければなりません。それが会社の仕事中の事故であれば、会社にも責任が生じます。この場合、被害者は、ドライバーと会社の双方に損害賠償の請求ができます。まず、どのような場合に不法行為責任が発生するのかを学習します。その後に、さまざまな不法行為について学習しましょう。どんな場合に、誰が責任を負うのかがポイントです。

学習のポイント

1. 使用者責任（会社と従業員）
2. 工作物責任（工作物の所有者と占有者）
3. 共同不法行為（複数の人が不法行為をした）
4. 不法行為による損害賠償債務の履行遅滞と時効消滅

1 不法行為責任

1. 不法行為責任

Case 1 **自動車を運転中に歩行者に車をぶつけてしまった…**

Aが自動車を運転中に、前方不注意（過失）で歩行者Bに自動車をぶつけてケガをさせてしまった。

故意または**過失**によって**他人の権利等を侵害**した者は、これによって生じた**損害を賠償する責任**（**不法行為責任**）を負います。したがって、**ケース1**のAは、Bの治療費などを賠償する責任を負います。

損害には、**財産的損害**と**非財産的損害**（精神的損害など）があります。この非財産的損害に基づく損害賠償金を**慰謝料**といいます。

ただし、**ケース1**で、歩行者Bが脇道から急に飛び出してきたように、**被害者側に過失**があったときは、当事者の主張の有無にかかわらず、**裁判所**は、これを考慮して、**損害賠償の額**を定めることができます（**過失相殺**）。

必須 **不法行為による損害賠償請求**

1. 故意または過失によって他人の権利等を侵害した者は、これによって生じた**損害を賠償する責任**（**不法行為責任**）を負う。
2. 被害者側に過失があったときは、当事者の主張の有無にかかわらず、裁判所は、これを考慮して、損害賠償の額を定めることができる。

2. 被害者が死亡した場合

ケース1で、Aの不法行為により、Bが亡くなってしまった場合はどうなるでしょう。このように、**被害者が死亡**した場合、被害者には**死亡による損害の賠償請求権が発生**し、それを**相続人が相続**します。このことは、**即死の場合**でも同じです。したがって、被害者Bの配偶者や子のような相続人は、BのAに対する損害賠償請求権を相続します。

必須 **不法行為の被害者が死亡（即死）した場合**

被害者が**死亡**（**即死**）した場合、被害者には死亡による**損害の賠償請求権**が発生し、それを**相続人が相続**する。

OXチャレンジ

Q 被害者が即死した場合、被害者に死亡による損害の賠償請求権が発生しえないので、それを相続人が相続することもない。

A 被害者が死亡（即死）した場合、被害者には死亡による損害の賠償請求権が発生し、それを相続人が相続します。

×

2 使用者責任

1．使用者責任

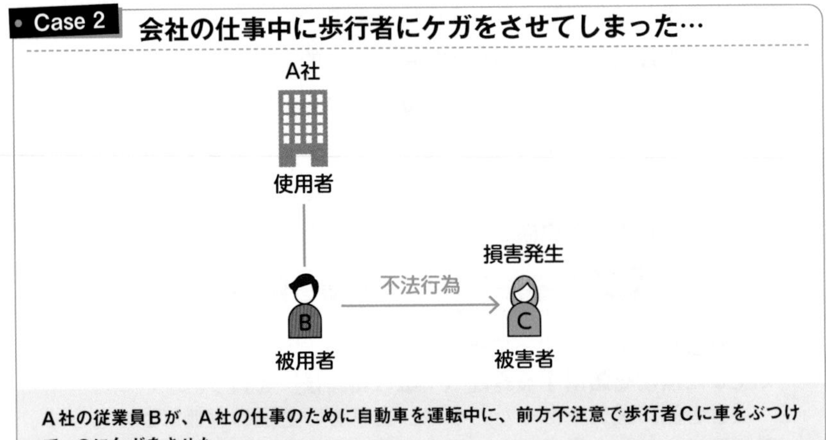

Case 2
会社の仕事中に歩行者にケガをさせてしまった…
A社
使用者
損害発生
不法行為
B
C
被用者
被害者
A社の従業員Bが、A社の仕事のために自動車を運転中に、前方不注意で歩行者Cに車をぶつけて、Cにケガをさせた。

ある事業のために他人を使用する者（**使用者**）は、**被用者**がその**事業の執行について**第三者に加えた損害を賠償する責任を負います（使用者責任）。**ケース２**では、実際に事故を起こした**被用者**Bだけでなく、**使用者**A社もその**損害を賠償する責任**を負います。ただし、次の場合には使用者は使用者責任を負いません。

①使用者が被用者の選任監督について相当な注意をしていた場合
②被用者に不法行為責任が成立しない場合

用語

【事業の執行】「事業の執行」に該当するか否かは、被用者の行為の外形を客観的に見て判断する。たとえば、休日に会社の社名入りの車を運転していれば、外から見れば事業の執行に該当する場合がある。

使用者責任が成立する場合、被害者は、被用者および使用者に対して、損害額の全額を請求することができます。

そして、**使用者が被害者に損害を賠償**した場合、**使用者**は、**被用者**に対して、被害者に支払った分を**求償**(きゅうしょう)することができます。そして、使用者の被用者に対する求償は、**信義則**(しんぎそくじょう)**上相当と認められる限度に制限**されます。したがって、**ケース2**で、使用者A社が被害者Cに損害賠償として1,000万円支払った場合でも、使用者は被用者Bに1,000万円全額請求できないこともあります。

同様に、**被用者が被害者に対してその損害を賠償した**場合には、**被用者**は、損害の公平な分担という見地から**相当と認められる額**について、**使用者**に対して**求償**することができます（**逆求償**）。

必須 **使用者責任**

① 使用者は、被用者が事業の執行につき第三者に加えた損害を賠償する責任を負う。「事業の執行につき」とは、被用者の行為の外形を客観的にみて判断する。
② **使用者責任が成立**すれば、**被害者**は、**被用者と使用者双方に損害賠償を請求**することができる。
③ 被害者に損害を賠償した使用者は、被用者に**信義則上相当と認められる範囲で求償**することができる。

3 工作物責任(こうさくぶつ)

建物が原因で損害が発生した場合（工作物責任）について学習します。

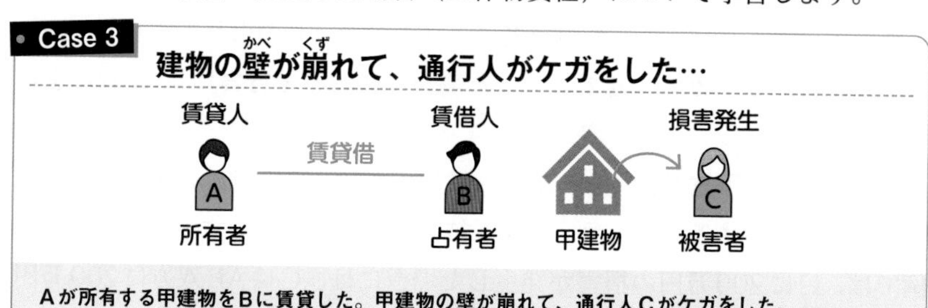

Aが所有する甲建物をBに賃貸した。甲建物の壁が崩れて、通行人Cがケガをした。

用語

【信義則】「信義誠実(しんぎせいじつ)の原則」のこと。一般に社会生活上一定の状況のもとにおいて相手方がもつであろう正当な期待に沿うように一方の行為者が行動すること。

土地の工作物の設置または保存に瑕疵（欠陥）があることによって他人に損害を生じさせたときは、第一次的に工作物の占有者（賃借人等）は、被害者に対してその損害を賠償する責任を負います。したがって、**ケース３**では**第一次的**には**占有者Bが責任**を負います。

ただし、占有者が損害の発生を防止するのに必要な注意をしたときは、占有者は責任を免れ、第二次的にその工作物の所有者がその損害を賠償しなければなりません。この所有者は**過失がなくても責任を免れることはできません**（**無過失責任**）。したがって、**ケース３**でBが損害の発生を防止するのに必要な注意をして責任を免れた場合、最終的にはAが責任を負うことになります。

必須 工作物責任

土地の工作物による責任を負う者

第一次的な責任を負う者	占有者	**必要な注意をした**ときは、**責任を免れる**。
第二次的な責任を負う者	所有者	**必要な注意をしても、責任を免れない。** 所有者は無過失責任を負う。

＼アドバイス／

使用者責任では、被害者は使用者と被用者の双方に同時に損害賠償請求ができます。工作物責任では、被害者は請求できる相手の順番（占有者→所有者）が決まっています。

4 共同不法行為

たとえば、AとBそれぞれの過失によりAの車とBの車が衝突して、通行人Cを巻き込んでケガをさせてしまった場合（**共同不法行為**）、誰が責任を負うのでしょうか。

数人が**共同の不法行為**によって他人に損害を加えたときは、**各自が連帯してその損害を賠償する責任**を負います。被害者の保護を厚くするためです。前の例では、Cに200万円の損害が発生した場合には、CはAB双方に200万円全額の請求ができます。これは、連帯債務と同じです。同様に、請求は他の共同不法行為者に影響しません。つまり、CがAに請求すれば、Aの債務は時効の完成が猶予されますが、Bの債務は時効の完成が猶予されません。［▶L13］

必須 共同不法行為

数人が**共同の不法行為**により他人に損害を与えた場合、それらの者は**連帯して被害者に損害賠償の責任を負う**。

5 不法行為による損害賠償債務の履行遅滞と時効消滅

不法行為による損害賠償債務は、**不法行為の成立の時（損害発生時）**から履行遅滞(りこうちたい)に陥ります。したがって、被害者は、加害者に対して不法行為の成立の時からの遅延損害金(ちえんそんがいきん)を請求することができます。

不法行為による損害賠償の請求権は、**被害者**（またはその法定代理人）が**損害および加害者**を**知った時から３年間**（**人の生命または身体を害する不法行為**の場合は**５年間**）行使しないときは、**時効によって消滅**します。**不法行為の時**から**20年を経過**したときも時効によって消滅します。

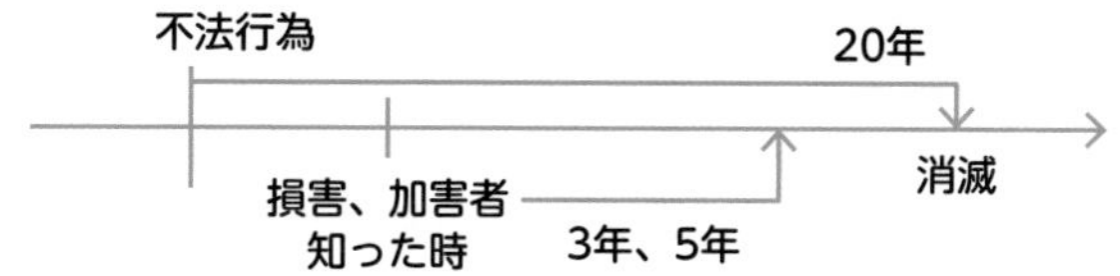

不法行為の加害者が、被害者に対して金銭債権を有しているとき、一定の場合は、**加害者から相殺を主張**することはできません。しかし、**被害者からの相殺の主張**は認められます。これは相殺［▶L6⑤］で学習済みです。

必須 不法行為による損害賠償債務の履行遅滞・時効消滅

1. 不法行為による損害賠償債務⇒**不法行為の時**から**遅滞**になる。
2. 不法行為による損害賠償請求権
   ①被害者または法定代理人が損害および加害者を**知った時から３年**（人の生命または身体を害する不法行為の場合は５年）を経過⇒**時効消滅**。
   ②不法行為の時から20年を経過⇒時効消滅。

このレッスンが終わったら「きほんの問題集」の問題85〜88にチャレンジ！

LESSON 18

所有権・地役権

隣の庭から伸びてきたタケノコが美味しそう…

introduction

実は、隣地の竹木の根（たとえばタケノコ）が境界線を越えてきたら、土地の所有者は、その根を切り取ることができるのです。つまり…タケノコ採り放題！　さぁ一緒に採って食べましょう。

「食べましょう」って、僕は「いらない」と言ったのに…

土地の所有者は自由に自分の土地を使用することができますが、隣り合った土地の所有者がお互いに気持ち良く土地を使うためにいろいろなルールが決まっています。タケノコの話もその一つです。このレッスンでは、「所有権」と「地役権」を学習します。試験対策として重要なのは「所有権」の相隣関係と共有です。

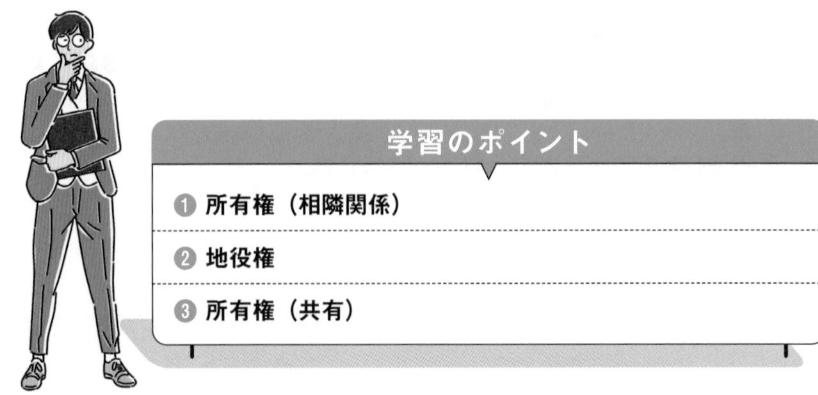

1 所有権

1. 所有権の内容

所有者は、法令の制限内において、自由にその所有物の**使用**（自分で使う）・**収益**（貸して利益を上げる）・**処分**（売る、改造する等）をすることができます。

2. 相隣関係（そうりんかんけい）

土地の所有者は自由に土地を使用することができますが、隣の土地との関係を全く無視するとかえって使いづらくなります。そこで、隣り合った土地の所有者がお互いに気持ち良く土地を使うためのルールが決まっています（**相隣関係**）。

(1) 竹木の枝・根

原則 土地の所有者は、隣地の**竹木の枝**（たとえば、柿の木の枝）が境界線を越えるときは、その「竹木」の所有者に、その**枝**を**切除**させることができます。 例外 **ただし、次に掲げるときは、「土地」の所有者は、その枝を切り取ることができます**。

①竹木の所有者に**枝を切除するよう催告**したにもかかわらず、竹木の所有者が相当の期間内に**切除しない**とき
②竹木の所有者を知ることができず、またはその所在を知ることができないとき
③急迫の事情があるとき

なお、竹木が数人の**共有**に属するときは、**各共有者**は、その**枝を切り取る**ことができます。

これに対して、土地の所有者は、隣地の**竹木の根**（たとえば、タケノコ）が境界線を越えるときは、その**根**を**切り取ること**ができます。

必須 竹木の枝・根

1. 土地の所有者は、隣地の**竹木の枝**が境界線を越えるときは、その**竹木の所有者**に、その**枝を切除**させることができる。ただし、竹木の所有者に**枝を切除するよう催告**したにもかかわらず、竹木の所有者が相当の期間内に**切除しない**ときは、**土地の所有者**は、その**枝を切り取る**ことができる。
2. **土地の所有者**は、隣地の**竹木の根**が境界線を越えるときは、その**根を切り取る**ことができる。

(2) 境界標の設置

土地の所有者は、隣地の所有者と**共同の費用**で、**境界標**を設けることができます。

(3) 隣地の使用

土地の所有者は、次に掲げる目的のため必要な範囲内で、**隣地を使用**することができます。ただし、**住家**については、その**居住者の承諾**がなければ、立ち入ることはできません。

①境界またはその付近における障壁（しきりの壁）、建物その他の工作物の築造、収去または修繕
②境界標の調査または境界に関する測量
③（1）の竹木の枝の切取り

(4) 隣地通行権

他の土地に囲まれて公道に通じない土地の所有者は、公道に至るため、その土地を囲んでいる**他の土地を通行**することができます（**隣地通行権**）。ただし、通行の場所および方法は、通行権を有する者のために必要であり、かつ、他の土地のために**損害が最も少ないもの**を選ばなければなりません。

通行権を有する者は、必要があるときは、**通路を開設**することができます。ただし、通行権を有する者は、その通行する他の土地の損害に対して償金（損害の賠償として支払う金銭）を支払わなければなりません。

また、**分割によって公道に通じない土地が生じた**ときは（次ページの図のA

地)、その土地の所有者は、公道に至るため、**他の分割者の所有地のみ**(次ページの図のB地)を通行することができます。この場合は、償金を支払う必要はありません。

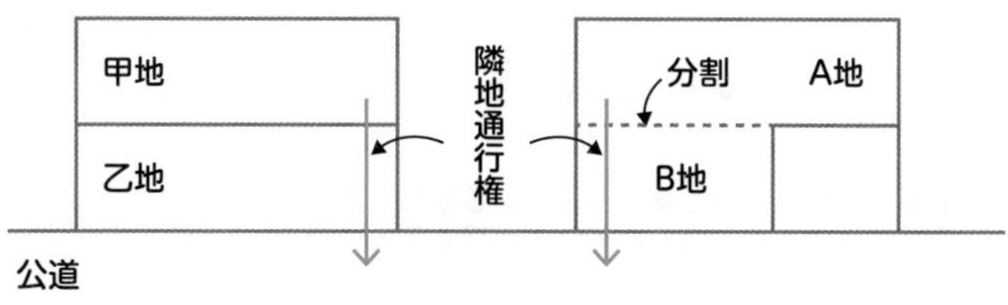

必須 公道に至るための他の土地の通行権(隣地通行権)

他の土地に囲まれて公道に通じない土地

誰が	**他の土地に囲まれて公道に通じない土地**の所有者は、その土地を囲んでいる**他の土地**を通行できる。
方法	①通行権を有する者のために必要、かつ、他の土地のために**損害が最も少ない場所**を通らなければならない。 ②必要あれば、**通路を開設**することができる。 ③通行権を有する者は、その通行する他の土地の損害に対して償金を支払わなければならない。
分割の場合	**分割によって公道に通じない土地が生じた**ときは、その土地の所有者は、**他の分割者の所有地**のみを通行することができる。この場合は、償金を支払う必要はない。

○×チャレンジ

Q 分割によって公道に通じない土地が生じたときは、その土地の所有者は、他の分割者の所有地のみを通行することができるが、その通行する他の土地の損害に対して償金を支払わなければならない。

A 分割によって公道に通じない土地が生じたときは、その土地の所有者は、他の分割者の所有地のみを通行することができます。この場合は、償金を支払う必要はありません。

×

2 地役権（ちえきけん）

地役権とは、ある土地の利益のために、他人の土地を利用する権利をいいます。そして、地役権によって利益を受ける土地を**要役地**（ようえきち）（次の図のＡ地）、地役権によって負担を受ける土地を**承役地**（しょうえきち）（次の図のＢ地）といいます。

＼アドバイス／
隣地通行権は法律で認められている権利です。これに対して、地役権は当事者の契約によって、他人の土地を通行できる権利です。

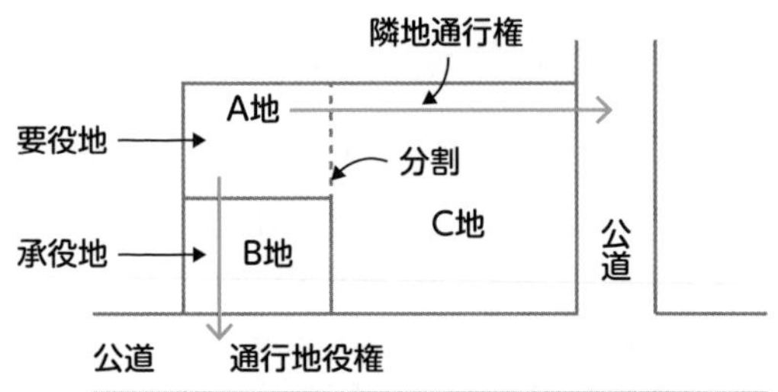

上の図では、ＡとＣの土地は隣り合っているのですが、Ａは公道に至るためには遠回りをしなければなりません。しかし、Ｂの土地を通ればすぐに公道に出ることができます。このような場合に、Ａの土地（**要役地**）のためにＢの土地（**承役地**）に**通行地役権**を設定できます。

なお、ＡとＢが通行地役権の設定についての契約をしていなくても、要役地所有者ＡがＢ所有地（承役地）に通路を開設してその通路を通行している場合には、Ａは**通行地役権を時効取得**することができます。このように、**継続的に行使され、かつ、外形上認識することができるものに限って、通行地役権を時効取得することができます。**「継続的に行使され」といえるためには、承役地上に**通路が開設**され、しかも、その開設が**要役地の所有者**によってなされていることが必要です。

必須 地役権の時効取得

継続的に行使され、かつ、**外形上認識**することができる場合、**通行地役権を時効取得**できる。

⇒「継続的に行使」というためには、**要役地の所有者**によって、承役地上に**通路が開設**されていることが必要。

3 共有

1．共有物の持分

別荘をABCの3人でお金を出し合って買った場合のように、**1つの物**を**複数人で所有**することを**共有**といいます。共有の場合、1つの物を1人で持つ場合（単独所有）と違うルールがあります。以下で学習していきます。

（1）共有物の使用

各共有者は、**共有物の全部**について、**その持分**（共有物についての権利の割合）に応じた**使用**をすることができます。⊕その際、共有者は、**善管注意義務**を負います。なお、共有物を使用する共有者は、別段の合意がある場合を除き、他の共有者に対し、**自己の持分を超える使用の対価**を**償還する義務**を負います。

（2）持分の放棄・共有者の死亡

共有者の1人が持分を**放棄**した場合、その**持分**は、**他の共有者に帰属**します。また、共有者の1人が**死亡して相続人がいない**場合も、その**持分**は、**他の共有者に帰属**します。ただし、特別縁故者（とくべつえんこしゃ）への持分の分与（ぶんよ）が優先します。特別縁故者とは、被相続人と生計を同じくしていた者、被相続人の療養看護に努めた者その他被相続人と特別の縁故があった者をいいます。

必須 共有物の持分

1. 共有者は、**共有物の全部**について、その**持分**に応じて使用できる。
2. **持分の処分**（売却等）は、**自由**に行うことができる。
3. 持分の放棄・死亡の場合

共有者の1人が	**持分を放棄**	⇒その持分は、**他の共有者に帰属する**
	死亡（相続人がいない場合）※	

※ただし、特別縁故者への持分の分与が優先する。

⊕補足

各共有者の持分は相等（あいひと）しいものと推定されるが、たとえば、ABCの3人で共同購入した別荘のAの持分を1/2、BとCの持分を1/4ずつと定めることができる。なお、持分の処分（売却等）は、自由に行うことができる。

2. 共有物の変更・管理・保存と管理者

(1) 共有物の変更・管理・保存

各共有者は、持分に応じて共有物を使用することができます。その際の共有者相互の関係を調整するため、次のルールが定められています。

必須 **共有物の変更・管理・保存**

共有物の変更・管理・保存

行為	具体例	どのように行うか
変更※	建物の建替え	共有者**全員の同意**
管理	・**軽微変更**（建物の外壁の大規模修繕工事等） ・共有物の賃貸借契約の解除 ・共有物の管理者の選任・解任	持分価格の**過半数の同意**
保存	不法占拠者への明渡請求	共有者**単独**

※形状または効用の著しい変更を伴わないもの（＝軽微変更）を除く

(2) 共有物の管理者

共有物の**管理者**は、共有物の**管理に関する行為**をすることができます。ただし、共有者の**全員の同意**を得なければ、共有物に**変更**（軽微変更を除く）を加えることができません。

共有物の管理者は、共有者が共有物の管理に関する事項を決した場合には、これに従ってその職務を行わなければなりません。

3 共有物の分割

(1) 共有物の分割請求

原則 各共有者は、いつでも**共有物の分割を請求**することができます。

ただし、例外 **5年を超えない期間内は分割をしない旨の契約（不分割特約）をすることができます**。

(2) 裁判による共有物の分割

共有者は、**共有物の分割**について共有者間に協議が調わないとき、または協議をすることができないときは、その分割を**裁判所に請求**することができます。

裁判所は、① 共有物の現物を分割する方法（**現物分割**）、② 共有者に債務を負担させて、他の共有者の持分の全部または一部を取得させる方法（**賠償分**

割）⊕により共有物の分割を命ずることができます。

上記①②の方法により共有物を分割することができないとき、または分割によってその価格を著しく減少させるおそれがあるときは、裁判所は、その競売を命ずることができます（**競売分割**）。

必須 **共有物の分割**

1. 各共有者は、いつでも**共有物の分割を請求**できる。ただし、不分割特約（**5年**を超えない期間）を締結できる。
2. 裁判所は、以下の方法による共有物の分割を命じることができる。

①共有物の現物を分割する方法（**現物分割**）
②共有者に債務を負担させて、他の共有者の持分の全部または一部を取得させる方法（**賠償分割**）
③①②の方法により共有物を分割することができないとき、または分割によってその価格を著しく減少させるおそれがあるときは、競売を命ずることができる（**競売分割**）

⊕**補足**
たとえば、ABCの共有する建物を分割する場合、Aに建物を取得させ、AからB・Cに対して持分の価格を賠償させる方法がある。

このレッスンが終わったら「きほんの問題集」の問題89～94にチャレンジ！

LESSON 19 区分所有法

マンションでペットは飼えるの…

introduction
お客さんが、ペットを飼えるのならマンションを購入したいと言っています。
はい。それでは早速、そのマンションの規約を調べます。

ところで、大家さんは、ネコ派？イヌ派？

それは、個人情報です。でも、そうですね…飼えるとしても、ペットの種類に制限があるかもしれません。確認します。

マンションは、たくさんの人が同じ建物に住むことになります。いろいろなトラブルも起こりえます。トラブル回避のためにも一定のルールは必要です。規約（きやく）とは、マンションを買って住んでいる人（区分所有者（くぶんしょゆうしゃ））が定めるマンション内の自主的なルールです。

学習のポイント

1. 共用部分の管理等
2. 管理組合・管理者
3. 規約（規約の設定・変更・廃止や規約の保管・閲覧）
4. 集会（集会の招集・決議事項や決議等）
5. 規約や集会の決議の効力

1 区分所有法とは？

区分所有法（建物の区分所有等に関する法律）はいわゆるマンションのための法律です。まず、基本的な用語について学習しましょう。

1. 区分所有者・占有者

区分所有権（あるマンションの101号室を所有する権利）を有する者を、区分所有者といいます。これに対して、マンションを借りて住んでいる人のことを占有者といいます。

2. 専有部分・共用部分・敷地利用権

次にマンションの構造についての基本用語です。

「**専有部分**」とは、区分所有権の目的たる建物の部分をいいます。たとえば、あるマンションの101号室のことです。

「**共用部分**」は次のように2つに分かれます。

共用部分	**法定共用部分**（各住戸に通ずる廊下・階段室や昇降機など、はじめから皆で共同使用することが明らかな部分）
	規約共用部分（専有部分となる付属建物を規約によって共用部分にすると定めたものなど）

「**敷地利用権**」とは、専有部分を所有するための建物の敷地に関する権利をいいます。具体的には、敷地の所有権、地上権または賃借権のことです。敷地利用権は、原則として、区分所有者全員で共有することになります。この 原則 敷地利用権は、原則として、専有部分と分離して処分することはできません。ただし、あとで学習する 例外 **規約で別段の定めをすることができます**。

必須 敷地利用権の処分

敷地利用権は、原則として、専有部分と分離して処分することはできない。ただし、規約で別段の定めをすることができる。

用語

【**区分所有権**】一棟の建物に構造上区分された数個の部分で独立して住居、店舗、事務所又は倉庫その他建物としての用途に供することができる部分を目的とする所有権のこと。

2 共用部分

1. 共用部分の共有関係（全体共用部分・一部共用部分）

共用部分は、その共有関係から、**区分所有者全員の共用**に属する部分（**全体共用部分**）と**一部の区分所有者のみが共用**すべき部分（**一部共用部分**）に区別できます。たとえば、1階2階が店舗で、3階以上が住居になっているマンションで、出入り口やエレベーター（共用部分）が別々にあり、店舗部分のものは店舗部分の、居住部分のものは居住部分の区分所有者がそれぞれ使用している場合のように構造上一部の区分所有者のみが使用することが明らかな共用部分を一部共用部分といいます。共用部分の共有関係をまとめると以下のようになります。

必須 共用部分の共有関係

共用部分の共有関係

原則	**全体共用部分**	**区分所有者全員**の共有
	一部共用部分	**一部共用部分を共用すべき区分所有者**の共有
例外	規約で別段の定めができる 例：共用部分を特定の区分所有者の所有とする※	

※管理者が規約の特別の定めに基づき共用部分を所有（管理所有）する場合を除いて、区分所有者以外の者を共用部分の所有者と定めることはできない。

2. 持分

各共有者の持分については、以下のように定められています。

必須 共用部分の持分

各共有者の持分は原則として、各区分所有者が所有する**専有部分の床面積**（壁その他の区画の内側線で囲まれた部分の水平投影面積）**の割合**による。ただし、規約で別段の定めをすることができる。

3. 共用部分の管理等

共有部分の管理等については、次のように定められています。

必須 共用部分の管理等

共用部分の管理等の決議要件

行為の種類	決議要件等	規約による別段の定め
保存行為	各区分所有者が**単独**ですることができる	規約により別段の定めをすることができる
管理行為※	**区分所有者**および**議決権の各過半数**による集会の決議で決する	規約により別段の定めをすることができる
変更行為のうち、その形状または効用の著しい変更を伴わないもの（軽微変更）	**区分所有者**および**議決権の各過半数**による集会の決議で決する	規約により別段の定めをすることができる
変更行為（その形状または効用の著しい変更を伴わないものを**除く**。）	区分所有者および議決権の各3/4以上による集会の決議で決する	**区分所有者の定数**は、規約で**過半数まで減じる**ことができる

※共有者は、規約に別段の定めがない限り、その持分に応じて共用部分の負担に任じる。したがって、持分に応じて管理費用を負担する。

4. 管理組合・管理者

マンションの管理は、区分所有者**全員**で構成される団体（**管理組合**）が行います。この管理組合は、法律上自動的に置かれ、区分所有者がその構成員になります。また、管理組合は法人となることができますが、その場合、**区分所有者**および**議決権**の各3/4以上の多数による集会の決議が必要になります。

管理組合によって、マンションの管理を行うわけですが、必要があれば**管理者**（管理組合の代表者）を設置することができます。管理者とは、いわば管理組合の代表者です。

管理組合と管理者については、以下のように定められています。

用語

【区分所有者】 区分所有者の頭数のこと。
【議決権】 規約で別段の定めがない限り、共用部分の持分の割合による。

必須 管理組合・管理者

① 管理組合

区分所有者は、全員で、当然に**管理組合**を構成する。管理組合は、所定の手続きを経て管理組合法人となることができる。

② 管理者

選任・解任	・規約に別段の定めがない限り、**集会の決議**による。 ・自然人（私たち1人ひとり）でも法人（たとえば会社）でもよく、**区分所有者以外の者**から選任できる。
権限	・管理者は、共用部分等を保存し、集会の決議を実行し、および規約で定めた行為をする権利を有し義務を負う。 ・管理者は、その職務に関し、区分所有者を代理する。 ・管理者は、規約または集会の決議により、その職務に関し、区分所有者のために、原告または被告となることができる。
管理所有	**管理者**は、規約に特別の定めがあるときは、**共用部分を所有**することができる。
事務の報告	管理者は、集会において、**毎年1回**一定の時期に、その事務に関する**報告**をしなければならない。

OXチャレンジ

Q 管理者は、集会において、毎年2回一定の時期に、その事務に関する報告をしなければならない。

A 管理者は、集会において、毎年1回一定の時期に、その事務に関する報告をしなければなりません。

×

3 規約

規約（区分所有者が定めるマンション内の自主的なルール）は、**書面**または**電磁的記録**により、これを作成しなければなりません。規約は、区分所有者の**特定承継人**（とくていしょうけいにん）（マンションの**買主**等）に対しても、その効力を生じます。

1．規約の設定・変更・停止

規約の設定・変更・廃止については、次のように定められています。

必須 規約の設定・変更・廃止

1. 規約の設定・変更・廃止

原則	**集会の決議**による ➡区分所有者および議決権の各**3/4以上**の決議
例外	**公正証書**で設定できる ➡**最初に**建物の専有部分の**全部を所有**する者のみ設定できる ➡規約共用部分を定める等一定の事項について設定できる

2. 一部共有部分に関する規約

区分所有者全員の利害に関係しないもの	全員の規約で設定（変更・廃止）できる※

※一部共用部分を共用すべき区分所有者の1/4を超える者またはその議決権の1/4を超える議決権を有する者が反対したときは、することができない。

2. 規約の保管・閲覧（えつらん）

規約の保管者・保管場所の告知方法・閲覧については以下のように定められています。

必須 規約の保管・閲覧

規約の保管者・保管場所の告知方法・閲覧請求

規約の保管者	管理者を置く場合	管理者が保管
	管理者を置かない場合	**規約**または**集会の決議**の定めにより、①建物を使用している区分所有者または②その代理人が保管
保管場所の告知方法	建物内の見やすい場所に**掲示**しなければならない（掲示をすればよく、区分所有者に**通知する必要なし**）。	
利害関係人の閲覧請求※	原則	保管者は**規約の閲覧**を拒めない。
	例外	正当な理由がある場合は拒める。

※正当な理由がある場合を除いて、規約の閲覧を拒んではならず、閲覧を拒絶した場合は20万円以下の過料に処される。規約の保管を怠った場合も同様である。

⇒**議事録**の保管および閲覧も上記と同じ。

4 集会

建物等の管理に関する重要な事項については、集会の決議で決定します。集会の招集と招集の通知については、以下のように定められています。

必須 集会の招集と招集の通知等

集会の招集と招集の通知等

集会の招集	管理者がいる場合 ・管理者は、少なくとも**毎年1回**招集しなければならない。 ・区分所有者の1/5以上で議決権の1/5以上を有するものは、管理者に対し、会議の目的たる事項を示して、集会の招集を請求することができる。※
	管理者がいない場合 区分所有者の1/5以上で議決権の1/5以上を有するものは、集会を招集することができる。※
招集の通知	原則：集会の招集の通知は、会日より少なくとも1週間前に、会議の目的たる事項を示して、各区分所有者に発しなければならない。ただし、期間は規約で伸縮することができる。
	例外： **建替え決議**を会議の目的とする集会を招集するときは、集会の会日より少なくとも2カ月前に発しなければならない。ただし、期間は規約で伸長することができる。
招集の通知方法	・**専有部分が数人の共有**に属するときは、共有者は、議決権を行使すべき者**1人**を定めなければならない。 ・通知は、その定められた**議決権を行使すべき者**（その者がないときは、共有者の1人）にすれば足りる。
招集の手続	集会は、区分所有者**全員の同意**があるときは、招集の手続を経ないで開くことができる。

※この定数は、規約で減ずることができる。

集会の決議事項や議事等については、次のように定められています。

用語

【建替え決議】 区分所有者および議決権の各4/5以上の多数で、建物を取り壊し、かつ、当該建物の敷地等に新たに建物を建築する旨の決議のこと。

必須 集会の決議事項・議事等

決議事項・集会の議事等

決議事項	原則：あらかじめ通知した事項についてのみ、決議をすることができる。 例外：集会の決議につき特別の定数が定められている事項を除き、規約で別段の定めをすれば、決議できる。
集会の議事	集会の議事は、区分所有法または規約に別段の定めがない限り、区分所有者および議決権の**各過半数**で決する。
議決権の行使方法	・議決権は、**書面**または代理人によって行使できる。 ・区分所有者は、規約または集会の決議により、書面による議決権の行使に代えて、**電磁的方法**（電子情報処理組織を使用する方法その他の情報通信の技術を利用する方法）によって議決権を行使することができる。
占有者の意見陳述権	占有者は、会議の目的たる事項につき利害関係を有する場合には、**集会に出席して意見を述べる**ことができる。ただし、**議決権はない**。

集会の議長・議事録等については、以下のように定められています。

必須 議長・議事録等

集会の議長・議事録等

議長	集会においては、規約に別段の定めがある場合および別段の決議をした場合を除いて、管理者または集会を招集した区分所有者の**1人**が**議長**となる。
議事録の作成・署名	・集会の議事については、議長は、**書面**または**電磁的記録**により、**議事録を作成**しなければならない。 ・議事録が書面で作成されているときは、議長および集会に出席した区分所有者の2人がこれに署名しなければならない。
保管・閲覧	**議事録の保管および閲覧**については、**規約と同じ**である。

書面または電磁的方法による決議については、以下のように定められています。

必須 書面または電磁的方法による決議

1. 区分所有法または規約により集会において**決議**をすべき場合において、区分所有者**全員の承諾**があるときは、**集会を開催せず**に、**書面**または**電磁的方法**による**決議**をすることができる。
2. 区分所有者**全員**の**書面**または**電磁的方法**による**合意**があったときは、書面または電磁的方法による**決議があったものとみなされる**。
3. 上記1.の「書面または電磁的方法による決議」および2.の「区分所有者全員の書面または電磁的方法による合意」は、集会と同一の効力を有する。

規約および集会の決議の効力については、以下のように定められています。

必須 規約および集会の決議の効力

集会の決議は、区分所有者の**特定承継人**（たとえば、買主）に対しても、その**効力を生じる**。また、**占有者**は、建物またはその敷地もしくは附属施設の使用方法につき、区分所有者が規約または集会の決議に基づいて負う義務と**同一の義務**を負う。

＼アドバイス／

区分所有法からの出題は1問です。にもかかわらず情報量が多いのが特徴です。今の段階ですべて覚える必要はありません。過去問学習に入った段階で、問われている知識を中心に覚えることができれば合格レベルです。

学習優先度 高

LESSON 20 相続

相続人は誰がなるの…

introduction

「おじいちゃんが
亡くなったら家を買う」
というお客さんが
いるのですが…
どういうことかな？
遺言でもあるのかな？

いえ。違うみたいです。そのお客さんが言うのには、自分が一番おじいちゃんと仲良しだからということです。ゲームも一緒にするらしいですよ。

仲良しはいいことだけど、お孫さんはおじいちゃんを相続しないのが一般的です。

ある人が亡くなると相続が始まります。その人が遺言(ゆいごん)を残していればその通りになります。遺言がない場合には、誰が相続人になるのか決まっています。このレッスンでは、相続とは何かについて学習した後に、「誰」が「どれだけ」相続するのかを中心に学習をします。

学習のポイント

1. 法定相続人
2. 法定相続分
3. 相続の承認・相続放棄・遺産分割
4. 遺言
5. 配偶者居住権・配偶者短期居住権
6. 遺留分

1 相続とは？

人が亡くなると相続が開始します。相続人は、**相続開始の時**から、原則として、**被相続人**(ひそうぞくにん)（死亡した人）**の財産に属した一切の権利義務**を**承継**(しょうけい)します。

2 法定相続人(ほうていそうぞくにん)

1. 法定相続人

ある人が死亡した場合に、「誰」が相続人となるのかについてのルールがあります。

Case 1　Aさんが亡くなりました…

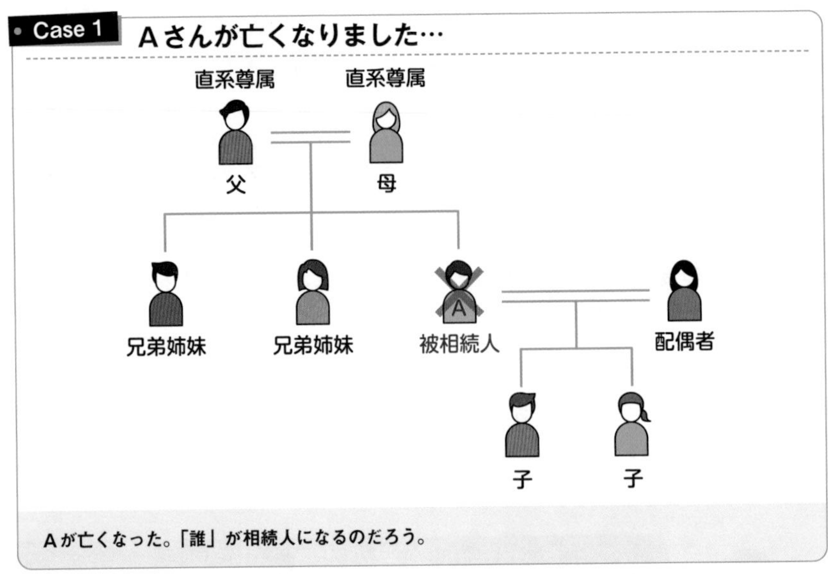

Aが亡くなった。「誰」が相続人になるのだろう。

Aが遺言を残していれば、その遺言の通りに相続人は決まります。遺言がない場合には、「誰」が相続人となるのかは、以下のように決まっています（**法定相続人**）。

配偶者(はいぐうしゃ)は、**常に相続人**となります。それ以外の相続人は、**以下の順位**で、**配偶者とともに相続人**となります。

①「**子**と**配偶者**」、②子がいない（後で学習する代襲相続も起こらない）場

用語

【配偶者】 法律上婚姻関係にある妻や夫はそれぞれ配偶者となる。

合には「**直系尊属**と**配偶者**」、③子も直系尊属もいない場合には「**兄弟姉妹**と**配偶者**」が相続人となります。したがって、**ケース1**では、Aが死亡した場合、**配偶者**と**子**が相続人となります。

＼アドバイス／

以下の相続順位を覚えないと問題が解けません。確実に覚えてください。

必須 **法定相続人**

相続人と相続順（法定相続人）

配偶者	相続順位
配偶者※1 ＝常に相続人となる※2	①第一順位　子※3
	②第二順位　直系尊属（父母・祖父母）
	③第三順位　兄弟姉妹

※1法律上の婚姻関係がある場合に限る。したがって、離婚をした者やいわゆる内縁関係にある者（内縁の妻、内縁の夫）は相続人とはならない。
※2配偶者がいない場合には、①子のみ、②直系尊属のみ、③兄弟姉妹のみが相続する。
※3婚姻（結婚）した相手が連れてきた前の配偶者との間にできた子（いわゆる、連れ子）は含まれない。

2. 法定相続

法定相続の典型的なケースを以下で学習します。

【ケース①】被相続人Aに、配偶者、父母、兄弟姉妹がいる場合

この場合、**配偶者**と**父母**が相続人となります。

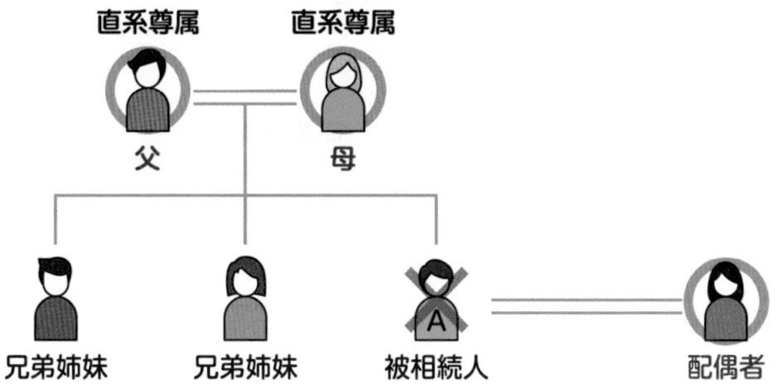

用語

【直系尊属】 父母・祖父母等のこと

【ケース②】被相続人Aに、配偶者と兄弟姉妹がいる場合

この場合、**配偶者**と**兄弟姉妹**が相続人となります。

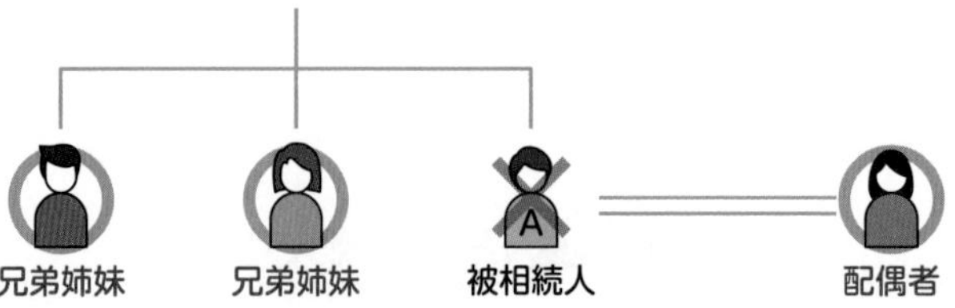

【ケース③】被相続人Aに、子、父母、兄弟姉妹がいる場合

この場合、**子**のみが相続人となります。

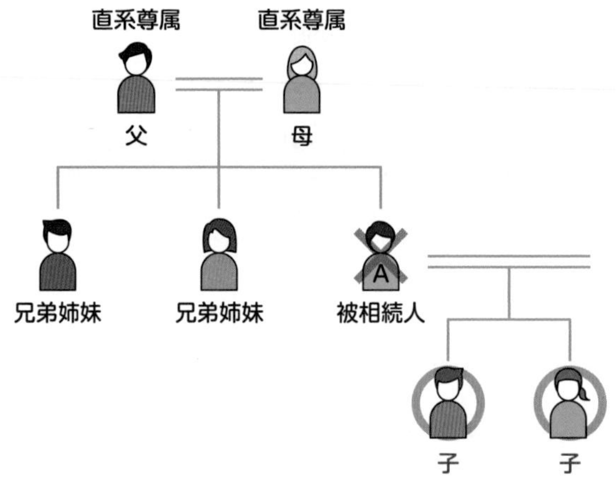

【ケース④】被相続人Aに、父母、兄弟姉妹がいる場合

この場合、**父母**のみが相続人となります。

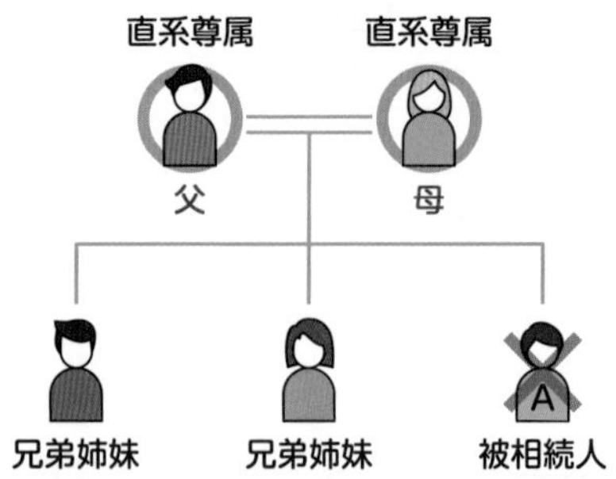

【ケース⑤】被相続人Aに、兄弟姉妹がいる場合

この場合、**兄弟姉妹**のみが相続人となります。

3. 相続人の範囲（代襲相続）

子には、**嫡出子**（両親の婚姻中に生まれた子）、**嫡出でない子**（＝非嫡出子、婚姻していない両親の間に生まれた子）、**胎児**、**養子**（養子の人数に法律的な制限はありません）が含まれます。

代襲相続とは、**被相続人の子**が、相続開始以前に**死亡**したとき（または**相続欠格・廃除**により相続権を失ったとき）には、その者の子（**孫**）が、**被相続人の子の代わりに相続**することをいいます。ただし、**相続放棄**の場合、**代襲相続はできません**。

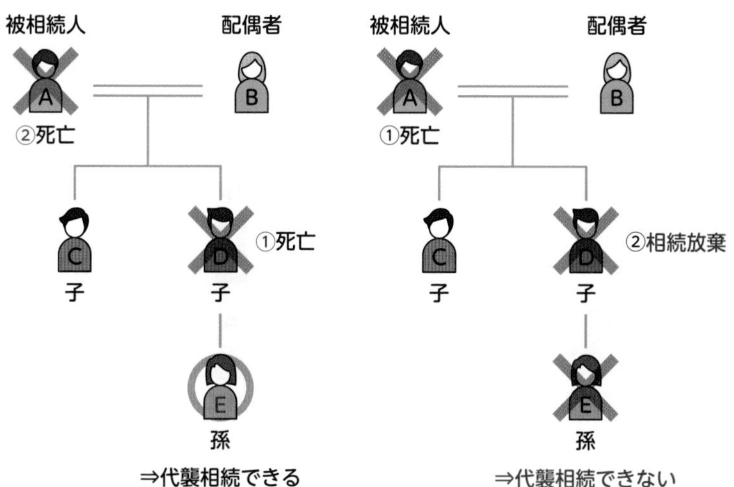

上の例では、被相続人Aの**子**Dが先に**死亡**した場合には被相続人Aの**孫**Eは**代襲相続**ができます。同様にDが**相続欠格・廃除**された場合もEは**代襲相続**します。しかし、Dが**相続放棄**した場合にはEは**代襲相続できません**。

相続人の欠格事由	本来ならば相続人となる者が、詐欺・強迫によって被相続人が遺言することを妨げたり、被相続人の遺言書を偽造したなどの事由により、相続資格を失う事由のこと。
相続人の廃除	遺留分（いりゅうぶん）を有する推定相続人（相続が開始した場合に相続人となるべき者）が、被相続人に対して虐待（ぎゃくたい）や重大なぶじょくを加えたときなどに、被相続人が、その推定相続人の廃除を家庭裁判所に請求すること。
相続放棄	相続開始後に、所定の方式に従って相続財産を一切承継しない旨の意思表示をすること。

以上のように、被相続人の**子**が相続の開始以前に**死亡**したときは、その者の子（被相続人の「**孫**」）がこれを**代襲して相続人**となります（**代襲相続**）。さらに、被相続人の**孫**である代襲者が相続の開始以前に**死亡**していたときは、代襲者の子（被相続人の「**ひ孫**」）が**相続人**となります（**再代襲**（さいだいしゅう））。

同じように、被相続人の兄弟姉妹が相続人となる場合（【ケース⑤】被相続人Aに、兄弟姉妹がいる場合）に、被相続人の**兄弟姉妹**が相続の開始以前に**死亡**したときは、その者の子（被相続人の「**甥**（おい）」や「**姪**（めい）」）がこれを**代襲して相続人**となります（**代襲相続**）。被相続人の**兄弟姉妹**が**相続欠格・廃除**により相続権を失ったときも同様です。ただし、**相続放棄**の場合、**代襲相続はできません**。ここまでは、子の代襲相続で学習した場合と同じです。

しかし、兄弟姉妹の代襲相続は、子の場合と違い、代襲者である被相続人の**甥**や**姪**が相続の開始以前に**死亡**していたとしても、被相続人の「**甥の子**」や「**姪の子**」（**兄弟姉妹の孫**）が**相続人となることはできません**（**再代襲の否定**）。

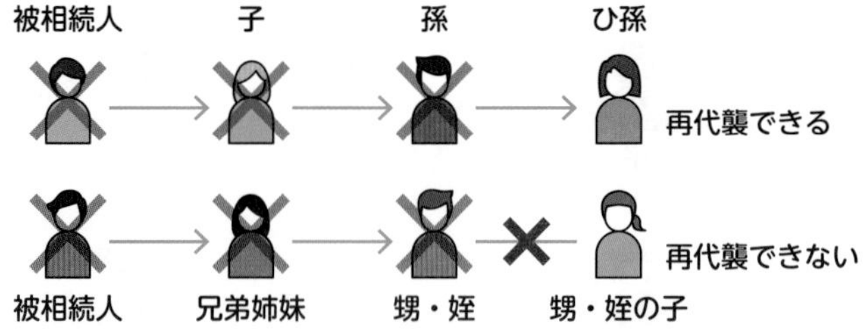

必須 相続人の範囲（代襲相続と再代襲）

1. 被相続人の子は、相続人となる。
⇒嫡出子、嫡出でない子、胎児、養子（人数に制限なし）は子に含まれる。
2. 代襲相続と再代襲のまとめ

被相続人の子が相続人の場合	被相続人の兄弟姉妹が相続人の場合
⇒被相続人の**子**が、相続の開始以前に死亡・相続欠格・廃除により相続権を失った場合には、その者の子（被相続人の**孫**）がこれを**代襲して相続人**となる（代襲相続）。ただし、被相続人の**子**が、**相続放棄**した場合には、その者の子（被相続人の孫）はこれを**代襲して相続人とはならない**。	⇒被相続人の**兄弟姉妹**が相続の開始以前に死亡・相続欠格・廃除により相続権を失った場合には、その者の子（被相続人の**甥・姪**）がこれを**代襲して相続人**となる（代襲相続）。ただし、被相続人の**兄弟姉妹**が、**相続放棄**した場合には、その者の子（被相続人の甥・姪）はこれを**代襲して相続人とはならない**。
⇒代襲者（被相続人の**孫**）が相続の開始以前に死亡・相続欠格・廃除により相続権を失った場合には、代襲者の子（被相続人の**ひ孫**）が**代襲して相続人**となる（再代襲）。ただし、代襲者（被相続人の孫）が、**相続放棄**した場合には、その者の子（被相続人のひ孫）はこれを**代襲して相続人とはならない**。	⇒代襲者（被相続人の**甥や姪**）が相続の開始以前に死亡・相続欠格・廃除により相続権を失った場合でも、代襲者の子（**甥の子や姪の子**＝兄弟姉妹の孫）は**相続人とならない**（再代襲の否定）。

○×チャレンジ

Q 被相続人Aの子Bが相続を放棄した場合、Bの子Cは、Bを代襲して相続することができる。

A 相続放棄の場合、代襲相続はできません。したがって、Bの子Cは、Bを代襲して相続することができません。

3 法定相続分

法定相続分は次のように決められています。

必須 法定相続分

相続人ごとの法定相続分

相続人	相続分			
	配偶者	子	直系尊属	兄弟姉妹
配偶者のみ	**全て**	—	—	—
配偶者と子	1/2	**1/2**	—	—
配偶者と直系尊属	2/3	—	**1/3**	—
配偶者と兄弟姉妹	3/4	—	—	**1/4**

※配偶者がいない場合は、優先順位の高い相続人がすべて相続する。たとえば、配偶者がいない場合で子のみがいるとき、子がすべて相続する。

同順位の相続人が複数いる場合の相続分についても以下のように決められています。

必須 同順位の相続人が複数いる場合の相続分

同順位の相続人が複数いる場合の相続分の計算の仕方

子が複数いる場合	子の相続分は平等（**頭数で割る**）
直系尊属が複数いる場合	直系尊属の相続分は平等（**頭数で割る**）
兄弟姉妹が複数いる場合	①兄弟姉妹の相続分は平等（**頭数で割る**） ②ただし、父母の一方のみを同じくする兄弟姉妹の相続分は、父母の双方を同じくする兄弟姉妹の相続分の1/2となる。

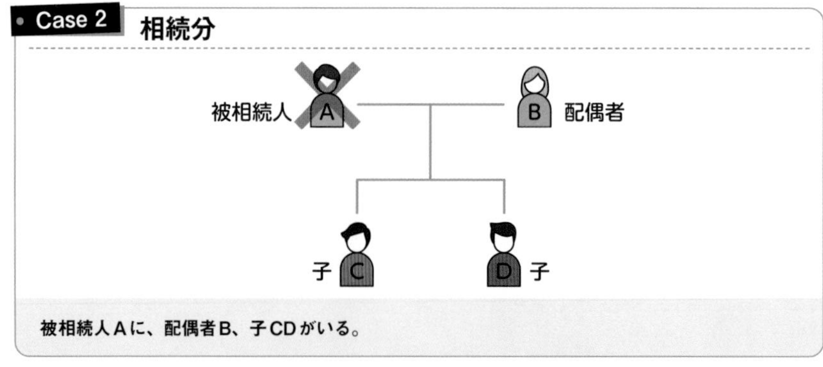

ケース2の場合の法定相続分は、**配偶者1/2**、子**CD**はそれぞれ**1/4**（＝1/2×1/2＝1/4）ずつとなります。

4 共同相続の法律関係

共同相続のとき（相続人が数人いるとき）は、原則として、遺産分割前の相続財産は、各共同相続人の**共有**に属し、各共同相続人は、その**相続分に応じて被相続人の権利義務を承継**します。共同相続の場合の相続財産に応じた法律関係については以下のようになります。

必須 共同相続の法律関係

共同相続における相続財産ごとの法律関係

相続財産	法律関係
不動産	**遺産分割協議**が成立するまで、共同相続人の共有に属し、各相続人は相続分に応じた持分を有する。その後、遺産分割協議によって、その土地を売却して代金を各共同相続人に相続分に応じて相続させる等を決める。
預貯金債権	相続開始と同時に相続分に応じて分割されることはなく、**遺産分割の対象**となる。
金銭債務	**遺産分割**を待たずに各共同相続人の相続分に応じて**当然に分割**される。そして、各共同相続人は、相続分により分割された範囲で金銭債務を承継（負担）する。

5 相続の承認（しょうにん）・相続放棄・遺産分割

相続人は、被相続人が所有していた土地建物等を相続するだけでなく、被相続人に借金があれば、その支払債務も相続します。そこで、相続人は、相続するか否か（**相続の承認・相続の放棄**）を選択できます。

相続の承認・相続の放棄についてまとめると以下のようになります。

用語

【遺産分割・遺産分割協議】 相続財産の全部・一部を分割し、各相続人の単独財産にすることを遺産分割という。遺言による分割方法の指定がない場合、共同相続人の協議により遺産分割を行う。

必須 相続の承認・相続の放棄

1. 相続の承認・相続の放棄

承認	単純承認	無限に被相続人の権利義務を承継すること。
	限定承認	相続によって得た財産の限度においてのみ被相続人の債務および遺贈を弁済すべきことを留保して、相続の承認をすること。 ・相続人が数人あるときは、共同相続人の**全員が共同**してのみすることができる。
相続放棄	相続人が相続の効果を拒否する意思表示のこと。 ・**相続開始前**にすることはできない。 ・**家庭裁判所**に**申述**しなければならない。 ・初めから相続人とならなかったものとみなされる。	

2. 相続の承認・放棄の期限と法定単純承認

単純承認、限定承認、相続放棄は、原則として、**相続が開始**したことを**知った時**から**3カ月以内**に行わなければならない。次の場合には、相続人は、単純承認をしたものとみなす。

①相続が開始したことを知った時から3カ月以内に相続放棄または限定承認を行わない場合
②相続財産の全部または一部を処分（たとえば、相続開始の事実を知りながら相続財産の一部の売却・債権を取り立て収受領得）した場合

相続財産の全部または一部を分割し、各相続人の単独財産にすることを遺産の分割といいます。遺産の分割は、原則として、**相続開始の時にさかのぼってその効力**を生じます（遺産分割の効力）。共同相続人は、被相続人が遺言で禁じた場合または共同相続人が遺産の分割をしない旨の契約をした場合を除き、いつでも、その協議で、遺産の全部または一部の分割をすることができます（遺産分割の協議）。なお、協議によって遺産分割がなされた場合でも、その分割を合意解除することができます。

相続による権利の承継は、遺産の分割によるものかどうかにかかわらず、**法定相続分を超える部分**については登記等（**対抗要件**）を備えなければ**第三者に対抗することができません**。

6 遺言

1. 遺言

遺言によって、**相続廃除**、**相続分の指定**、**遺産分割方法の指定**、**遺贈**（遺産の全部または一部を、無償でまたは負担を付けて他に譲与すること）などができます。被相続人の意思を尊重するために、遺言は原則として法律の規定（法定相続分等）よりも優先します。たとえば、父甲と子ABC（それぞれ法定相続分1/3）がいる場合に、甲は、Aの相続分を1/2、BCの相続分をそれぞれ1/4と指定することができます。

2. 遺言の能力

遺言については、制限行為能力者制度は適用されず、15歳に達した者は、遺言をすることができます。その際、法定代理人の同意等は不要です。

3. 遺言の方式等

遺言は、**法律で定められた方法**に従って作成する必要があります。普通の方式による遺言には、**自筆証書遺言**、公正証書遺言、秘密証書遺言があります。

4. 遺言の撤回

遺言者は、いつでも、遺言の方式に従って、その遺言の全部または一部を撤回することができます。なお、公正証書で遺言した場合に、後に自筆証書で撤回するといったように、遺言の撤回は、前の遺言とは違う方式でもできます。

後の遺言が前の遺言と矛盾し、その内容が抵触するときは、その抵触する部分については、後の遺言で前の遺言を撤回したものとみなされます。たとえば、Aが自分の不動産を「長男Bに相続させる」と遺言した後に、「次男Cに相続させる」と遺言した場合、次男CがAの不動産を相続することになります。遺言者が、遺言と抵触する法律行為（譲渡等）をした場合も同様です。

用語

【遺言】 一定の方式に従ってなされる遺言者の死後の法律関係を定める最終意思の表示であり、その者の死亡によって法律効果を発生する。

必須 遺言

1. 遺言は、法律で定められた方法に従って作成する必要がある。

	自筆証書遺言の方式等
方式	①遺言者が、遺言書の全文・日付・氏名を**自書**し、印を押す。 ②自筆証書に**相続財産の目録**を添付する場合、その目録は**自書しなくてもよい**（たとえば、パソコンで作成できる）。自書しない場合、遺言者は、目録の毎葉（1枚ごと）に署名し、印を押す。
注意点	⇒遺言書の保管者は、相続開始を知った後、遅滞なく、遺言書の**検認**を家庭裁判所に請求しなければならない（遺言書の検認）。検認を経ることを怠っても、遺言書は無効にはならない。 ⇒証人は不要である。

2. **15歳**に達すれば、遺言をすることができる。
3. 遺言者は、いつでも、**遺言の方式**に従って、その遺言の全部または一部を**撤回**することができる。
4. **後の遺言**が**前の遺言**と矛盾し、その内容が**抵触**するときは、その**抵触する部分**については、後の遺言で前の遺言を**撤回**したものとみなされる。遺言者が、遺言と抵触する法律行為（譲渡等）をした場合も同様である。

7 配偶者居住権・配偶者短期居住権

1. 配偶者居住権

Aは、配偶者Bと子Cと同居していました。Aが死亡して、BとCが相続人となりました。その後、Aの遺産である家と預貯金を遺産分割して、Bが家（2,000万円）を、Cが預貯金（2,000万円）を相続したとします。この場合Bは、今まで住んでいた家には住めますが、お金に困ることになりそうです。

このような場合、配偶者に低い評価額で建物の居住権を与えることで、配偶者が**自宅での居住を継続**しながら**預貯金などその他の財産も取得**できる制度があります（**配偶者居住権**）。この制度を使った場合、Bは自宅での居住を継続できる権利（配偶者居住権1,000万円）と預貯金1,000万円を取得できます。このように、配偶者居住権は、被相続人の配偶者が**居住建物の使用収益のみ**をすることができる権利です。つまり、居住していた建物に住むことはできるが売ることはできない権利です。

配偶者居住権の成立要件は、次のようになります。

① **配偶者が相続開始時に被相続人の財産に属した建物に居住していたこと**
② **建物について配偶者に配偶者居住権を取得させる旨の遺産分割、遺贈または死因贈与がされたこと**

配偶者居住権を有する配偶者は、**無償で居住建物の使用収益**をすることができます。ただし、第三者に使用収益させるには、当該建物の**所有者の承諾**が必要です。また、配偶者居住権は、原則として**配偶者の終身(しゅうしん)の間存続**しますが、遺産分割、遺贈または**死因贈与(しいんぞうよ)**の際に**存続期間を定める**こともできます。この場合、配偶者居住権は、その期間が満了することによって消滅し、その延長や更新はできません。

なお、**配偶者居住権**を**第三者**（居住建物について所有権を取得した者等）**に対抗**するには、配偶者居住権の設定の**登記**をしなければなりません。

2. 配偶者短期居住権

配偶者が被相続人の死亡によって住み慣れた居住建物から直ちに退去しなければならないとすると大変です。そこで、配偶者短期居住権によってしばらくの間は住めることにしました。このように、配偶者短期居住権は、被相続人所有の建物に無償で居住していた配偶者が、相続開始後も一定期間は居住建物を無償で使用することができる権利です。

配偶者短期居住権は、配偶者が被相続人の財産に属した建物に、相続開始の時に無償で居住していた場合に成立します。ただし、以下の場合には、配偶者短期居住権は成立しません。

① **配偶者が相続開始時に配偶者居住権を取得した場合**
② **配偶者が欠格・廃除により相続人でなくなった場合**

配偶者短期居住権を有する配偶者は、居住建物を**使用**（住むこと）はできますが、**収益**（第三者に貸して賃料を得ること）**はできません**。なお、配偶者短期居住権は登記できず、**第三者に対抗することができません**。

配偶者短期居住権の存続期間は、「相続開始時から６カ月を経過する日まで」

用語

【死因贈与】 死因贈与とは、贈与者の死亡によって効力を生じる贈与契約のこと。

など**一定の期間に限定**されます。また、存続期間の満了のほか、配偶者による配偶者居住権の取得や配偶者の死亡等によっても、配偶者短期居住権は消滅します。

3. 配偶者以外の同居相続人の居住権

共同相続人の１人が相続開始前から**被相続人と同居**していた場合、被相続人の死後、少なくとも遺産分割終了までの間は、**同居相続人**を**借主**、**他の共同相続人**を**貸主**とする**使用貸借契約**（＝無償で貸し借りする契約）**が成立**します

8 遺留分（いりゅうぶん）

たとえば、Aに妻B以外に相続人がいない場合に、Aが自分の財産を全て赤の他人のCに**遺贈**したとします。この遺言は有効です。しかし、遺言によって死後の財産処分を自由に行えるとしても、遺族の生活を守る必要もあります。そのために認められているのが**遺留分**です。

上の例で、**遺留分を侵害する遺贈は有効**ですが、Bは遺留分を侵害された分を金銭で支払ってもらうことができます。このように、B（**遺留分権利者**）は、**遺留分を侵害**された分を取り戻したいときは、Cのような受遺者・受贈者に対し、**遺留分侵害額に相当する金銭の支払いを請求**する必要があります（**遺留分侵害額の請求**）。なお、遺留分侵害額の請求をするかどうかは、各相続人の自由です。

次に、遺留分で問題となる点を学習していきます。

（1）遺留分権利者

遺留分権利者は、兄弟姉妹以外の相続人です。具体的には、配偶者・子・直系尊属です。ここでは、**兄弟姉妹**、そして兄弟姉妹を代襲する者（**甥・姪**）は、**遺留分権利者とならない**ことをしっかり覚えましょう。

（2）遺留分の割合

遺留分の割合は次の通りです。

①直系尊属のみが相続人の場合→被相続人の財産の1/3

用語

【**遺贈**】遺言により自分の財産を無償で譲ること。包括遺贈（遺産の全部または一部を一定の割合を示してする遺贈）または特定遺贈（特定の財産の遺贈）がある。

②それ以外の場合→**1/2**

具体的に、被相続人に配偶者と子ABがいる場合の遺留分を計算してみましょう。まず、この場合の遺留分は上記②の場合ですから、遺産の**1/2（遺留分）**となります。

次に、配偶者と子ABの遺留分は、法定相続分に従って算出します。

配偶者＝**1/2**（遺留分）×1/2（法定相続分）＝1/4
A＝**1/2**（遺留分）×1/4（＝1/2×1/2法定相続分）＝1/8　BもAと同じ。

（3）遺留分の放棄

遺留分の放棄は、**相続開始前**にもすることができます。その際、**家庭裁判所の許可**を受けなければなりません。ただし、**遺留分を放棄**しても、**相続を放棄したことにはなりません**。したがって、相続をすることはできます。たとえば、夫A、妻Bとします。仮にBが遺留分を放棄しても、Aが死亡した後に、BはAの財産を相続することができます。遺留分と相続は別に考えるということです。

必須　遺留分

1. 遺留分を侵害する遺贈も有効であるが、遺留分権利者は、**遺留分侵害額に相当する金銭の支払いを請求**することができる。
2. **兄弟姉妹**および甥・姪には、**遺留分はない**。
3. 直系尊属以外の**遺留分**＝被相続人の財産の**1/2**。
4. 相続開始前の遺留分の放棄には、家庭裁判所の許可が必要である。
5. 遺留分を放棄しても、相続を放棄したことにはならない⇒相続をすることはできる

きほんの教科書

第1分冊

権利関係

索引

あ行

か行

さ行

た行

な行

は行

ま行

や行

ら行

わ行

2025年版

ユーキャンの

宅建士 きほんの教科書

= 第2分冊 =

第2編［宅建業法］

第2編 宅建業法 第2分冊

宅建業法 科目概要

1. どのような科目か？

宅地建物取引業（宅建業）とは、大まかにいえば、不動産の売買や仲介等を行うことをいい、宅建業を営む者を宅地建物取引業者（宅建業者）といいます。いわゆる「不動産屋さん」のことです。

宅建業者に置かれる法律の専門家のことを宅地建物取引士（宅建士）といいます。宅建試験は、この宅建士になるための試験です。

宅建業法は、お客さんを保護するためと業務がスムースに進むようにするために（購入者等の利益の保護と宅地・建物の流通の円滑化）、様々な規制をしていますが、その内容は大きく分けると次のとおりです。

（1）開業までの流れ

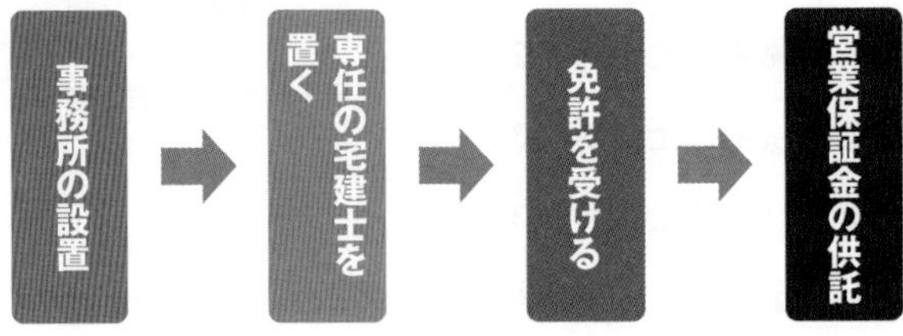

ここでは、誰の免許を受けるのか、免許を受けられないのはどのような場合か、宅建士になるにはどうしたらよいか等について学習します。

（2）業務の流れ

業務に関する規制は、さらに２つのパターンに分かれます。

ア　他人の物件を扱う場合

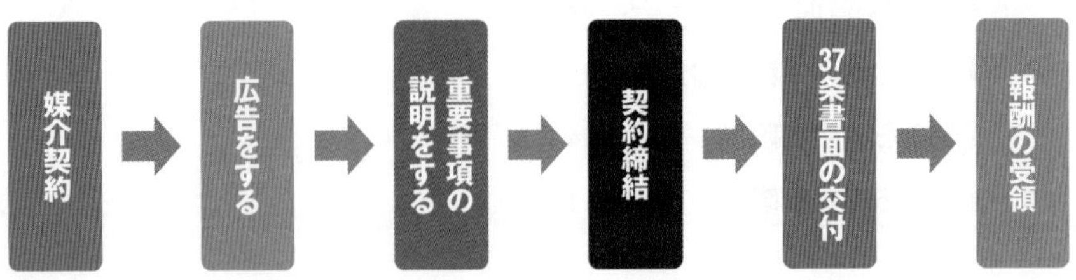

たとえば、宅建業者が売却希望者から依頼を受けて媒介(ばいかい)契約を締結した場合、広告等によって購入希望者を見つけます。売買契約を成立させる前には重要事項の説明を行う必要があり、契約が成立したら、その契約内容を記載した書面(37条書面)を当事者に交付しなければなりません。宅建業者は媒介報酬を受領できますが、その額には制限があります。

イ　自分の物件を売る場合

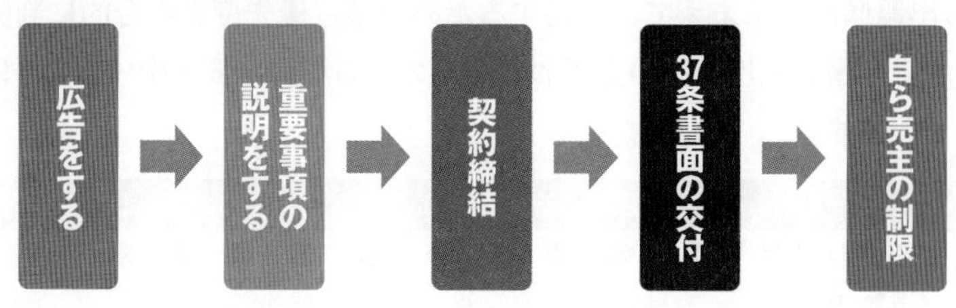

たとえば、自社で建築したマンションを分譲する場合です。自分の物件を売るので媒介契約や媒介報酬はありませんが、買主を保護するための制限(自ら売主の制限)が適用されます。

2. 出題数

宅建業法から19問出題されるほか、住宅瑕疵(かし)担保履行法という法律から1問出題されます。合計で20問です。

3. 学習の指針

宅建業法は、難しい年でも15点以上、簡単な年なら18点以上得点すべき科目です。そのために、まんべんなく知識を身につける必要があります。

具体的には、過去問の1つ1つの肢について、きちんと正誤判定できるようにしてください。特に、誤りの肢についてなぜ誤りなのかを理解することが重要です。

このような学習方法は、個数問題(「正しいものはいくつあるか」のような出題形式)対策としても有効です。個数問題も1つ1つの肢を見れば普通の問題と同じなので、普段から1肢ずつ確実に学習していけば問題なく解けるようになります。

宅建業法 過去10年間の出題一覧

ここでは、出題一覧と学習優先度を掲載しています。出題一覧は過去10年間のうち、出題された年度に●をつけています。学習優先度は、受験者の問題ごとの正答率データをもとに合格に必要な知識か否かを徹底的に解析し、ここ30年の出題傾向を踏まえて、合格するための学習優先度を総合的に判断したものです。学習優先度が高いと思われるものから順に、高・中・低の3段階で表示しています。

テーマ	H 26	27	28	29	30	R1	2	3	4	5	学習優先度
宅建業・宅建業者とは	●	●	●	●	●	●	●	●	●	●	高
免許①（免許の申請、免許の基準）	●	●	●		●	●	●	●	●		高
免許②（免許の効力等）	●		●	●	●	●	●			●	高
宅建士①（宅建士登録）	●	●	●	●	●	●	●	●	●	●	高
宅建士②（宅建士証等）	●	●	●	●	●	●	●	●	●	●	高
営業保証金	●	●	●	●	●	●	●	●	●	●	高
弁済業務保証金	●	●	●	●	●	●	●	●	●	●	高
媒介契約	●	●	●	●	●	●	●	●	●	●	高
広告に関する規制	●	●	●	●	●	●	●	●	●	●	高
重要事項の説明等	●	●	●	●	●	●	●	●	●	●	高
37条書面等	●	●	●	●	●	●	●	●	●	●	高
その他の業務上の規制	●	●	●	●	●	●	●	●	●	●	高
自ら売主制限①	●	●	●	●	●	●	●	●	●	●	高
自ら売主制限②	●	●	●	●	●	●	●	●	●		高
自ら売主制限③	●	●	●	●	●	●	●	●	●	●	高
報酬に関する制限①（売買・交換）	●	●	●		●	●	●	●	●		高
報酬に関する制限②（貸借・要求制限等）	●	●	●	●	●	●	●	●	●	●	高
監督処分・罰則	●	●	●	●	●	●				●	中
住宅瑕疵担保履行法	●	●	●	●	●	●	●	●	●	●	高

目標得点 16点/20問

論点別の傾向と対策

宅建業・宅建業者とは：1問出題されることが多いです。事例問題で出題されますが、出題パターンが出尽くしている感があるので、過去問題などをきちんと解いておけば、確実に得点できるでしょう。

免許：1～3問出題されます。免許の基準、変更の届出、廃業等の届出について出題されることが多くなっています。欠格要件、届出事由、届出期間、届出義務者などをしっかりと覚えておく必要があります。

宅建士：1～3問出題されます。免許の基準と登録の基準、廃業等の届出と死亡等の届出のように、「免許」分野の類似事項と比較しつつ学習することにより、知識が整理され記憶しやすくなります。

営業保証金・弁済業務保証金：それぞれ1問出題されます（あわせて1問のときもあります）。知識をストレートに問う問題がほとんどです。保証金の金額や届出期間など、数字が問われることが多いので、数字を覚えておくことも重要です。

業務に関する規制：5～9問程度出題されます。媒介契約、重要事項の説明、37条書面に関する出題が多く、特に重要事項の説明は2問以上出題されることが多くなっています。重要事項の説明における説明事項を覚えるのは大変ですが、問題演習を繰り返して少しずつ覚えていきましょう。重要事項の説明と37条書面との比較もよく出題されています。媒介契約書面も含め、いつ交付するのか、誰に対して交付するのか、記載内容は何か、誰の記名が必要なのか等を比較しながら覚えるとよいでしょう。

自ら売主制限：2～4問程度出題されます。クーリング・オフや手付金等の保全措置については、独立した問題が出題されることが多く、それ以外の制度については、選択肢の1つか2つ程度の出題がほとんどです。自ら売主制限は、事例問題・総合問題の出題が多い分野なので、問題演習を特にしっかり行っておきましょう。

報酬に関する制限：1問出題（平成30年度は2問）されています。近年は比較的簡単な問題が続いているので、基本的な問題はマスターしておくとよいでしょう。なお、試験では電卓等を使用することができませんので、報酬額の計算も手計算で行う必要があります。

監督処分・罰則：独立した問題のほか、選択肢の1つとして出題されることもあります。なかでも、免許取消処分対象事由や処分権者がよく問われます。

住宅瑕疵担保履行法：毎年1問出題されています。一見すると難しく見えますが、4肢のうち2～3肢は同じ内容が繰り返し出題されています。

個数問題：出題テーマではなく出題形式の話ですが、宅建業法では個数問題が数多く出題されます（3～8問）。個数問題は、1肢でも正誤判定を誤ると正解できないので、難しく感じます。しかし、1つ1つの肢を見れば普通の問題ですから、普段から1肢ずつ正確に解くようにして行けば怖くありません。

LESSON 01 宅建業・宅建業者とは

「宅建業ってどんな仕事？」

introduction

叔父がアパート経営をしているので、「宅建業の免許を持っているの？」と聞いたら、持っていないそうです。

宅建業とは、大まかにいえば、宅地・建物の販売や、売買・賃貸の仲介をすることで、自分が貸主になる場合は含まれないのです。

無免許営業ではないかと心配していたのですが、そうではないと分かって安心しました。

繰り返しになりますが、賃貸の場合も、仲介をするのであれば宅建業にあたります。そこは気を付けてくださいね。

上記では、わかりやすくするために大まかな説明をしていますが、宅建試験では「宅建業」の正確な意味が問われます。したがって、「宅地」や「取引」などの意味について、きちんと理解しておくことが必要です。

学習のポイント

❶建物が建っている土地や、建てる目的で取引する土地は、「宅地」にあたる

❷建物が建っておらず建てる目的もなくても、用途地域内の土地は、原則として「宅地」にあたる

❸自ら貸借を行うことは、「取引」にあたらない

❹建築の請負（うけおい）、ビル管理なども、「取引」にあたらない

1 宅建業とは

1. 宅地・建物とは

宅地建物取引業（宅建業）とは、「宅地」や「建物」の「取引」を「業」として行うことをいいます。まず、それぞれの言葉の意味を解説します。

(1) 宅地とは

Case 1 山林の売買をした

Aは、用途地域外の山林を、山林のままにしておく目的で所有者Bから買い受けた。

宅建業法での「宅地」の意味は、次のとおりです。

必須 宅地とは

① 建物の敷地に供せられる土地
現に建物が建っているか、建てる目的で取引する土地。どのような区域等にあるのかは関係ない。
② ①以外で、**用途地域内**の土地
ただし、**現に道路・公園・河川・広場・水路であるものは除く。**

大まかにいえば、建物が建っているか、いずれは建つような土地が「宅地」です。**用途地域**内の土地は、いわば街なかの土地なので、今は建物が建っていなくても、いずれは建物が建つだろうと考えて、宅地とされています。ただし、現在、**道路・公園・河川・広場・水路**になっている土地は、将来も建物が建つとは考えにくいので、除かれています。

用語
【用途地域】 そこに建てられる建物の用途や規模を制限する地域のこと。第一種住居地域、商業地域、工業地域など全部で13種類ある［▶法令上の制限L1］。

ケース1の場合、建物が建っておらず、建てる目的もないので、『必須』の①に該当しません。また、用途地域外なので、②にも該当しません。したがって、宅地にはあたりません。

(2) 建物とは

「建物」とは、屋根、柱と壁があって雨風をしのげるものをいいます。そのような構造であれば、**住宅・店舗・工場・倉庫など、いずれも建物**です。

2. 取引・業とは

(1) 取引とは

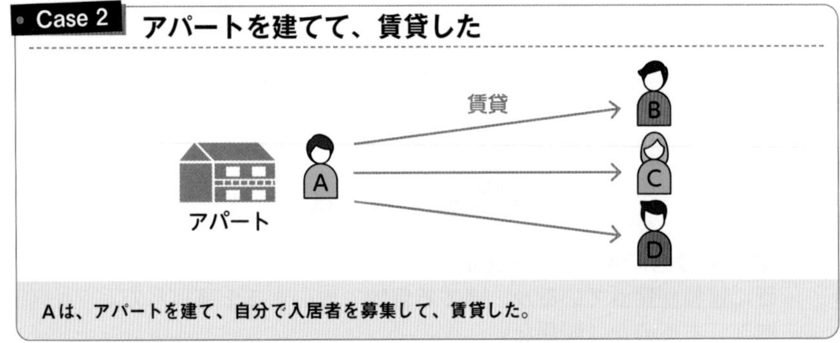

Case 2
アパートを建てて、賃貸した
賃貸
アパート
A
B
C
D
Aは、アパートを建て、自分で入居者を募集して、賃貸した。

宅地建物取引業の「取引」とは、次のものをいいます。

必須 取引とは

① 売買・交換を**自ら**行う
② 売買・交換・貸借（たいしゃく）の**代理**を行う
③ 売買・交換・貸借の**媒介**を行う

①は、当事者として売買・交換を行うことです。たとえば、**売主や買主**になることです。

②の「代理」とは、権利関係で学習したように、**人の代わりに契約をすること**をいいます。これに対し、③の「媒介」とは、**売主・買主等の間に入って、契約が成立するように努力すること**をいいます。いわゆる**仲介**のことです。

代理と媒介とでもっとも異なる点は、代理の場合には、宅建業者は本人に代わって契約を結ぶが、媒介の場合には、宅建業者は間に入って手助けをするだけで、最終的には当事者同士で契約を結ぶという点です。

代理

法律的には
A・C間で契約
したことになる

A 売主
C 買主
代理
契約締結
B 宅建業者

媒介

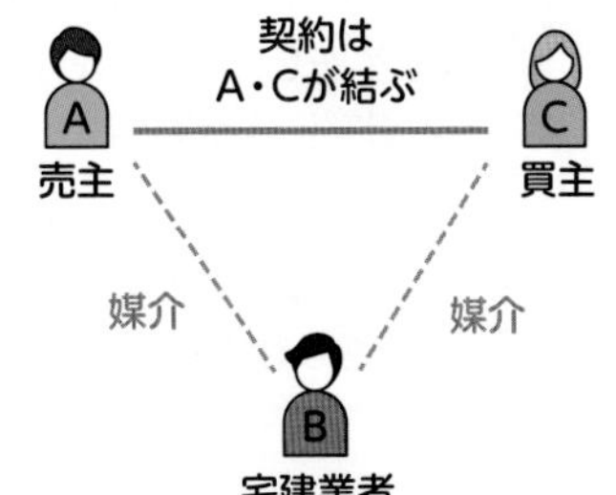

ここで、もう一度、前頁の「必須」を確認しましょう。**ポイントは、「自ら貸借を行う」ことは「取引」にあたらないことです。**つまり、貸しビル業や、賃貸マンション・アパート経営は、宅建業にあたらないのです。したがって、**ケース2**のAの行為は「取引」にあたりません。

また、宅地の造成やビル管理をすることも、宅建業にあたりません。

＼アドバイス／
「取引」にあたらないものの具体例を覚えておくと、問題が解きやすくなります。

(2) 業とは

「業」として行うとは、①**不特定多数の者を相手方**として、②**反復または継続**して行うことをいいます。

まず、「不特定多数の者」を相手方にすることが必要なので、会社が自社の従業員だけを対象に宅地分譲をしたり、学校が自校の学生だけを対象にアパートの紹介をしたりすることは、宅建業にあたりません。

また、「反復または継続」することが必要なので、1回限りの取引をする場合は「業」にあたりません。たとえば、マイホームを建てるために宅地を1区画購入する場合は、「宅地」の「取引」にはあたりますが、反復性はないので「業」にあたらず、結局は宅建業ではないことになります。

○×チャレンジ

Q Aがアパートを建築し、自ら賃借人を募集して賃貸し、Bにそのアパートの管理を委託した場合、Aの行為は宅地建物取引業に該当しないが、Bの行為は宅地建物取引業に該当する。

A 管理を行うことは「取引」にあたらないので、Bの行為は宅建業に該当しません。この点で本問は誤りです。なお、自ら貸借を行うことも「取引」にあたらないので、Aの行為も宅建業に該当しません。この点は正しいです。

2 免許の要否等

1．免許が不要な者

Case 3 建設業者が宅地の売買を行う

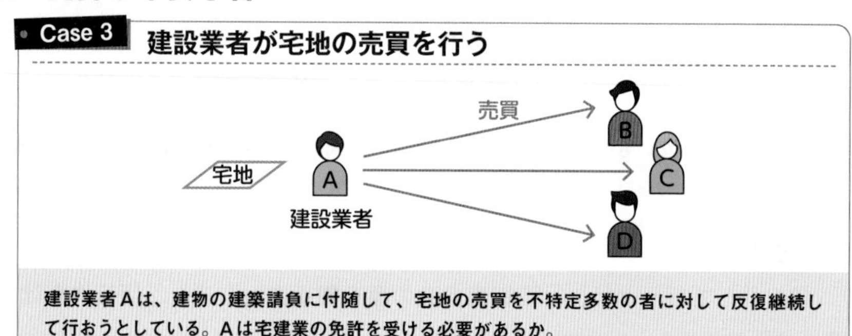

建設業者Aは、建物の建築請負に付随して、宅地の売買を不特定多数の者に対して反復継続して行おうとしている。Aは宅建業の免許を受ける必要があるか。

原則 宅建業にあたる行為をする場合には、原則として、宅建業の**免許**が必要です。免許を受けて宅建業を営む者を、**宅地建物取引業者**（**宅建業者**）といいます。

例外 **ただし、国、地方公共団体（都道府県・市町村）、都市再生機構、地方住宅供給公社等は、宅建業法が適用されないので、免許を受けずに宅建業を営むことができます。**

また、信託会社、信託業務を兼営する金融機関は、宅建業法のうち免許に関する規定が適用されないので、やはり免許を受けずに宅建業を営むことができます。ただし、信託会社・信託業務を兼営する金融機関が宅建業を営む場合は、その旨を**国土交通大臣に届け出**ることが必要であり、届出をした場合、国土交通大臣の免許を受けた宅建業者とみなされます。

ケース3のAは、宅地の売買を不特定多数の者に対して反復継続して行うとしているので、Aの行為は宅建業にあたります。そして、建設業者は上記の免許が不要な者に含まれないので、Aは宅建業の免許を受ける必要があります。

＼アドバイス／
このように、免許が必要かどうかは、①宅建業にあたる行為か、②免許不要な者にあたるか、という順番で考えていけばOKです。

2. 無免許営業の禁止・名義貸しの禁止

無免許営業等、次の行為は禁止されています。

① 免許が必要であるにもかかわらず免許を受けずに宅建業を営むこと（無免許営業）

② 無免許で宅建業を営む旨の表示をしたり広告をしたりすること

③ 宅建業者が、その名義を他人に貸して、宅建業を営ませたり、宅建業を営む旨の表示をさせたり、広告をさせたりすること（名義貸しの禁止）。

○×チャレンジ

Q **Aが、宅地建物取引業者Bに代理を依頼して、10区画の宅地の売買を不特定多数の者に対して反復継続して行う場合、Aは免許を受ける必要がない。**

A 代理人の行為の効果は本人に生じます。したがって、Bに代理を依頼しても、Aは自ら宅地の売買を不特定多数の者に対して反復継続して行うことになります。したがって、Aは免許を受ける必要があります。

×

学習優先度 高

LESSON 02 免許①（免許の申請・免許の基準）

「宅建業の免許を受けられない人はどんな人？」

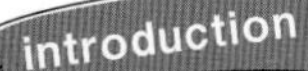

実は、学生時代に
スピード違反で罰金を払った
ことがあるのですが、宅建業の
免許は受けられますか？
罰金刑の場合、犯罪の
種類によりますが、
道路交通法違反なら
大丈夫です。

よかったです。ほっとしました。

でも、スピード違反はダメですよ。事故でも起こしたら大変なことになります。

宅建業では不動産という高価な財産を扱うので、誰でも宅建業者になれるというわけにはいきません。宅建業法では、免許制度を設け、宅建業者にふさわしくない人は免許を受けられないことにしています。

学習のポイント

❶誰の免許を受けるかは、事務所の所在する都道府県で決まる

❷本店は、そこで直接宅建業を行っていなくても事務所にあたる

❸執行猶予期間が満了すれば、免許の欠格要件にあたらなくなる

❹法人の役員や政令で定める使用人が欠格要件にあたると、その法人は免許を受けられない

1 免許の申請

1. 誰の免許を受けるのか

Case 1 2つの都道府県内に事務所を設置した

Aは、甲県内に主たる事務所、乙県内に従たる事務所を設けて、宅建業の免許を受けようとしている。

宅建業の免許には、**国土交通大臣免許**と**都道府県知事免許**があり、どちらの免許を受けるのかは、**事務所を設ける場所**で決まります。

必須 免許の種類

① **2以上**の都道府県内に事務所を設置 ⇒ **国土交通大臣免許**
② **1つ**の都道府県内にのみ事務所を設置 ⇒ **都道府県知事免許**

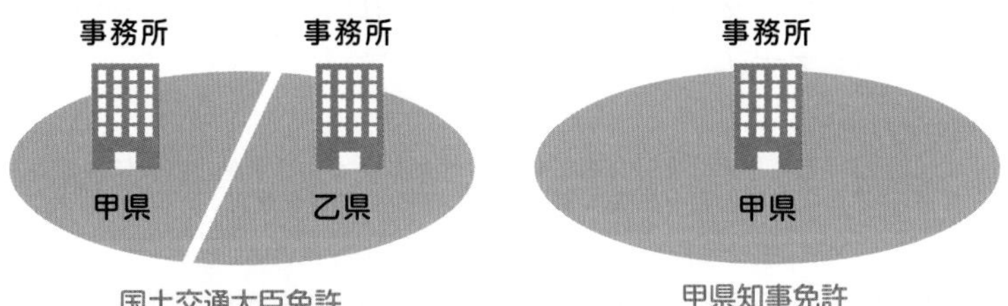

＼アドバイス／
事務所が2つでも、その2つが異なる都道府県にあれば、国土交通大臣の免許です。多くの事務所を有する宅建業者でも、事務所がすべて1つの都道府県内にあれば、都道府県知事の免許です。

ケース1の場合、Aは、2つの都道府県内に事務所を設置しているので、国土交通大臣の免許を受けなければなりません。

2. 宅建業法上の「事務所」

Case 2 **本店では宅建業を直接営んでいない**

本店（甲県）　支店（乙県）

A

建設業　宅建業

建設業者Aは、甲県内に本店を、乙県内に支店を有するが、乙県内の支店で宅建業を営もうとしている。

宅建業法上の「事務所」とは、次のものをいいます。

① **本店（主たる事務所）**

② **支店（従たる事務所）**で、**宅建業に係る業務を行っている**ところ

③ 継続的に業務を行うことができる施設を有する場所で、宅建業に係る契約を締結する権限を有する使用人を置くもの

ポイントは、**支店**はそこで宅建業を行っている場合にのみ「事務所」にあたるのに対し、**本店**は、そこで直接宅建業を行っていなくても「事務所」にあたることです。どこかの支店で宅建業を行っていれば、本店でも宅建業を行っているといえるからです。

＼アドバイス／

③は、営業所などと呼ばれていることが多いようですが、試験にはほとんど出てこないので、とりあえず読み飛ばしてもかまいません。

ケース2の場合、甲県内の本店と乙県内の支店の両方が事務所にあたるので、Aは、国土交通大臣の免許を受けなければなりません。

3. 免許の申請手続き

免許を受けるためには、免許を受けようとする国土交通大臣または都道府県知事に対して、免許申請書を提出しなければなりません。そして、国土交通大臣は、免許をした場合には、その宅建業者に関する宅建業者名簿の登載事項および免許申請書等の写しを、遅滞なく、宅建業者の主たる事務所の所在地の都道府県知事に提供しなければなりません。

Q 甲県内に本店、乙県内に支店を設置し、本店では宅地建物取引業を営み、支店では建設業のみを営む場合、国土交通大臣の免許を受けなければならない。

A 宅建業を営まない支店は事務所にあたらないので、甲県知事の免許です。

×

2 免許の基準

宅建業者としてふさわしくない人に免許を与えるわけにはいきません。そこで、宅建業法は、免許を受けられない者のリスト（**免許の欠格要件**）を設けています。

1. 破産をした人

必須 免許の欠格要件①

① **破産手続開始の決定**を受けて**復権**(ふっけん)**を得ない者**

復権を得れば、(5年待たずに) **すぐ**免許を受けることができます。

2. 免許の不正取得を理由に免許を取り消された者等

必須 免許の欠格要件②〜④

② 宅建業法66条1項8号または9号に該当することにより免許を取り消され、その**取消しの日から5年**を経過しない者（免許を取り消された者が法人である場合は、その取消しに係る聴聞(ちょうもん)の期日・場所の**公示日前60日以内**にその法人の**役員**であった者でその取消しの日から5年を経過していない者を含む）

③ 宅建業法66条1項8号または9号に該当するとして**免許取消処分の聴聞の期日・場所の公示日**から処分をするかしないかを決定する日までの間に、**解散**（合併・破産による場合を除く）、**廃業の届出**をした者（解散・廃業をするについて相当の理由がある者を除く）で、**届出の日から5年**を経過しない者

④ ③の期間内に合併により消滅した法人または解散・廃業の届出があ

用語

【復権】 破産した者に課されるさまざまな制限がなくなって、普通の人に戻ること。

った法人（相当の理由がある場合を除く）の聴聞の期日・場所の公示日前60日以内に役員であった者で、その消滅または届出の日から5年を経過しない者

「宅建業法66条1項8号または9号に該当する」とは、

1. **不正の手段により宅建業の免許**を受けたとき
2. **業務停止事由に該当し、情状が特に重い**とき
3. **業務停止処分に違反**したとき　のいずれかに該当する場合のことです。

これらの事由に該当することによって免許取消処分を受けた場合には、その取消しの日から5年間、免許を受けることができません（②）。

②の（　　）内は、免許取消処分を受けた法人の役員に関する規定です。**聴聞**（ちょうもん）とは、処分の前に関係者から事情を聞くための手続きで、聴聞を行うにあたっては、事前に**期日・場所が公示**されます。その「公示日前60日以内」、すなわち下図のAの期間内に当該法人の役員であった者は、取消しの日から5年間、免許を受けることができません。

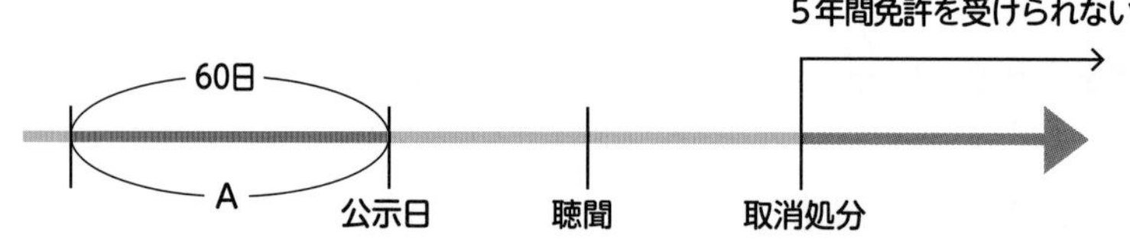

＼アドバイス／
つまり、法人が免許取消の対象行為を行った時期に役員だった者も、免許を受けられなくなるのです。

ここでの「**役員**」には、**取締役**等のほか、肩書きに関係なく**取締役レベルかそれ以上の支配力を持っている者**（いわゆる黒幕的人物）が含まれます。

③は、解散・廃業により免許取消処分を免れて再度免許を受けることを防止するための規定です。

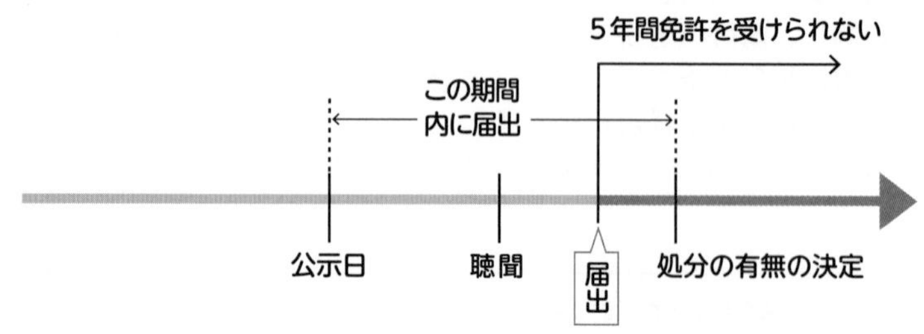

④は、③の方法で免許取消処分を免れた法人の場合も、役員が免許を受けられなくなるという規定です。

3. 刑に処せられた者

必須　免許の欠格要件⑤⑥

⑤ **禁錮以上の刑**に処せられ、その**刑の執行を終わり**、または刑の執行を受けることがなくなった日から**5年**を経過しない者

⑥ **宅建業法**もしくは暴力団員による不当な行為の防止等に関する法律の規定に違反したことにより、または傷害罪、傷害現場助勢罪、暴行罪、凶器準備集合罪、脅迫罪、**背任罪**もしくは暴力行為等処罰に関する法律の罪を犯したことにより、**罰金の刑**に処せられ、その**刑の執行を終わり**、または執行を受けることがなくなった日から**5年**を経過しない者

⑤の「禁錮以上の刑」とは、ここでは**懲役刑**、**禁錮刑**をいいます。これらの刑に処せられた場合、免許を受けられなくなります。

ここで、注意してほしいのは、**執行猶予付きの刑**の場合です。

執行猶予付きの刑に処せられた場合、**執行猶予期間**が無事に**満了**すれば、刑の言渡しを受けなかったことになり、**すぐに免許を受けることができます**。5年経過するまで待つ必要はありません（下図a）。これに対し、実際に刑が執行された場合には、その執行を終えた日等から5年経過するまで、免許を受けることができません（下図b）。

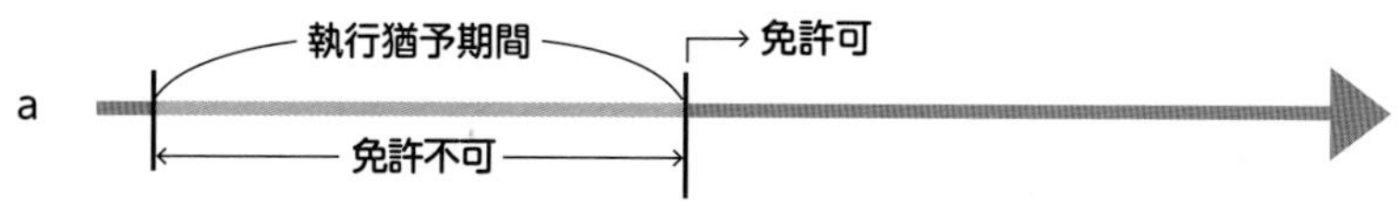

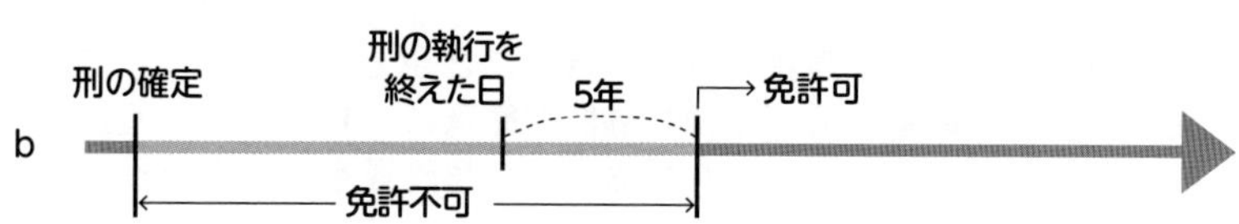

⑥の**罰金刑**は、禁錮刑より1つ軽い刑です。上記の罪を犯して罰金刑に処せられた場合には免許を受けられなくなります。

＼アドバイス／

とりあえず、「宅建業法違反と、暴力関係の犯罪と、背任罪」と覚えておきましょう。

なお、罰金刑よりも軽い**拘留**（こうりゅう）や**科料**（かりょう）の場合には、**免許の欠格要件に該当しません**。また、刑に処せられたとは刑が確定したことをいうので、有罪判決を受けたが上級の裁判所に**控訴中**（こうそ）**、上告中の者**も、**免許の欠格要件に該当しません**。

4. 上記以外で宅建業者としてふさわしくない者

必須 免許の欠格要件⑦〜⑨

⑦ 暴力団員による不当な行為の防止に関する法律に規定する**暴力団員**、またはそのような**暴力団員でなくなった日から5年**を経過しない者（以下「暴力団員等」という）
⑧ 免許の申請前5年以内に宅建業に関し**不正または著しく不当**な行為をした者
⑨ 宅建業に関し**不正または不誠実な行為をするおそれが明らか**な者

⑧の具体例は、無免許で宅建業を営んでいた者、宅建業に関し取引の相手方の無知に乗じて不当な行為をした者などです。

⑨の具体例は、宅建業に関し、詐欺・脅迫等を行ったり、重大な契約違反等を行ったりするおそれが明らかな者です。

＼アドバイス／

これらの具体例は、イメージを持っていただくためのもので、覚える必要はありません。

5. 心身の故障がある者

必須 免許の欠格要件⑩

⑩ **心身の故障**により宅建業を適正に営むことができない者として国土交通省令で定めるもの（**精神の機能の障害**により宅建業を適正に営むにあたって必要な認知、判断および意思疎通を適切に行うことができない者）

以前は成年被後見人や被保佐人［▶権利関係L2］であることが欠格要件とされていましたが、上記のように改正されました。

＼アドバイス／

成年被後見人や被保佐人が一律に欠格要件に該当するとされていたのを改めて、一人ひとり個別的に判断することにしたのです。

そして、**宅建業者（個人に限り、未成年者を除く）が宅建業に関し行った行為は、行為能力の制限によっては取り消すことができない**とされました。

＼アドバイス／

宅建業者として行った行為が後から否定されるのでは、相手方が困るからです。

6. 関係者に欠格要件に該当する者がいる場合

Case 3　役員に罰金刑に処せられた者がいる

法人Aは、宅建業の免許を受けようとしているが、Aの役員の1人は、宅建業法違反で罰金刑に処せられ、その執行を終えた日から5年を経過していない。

必須　免許の欠格要件⑪～⑭

⑪ 営業に関し**成年者と同一の行為能力を有しない未成年者**で、その法定代理人（法人の場合、その役員を含む）が①～⑩のいずれかに該当する者

⑫ 法人で、**その役員または政令で定める使用人**が①～⑩のいずれかに該当する者

⑬ 個人で、**政令で定める使用人**が①～⑩のいずれかに該当する者

⑭ **暴力団員等**がその事業活動を支配する者

⑪の「**営業に関し成年者と同一の行為能力を有しない未成年者**」とは、法定代理人（＝親など）から**宅建業の営業の許可を受けていない未成年者**のことです。このような者は法定代理人のコントロールを受けるので、法定代理人もチェックすることにしているのです。

⑫⑬の「**政令で定める使用人**」とは、**事務所の代表者**、すなわち支店長等のことです。法人の役員や、法人・個人の政令で定める使用人もチェックするの

です。

ケース3の場合、「Aの役員の１人」は、前記⑥の欠格要件にあたります。したがって、Aは免許を受けることができません。

7. その他

必須 免許の欠格要件⑮⑯

⑮ 事務所ごとに従業者5人に1人以上の**専任の宅建士**を置いていない者
⑯ 免許申請書やその添付書類中に、重要な事項について**虚偽の記載**をしたり、重要な事実の記載が欠けていたりした者

〇×チャレンジ

Q 法人Aの役員が道路交通法違反により執行猶予付きの禁錮刑に処せられ、執行猶予期間が満了したが、その日から5年を経過していない場合、Aは、免許を受けることができない。

A 執行猶予期間が満了すれば、すぐに欠格要件に該当しなくなります。したがって、Aの役員は欠格要件に該当せず、Aは免許を受けることができます。

×

このレッスンが終わったら「きほんの問題集」の問題04〜07にチャレンジ！

LESSON 03

学習優先度 高

免許②（免許の効力等）

「免許の有効期間は何年？」

introduction

「甲県知事免許（2）
第12345号」の（2）は、
どんな意味があるの
でしょうか？
この数字は更新ごとに
1プラスされます。
免許を受けたときは（1）、
1回更新すると（2）
という具合です。

では、番号が大きいほど長く営業しているわけですね。

原則的にはそうですが、免許換えがあると（1）に戻るので、数字が小さくても長く営業している宅建業者さんはいますよ。

免許を受けた後、変更の届出、廃業等の届出などが必要になる場合があります。また、免許の有効期間は5年なので、その後も宅建業を続けるのであれば免許の更新を受ける必要があります。このレッスンでは、免許を受けた後のことを学習します。

学習のポイント

❶免許の有効期間は、5年

❷都道府県知事免許でも、日本全国で宅建業を営むことができる

❸事務所の設置・廃止の場合、免許換えが必要になることがある

❹宅建業の廃止等の場合、廃業等の届出が必要

1 免許証・業者名簿・変更の届出

1. 免許の条件・免許証等

国土交通大臣または都道府県知事は、免許申請者に対して免許をするか否かを決定します。国土交通大臣または都道府県知事は、免許をするとき（および免許の更新をするとき）は、**免許に条件を付す**ことができます。

国土交通大臣または都道府県知事は、免許をしたときは、**免許証を交付**しなければなりません。

宅建業者は、①**免許換え**により従前の免許が効力を失ったとき、②**免許取消処分**を受けたとき、③**亡失した免許証を発見**したときは、遅滞なく、免許権者に免許証を返納しなければなりません。また、**廃業等の届出**をする者も、免許証を返納しなければなりません。

＼アドバイス／

有効期間満了により免許が効力を失った場合は、免許証を返納する必要がありません。

2. 宅建業者名簿

国土交通省および都道府県には、宅地建物取引業者名簿（**宅建業者名簿**）が備えられます。宅建業者名簿には、次の事項が登載されます。

① 免許証番号・免許年月日
② **商号・名称**
③ 法人の場合、その**役員・政令で定める使用人の氏名**
④ 個人の場合、その**個人・政令で定める使用人の氏名**
⑤ **事務所の名称・所在地**
⑥ 指示処分・業務停止処分を受けたことがあるときは、その処分の年月日・内容
⑦ 宅建業以外に営んでいる事業の種類

＼アドバイス／

②～⑤は、次に説明する変更の届出の対象事項なので、覚える必要があります。

なお、国土交通大臣または都道府県知事は、**宅建業者名簿**を一般の**閲覧**に供しなければなりません。

3. 変更の届出

Case 1 専任の宅建士が退職した

宅建業者Aの事務所の専任の宅建士であるBが退職した。

宅建業者名簿に登載されている情報等は最新のものであることが必要です。そこで、宅建業者名簿の登載事項のうち②～⑤、専任の宅建士の氏名に変更があったときは、次のとおり、**変更の届出**をしなければなりません。

必須 変更の届出

宅建業者は、次の事項に変更があった場合には、**30日以内**に、当該変更に係る事項を記載した届出書をその免許を受けた**国土交通大臣または都道府県知事**⊕**に提出**しなければならない。

① **商号・名称**
② **法人の場合、その役員・政令で定める使用人の氏名**
③ **個人の場合、その個人・政令で定める使用人の氏名**
④ **事務所の名称・所在地**
⑤ 事務所ごとに置かれる**専任の宅建士の氏名**

ケース1の場合、Aの事務所に置かれる専任の宅建士の氏名に変更があったので、Aは、変更の届出をしなければなりません。

＼アドバイス／

「宅建業以外に営んでいる事業の種類」は、宅建業者名簿の登載事項ですが、変更の届出の対象ではない点に注意してください。

⊕ 補足

宅建業者に免許をした国土交通大臣または都道府県知事のことを「免許権者」と呼ぶことがある。たとえば、「免許権者に変更の届出をしなければならない」のような言い方をする。

Q 法人である宅地建物取引業者は、その役員の住所に変更があったときは、その日から30日以内に、その免許を受けた国土交通大臣又は都道府県知事に変更の届出をしなければならない。

A 役員の「住所」は、宅建業者名簿の登載事項ではないので、変更の届出の対象ではありません。

×

2 免許の効力・有効期間・更新

1. 免許の効力

宅建業者は、国土交通大臣と都道府県知事のどちらの免許を受けた場合でも、**日本全国で宅建業を営む**ことができます。たとえば、甲県知事の免許を受けた宅建業者は、乙県内の物件を販売してもかまわないのです。ただし、事務所の設置や廃止の場合は、❸で説明する「免許換え」が必要になることがあります。

2. 免許の有効期間・更新手続き

免許の有効期間は５年です。免許の更新を受けた場合、更新後の免許の有効期間も５年です。

免許の更新を受けようとする者は、免許の有効期間満了の日の**90日前から30日前まで**の間に免許申請書を提出しなければなりません。そして、免許の更新申請をしても**有効期間の満了日までにその申請について処分がされないとき**は、従前の免許は、有効期間の満了後も**その処分がされるまでの間は、なお効力を有します**。

＼アドバイス／

有効期間の満了日までに新たな免許を与えるかどうかの処分がない場合、その処分がされるまで従来の免許の有効期間が延びるのです。

必須 **免許の効力・有効期間・更新**

1. 免許の有効期間は**5年**である。
2. 免許の更新の申請は、有効期間満了日の**90日前から30日前まで**の間に行わなければならない。
3. 免許の更新の申請があった場合において、有効期間の満了日までにその申請について処分がなされないときは、従前の免許は、有効期間の満了後もその**処分がなされるまでの間**は、なお**効力を有する**。

3 免許換え

1. 免許換えの必要な場合

Case 2 知事免許の宅建業者が、他の県に事務所を設置

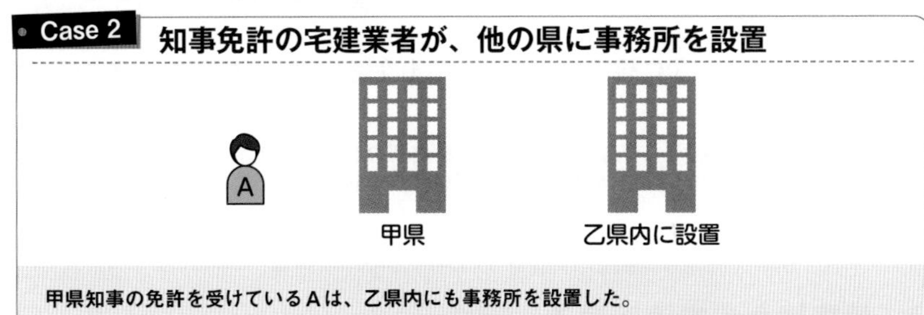

甲県知事の免許を受けているAは、乙県内にも事務所を設置した。

誰の免許を受けるべきかは事務所の場所によって決まるので、事務所の設置・廃止によって変わることがあります。その場合には、免許換えが必要になります。免許換えには、次の3つのパターンがあります。

① 国土交通大臣の免許を受けた者が、1つの都道府県内にのみ事務所を有することとなったとき

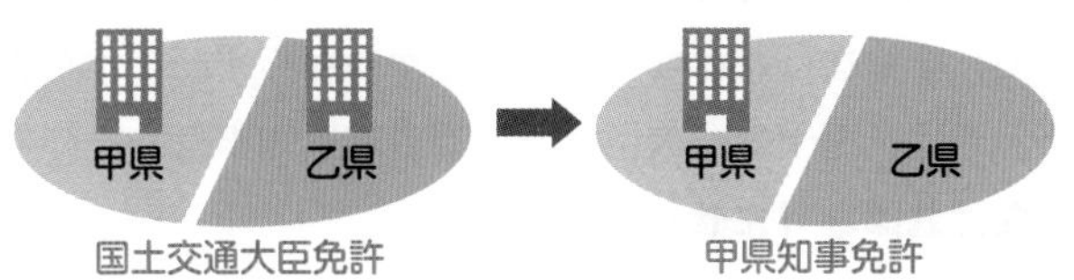

② 都道府県知事の免許を受けた者が、当該都道府県内の事務所を廃止して、他の1つの都道府県内にのみ事務所を有することとなったとき

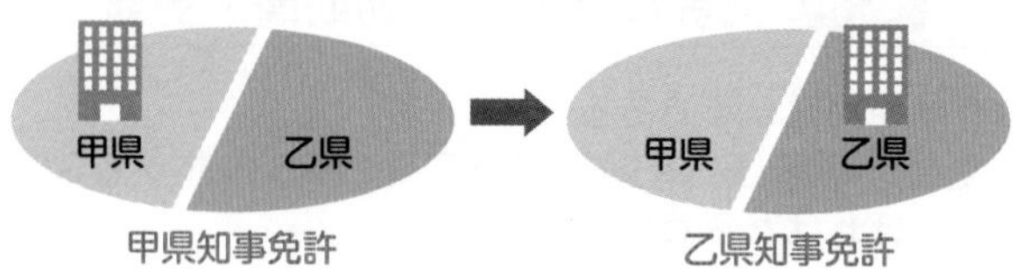

③ 都道府県知事の免許を受けた者が、2以上の都道府県内に事務所を有することとなったとき

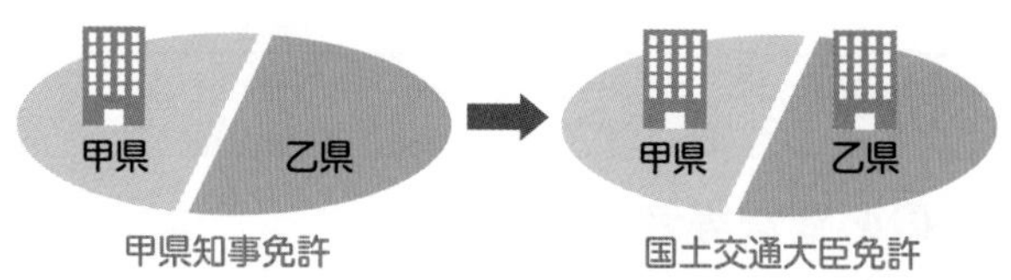

ケース2の場合、③に該当するので、国土交通大臣への免許換えが必要です。

＼アドバイス／

3つのパターンを覚えなくても、事務所の設置・廃止前と後で誰の免許を受けるべきかを考え、それが異なっていたら免許換えが必要と覚えればOKです。

2. 免許換えの申請手続き・効力

免許換えの申請の際は、**通常の免許の申請と同様**、①国土交通大臣免許を受けようとする場合は、国土交通大臣に、②都道府県知事免許を受けようとする場合は、その都道府県知事に、直接免許申請書を提出します。

免許換えにより新たな免許を受けたときは、従前の免許は自動的に効力を失います。また、免許換えにより受けた免許の有効期間は、**新たに免許を受けた日から5年**です。免許証番号も新たな番号になります。

なお、免許換えをしなければならないにもかかわらず、これを**怠っていることが判明**したときは、国土交通大臣または都道府県知事は、その宅建業者の**免許を取り消さなければなりません**。

4 廃業等の届出

1. 廃業等の届出

Case 3 **宅建業者Ａ社が合併消滅した**

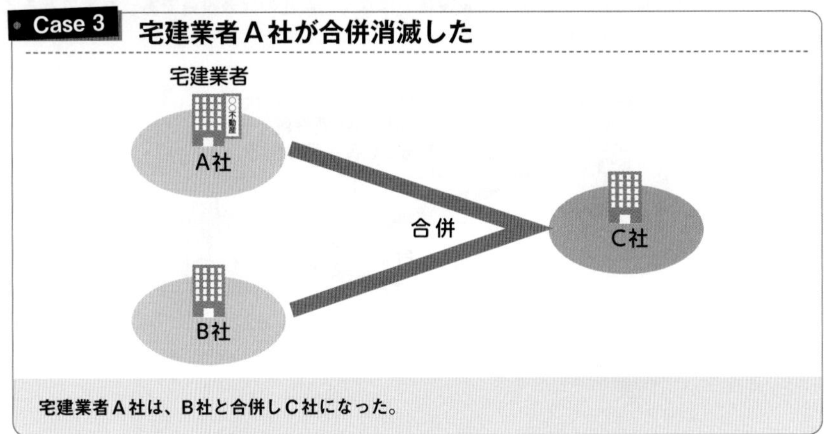

宅建業者Ａ社は、Ｂ社と合併しＣ社になった。

宅建業者の死亡・宅建業の廃止等の場合には、廃業等の届出が必要です。具体的には、次のとおりです。

必須 廃業等の届出

1. 届出が必要な場合

届出事由	届出義務者	免許失効時期
死亡	相続人	死亡時
合併消滅	**合併消滅した法人**を代表する役員であった者	合併消滅時
破産手続開始の決定	**破産管財人**	**届出時**
合併・破産手続開始の決定以外の理由による解散	清算人	
宅建業の廃止	個人の場合 ➡ 本人 法人の場合 ➡ その法人を代表する役員	

2. 届出期間
   その日から（死亡の場合は、**相続人が死亡の事実を知った日**から）**30日以内**

ケース3の場合、A社の代表役員であった者は、合併消滅の日から30日以内に、その旨を届け出なければなりません。

＼アドバイス／

届出義務者が、C社の代表役員ではなく、A社の代表役員であった者であることに注意しましょう。

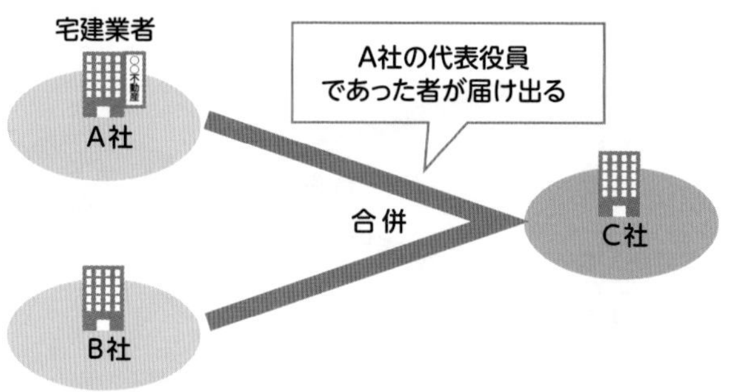

2. 免許の効力が失われた場合の取引の終了

Case 4　宅建業者が、契約の実行を終えないうちに死亡した

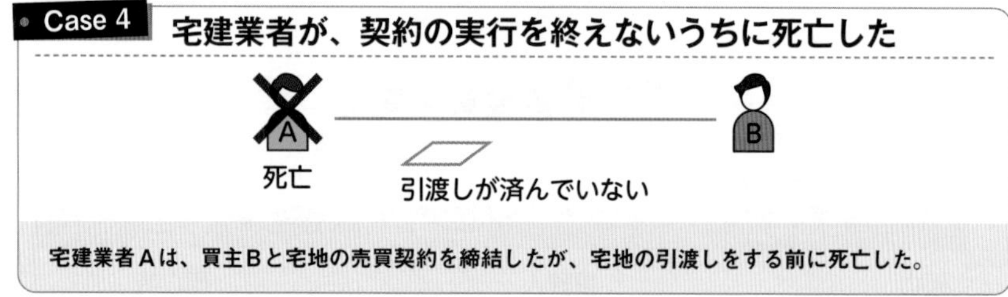

宅建業者Aは、買主Bと宅地の売買契約を締結したが、宅地の引渡しをする前に死亡した。

宅建業者の死亡等により、契約が宙に浮いてしまっては、相手方が困ります。そこで、次のように定められています。

必須　免許の効力が失われた場合の取引の終了

宅建業者の免許の失効・取消し等の場合、その宅建業者や一般承継人（相続人や合併により成立した法人）は、その宅建業者が締結した契約に基づく**取引を結了する目的の範囲内においては宅建業者とみなされる。**

ケース4の場合でいえば、Aの相続人は、Aがすでに結んだ契約を実行することができるのです。

これはあくまで死亡した宅建業者が行った取引の後始末をするためのものですから、**相続人は、新たに取引をすることはできません。相続人が新たな取引をするのであれば、相続人自身が新たに宅建業の免許を受ける必要があります。**

Q 個人である宅地建物取引業者A（甲県知事免許）が死亡した場合、Aの相続人は、Aの死亡の日から30日以内に、その旨を甲県知事に届け出なければならない。

A 死亡の事実を知った日から30日以内であり、「死亡の日から」ではありません。

×

このレッスンが終わったら「きほんの問題集」の問題08～11にチャレンジ！

学習優先度 高

LESSON 04 宅建士①（宅建士登録）

「宅建士になるには、宅建試験合格後に何をすればいいの？」

introduction

宅建試験に合格した先輩に重要事項の説明を頼もうとしたら、「まだ宅建士ではないから」と断られました。

合格しても、登録を受け宅建士証の交付を受けないと、宅建士にはなれないのです。

合格しても、まだ先があるのですね。

まずは合格ですよ。宅くんも、頑張ってくださいね。

このレッスンでは、上記のような宅建士になるまでの流れや、変更の登録、登録の移転など登録後に必要になることがある手続きについて学習します。

学習のポイント

❶宅建士になるには、宅建試験に合格し、登録を受け、宅建士証の交付を受ける必要がある

❷登録は、消除されない限り、一生有効

❸氏名・住所等の変更の場合、変更の登録の申請が必要

❹登録の移転の申請をするかどうかは、任意

1 宅建士とは

1. 宅建士になるまでの手続き

宅建士になるには、**宅建試験**に合格し、**宅建士登録**を受け、**宅建士証**の交付を受ける必要があります。宅建士証の交付まで受けてはじめて、宅建士と呼ばれます。

宅建試験合格

↓ ① 2年以上の実務経験または国土交通大臣の登録を受けた講習（登録実務講習）の修了等　② 登録欠格要件にあたらないこと

宅建士登録

↓ 登録をしている都道府県知事の指定する講習で申請前6カ月以内に行われるものの受講

宅建士証の交付 ➡ 宅建士

注意してほしいのは、講習が2種類あることです。すなわち、**登録**を受けるための「**国土交通大臣の登録を受けた講習**（登録実務講習）」と、**宅建士証**の交付を受けるための「**都道府県知事が指定する講習**（法定講習）」です。

＼アドバイス／

この2つの区別はよく試験で問われるので、しっかり覚えておきましょう。

2. 宅建士の仕事

宅建士でなければできない仕事（＝宅建士としてすべき事務）は、次の3つです。

① **重要事項の説明**をすること

② **重要事項説明書に記名**すること

③ 契約の成立後に交付する書面（＝**37条書面**）**に記名**すること

これらの事務を行うことができるのは、宅建士だけです。宅建士証の交付を受けていない者（単なる宅建試験合格者・登録までしかしていない者）は、こ

用語

【宅建士】 正式には「宅地建物取引士」。
【宅建試験】 正式には「宅地建物取引士資格試験」。
【宅建士登録】 正式には「宅地建物取引士資格登録」。
【宅建士証】 正式には「宅地建物取引士証」。

れらの事務を行うことができません。

2 登録の申請・登録の基準

1. 登録の申請

登録の申請は、**自分が合格した宅建試験を行った都道府県知事**に行います。たとえば、東京都で行われた宅建試験に合格した人は、東京都知事の登録を受けることになるのです。2以上の都道府県で宅建試験に合格しても、**いずれか1つの都道府県知事の登録**しか受けることができません。

登録を受けるか否かは自由なので、登録をしなくても試験の合格が無効になることはありません。不正受験を理由に取り消されない限り⊕、**合格の効力は一生有効**です。

2. 登録の基準

登録を受けるためには、宅建試験に合格していることのほか、①**2年以上の実務経験**等を有すること、②**登録の欠格要件に該当しない**ことが必要です。

必須 登録の基準

1. 宅地・建物の取引に関し**2年以上の実務経験**を有するか、または国土交通大臣がその実務経験を有する者と同等以上の能力を有すると認める者（たとえば、**国土交通大臣**の登録を受けた講習（登録実務講習）を修了した者）であること
2. 以下の欠格要件にあたらないこと

① 宅建業に係る営業に関し、**成年者と同一の行為能力を有しない**未成年者

② **破産手続開始の決定**を受けて**復権を得ない**者

③ 宅建業法66条1項8号または9号に該当することにより免許を取り消され、その**取消しの日から5年**を経過しない者（免許を取り消された者が法人である場合は、その取消しに係る聴聞の期日・場所の**公示日前60日以内**にその法人の**役員**であった者で当該取消しの日から5年を経過しない者）

⊕補足

都道府県知事は、不正受験を理由として合格取消しやその試験の受験禁止を受けた者に対し、3年以内の期間を定めて受験を禁止することができる。

④ 宅建業法66条1項8号または9号に該当するとして**免許取消処分の聴聞の期日・場所の公示日**から処分をするかしないかを決定する日までの間に、**廃業の届出**をした者（廃業をするについて相当の理由がある者を除く）で、**届出の日から5年**を経過しない者
⑤ ④の期間内に合併により消滅した法人または解散・廃業の届出があった法人（相当の理由がある場合を除く）の聴聞の期日・場所の**公示日前60日以内に役員**であった者で、その消滅または届出の日から5年を経過しない者
⑥ **禁錮以上の刑**に処せられ、その**刑の執行を終わり**、または刑の執行を受けることがなくなった日から**5年**を経過しない者
⑦ **宅建業法**もしくは暴力団員による不当な行為の防止等に関する法律の規定に違反したことにより、または傷害罪、傷害現場助勢罪、暴行罪、凶器準備集合罪、脅迫罪、**背任罪**もしくは暴力行為等処罰に関する法律の罪を犯したことにより、**罰金の刑**に処せられ、その**刑の執行を終わり**、または執行を受けることがなくなった日から**5年**を経過しない者
⑧ **暴力団員等**
⑨ **不正登録**等の理由で**登録消除**（しょうじょ）**処分**を受け、その**処分の日から5年**を経過しない者
⑩ ⑨の**登録消除処分に係る聴聞の期日・場所の公示日**から処分をするかしないかを決定する日までの間に、**登録の消除の申請**をした者（相当な理由がある者を除く）で、**登録が消除された日から5年**を経過しない者
⑪ **事務禁止処分**を受け、その禁止期間中に、本人からの**申請により登録が消除**され、まだその**期間が満了しない者**
⑫ **心身の故障**により宅建士の事務を適正に行うことができない者として国土交通省令で定めるもの（**精神機能の障害**により宅建士の事務を適正に行うにあたって必要な認知、判断および意思疎通を適切に行うことができない者）

②から⑧までは、宅建業の免許の場合と同様の基準です。⑫もほぼ同じです。

①は免許の場合と異なるので注意が必要です。「成年者と同一の行為能力を有しない未成年者」に関しては、免許の場合は法定代理人もチェックしましたが、登録の場合は、「成年者と同一の行為能力を有しない未成年者」であるというだけで登録を受けることができません。法定代理人をチェックするまでもないのです。

⑨から⑪までは、登録の基準に独特のものです。⑨は、不正なことをして登録の消除を受けた者は一定期間登録を受けられないという規定で、⑩は処分逃

れをした者も同様に登録できないとする規定です。⑪は、⑨⑩の登録消除処分より一つ軽い、事務禁止処分を受けた場合です。事務禁止処分を受けた場合、その期間中は宅建士としての仕事ができないので、再度の登録を認める必要がなく、したがって、処分期間中は登録できないのです。

＼アドバイス／
⑪の場合、処分期間が満了すれば、登録を受けることができます。⑨や⑩と異なり、5年待つ必要がない点に注意しましょう。

3 変更の登録・登録の効力等

1. 宅建士登録簿・変更の登録の申請

Case 1 宅建士が引っ越しをした

宅建士Aは、引っ越しをして、住所が変わった。

宅建士登録は、都道府県知事が、宅地建物取引士資格登録簿（宅建士登録簿）に、一定の事項⊕を登載するという方法によって行われます。

登録を受けている者は、登載事項に変更があったときは、次のとおり、変更の登録を申請しなければなりません。

必須 変更の登録の申請

登録を受けている者は、その**氏名、住所、本籍、勤務先の宅建業者の商号・名称・免許証番号**等に変更があったときは、登録を受けている都道府県知事に対し、**遅滞なく、変更の登録**を申請しなければならない。

ケース1の場合、Aは、遅滞なく、変更の登録を申請しなければなりません。

⊕**補足**

宅建士登録簿の登載事項（主なもの）①氏名、生年月日、住所、本籍、性別、②宅建業者の従業者の場合、宅建業者の商号・名称・免許証番号、③登録番号、登録年月日、④指示処分・事務禁止処分を受けた場合、その内容・年月日。

＼アドバイス／

宅建士登録簿には閲覧制度はありません。宅建業者名簿に閲覧制度があることとセットで覚えましょう。

2. 登録の効力

登録には、有効期間の定めがありません。したがって、登録の消除がされない限り、**一生有効**です。

また、どの都道府県知事の登録・宅建士証の交付を受けたとしても、**日本全国で宅建士としてすべき事務**を行うことができます。

3. 業務処理の原則等

宅建士は、以前は宅地建物取引主任者という名称でしたが、平成27年から宅地建物取引士という名称になりました。その際、「士」という名称にふさわしい品位をもたせるため、次のような規定が設けられました。

① 業務処理の原則

宅建士は、宅建業の業務に従事するときは、宅地・建物の取引の専門家として、購入者等の利益の保護および円滑な宅地・建物の流通に資するよう、**公正かつ誠実に宅建業法に定める事務を行う**とともに、**宅建業に関連する業務に従事する者との連携**に努めなければならない。

② 信用失墜行為の禁止

宅建士は、宅建士の**信用または品位を害するような行為**をしてはならない。

③ 知識および能力の維持向上

宅建士は、宅地・建物の取引に係る事務に必要な**知識および能力の維持向上**に努めなければならない。

＼アドバイス／

これらの規定は、改正直後にまとめて出題されましたが、その後は、あまり出題されていません。

○×チャレンジ

Q **甲県知事登録を受けた宅地建物取引士Aは、その住所に変更があったときは、その日から30日以内に、甲県知事に対し変更の登録の申請をしなければならない。**

A 「30日以内」ではなく、「遅滞なく」です。

4 登録の移転

Case 2　勤務先が他の都道府県になった

甲県知事登録の宅建士Aは、乙県内にある宅建業者の事務所に勤務することになった

どの都道府県知事の登録を受けても、日本全国で宅建士としてすべき事務を行うことができるので、たとえば東京都知事登録の宅建士が北海道の宅建業者の事務所に勤務することになっても、東京都知事登録のままでかまいません。

しかし、宅建士証の更新の際には、登録している都道府県知事の指定する講習を受けなければなりません［▶L5❷］。更新のたびに講習を遠くに受けに行くのは大変なので、登録を他の都道府県知事に移転する制度が設けられています。

必須　登録の移転

1. 登録を受けている者は、**登録を受けている都道府県以外**に所在する**宅建業者の事務所の業務に従事し**、または**従事しようとする**ときは、その事務所の所在地を管轄する都道府県知事に対し**登録の移転**を申請することができる。
2. 登録の移転の申請は、**現に登録を受けている都道府県知事を経由**して行う。
3. **事務禁止処分期間中**は、登録の移転の申請を行うことができない。

ケース2の場合、Aは、乙県知事への登録の移転を申請することができます。

＼アドバイス／

「申請することができる」という任意的なものである点に注意してください。また、登録の移転を申請できるのは、いわば勤務先が変わった場合で、単に住所が変わっただけでは登録の移転を申請することができません。

変更の登録と登録の移転は、言葉が似ているので、間違えないようにしましょう。2つの制度の違いを表にまとめましたので、参考にしてください。

必須 「変更の登録」と「登録の移転」

	変更の登録	登録の移転
事　由	**氏名、本籍、住所、勤務先の宅建業者**の商号・名称・免許証番号等の変更	**登録をしている都道府県以外**の都道府県に所在する**宅建業者の事務所**の業務に従事または従事しようとするとき
期間制限	**遅滞なく**	なし
申請義務	あり	**なし**

〇×チャレンジ

Q 甲県知事の登録を受けた宅地建物取引士Aが、乙県内にある宅地建物取引業者の事務所の業務に従事することとなった場合、Aは、乙県知事への登録の移転を申請しなければならない。

A 登録の移転は「することができる」という任意的なものです。

×

5 死亡等の届出

Case 3 登録を受けている者が破産手続開始の決定を受けた

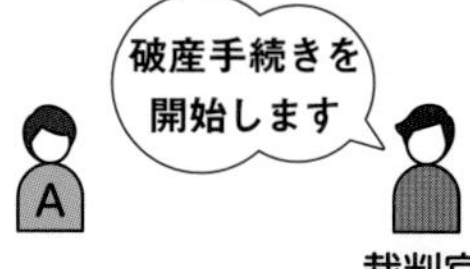

宅建士Aは、破産手続開始の決定を受けた。

登録を受けている者が死亡した等の場合には、次のとおり、死亡等の届出が必要です。届出先は、登録をしている都道府県知事です。

必須 死亡等の届出

1. 届出が必要な場合

届出事由	届出義務者
死亡したとき	**相続人**
登録の欠格要件①～⑧に該当するようになったとき	**本人**
心身の故障により宅建士の事務を適正に行うことができない者として国土交通省令で定めるもの（精神機能の障害により宅建士の事務を適正に行うにあたって必要な認知、判断および意思疎通を適切に行うことができない者）になったとき	**本人、法定代理人、同居の親族**

2. 届出期間

その日（死亡の場合、**相続人が死亡の事実を知った日**）から**30日以内**

ケース3の場合、Aは、破産手続開始の決定を受けた日から30日以内に、その旨を届け出なければなりません。

＼アドバイス／

宅建業者の破産の場合には破産管財人が届出義務を負いますが、登録を受けている者（宅建士）が破産した場合は、本人が届出義務を負います。

LESSON 05

学習優先度 高

宅建士②（宅建士証等）

「宅建士証の有効期間は？」

introduction

甲支店の専任の
宅建士の１人が、
家庭の事情で退職する
ことになりました。
甲支店は、宅建士の
人数が足りなく
なりますね。

２週間以内に必要な措置を執る必要があるので、採用を急ぎます。

場合によっては、別の事務所からの異動で対応するしかないでしょうね。

宅建士になるためには、宅建士証の交付を受けることが必要です。また、宅建業者は、事務所や一定の案内所等に専任の宅建士を設置する義務を負います。このレッスンでは、宅建士証や専任の宅建士の設置義務に関して学習します。

学習のポイント

1. 宅建士証の交付を受けるには、原則として、都道府県知事が指定する講習の受講が必要
2. 宅建士証の有効期間は、５年
3. 取引関係者から請求があったときは、宅建士証を提示しなければならない
4. 事務所には、従業者５人に１人以上の専任の宅建士が必要

1 宅建士証の交付

1. 宅建士証の交付手続き

Case 1 宅建士証の交付を受けようとしている

Aは、甲県知事の登録を受けたので、宅建士証の交付を受けようとしている。

宅建士証の交付に関しては、次のように定められています。

必須 宅建士証の交付

1. 宅建士証の交付申請は、**登録をしている都道府県知事**に対して行う。
2. 宅建士証の交付を受けようとする者は、次の①②を除き、登録をしている**都道府県知事**が指定する講習で交付の**申請前6カ月**⊕**以内**に行われるものを受講しなければならない。

① 試験に**合格した日から1年以内**に宅建士証の交付を受けようとする者
② すでに宅建士証の交付を受けている場合で、**登録の移転とともに新たな宅建士証の交付**を受けようとする者

ケース1の場合、Aは甲県知事の登録を受けているので、甲県知事から宅建士証の交付を受けることになります。

2. 宅建士証の記載事項・書換え交付

宅建士証には、次のような事項が記載されます。

① 宅建士の氏名・生年月日・住所

② 登録番号・登録年月日

③ 宅建士証の交付年月日

④ 有効期間の満了する日

⊕補足

法律の条文では「6月以内」となっている。法律では「○カ月」のことを「○月」と表記することがあり、宅建試験でもそのような表記がされることがある。

宅地建物取引士証

氏　　名　通信　太郎
（平成２年10月10日生）
住　　所　東京都千代田区○○町１－１
登録番号（東京）第５５５５５号
登録年月日　令和７年１月10日

令和12年　８月16日まで有効

東京都知事　○○　○○　印

交付年月日　令和７年８月17日
発行番号　第３３３３３３３号

上記のうち、**氏名や住所に変更**があった場合には、**宅建士証の書換え交付**の申請が義務付けられています。

必須 **宅建士証の書換え交付の申請**

宅建士は、その氏名または住所に変更が生じたときは、遅滞なく、変更の登録の申請をするとともに、宅建士証の書換え交付の申請をしなければならない。

なお、新たな宅建士証の交付は、当該**宅建士が現に有する宅建士証と引換え**に行われます。また、住所のみの変更の場合は、新たな宅建士証を交付する代わりに、宅建士証の裏面に変更後の住所を記載する方法をとることができます。

○×チャレンジ

Q 新たに宅地建物取引士証の交付を受けようとする者は、宅地建物取引士試験に合格した日から１年以内の者を除き、国土交通大臣が指定する講習で交付の申請前６月以内に行われるものを受講しなければならない。

A 「国土交通大臣」ではなく、都道府県知事が指定する講習です。

2 宅建士証の効力・有効期間・更新

どの都道府県知事の宅建士証の交付を受けた場合でも、**日本全国で宅建士としてすべき事務を行う**ことができます。

宅建士証の有効期間は**５年**です（登録の移転の場合の例外あり。❹参照）。

＼アドバイス／

宅建士登録が一生有効なことと間違えないようにしてください。

有効期間の更新申請は、登録をしている都道府県知事に対して新たな宅建士証の交付を申請することにより行います。この場合も、**都道府県知事が指定する講習**（＝法定講習）を受講しなければなりません。そして、更新が行われた場合、新たな宅建士証は、当該**宅建士が現に有する宅建士証と引換え**に交付されます。

3 宅建士証の提示・返納・提出

Case 2
宅建士が事務禁止処分を受けた
事務禁止
処分をします
A
甲県知事登録
乙県知事
甲県知事登録を受けた宅建士Aは、乙県知事から事務禁止処分を受けた。

宅建士証に関しては、**提示**（＝見せること）、**返納**（＝返すこと）、**提出**（＝預けること）の義務が定められています。

必須 宅建士証の提示・返納・提出義務

1. **提示義務**
   ① 重要事項の説明の場合　⇒　**必ず**⊕
   ② その他の場合　⇒　**取引の関係者から請求**があったとき
2. **返納義務**
   ① 宅建士証が効力を失ったとき
   ② 登録が消除されたとき
3. **提出義務**
   事務禁止処分を受けたとき（**交付を受けた**都道府県知事に提出）

重要事項の説明のときは、**相手方から請求がなくても**、宅建士証を提示しなければなりません。説明をする人が宅建士であることを相手方に示すためです。

提出義務に関しては、提出先が、事務禁止処分をした都道府県知事ではなく、

⊕補足
相手方が宅建業者の場合は、重要事項説明書の交付で足り、説明をする必要がないので、宅建士証の提示も不要である［▶L10］。

宅建士証の交付を受けた都道府県知事であることに注意してください。

ケース2の場合、Aは甲県知事の登録を受けているので、宅建士証の交付も甲県知事から受けています。したがって、乙県知事から事務禁止処分を受けても、宅建士証の提出先は甲県知事です。なお、宅建士証の提出を受けた都道府県知事は、**事務禁止期間が満了**した場合において**提出者から返還請求があったときは、直ちに**、当該宅建士証を**返還**しなければなりません。

4 登録の移転と宅建士証

Case 3　宅建士が登録の移転を申請した

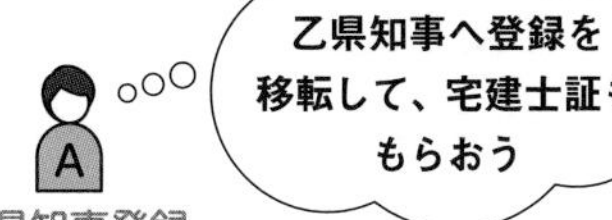
乙県知事へ登録を
移転して、宅建士証も
もらおう
A
甲県知事登録

甲県知事登録の宅建士Aは、乙県知事に登録の移転の申請と新たな宅建士証の交付の申請をしようとしている。

宅建士証は登録をしている都道府県知事から交付を受けることになっているので、登録の移転が行われた場合、従来の宅建士証は効力を失います。したがって、登録の移転後も宅建士として仕事を続けるためには、移転先の都道府県知事から宅建士証の交付を受ける必要があります。

そこで、**ケース3**の場合、Aは、**登録の移転の申請の際には、これとあわせて新たな宅建士証の交付を申請することができる**とされています。具体的には、次のとおりです。

必須 登録の移転と宅建士証

1. **登録の移転**があったときは、宅建士証は**効力を失う**。
2. 登録の移転の申請とともに新たな宅建士証の交付を申請する場合、**都道府県知事が指定する講習（＝法定講習）を受講する必要はない**。
3. 2の場合、新たな宅建士証の有効期間は、**前の宅建士証の有効期間が経過するまでの期間**（＝前の宅建士証の有効期間の残りの期間）である。
4. 2の場合、新たな宅建士証は、**前の宅建士証と引換え**に交付される。

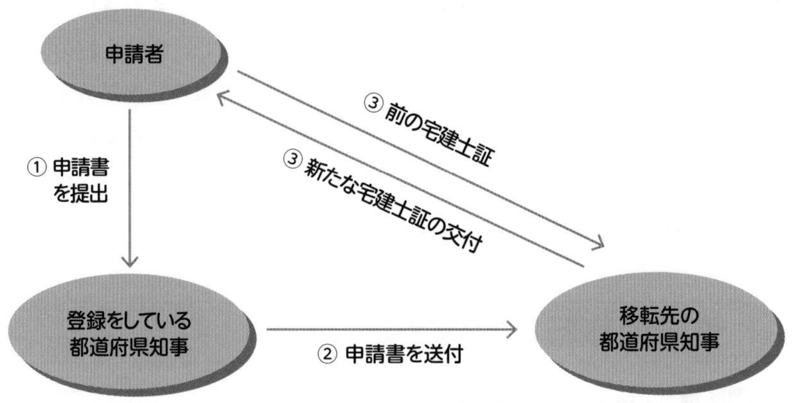

移転前の宅建士証と移転後の宅建士証の有効期間を合わせると5年で、その代わりに法定講習の受講が不要とされています。これにより、登録の移転があっても、5年に1回法定講習を受けるというサイクルを乱さずに済むのです。

〇✕チャレンジ

Q 宅地建物取引士が登録の移転の申請とともに新たな宅地建物取引士証の交付を申請した場合、新たに有効期間を5年とする宅地建物取引士証が交付される。

A この場合、交付される宅建士証の有効期間は、前の宅建士証の有効期間の残りの期間です。

✕

5 専任の宅建士の設置義務

1. 設置場所・人数

Case4 Aの本店には、従業者が11人いる

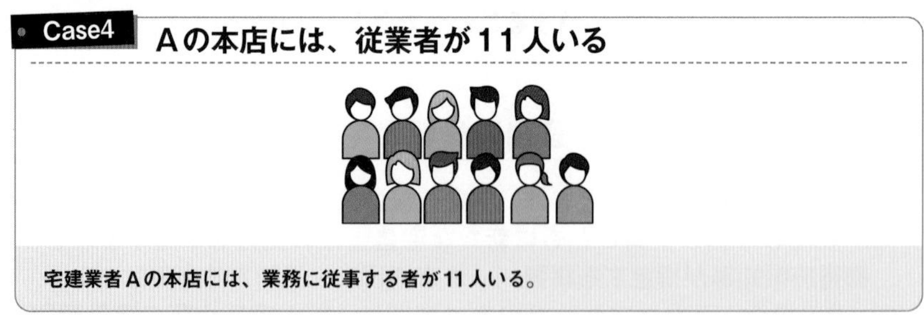

宅建業者Aの本店には、業務に従事する者が11人いる。

重要事項の説明をすることができるのは、宅建士だけです。そこで、**事務所**や一定の案内所等［▶L12⑤］には、一定数の**成年者である専任の宅建士**を置かなければならないと定められています。

必須　専任の宅建士の人数

1. **事務所　⇒　業務に従事する者5人に1人以上**
2. **一定の案内所等　⇒　1人以上**

たとえば、その事務所の従業者が（専任の宅建士も含めて）1～5人であれば、専任の宅建士は1人以上、従業者が6～10人であれば、専任の宅建士は2人以上必要です。**ケース4**の場合、専任の宅建士は3人以上必要です。

これに対し、「1人以上」とは、従業者の数に関係なく、専任の宅建士は1人いればよいということです。

2. 「成年者」「専任」の意味

専任の宅建士になるには、原則として**成年者**（＝満18歳以上の者）でなければなりません。ただし、未成年者である宅建士でも、**宅建業者であるか、または宅建業者の役員である**場合には、専任の宅建士になることができます。

なお、「成年者と同一の行為能力を有しない未成年者」は、そもそも登録を受けることができないので、当然、専任の宅建士になることもできません。

必須 未成年者と免許・宅建士登録・専任の宅建士

	宅建業の免許	宅建士登録	専任の宅建士
成年者と同一の行為能力を**有しない**未成年者	本人と法定代理人の両方が免許の欠格要件にあたらない場合、免許を受けられる	**登録を受けられない**	登録できない以上、専任の宅建士になれない
成年者と同一の行為能力を**有する**未成年者	本人が免許の欠格要件にあたらない場合、免許を受けられる（法定代理人は無関係）	本人が登録の欠格要件にあたらない場合、登録を受けられる（法定代理人は無関係）	**宅建業者**またはその**役員**であれば、専任の宅建士になることができる

「専任」とは、原則として、宅建業を営む事務所に常勤⊕して、専ら当該事務所に係る宅建業の業務に従事する状態をいいます。アルバイト・パートタイマーは、専任とはいえません。

3. 設置義務を充たさない場合

専任の宅建士の設置は、宅建業の免許を受けるための要件の1つなので、これを充たしていなければ、免許を受けることができません。また、免許を受けた後でも、宅建業者は、専任の宅建士の設置義務を充たさない事務所等を開設することはできません。

専任の宅建士の退職や従業者の増加などによって、**既存の事務所等が専任の宅建士の設置義務を充たさなくなった場合**には、宅建業者は、**2週間以内に、必要な措置をとらなければなりません**。

＼アドバイス／
2週間以内に、新たな専任の宅建士を置くか、その事務所の従業員数を減らすかしなければならないのです。

⊕補足
ITの活用等により適切な業務ができる体制を確保した上で、宅建業者の事務所以外において通常の勤務時間を勤務する場合も常勤といえる。また、当該事務所で一時的に宅建業の業務が行われていない間に、ITの活用等により、同一の宅建業者の他の事務所に係る宅建業の業務に従事することは差し支えないが、当該他の事務所の専任の宅建士を兼ねることはできない。

学習優先度 高

LESSON 06 営業保証金

「営業保証金ってどんな制度？」

introduction

脱サラした友人が宅建業の免許を受けて、いよいよ営業開始するそうです。
その前に、営業保証金を供託して、供託した旨を届け出なければなりません。お客様を保護するための大事な手続きです。

そうでした。事務所１カ所だと500万円でしたっけ？

事務所１カ所ですと、それは主たる事務所ですから1,000万円です。

営業保証金は、一定の金額を供託所に預けておくことにより、お客さんを保護する制度です。宅建試験では、毎年1問出題されます。

普通の人にはあまり縁がない制度なので、最初はなじみにくいですが、同じような内容が繰り返し出題されているので、きちんと学習すれば得点できるようになります。

学習のポイント

❶供託すべき額は、主たる事務所1,000万円、その他の事務所500万円の合計額

❷供託した旨の届出をしないと、事業を開始できない

❸宅建業者は、還付請求権者から除かれている

❹取戻しの際には、原則として公告が必要

1 営業保証金制度とは

1. 営業保証金制度とは

Case 1 宅建業者から支払いを受けられない

Aは、宅建業者Bに対して500万円の土地代金債権を持っていますが、Bの所在が不明で支払ってもらえません。

宅建業では多額の金銭が動くので、宅建業者が支払をしないとお客さんが大きな損害を受ける可能性があります。そこで、一定の金額のお金を**供託所**に預けておいて、いざというときには、お客さんがそこから支払いを受けることができるという制度（営業保証金制度）が設けられています。**ケース1**のAは、Bが供託した営業保証金から支払いを受けることができます。

2. 営業保証金制度の全体像

営業保証金制度は、次の3つの場面に分けることができます。

① 宅建業者が営業保証金を預ける（**供託**）

② お客さんが営業保証金から支払を受ける（**還付**）

③ 宅建業者が営業保証金を返してもらう（**取戻し**）

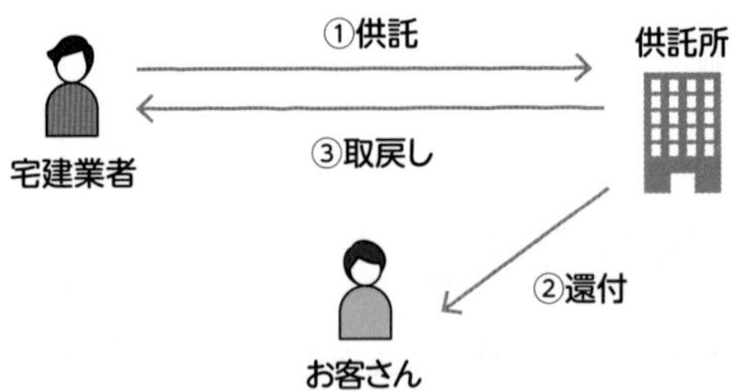

宅建業者が営業保証金を供託しておき、お客さんはそこから還付を受けます。宅建業者は、廃業等によって営業保証金が不要になったときは、取戻しをすることができます。

用語

【供託所】 一定の場合に金銭や有価証券を預かってくれるところ。法務局等にある。

＼アドバイス／

3つのうちどの場面の話なのかを常に意識しながら勉強すれば、知識を体系的に整理することができます。

2 営業保証金の供託

1. 営業保証金の額・供託場所

営業保証金は、いくらをどこに供託するのでしょうか。

Case 2 営業保証金を供託する

事務所3カ所

事務所3カ所を設置して免許を受けたAは、営業保証金を供託しようとしている。

営業保証金の額は、**事務所の数**で決まり、全額を**主たる事務所の最寄りの供託所**に供託します。**金銭**だけでなく、一定の**有価証券**で供託することもできます。⊕

具体的には次のとおりです。

必須 営業保証金の額等

1. 金額
 主たる事務所につき**1,000万円**、その他の事務所につき事務所**1カ所ごとに500万円**の合計額
2. 有価証券の評価額
 ① **国債証券** ⇒ **額面金額**（の100％）
 ② **地方債証券・政府保証債証券** ⇒ 額面金額の**90%**
 ③ その他の債券 ⇒ 額面金額の80％
3. 供託場所
 主たる事務所の最寄りの供託所

ケース２では、Aの事務所は３カ所なので、営業保証金の額は1,000万円＋

⊕補足

供託物を別のものに差し替える（たとえば、有価証券を金銭に差し替える）ことを、営業保証金の変換といいます。宅建業者は、営業保証金の変換のため新たに供託したときは、遅滞なく、その旨を免許権者に届け出なければなりません。

500万円×2＝2,000万円です。全額をまとめて主たる事務所の最寄りの供託所に供託する必要があります。

2. 事業開始との関係等

(1) 新たに宅建業を始める場合

新たに宅建業を始める場合、まず免許を受け、その後に営業保証金を供託します。そして、供託をした場合には、供託書の写しを添付して、**供託した旨を免許権者に届け出**なければなりません。この**届出をしなければ、事業を開始してはなりません**。

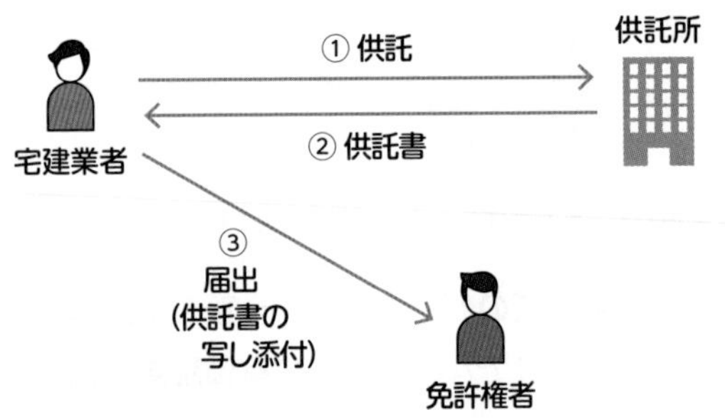

また、免許を受けたのに供託した旨の届出をしない宅建業者をいつまでも放置しておくわけにはいきません。そこで、免許権者は、①免許をした日から**3カ月以内**に供託した旨の届出がないときは、**届出をすべき旨を催告しなければならず**、②催告が到達した日から**1カ月以内**に供託した旨の届出がないときは、その宅建業者の**免許を取り消すことができます**。

＼アドバイス／
「3カ月」「1カ月」という数字と、①は「しなければならない（義務）」、②は「取り消すことができる（任意）」である点を覚えてください。

(2) 新たに事務所を設置した場合

事業開始後に新たに**事務所を設置**した場合、その分の営業保証金を主たる事務所の最寄りの供託所に供託する必要があります。そして、供託した旨を免許権者に**届け出た後でなければ、新たに設置した事務所で事業を開始してはなりません**。

＼アドバイス／
営業保証金の額や一定の有価証券でも供託できることは、新たに宅建業を始める場合と同様です。

3. 営業保証金の保管替え等

営業保証金は主たる事務所の最寄りの供託所に供託するので、主たる事務所が移転して最寄りの供託所が変わった場合には、新しい供託所に営業保証金を供託しなければなりません。その手続きには、次の2種類があります。

必須 営業保証金の保管替え等

1. **金銭のみ**で営業保証金を供託している場合
   遅滞なく、営業保証金を供託している供託所に対し、移転後の主たる事務所の最寄りの供託所への営業保証金の**保管替えを請求**しなければならない。
2. **有価証券のみ**、または**金銭と有価証券**で営業保証金を供託している場合
   遅滞なく、営業保証金を**移転後の主たる事務所の最寄りの供託所に新たに供託**しなければならない。

1の保管替えは、実際に金銭を移動させるのではなく、帳簿上、ある供託所から別の供託所へ供託金を移したことにする手続きです。

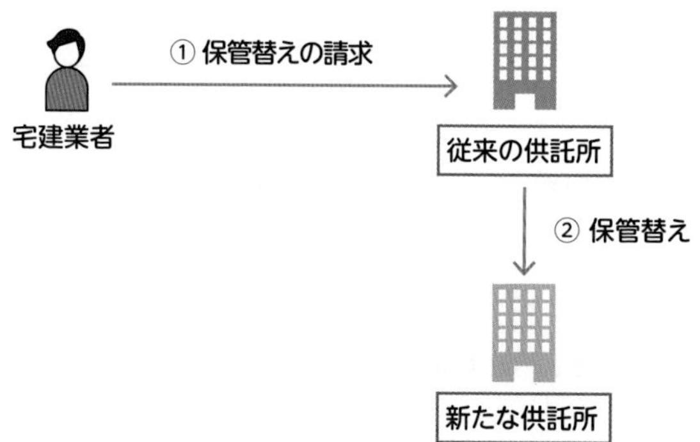

これに対し、2の場合は、実際に新たな供託所に営業保証金を供託しなければなりません。その後、後述❹のとおり、従来の供託所から営業保証金を取り戻します。

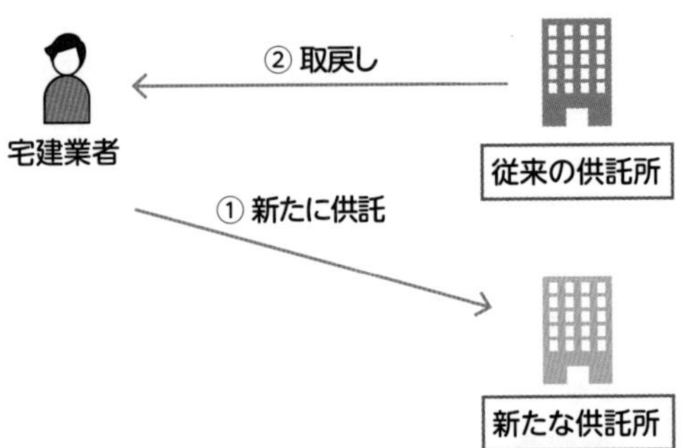

＼アドバイス／

つまり、いったんは二重に供託した状態になります。営業保証金がどこにも供託されていない空白の期間を生じさせないためです。

○×チャレンジ

Q 営業保証金の額は、主たる事務所につき1,000万円、その他の事務所につき事務所1カ所ごとに500万円であり、これらの額をそれぞれの事務所の最寄りの供託所に供託しなければならない。

A 上記の額の合計額を、主たる事務所の最寄りの供託所にまとめて供託します。

×

3 営業保証金の還付

1．還付請求権者

Case 3 営業保証金から還付を受けたい

広告代金債権

宅建業者

広告業者Aは、宅建業者Bに対し広告代金債権を有しており、Bの供託した営業保証金から弁済を受けられないかと考えている。

営業保証金制度は、宅建業者のお客さんを保護するための制度です。したがって、還付を受けることができる人は、宅建業者と**宅建業に関し取引**をし、**その取引から生じた債権**を有する者に限られます⊕。ただし、**宅建業者は除か**

⊕補足

ここでの「取引」は、宅地建物取引業の「取引」、すなわち、宅地・建物の売買・交換や、売買・交換・貸借の代理・媒介の依頼のことである。

れます。

　したがって、**ケース3**のAは、広告代金債権について営業保証金から還付を受けることができません。

＼アドバイス／

たとえば宅建業者に融資をして債権を有する銀行、給与債権を有する宅建業者の従業員なども、営業保証金から還付を受けることはできません

2. 還付の手続き、還付額

　還付請求権を有する者は、**供託所に対して還付請求**をすることによって、還付を受けることができます。

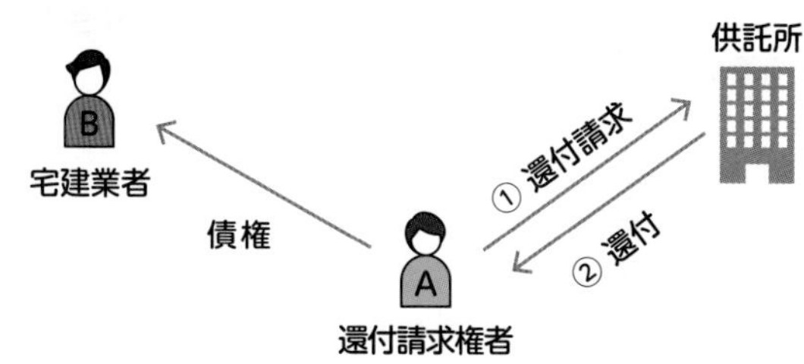

　還付を受けることができる額は、供託されている**営業保証金の範囲内**です。たとえば、Aが3,000万円の債権を宅建業者Bに対して有しているが、供託されているBの営業保証金の額は2,000万円であるという場合には、2,000万円が限度です。

＼アドバイス／

残りの1,000万円は、Bの別の財産から回収するしかありません。

3. 還付された場合の補充供託

　営業保証金の還付がなされた場合、その分だけ営業保証金の額が不足するので、宅建業者が補充供託する必要があります。

　具体的には、還付がなされると、その旨が供託所から免許権者に通知されます。通知を受けた免許権者は、宅建業者に対し、不足額の供託をすべき旨の通知をします。宅建業者は、その**通知書の送付を受けた日から2週間以内**に、不足額を供託所に**供託**しなければならず、さらに**供託した日から2週間以内**に、その旨を免許権者に**届け出**なければなりません。

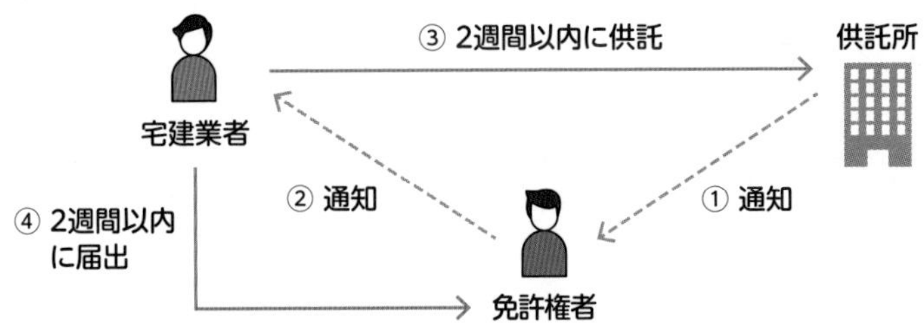

必須 営業保証金の還付

1. 還付請求権者
   宅建業者と宅建業に関する取引をし、その取引より生じた債権を有する者（**宅建業者を除く**）
2. 還付額
   供託されている**営業保証金の額の範囲内**
3. 営業保証金の補充供託
   ①宅建業者は、営業保証金が還付されたため免許権者から不足額を供託すべき旨の**通知書の送付を受けたときは、その日から2週間以内**に不足額を**供託**しなければならない。
   ②上記の**供託をしたときは、その日から2週間以内**に、その旨を免許権者に**届け出**なければならない。

OXチャレンジ

Q 宅地建物取引業者は、還付により営業保証金の額に不足が生じたときは、不足が生じた日から2週間以内に、不足額を供託しなければならない。

A 不足が生じた日からではなく、通知を受けた日から2週間以内です。

×

4 営業保証金の取戻し

1. 取戻し事由

宅建業者が営業保証金を取り戻すことができるのは、次の場合です。

必須 営業保証金の取戻し

取戻し事由	公告の要否
① 免許の有効期間が満了したとき ② 廃業等の届出により免許が効力を失ったとき ③ 宅建業者が死亡・合併消滅したとき ④ 免許を取り消されたとき ⑤ 事務所の一部の廃止により、営業保証金の額が規定額を超えたとき	原則…必要 例外…取戻し事由発生から**10年**を経過したときは不要
⑥ 主たる事務所が移転して、最寄りの供託所が変わり、新たに供託したとき ⑦ 保証協会の社員になって、営業保証金の供託を免除されたとき	不要

＼アドバイス／

①〜④は、要するに宅建業者ではなくなった場合です。⑤は営業保証金が余った場合で、差額分を取り戻すことができます。⑥と⑦は、いわば二重供託の場合です。

⑦の場合、お客さんは弁済業務保証金から還付を受けることができるので[▶L7]、宅建業者は営業保証金を取り戻すことができます。

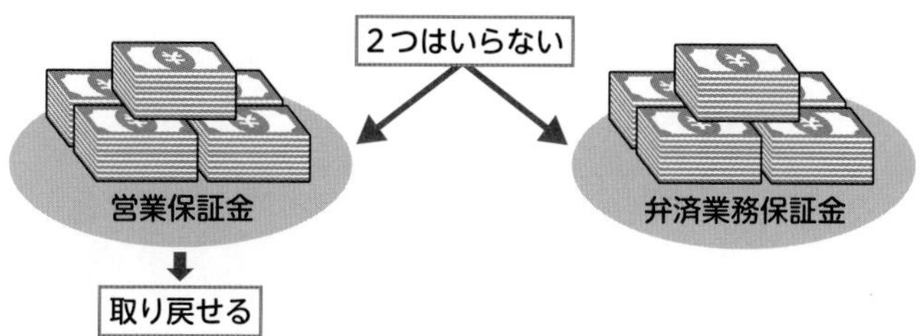

2. 取戻しのための公告

取戻しをする際には、還付請求権者に対し還付を受けるチャンスを与える必要があります。そこで、**宅建業者は、原則として、還付請求権者に対し、6カ月を下らない一定期間内に申し出るべき旨を公告し、その期間内に申出がない場合でなければ、営業保証金を取り戻すことができません。**

ただし、**1**の①～⑤の場合で取戻し事由発生から10年を経過したときと、⑥⑦の場合には、公告をせずに、営業保証金を取り戻すことができます。

＼アドバイス／

前者は、取戻し事由から10年を経過していれば、還付請求権を有する者がいなくなっている可能性が高いからです。後者は、いわば二重供託の場合だからです。

学習優先度 高

LESSON 07 弁済業務保証金

「弁済業務保証金ってどんな制度？」

introduction

営業保証金は高いですね。1,000万円も預けておくのは大変です。
もう1つ、弁済業務保証金という制度もあります。こちらは、事務所1カ所なら弁済業務保証金分担金60万円です。

ずいぶん安いですね。そんな金額で大丈夫か、かえって心配になります。

弁済業務保証金制度を使うには、保証協会に加入する必要があります。多くの宅建業者が保証協会に加入し、全員分の弁済業務保証金がまとめて供託されているので、そこから支払うことができるのです。

弁済業務保証金制度は、預ける金額が営業保証金より安くなる制度です。宅建試験では、ほぼ毎年1問出題されます。

営業保証金と同様、最初はなじみにくいですが、きちんと学習すれば得点源になります。

学習のポイント

❶保証協会に加入しようとする宅建業者は、加入しようとする日までに弁済業務保証金分担金を納付する

❷納付すべき額は、主たる事務所60万円、その他の事務所30万円の合計額

❸還付を受けることができる額は、営業保証金の場合と同じ

❹還付を受けるためには、保証協会の認証が必要

1 保証協会・弁済業務保証金とは

1. 保証協会

宅地建物取引業保証協会（**保証協会**）は、弁済業務保証金制度の運営などを行うために設けられた団体で㊉、**宅建業者のみを社員**とする団体です。

＼アドバイス／
保証協会の「社員」とは、保証協会のメンバー、すなわち、保証協会に加入している宅建業者のことです。

宅建業者が保証協会に加入するかどうかは自由ですが、弁済業務保証金制度を利用するためには、保証協会に加入しなければなりません。なお、宅建業者は、**複数の保証協会の社員になることはできません**。

2. 弁済業務保証金制度の全体像

営業保証金制度では、宅建業者・供託所・還付請求権者が主な登場人物でしたが、弁済業務保証金制度では、保証協会が登場人物に加わり、宅建業者と供託所との間の橋渡しをします。

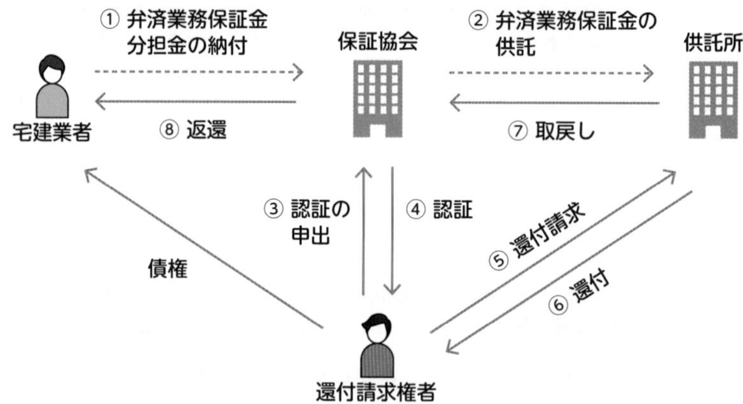

供託の場面では、宅建業者は保証協会に**弁済業務保証金分担金**を納付し（図の①）、保証協会が供託所に**弁済業務保証金**を供託します（②）。

還付の場面では、還付請求権者は、**保証協会の認証**を受けたうえで（③④）

㊉ 補足

現在のところ、公益社団法人全国宅地建物取引業保証協会と、公益社団法人不動産保証協会の２つがある。試験対策としては、これらの名称を覚える必要はない。

供託所から弁済業務保証金の還付を受けます（⑤⑥）。

取戻しの場面でも、弁済業務保証金の**取戻し**は**保証協会が行い**（⑦）、保証協会が宅建業者に対して取戻額相当の弁済業務保証金分担金を**返還**（⑧）する場合の**公告**も保証協会が行います。

＼アドバイス／
営業保証金の場合と同様にどの場面の話なのかを意識するとともに、宅建業者が行うことと保証協会が行うこととの区別をつけることが重要です。

3. 営業保証金制度との関係

宅建業者は、保証協会に加入して弁済業務保証金制度を利用できるようになれば、営業保証金の供託を免除され、**公告をせずに営業保証金を取り戻す**ことができます［▶L6❹］。

2 弁済業務保証金分担金の納付等

1. 弁済業務保証金分担金の納付

Case 1 保証協会に加入したい

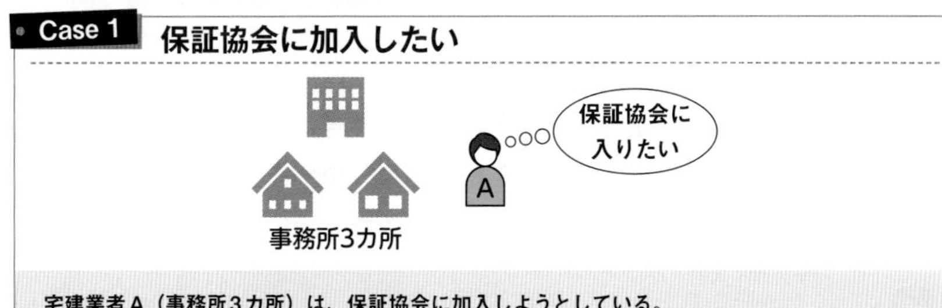

宅建業者A（事務所3カ所）は、保証協会に加入しようとしている。

弁済業務保証金分担金の納付は、次のように行います。

必須 弁済業務保証金分担金の納付

1. 納付時期
   保証協会に**加入しようとする日**までに、保証協会に納付
2. 弁済業務保証金分担金の額等
   主たる事務所につき**60万円**、その他の事務所につき事務所**1カ所ごとに30万円**の合計額を**金銭**で納付

ケース1のAは、事務所が3カ所なので、60万円＋30万円×2＝120万円

の弁済業務保証金分担金を金銭で保証協会に納付しなければなりません。

2. 弁済業務保証金の供託

保証協会は、宅建業者から弁済業務保証金分担金の納付を受けたときは、次のように、弁済業務保証金を供託し、供託した旨を社員の免許権者に届け出なければなりません。

供託時期	納付を受けた日から**1週間以内**
供託額	納付された額と同額
供託方法	**金銭または一定の有価証券**（営業保証金と同じ）
供託先	法務大臣および国土交通大臣の定める供託所（東京法務局）
供託した旨の届出	保証協会が、社員である宅建業者の免許権者に届け出る

＼アドバイス／
営業保証金・弁済業務保証金では「2週間」が多いので、それ以外の数字を意識的に覚えるとよいです。たとえば、上記の表の「1週間」です。

3. 新たに事務所を設置した場合

保証協会の社員は、**新たに事務所を設置**したときは、その日から**2週間以内に**、その事務所の分に相当する弁済業務保証金分担金を保証協会に納付しなければなりません。納付を怠った場合には、**社員たる地位を失います**。

＼アドバイス／
要するに、納付しないと保証協会から追い出されるわけです。

なお、保証協会が行う弁済業務保証金の供託と届出に関しては、上記**2**と同様です。

OXチャレンジ

Q 保証協会に加入した宅地建物取引業者は、加入した日から2週間以内に、弁済業務保証金分担金を当該保証協会に納付しなければならない。

A 保証協会に加入しようとする場合には、加入しようとする日までに納付しなければなりません。

×

3 弁済業務保証金の還付

1. 還付請求権者

還付請求権者は、基本的には営業保証金と同様で、保証協会の社員と宅建業に関し取引をし、その取引により生じた債権を有する者（**宅建業者を除く**）です。

「保証協会の社員と宅建業に関し取引」をした者には、**その社員が社員となる前に取引をした者**も含まれます。つまり、宅建業者が保証協会に加入する前に宅建業者と取引をした者は、その宅建業者が保証協会に加入した後は、弁済業務保証金から還付を受けることができるのです。

＼アドバイス／
宅建業者が保証協会に加入すると営業保証金は取り戻されてしまうので、弁済業務保証金からの還付を認める必要があるのです。

2. 還付の手続き・還付額

Case 2　弁済業務保証金から還付を受けたい

宅建業者（社員）
A → 1,000万円 債権 → B　事務所1カ所

Aは、保証協会の社員であるB（事務所1カ所）に対して、1,000万円の債権を有しており、弁済業務保証金から還付を受けたいと考えている。

弁済業務保証金から還付を受けるには、まず、弁済を受けることができる額について、**保証協会の認証**を受ける必要があります。

＼アドバイス／
「あなたには、○○円を弁済業務保証金から支払ってもらえる権利があります」ということを、保証協会に認めてもらわなければならないのです。

認証を受けたら、**供託所に還付請求**をし、還付を受けることができます。

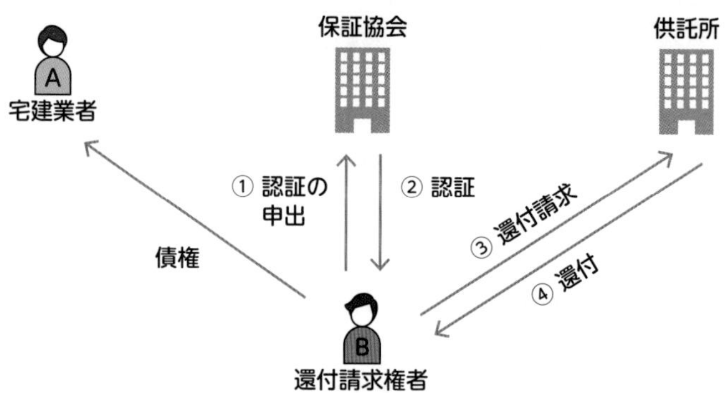

還付を受けることができる額は、その宅建業者が保証協会の社員でないとした場合に供託しなければならない**営業保証金の額の範囲内**です。

ケース2の場合、Bは、事務所が1カ所なので60万円の弁済業務保証金分担金を納付しています。しかし、還付限度額は、事務所1カ所の宅建業者の営業保証金の額である1,000万円までです。

＼アドバイス／

保証協会には多数の宅建業者が加入しており、それらの宅建業者が納付した分が全部まとめて「法務大臣および国土交通大臣の定める供託所」に供託されています。そこで、個々の社員の納付額を超えた額の還付を受けることができるのです。いわば、他の社員が納めた分を借りてくるのです。

必須 **弁済業務保証金の還付**

1. 還付請求権者
   保証協会の社員と宅建業に関し取引をし、その取引により生じた債権を有する者（**宅建業者を除く**）。その社員が社員となる前に取引をした者も含まれる
2. 還付額
   営業保証金の場合と同じ
3. 手続き
   保証協会の認証を受け、**供託所に還付請求**する

3. 還付された場合の補充供託・還付充当金の納付

弁済業務保証金から還付がなされた場合に不足額（＝実際に還付された額）を**補充供託**するのは、社員である宅建業者ではなく、**保証協会**です。**宅建業者**は、それと同額（＝還付された額と同額）の**還付充当金を保証協会に納付**する

ことになります。具体的には、次のとおりです。

必須 補充供託・還付充当金の納付

1. 補充供託
 保証協会は、国土交通大臣から還付の**通知書の送付を受けた日から2週間以内**に、還付額に相当する弁済業務保証金を**供託**しなければならない。そして、供託をしたときは、供託書の写しを添付して、供託した旨を、**社員である宅建業者の免許権者に届け出**なければならない。
2. 還付充当金の納付
 還付充当金を納付すべき旨の通知を受けた**社員**は、**通知を受けた日から2週間以内**に、**還付充当金を保証協会に納付**しなければならず、納付しなかったときは、**保証協会の社員の地位を失う**。

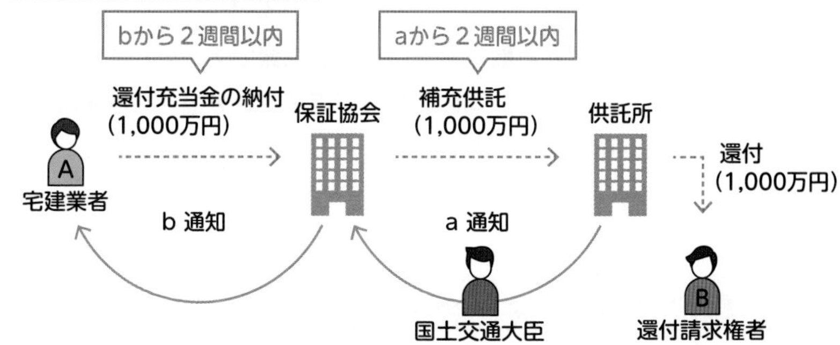

○×チャレンジ

Q 弁済業務保証金から還付を受けようとする者は、弁済を受けることができる額について、国土交通大臣の認証を受けなければならない。

A 国土交通大臣ではなく、保証協会の認証です。

×

4 弁済業務保証金の取戻し

1. 取戻し事由

弁済業務保証金を取り戻すことができるのは、次の場合です。なお、公告の要否については、次の**2**で説明します。

必須 弁済業務保証金の取戻し

取戻し事由	公告の要否
① 社員である宅建業者が社員でなくなったとき	必要
② 社員である宅建業者がその**一部の事務所を廃止**したとき	**不要**

2. 手続き

弁済業務保証金を**供託所から取り戻すのは保証協会**です。そして、弁済業務保証金を取り戻した保証協会は、**同額の弁済業務保証金分担金を宅建業者に返還**します。一部の事務所を廃止したときは、営業保証金の場合とは異なり、公告は不要です（『必須』の②）。

5 社員の地位を失った場合

保証協会の社員である宅建業者は、新たに事務所を設置した日から2週間以内に弁済業務保証金分担金を納付しなかったり、通知を受けた日から2週間以内に還付充当金を納付しなかったりしたときなどには、保証協会の社員の地位を失います。この場合、次のとおり、**営業保証金を供託**しなければなりません。

必須 社員の地位を失った場合

保証協会の社員が社員としての地位を失ったときは、その日から1週間以内に営業保証金を供託しなければならない。

なお、**保証協会**は、新たに**社員が加入**し、または**社員がその地位を失った**ときは、直ちに、その旨を当該社員の**免許権者に報告**しなければなりません。

LESSON 08 媒介契約

「複数の宅建業者に依頼してもよいの？」

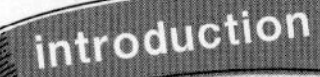

親戚が土地売却の媒介を宅建業者に依頼しているのですが、なかなか買い手が見つからないので、ほかの宅建業者にも依頼したいそうなんです。
私たちの出番ですね。まず、媒介契約の種類を確認してください。

それが、専任媒介契約なんだそうです。

そうすると、有効期間中は、ほかの宅建業者には頼めませんね。有効期間は3カ月以内のはずなので、それが満了する頃に考えましょう。

宅建業者は、お客さんから媒介の依頼を受けた場合、依頼者と媒介契約を締結します。媒介契約は、他の宅建業者に重ねて依頼することができるか等によって、3種類（細かく分けると4種類）に分けられます。媒介契約の種類によって規制内容も異なります。

媒介契約

- ❶専任媒介契約の場合、他の宅建業者には依頼することができない
- ❷専任媒介契約の有効期間は、3カ月以内
- ❸専任媒介契約を締結した場合、指定流通機構に一定の事項を登録しなければならない
- ❹媒介契約書面には、宅建業者の記名押印が必要

1 媒介契約・代理契約って何？

媒介契約・代理契約は、宅建業者が宅地・建物の売却希望者・購入希望者などから契約の相手方を探すことなどの依頼を受けた際に締結する契約です。たとえば、媒介契約であれば、「宅建業者は、依頼者のために契約相手を探し、その結果として売買契約等が成立したら一定額の報酬を受領することができる」との定めをします。

そして、宅建業法は、媒介契約と代理契約についてほとんど同じ内容の規制をしています。ここでは媒介契約を例に説明していきますが、代理契約にも同様の規制がされています。

なお、このレッスンで述べる規制は、宅地・建物の売買・交換の媒介・代理に適用され、**貸借の媒介・代理には適用されません。**

2 媒介契約の種類と規制

1. 媒介契約の種類

Case 1 専属専任媒介契約を締結した

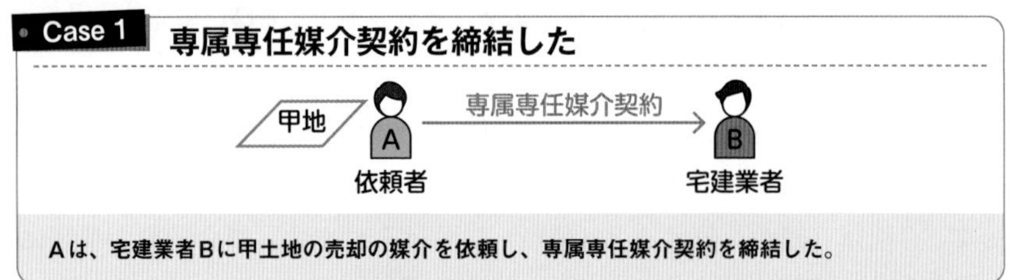

Aは、宅建業者Bに甲土地の売却の媒介を依頼し、専属専任媒介契約を締結した。

媒介の依頼者には、多くの宅建業者に依頼したい人も、1人の宅建業者に任せてがんばってもらいたいと思う人もいるでしょう。そこで、宅建業法では媒介契約の種類をいくつか用意して、どのタイプにするのかを選ぶことができるようにしています。媒介契約の種類は、次のとおりです。

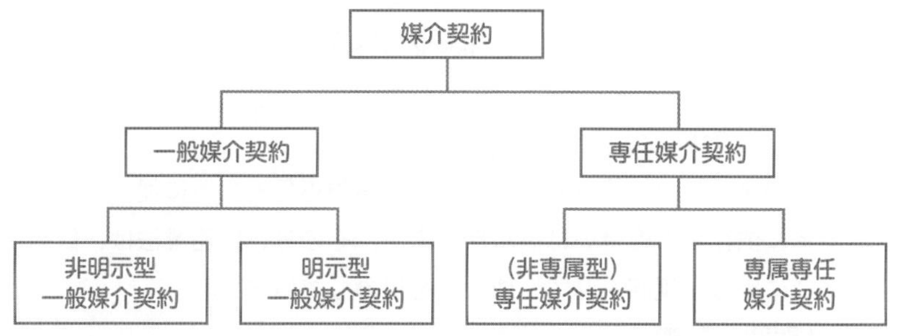

一般媒介契約は、依頼者が他の宅建業者に重ねて依頼できるタイプであり、**専任媒介契約**は、それができないタイプです。

一般媒介契約のうち、明示型は、依頼者が他の宅建業者に重ねて依頼したときに、その「他の宅建業者」を明示する義務のあるタイプです。非明示型の場合には、そのような義務はありません。

専任媒介契約は、専属専任媒介契約と非専属型（専属専任媒介契約ではない専任媒介契約）に分かれます。そもそも専任媒介契約の場合には、依頼者は他の宅建業者に重ねて依頼することができませんが、**専属専任媒介契約**の場合には、依頼者が自ら発見した相手と契約することも禁止されます（自己発見取引の禁止）。

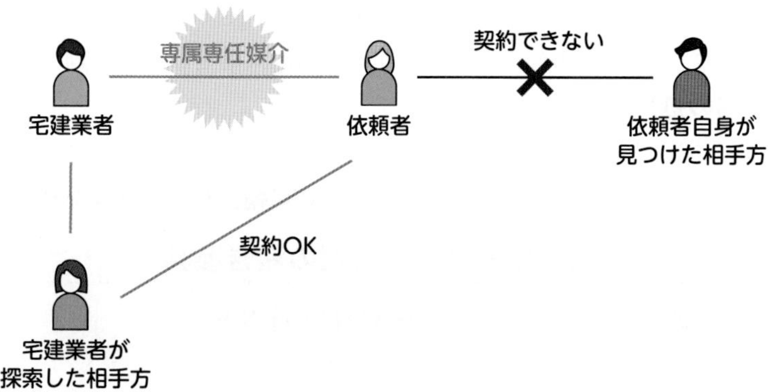

ケース1の場合、Aは専属専任媒介契約を締結しているので、B以外の宅建業者に依頼することも自己発見取引も禁止されます。

＼アドバイス／

要するに、専属専任媒介契約の場合、依頼した宅建業者が探索した（＝見つけた）相手方以外とは契約することができないのです。

これに対し、**非専属型の専任媒介契約**の場合には、他の宅建業者に重ねて依頼することはできないものの、自己発見取引は許されます。

2. 媒介契約の種類に応じた規制

媒介契約のタイプが一般→非専属型専任→専属専任となるに従って、依頼した宅建業者に依存する度合いは高くなります。その分、宅建業法は、依頼された宅建業者に厳しい規制をして、依頼者を保護しています。

(1) 有効期間の制限

専任媒介契約を締結した場合、その有効期間内は、依頼者は他の宅建業者に依頼することができません。そこで、次のような規制がされています。

必須 有効期間の制限

1. 専任媒介契約の有効期間は、**3カ月を超えることができず**、3カ月を超える有効期間の定めをしたときは、有効期間は3カ月になる。
2. 有効期間は、**依頼者の申出により更新**することができる。更新後の期間についても、1と同様の制限がある。

2の「依頼者の申出」は、**更新の際**にされることが必要です。有効期間が満了する時点で、依頼者がこの宅建業者にもう一度頼む（契約を更新する）か、この宅建業者に頼むのをやめる（契約を更新しない）かを選べるようにするためです。したがって、事前に自動更新する旨の約束等をしても無効です。

(2) 業務の処理状況の報告義務

専任媒介契約を締結した場合、依頼者が状況を把握できるように、宅建業者は、次のような頻度で**業務の処理状況を依頼者に報告**しなければなりません。

必須 業務処理状況の報告義務

- 非専属型の専任媒介契約　⇒　**2週間に1回以上**
- 専属専任媒介契約　⇒　**1週間に1回以上**

＼アドバイス／
報告の方法については宅建業法では特に制限がないので、口頭で行ってもかまいません。

(3) 指定流通機構への登録義務

指定流通機構（国土交通大臣が指定する流通機構）とは、コンピュータを利用した不動産の物件情報ネットワークのことです。

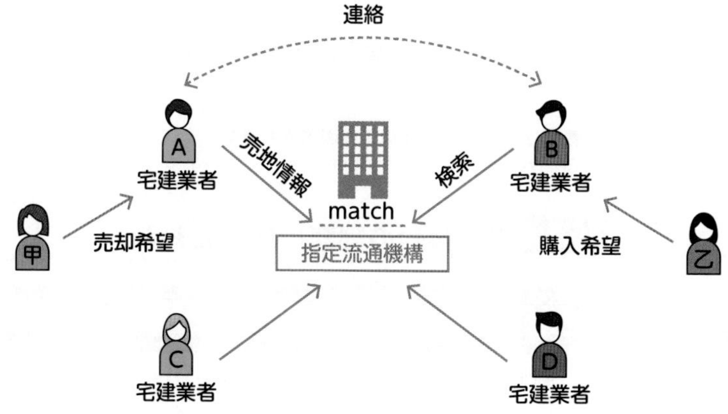

たとえば、甲が土地売却について宅建業者Aに媒介の依頼をすると、Aはその物件情報を指定流通機構に登録します。その後、宅建業者Bに土地の購入希望者乙が来て、Bが乙の希望に沿う物件を探したところ、甲の土地がマッチしたとします。そうすると、BはAと連絡を取り合い、共同して甲乙間に売買契約を成立させるわけです。

宅建業法は、専任媒介契約を締結した宅建業者に、指定流通機構に関して次のような義務を課しています。

必須 指定流通機構への登録義務

1. 宅建業者は、次の期間内（いずれも**宅建業者の休業日は除く**）に所定の事項を指定流通機構に登録しなければならない。
① **非専属型の専任媒介契約** ⇒ 契約締結の日から**7日以内**
② 専属専任媒介契約 ⇒ 契約締結の日から**5日以内**
2. 上記の登録をした宅建業者は、指定流通機構が発行する**登録を証する書面**を、遅滞なく、**依頼者に引き渡さなければならない**⊕。
3. 宅建業者は、指定流通機構へ登録した宅地・建物の**売買・交換契約が成立したとき**は、遅滞なく、**①登録番号**、**②取引価格**、**③契約成立年月日**を、**指定流通機構**に**通知**しなければならない。

⊕補足
宅建業者は、依頼者の書面等による承諾を得れば、書面の引渡しに代えて電磁的方法で提供することができる。「書面等」とは、書面または電子情報処理組織を使用する方法その他の情報通信の技術を利用する方法（電子メールなど）をいう（後述の媒介契約書面、重要事項説明書、37条書面の場合も同様）。

(4) 申込みがあった旨の報告義務

媒介契約を締結した宅建業者は、目的物である宅地・建物の売買・交換の**申込みがあったときは、遅滞なく、その旨を依頼者に報告**しなければなりません。

＼アドバイス／

この報告義務は、一般媒介契約にも適用されます。

媒介契約の種類に応じた規制

	一般媒介契約	(非専属型) 専任媒介契約	専属専任 媒介契約
有効期間	制限なし	**3カ月以内**	
業務処理状況の報告義務	なし	**2週間に1回以上**	**1週間に1回以上**
指定流通機構への登録義務	なし	**7日以内** (休業日は除く)	**5日以内** (休業日は除く)
申込みがあった旨の報告義務	**遅滞なく**		

○×チャレンジ

Q 宅地建物取引業者は、専属専任媒介契約を締結した場合、依頼者に対し、業務の処理状況を2週間に1回以上報告しなければならない。

A 専属専任媒介契約の場合、1週間に1回以上です。

×

3 媒介契約書面

Case 2　媒介契約書面への記名押印

媒介契約者

宅建業者A㊞

宅建業者Aは、依頼者に媒介契約書面を交付したが、その書面には自ら記名押印し、宅建士の記名はなかった。

媒介契約は当事者の合意だけで成立しますが、契約内容を書面にしたほうが、契約内容をはっきり確認でき、また、証拠として残るので、後々のトラブルを防ぐことができます。そこで、宅建業者に**媒介契約書面**の作成・交付義務が課されています。

必須　媒介契約書面

1. 宅建業者は、宅地・建物の売買・交換の媒介契約を締結したときは、遅滞なく、媒介契約の内容を記載した書面（＝媒介契約書面）を作成し、**記名押印**したうえで、依頼者に交付しなければならない。⊕
2. 契約書面の記載事項

① 宅地の所在・地番等、建物の所在・種類・構造等
② **宅地・建物を売買すべき価額・評価額**
③ 依頼者が他の宅建業者にも依頼することの許否（＝専任媒介契約かどうか）、依頼できる場合に他の業者を明示する義務の存否（＝明示型かどうか）
④ **既存建物**の場合、依頼者に対する**建物状況調査を実施する者のあっせん**に関する事項
⑤ 媒介契約の有効期間、解除に関する事項
⑥ 指定流通機構への登録に関する事項
⑦ 報酬に関する事項
⑧ 専任媒介契約の場合、依頼者が他の宅建業者の媒介・代理によって売買・交換契約を成立させたときの措置

⊕補足
宅建業者は、依頼者の書面等による承諾を得れば、書面の交付に代えて、電磁的方法で提供することができる（記名押印に代わる措置が必要）。

⑨ 専属専任媒介契約の場合、依頼者が宅建業者の探索した相手方以外の者と売買・交換契約を締結したときの措置
⑩ 明示型の一般媒介契約の場合、依頼者が明示していない宅建業者の媒介・代理によって売買・交換契約を成立させたときの措置
⑪ 当該媒介契約が国土交通大臣が定める**標準媒介契約約款**(やっかん)**に基づくものであるか否かの別**

3. 宅建業者は、媒介契約書面に記載した宅地・建物を売買すべき価額またはその評価額について**意見を述べるとき**は、その**根拠を明らかに**しなければならない。

＼アドバイス／
媒介契約書面に必要なのは宅建業者の記名押印であり、後で説明する重要事項説明書や37条書面と異なり、宅建士の記名は必要ない点に注意してください。

ケース２では、宅建業者Aが記名押印しているので、問題ありません。

なお、記載事項④の**建物状況調査**とは、建物の基礎・外壁等に生じているひび割れ・雨漏り等の劣化・不具合を、専門家が目視・計測等によって調査するものです。既存建物（中古建物）の流通を促進するために、専門家（**国土交通大臣が定める講習を修了した建築士**）による調査の制度を設け、そのあっせんに関する事項を媒介契約書面の記載事項としたのです。

記載事項⑧～⑩は、契約違反の場合の措置です。実際には「依頼者が専任媒介契約に違反して、他の宅建業者の媒介・代理によって売買・交換契約を成立させたときは、報酬相当額の損害賠償を支払う」のような取決めがされます。

記載事項⑪の**標準媒介契約約款**とは、国土交通大臣が定めた媒介契約書のモデルのことです。それを使っているかどうかを媒介契約書面に記載するのです。

3の**価額・評価額についての意見の根拠**は、**口頭で述べてもよく**、書面にする必要はありません。「根拠」となるものとしては、価格査定マニュアルによる査定や、同種の取引事例があります。

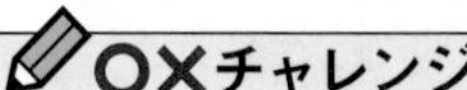

Q 宅地建物取引業者は、媒介契約書面に記載した宅地を売買すべき価額について意見を述べるときは、書面でその根拠を明らかにしなければならない。

A 根拠は口頭で示してもかまいません。

×

学習優先度 高

LESSON 09 広告に関する規制

「おとり広告はダメ」

引っ越しを考えていまして、好条件の部屋が広告に載っていたので問い合わせをしたら、「たった今、借り手が決まったので、別の物件を紹介します」と言われました。

もしかしたら、おとり広告かもしれませんね。

その可能性もあると思ったので、その宅建業者さんにはお願いしませんでした。

本当に直前に借り手が決まったのかもしれませんが、念には念を入れることも重要です。

宅建業法では、広告に関して、①誇大広告等の禁止、②広告開始時期制限、③取引態様の明示という規制を設けています。ウソの広告、早すぎる広告等は、消費者におおきな損害を与える可能性があるので、規制されているのです。これから、その内容を学んでいきましょう。

学習のポイント

- ❶誇大広告をすれば、損害等がなくても宅建業法に違反する
- ❷いわゆるおとり広告も、誇大広告等の禁止に違反する
- ❸工事完了前の宅地・建物には、広告開始時期制限がある
- ❹広告をするとき等には、取引態様の明示をしなければならない

1 誇大広告等の禁止

Case 1 販売する意思のない物件の広告

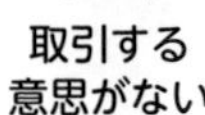

取引する
意思がない

A
宅建
業者

乙建物は
どうですか？

お客さん

宅建業者Aは、実際には販売する意思のない物件の広告をし、その広告を見てやってきたお客さんに別の物件を紹介した。

誇大広告とは、簡単にいえばウソの広告、見た人を勘違いさせる広告です。たとえば、駅から何キロも離れているのに「駅の近く」と表示する、鉄道の開業予定がないのに「新駅予定地の近く」と表示するといった行為です。このような誇大広告は、お客さんに大きな被害をもたらすおそれがあるので、禁止されています。

必須 誇大広告等の禁止

宅建業者は、広告をするときは、所在・規模・形質等について、**著しく事実に相違**する表示をし、または**実際のものより著しく優良・有利であると人を誤認**させるような表示をしてはならない。

ケース1のように、取引する意思のない物件の広告をすることも、いわゆる**おとり広告**として禁止されます。実際には取引しない物件につき所在・規模・形質等を表示しているからです。

＼アドバイス／
広告内容の規制に関しては、第4編税・その他の「景表法」で学習します。ここでは、ウソの広告やおとり広告は誇大広告にあたると覚えておけば十分です。

規制対象となる「広告」は、新聞の折込チラシ、新聞、テレビ、ホームページ等**種類を問いません**。

そして、宅建業法は、誇大広告をすること自体を禁止しているので、実際に誤認したり損害を受けたりした人がいなくても、宅建業法違反になります。

誇大広告等の禁止に違反すると、業務停止処分（情状が特に重いときは免許取消処分）の対象になるほか、**6カ月以下の懲役もしくは100万円以下の罰**

金または両者の併科に処せられます。

＼アドバイス／

罰則の数字は、基本的には覚える必要がありません。ただし、誇大広告等の禁止に違反した場合の罰則はよく出題されるので、覚えておいて損はありません。

2 広告開始時期制限

Case 2 建築確認を受けずに、マンションの販売広告をした

宅建業者Aは、マンション用地を取得したので、建築確認を受ける前に「建築確認申請中」と表示して、建築工事に着手していないマンションの販売広告をした。

土地の取得や建築には多額の費用がかかるので、売主としては、早く広告・販売を開始して資金を回収したいと考えるのが普通です。しかし、あまりに早い段階で広告などを認めてしまうと、予定どおりの物件が完成せず、購入者が不利益を受けるおそれがあります。そこで、未完成物件の広告については、次のような制限がされています。

必須 未完成物件の広告開始時期制限

宅建業者は、宅地造成・建物建築に関する**工事の完了前**においては、当該工事に必要とされる**開発許可・建築確認等の処分があった後**でなければ、当該工事に係る宅地建物の売買その他の業務（＝**すべての取引**）⊕**に関する広告をしてはならない**。

開発許可・建築確認というのは、造成や建築に関して役所等がチェックをする制度です［法令上の制限▶L2～3］。そして、それらの処分があった（＝許可等が下りた）ということは、役所等のチェックを通った、すなわち違法建築等でないことがはっきりしたということなので、設計どおりの建物が建つ可能性

⊕補足

宅地建物取引業の「取引」のこと。具体的には、①売買・交換を自ら行う、②売買・交換・貸借の代理を行う、③売買・交換・貸借の媒介のこと。

が高くなります。そこで、その時点から広告をすることが許されているのです。

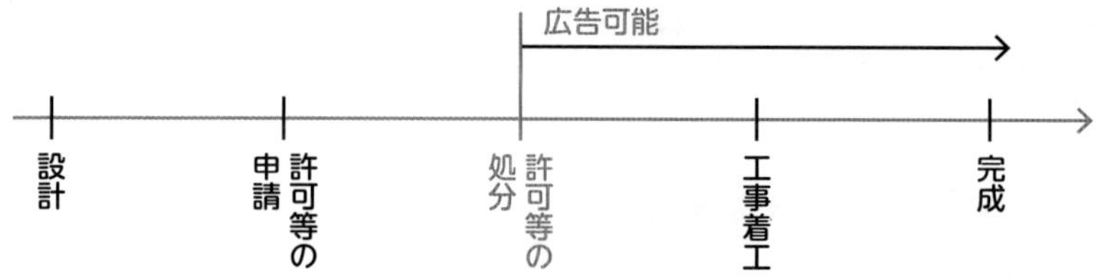

ケース2の場合、Aは、建築確認を受ける前に販売広告をしているので、宅建業法に違反します。

○×チャレンジ

Q 宅地建物取引業者は、建築工事完了前のマンションの賃貸の媒介の依頼を受けた場合、当該工事に必要とされる建築確認の処分がある前でも、入居者募集の広告をすることができる。

A 広告開始時期制限は、賃貸の媒介・代理の場合にも適用されます。

3 取引態様の明示

Case 3 取引態様の明示

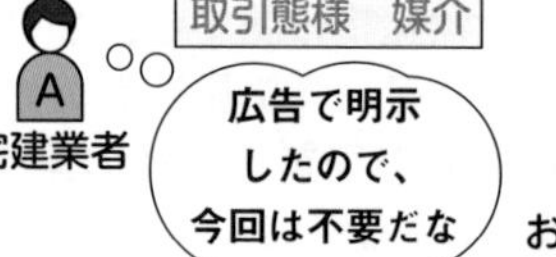

宅建業者Aは、広告には「媒介」と表示したので、広告を見たBから注文を受けた際には、媒介であることを明示しなかった。

宅地建物取引業の「取引」にあたるのは、①売買・交換を自ら行う、②売買・交換・貸借の代理を行う、③売買・交換・貸借の媒介を行うの3種類です。取引態様の明示とは、これらのうちどれにあたるかを示すことをいいます。

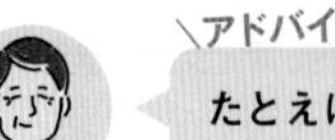

＼アドバイス／

たとえば、「売主」「媒介（仲介）」のように表示します。

宅建業者が媒介・代理を行う場合は、媒介や代理を依頼した者は報酬を支払う義務を負います。これに対し、宅建業者が自ら売買・交換を行うときは、報酬は発生しません。このように、どのような取引態様であるかはお客さんに大きな影響を与えるので、宅建業法は、取引態様の明示を義務付けています。

必須 取引態様の明示

1. 宅建業者は、宅地・建物の売買・交換・貸借に関する**広告**をするときは、**取引態様の別を明示**しなければならない。
2. 宅建業者は、宅地・建物の売買・交換・貸借に関して**注文を受けたときは、遅滞なく**、その注文をした者に対し、**取引態様の別を明示**しなければならない。

1と2は別の義務なので、取引態様の明示のある広告を見てやってきた人に対しても、注文を受けたら取引態様の明示をしなければなりません。また、複数回の広告をするなら、**その都度**、取引態様の明示が必要です。

ケース3の場合、注文を受けたときに取引態様を明示していないので、宅建業法に違反します。

明示の方法については特に規制がありません。したがって、口頭で行ってもかまいません。

○×チャレンジ

Q 宅地建物取引業は、同一の物件について複数回の広告を行う場合、1回目の広告で取引態様の別を明示すれば、2回目以降の広告では取引態様の別を明示する必要がない。

A 取引態様の明示は、広告をする都度、行わなければなりません。

×

このレッスンが終わったら「きほんの問題集」の問題38～41にチャレンジ！

LESSON 10 重要事項の説明等

「重要事項の説明は、いつ誰が行うの？」

introduction

良い部屋が見つかったので、
日曜日に契約することに
なりました。
重要事項の説明は
受けましたか？

土曜日にリモートで受ける予定です。重要事項説明書は、昨日届きました。

しっかりした業者さんのようですね。

重要事項の説明は、毎年3問程度出題されます。説明事項が多いので学習するのにも時間がかかりますが、問題を解きながら少しずつ覚えていきましょう。

学習のポイント

❶売買・交換・貸借の契約が成立するまでの間に行う

❷相手方は、買主、交換の場合は宅地・建物の取得者、借主

❸重要事項説明書には、宅建士の記名が必要

❹対面のほか、テレビ会議等のITを活用して行うこともできる

1 重要事項の説明の方法

1. 重要事項の説明とは

宅地・建物の取引は、人生を左右する重要なものです。したがって、宅地・建物を購入したり借りたりする前には十分な情報を得ることが必要です。そこで、宅建業法は、重要事項の説明という制度を設け、取引の目的物である宅地・建物についての情報や契約に関する情報をお客さんに提供することを義務づけています。

2. 重要事項の説明の方法

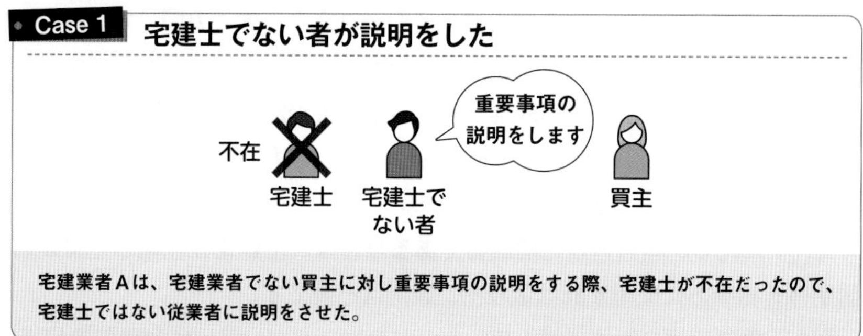

Case 1
宅建士でない者が説明をした
重要事項の説明をします
不在
宅建士
宅建士でない者
買主
宅建業者Aは、宅建業者でない買主に対し重要事項の説明をする際、宅建士が不在だったので、宅建士ではない従業者に説明をさせた。

重要事項の説明を行う義務を負っているのは**宅建業者**ですが、実際に説明を担当するのは**宅建士**です。

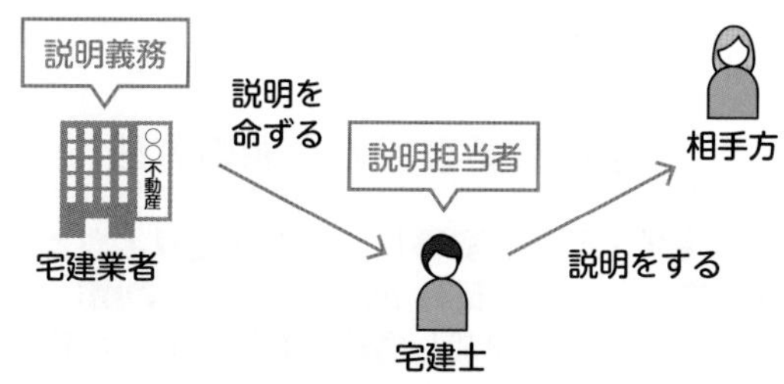

説明の相手方は、物件を取得し、または借りようとしている者です。具体的には、**売買の場合は買主、交換の場合は宅地・建物の取得者、貸借の場合は借主**です。これらの者は、これから新たな物件を手に入れよう（借りよう）としているのですから、その物件についてよく理解してもらうために、説明の必要があるのです。

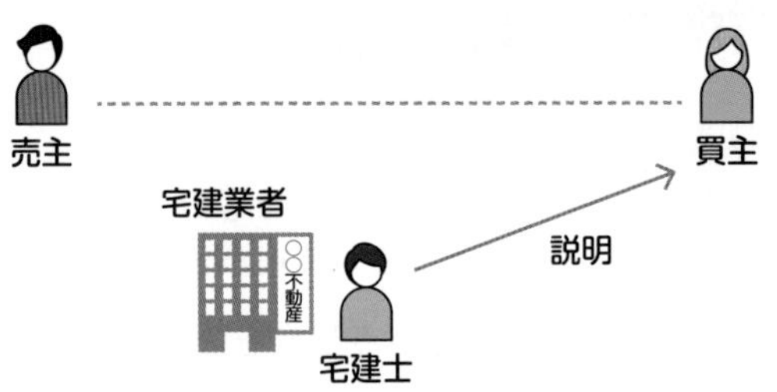

＼アドバイス／
売主や貸主に対しては説明する必要がありません。自分の物件が取引の対象になっているので、いまさら宅建業者が説明する必要はないからです。

説明の時期は、**売買・交換・貸借の契約が成立するまでの間**です。契約前に説明を受け、本当にその物件でよいのかを考える機会が必要だからです。

説明の方法は、原則 説明内容を記載し**宅建士の記名**のある書面（**重要事項説明書**、35条書面）を**相手方に交付**⊕し、かつ**宅建士証を相手方に提示**したうえで、**宅建士が説明**するのが原則です。

例外 **ただし、相手方が宅建業者である場合は、宅建士が記名した重要事項説明書を相手方に交付すれば足り⊕、説明は不要です。**

また、重要事項の説明は対面で行うのが原則ですが、**テレビ会議等のITを活用して行う**こともできます。この場合、事前に重要事項説明書を交付（電磁的方法による提供を含む）することや、画面上で宅建士証を見せること等が必要です。

ケース1の場合、宅建士でない者が説明をしているので、重要事項の説明をしたことにはなりません。

必須 重要事項の説明の方法

1. 宅建業者は、宅地・建物を**取得し、または借りようとしている者**に対して、売買・交換・貸借の**契約が成立するまでの間**に、原則として、**宅建士をして**、説明内容を記載し**宅建士が記名した書面**（重要事項説明書）**を交付⊕して説明**をさせなければならない。宅建士は、重要事項の説明をするときは、相手方に対し**宅建士証を提示**しなければならない。
2. **相手方が宅建業者**である場合は、宅建士が記名した重要事項説明書

⊕補足
相手方の書面等による承諾を得れば、書面の交付に代えて、電磁的方法で提供することができる（宅建士の記名に代わる措置が必要）。

を相手方に交付すれば足り、**説明は不要**である。

3. 重要事項の説明は、テレビ会議等の**IT を活用**して行うこともできる。

○×チャレンジ

Q 宅地建物取引業者Aは、どちらも宅地建物取引業者ではない売主Bと買主Cとの間の宅地の売買を媒介している。この場合、Aは、Cに対しては重要事項の説明をしなければならないが、Bに対しては重要事項の説明をする必要がない。

A 売買の場合、重要事項の説明は、買主に対して行えばよく、売主に対して行う必要はありません。

○

2 重要事項の説明の内容

重要事項の説明内容は多岐にわたるので、4つに分けて説明します。

(1) 対象となる宅地・建物に直接関係する説明事項

必須 対象となる宅地・建物に直接関係する説明事項

① 当該宅地・建物の上に存する**登記された権利**の種類・内容・登記名義人等

② 法令に基づく制限に関する事項の概要

③ 私道に関する負担に関する事項（**建物の貸借の場合を除く**）

④ 飲用水・電気・ガスの供給や排水のための施設の整備の状況（整備されていない場合は、その整備の見通し・整備についての特別の負担に関する事項）

⑤ **工事完了時における形状・構造等**（未完成物件の場合に限る）

⑥ 当該建物が既存の建物であるときは、次に掲げる事項

イ　**建物状況調査（実施後1年※を経過していないものに限る）を実施しているかどうか**、これを実施している場合におけるその**結果の概要**

※鉄筋コンクリート造または鉄骨鉄筋コンクリート造の**共同住宅等**については**2年**

ロ　設計図書、点検記録その他の建物の建築・維持保全の状況に関する**書類の保存の状況**（売買・交換の場合に限る）

⑦ 当該宅地・建物が造成宅地防災区域内にあるときは、その旨

⑧ 当該宅地・建物が土砂災害警戒区域内にあるときは、その旨

⑨ 当該宅地・建物が津波災害警戒区域内にあるときは、その旨

⑩水防法施行規則の規定により当該宅地・建物が所在する市町村の長が

提供する図面に当該宅地・建物の位置が表示されているときは、当該図面における当該宅地・建物の所在地

⑪当該建物について、**石綿の使用の有無の調査の結果**が記録されているときは、その**内容**

⑫当該建物（**昭和56年6月1日以降**に新築の工事に着手したものを除く）が一定の**耐震診断**を受けたものであるときは、その**内容**

⑬当該建物が**住宅性能評価**を受けた新築住宅であるときは、**その旨（賃借の場合を除く）**

③の「私道に関する負担」とは、たとえば取引対象の宅地の一部が道路になっている場合のことです。この場合、道路を勝手につぶすわけにはいかないので、その分だけ実際に利用できる面積が少なくなります。そこで、私道負担の有無等が説明事項とされています。

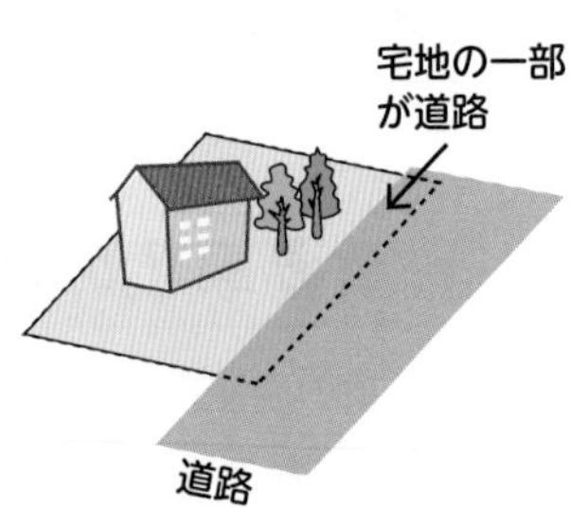

「建物の貸借の場合を除く」とされているのは、たとえばアパートを借りる場合には、そのアパートの敷地に私道負担があるかどうかは、借り手には関係のないことだからです。

⑤は、未完成物件の場合の説明事項です。どのような物件が完成する予定なのかをよくわかってもらうために、完成時の形状・構造等の説明が義務付けられています。

⑥イは、建物状況調査の実施の有無等に関する説明です。ロは、売買・交換に係る住宅に関する、建築確認［法令上の制限▶L3］の申請書・確認済証・検査済証、建物状況調査結果報告書等の保存状況に関する説明です。これらを買主等に説明することによって、建物の質を踏まえた購入判断や交渉を可能にするのです。

⑩は、水害ハザードマップにおける対象物件の所在地の説明です。

⑫では、「昭和56年6月1日以降に新築の工事に着手したもの」が除かれているので、昭和56年6月1日より前に新築の工事に着手したものが対象です。

(2) 取引条件に関する説明事項

必須 取引条件に関する説明事項

① 代金・交換差金・借賃以外に授受される金銭の額・授受目的
② **契約の解除**に関する事項
③ **損害賠償額の予定・違約金**に関する事項
④ 手付金等を受領しようとする場合における保全措置の概要
⑤ 支払金・預り金を受領しようとする場合において、保全措置を講ずるかどうか、保全措置を講ずる場合におけるその措置の概要
⑥ 代金・交換差金に関する金銭の貸借のあっせんの内容・当該あっせんに係る金銭の貸借が成立しないときの措置
⑦ 当該宅地・建物が種類・品質に関して契約の内容に適合しない場合におけるその不適合を担保すべき責任の履行に関し保証保険契約の締結等の措置を講ずるかどうか、講ずる場合におけるその措置の概要
⑧ 割賦販売に関する事項（割賦販売の場合のみ）
イ　現金販売価格
ロ　割賦販売価格
ハ　宅地・建物の引渡しまでに支払う金銭の額
ニ　賦払金の額・支払時期・支払方法

①の「代金・交換差金・借賃以外に授受される金銭」とは、手付金・敷金・権利金・礼金・保証金等のことをいいます。

④の「保全措置」はレッスン15で説明する手付金等の保全措置のことです。

⑤の「支払金・預り金」とは、宅建業者が相手方等から受領する代金・交換差金・借賃その他の金銭のうち、（ⅰ）50万円未満のもの、（ⅱ）手付金等の保全措置が講ぜられているもの、（ⅲ）宅建業者が登記以後に受領するもの、（ⅳ）報酬、を除いたものをいいます。

＼アドバイス／

つまり、（ⅰ）～（ⅳ）は「支払金・預り金」にあたりません。

このような金銭については、保全措置を講じるか否かは自由ですが、講じるかどうか、また講じるとしたらその内容について、説明事項とされています。

用語

【交換差金】 交換する物の価額が異なる場合に、その差を補うための金銭のこと。

⑥の「代金・交換差金に関する金銭の貸借のあっせん」とは、宅建業者が購入者等に、購入資金を借りるための金融機関等を紹介することです。

「当該あっせんに係る金銭の貸借が成立しないときの措置」とは、融資を断わられた場合のように、上記のローン契約が成立しなかったときの措置のことです。具体的には、「ローン契約が成立しなかった旨を一定期間内に通知すれば、売買契約をなかったことにできる」というような措置がとられます。

⑦は、レッスン19で説明する資力確保措置を講ずるかどうか等についてです。

(3) 区分所有建物の場合に加わる説明事項

区分所有建物（マンション）の場合、次の内容が説明事項に加わります。ただし、**貸借の場合は❸と❽のみです**。

必須 区分所有建物の場合に加わる説明事項

① 当該建物を所有するための一棟の建物の敷地に関する権利の種類・内容
② **共用部分に関する規約**の定め（案を含む）があるときは、その内容
❸**専有部分の用途その他の利用の制限に関する規約**の定め（案を含む）があるときは、その内容
④ 当該一棟の建物またはその敷地の一部を特定の者にのみ使用を許す旨の規約の定め（案を含む）があるときは、その内容
⑤ 当該一棟の建物の計画的な維持修繕のための費用、通常の管理費用その他の当該建物の所有者が負担しなければならない費用を**特定の者にのみ減免する旨の規約**の定め（案を含む）があるときは、その内容
⑥ 当該一棟の建物の**計画的な維持修繕のための費用の積立て**を行う旨の規約の定め（案を含む）があるときは、その**内容・すでに積み立てられている額**
⑦ 当該建物の所有者が負担しなければならない通常の管理費用の額
❽当該一棟の**建物およびその敷地の管理が委託**されているときは、その委託を受けている者の**氏名**（法人にあっては、その商号・名称）・**住所**（法人にあっては、その主たる事務所の所在地）
⑨ 当該一棟の建物の**維持修繕の実施状況が記録**されているときは、その**内容**

①は、マンションの敷地に関する権利の種類・内容のことで、所有権であることが通常ですが、借地権等のこともあります。

❸は、「ピアノ禁止、ペット不可」とか、「住宅のみに使用し、事務所として使用してはならない」というような定めのことです。**貸借の場合も説明事項です**。

④は、駐車場・バルコニー・専用庭などの専用使用権の定めです。

⑤の維持修繕の費用等は、区分所有者が共同で負担するのが原則です。ところが、マンションの規約やその案に「売れ残りの住戸がある場合でも、売主である分譲業者（＝売れ残りの住戸の所有者）は修繕費等を負担しない」旨が定められている場合があります。そのような規約（案）は購入者にとって不利な定めなので、そのような条項を説明することが義務づけられています。

❽は、マンションの管理会社の名称等のことです。**貸借の場合も説明事項です**。

（4）貸借の場合に加わる説明事項

宅地の貸借の場合は②～⑦、建物の貸借の場合は①～⑥が、それぞれ説明事項に加わります。

必須 貸借の場合に加わる説明事項

① **台所、浴室、便所**その他の当該建物の設備の**整備の状況**
② 契約期間・契約の更新に関する事項
③ 定期借地権・定期建物賃貸借※・終身建物賃貸借の場合には、その旨
④ 当該宅地・建物（区分所有建物を除く）の用途その他の利用の制限に関する事項
⑤ 敷金その他契約終了時において精算することとされている**金銭の精算に関する事項**
⑥ 当該宅地・建物（区分所有建物を除く）の管理が委託されているときは、その委託を受けている者の氏名（法人にあっては、その商号・名称）・住所（法人にあっては、その主たる事務所の所在地）
⑦ 契約終了時における当該宅地の上の建物の取壊しに関する事項を定めようとするときは、その内容

※ 定期建物賃貸借（権利関係レッスン15）における賃貸人による事前説明と重要事項の説明は別個の説明義務であるが、重要事項説明書に所定事項を記載し、当該重要事項説明書を交付して賃貸人から代理権を授与された宅建士が重要事項の説明を行うことで、定期建物賃貸借の事前説明書の交付および事前説明を兼ねることができる。

①は、台所、浴室、便所等の有無や、ユニットバスか独立の浴室かなどの形式、エアコンの使用の可否などのことです。建物の貸借における説明事項です。

②は、契約の期間や更新時の賃料の改定方法などです。②から⑥までは、宅地・建物の貸借に共通の説明事項です。

④は、「ピアノ禁止、ペット不可」とか、「住宅のみに使用し、事務所として使用してはならない」というような定めのことです。

なお、区分所有建物においては、(3) で説明したとおり、「専有部分の用途その他の利用の制限に関する規約の定め（案を含む）があるときは、その内容」が、売買・交換・貸借のいずれの場合も説明事項とされています。

⑤は、敷金・保証金等の精算に関する事項です。

⑥は、土地や建物の管理が委託されている場合の、管理会社の名称等です。

なお、区分所有建物においては、「当該一棟の建物およびその敷地の管理が委託されているときは、その委託を受けている者の氏名（法人にあっては、その商号・名称）・住所（法人にあっては、その主たる事務所の所在地）」が、売買・交換・貸借のいずれの場合も説明事項とされています。

○×チャレンジ

建物の売買を媒介する場合、次の事項は重要事項説明書の記載事項にあたるか。あたるものは○、あたらないものは×

Q1 私道に関する負担に関する事項

Q2 代金の額

Q3 台所、浴室、便所その他の当該建物の設備の整備の状況

A1 建物の貸借以外の場合は記載事項なので、売買の場合は記載事項です。

○

A2 代金以外に授受される金銭の額は記載事項ですが、代金の額は記載事項ではありません。

×

A3 建物の貸借の場合の記載事項なので、売買の場合は記載事項ではありません。

×

3 供託所に関する説明

いくら営業保証金制度・弁済業務保証金制度がきちんと整えられていても、お客さんがその制度の存在を知らなければ意味がありません。そこで、宅建業法は、次のように、営業保証金や弁済業務保証金が供託されている供託所等についての説明（**供託所等に関する説明**）を義務付けています。

宅建業者は、**宅建業者の相手方等**（**宅建業者を除く**）に対して、**売買・交換・貸借の契約が成立するまでの間**に、次に掲げる事項を**説明するようにしなければなりません**。

①宅建業者が保証協会の社員でない場合

営業保証金を供託した主たる事務所の最寄りの供託所・その所在地

②宅建業者が保証協会の社員である場合

社員である旨、保証協会の名称・住所・事務所の所在地、弁済業務保証金が供託されている供託所・その所在地

＼アドバイス／

重要事項の説明との違いは、①宅建士が説明しなくてもよい、②書面を作成・交付する必要がない、③「説明をするようにしなければならない」という弱い義務であることが挙げられます。

宅建業者が説明の相手方から除かれているのは、宅建業者は営業保証金や弁済業務保証金から還付を受けることができないからです。

4 重要事実の不告知等の禁止

宅建業者は、①宅地・建物の売買、交換、貸借の契約について勧誘するに際し、または、②その契約の申込みの撤回・解除を妨げるため、もしくは、③宅建業に関する取引により生じた債権の行使を妨げるため、次のいずれかに該当する事項について、**故意に事実を告げず、または不実のことを告げる行為をしてはなりません**。

イ　重要事項の説明の対象事項

ロ　供託所等に関する説明の対象事項

ハ　37条書面の記載事項

ニ　イからハまでに掲げるもののほか、①宅地・建物の所在、規模、形質、②現在・将来の利用の制限、環境、交通等の利便、③代金、借賃等の対価の

額・支払方法その他の取引条件、④当該宅建業者・取引の関係者の資力・信用に関する事項であって、宅建業者の相手方等の判断に重要な影響を及ぼすこととなるもの

このレッスンが終わったら「きほんの問題集」の問題42〜51にチャレンジ！

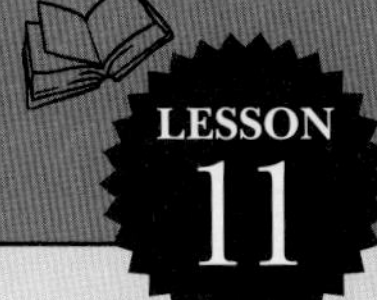

学習優先度 高

LESSON 11 37条書面等

「37条書面には何を記載するの？」

introduction

なぜ、契約内容を
記載した書面を
37条書面と
呼ぶのですか？
宅建業法37条に
定められている
からです。

もしかして、宅建試験に受かるには、条文の番号も覚えないとダメですか？

そんなことはありません。覚えなくて大丈夫です。「37条書面」は、そのような名前なのだと思っておけば十分です。

37条書面は、毎年2問程度出題されます。重要事項の説明との違い（説明・交付方法の違いや内容の違い）を意識しながら、確実に理解・記憶するようにしましょう。

学習のポイント

❶売買・交換・貸借契約成立後、遅滞なく、作成・交付する

❷宅建士の記名が必要

❸契約の当事者に対し交付する

❹必ず記載すべき事項と、定めがあるときに記載すべき事項がある

1 契約締結時期制限

Case 1 建築確認を受ける前に、媒介により賃貸借契約を成立させた

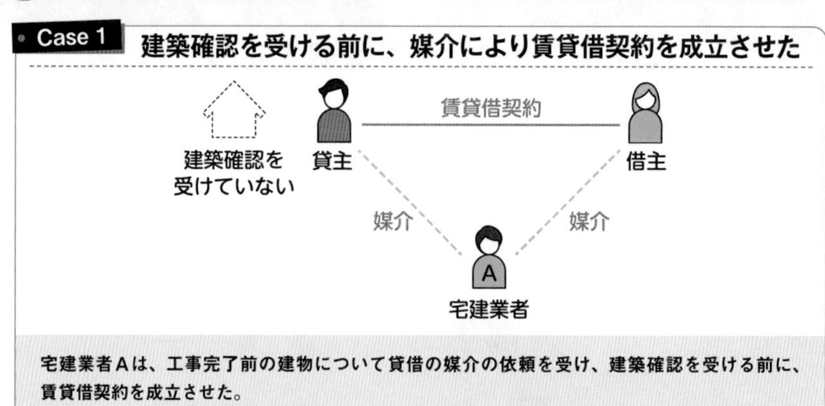

宅建業者Aは、工事完了前の建物について貸借の媒介の依頼を受け、建築確認を受ける前に、賃貸借契約を成立させた。

レッスン9で広告開始時期制限について説明しましたが、契約の締結に関してもよく似た制限がされています。

必須 契約締結時期制限

宅建業者は、宅地造成・建物建築に関する**工事の完了前**においては、当該工事に必要とされる開発許可・建築確認等の**処分があった後**でなければ、自ら当事者としてまたは当事者を代理して**売買・交換**契約を締結したり、**売買・交換**契約の媒介をしたりしてはならない。

広告開始時期制限と異なるのは、広告開始時期制限はすべての取引態様に適用されるのに対し、契約締結時期制限は、**貸借の媒介・代理**には適用されないことです。

必須 広告開始時期制限と契約締結時期制限

	広告開始時期制限	契約締結時期制限
対　象	すべての取引態様	売買・交換を自ら行う 売買・交換の媒介・代理 （貸借の媒介・代理は制限されない）
監督処分	指示処分	業務停止処分 情状が特に重いときは免許取消処分
罰　則	なし	なし

ケース1は、貸借の媒介なので、契約締結時期制限は適用されません。したがって、建築確認を受ける前に、媒介により賃貸借契約を成立させても、宅建業法に違反しません。

〇×チャレンジ

Q **宅地建物取引業者は、建築工事完了前の建物について媒介の依頼を受けた場合、当該工事に必要な建築確認の処分がある前でも、貸借に関する広告をすることはできるが、媒介により貸借の契約を成立させることはできない。**

A 貸借の場合、広告はできませんが、契約を成立させることはできます。本問は逆の記述です。

×

2 37条書面

1. 37条書面とは

契約は当事者の合意で成立しますが、口頭の約束だけでは、合意内容がはっきりしないこともあり、あとで「言った、言わない」の争いになる危険もあります。そこで、宅建業法は、宅建業者に対し、**契約内容を書面に記載して当事者に交付する**⊕ことを義務付けています。この契約内容を記載した書面のことを**37条書面**と呼びます。

2. 37条書面の作成・交付

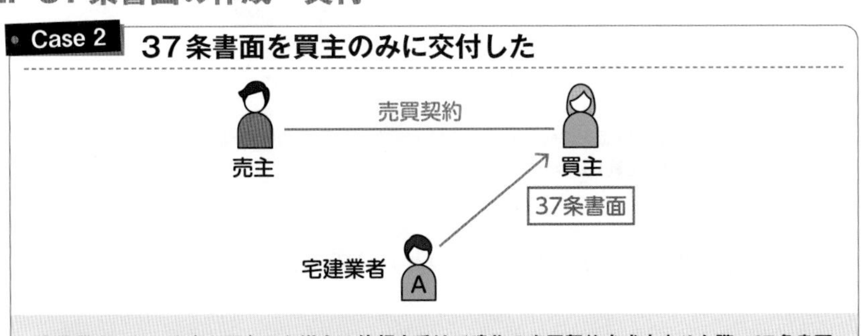

宅建業者Aは、売主と買主から媒介の依頼を受けて建物の売買契約を成立させた際、37条書面を買主のみに交付した。

⊕補足

当事者の書面等による承諾を得れば、書面の交付に代えて、電磁的方法で提供することができる（宅建士の記名に代わる措置が必要）。

37条書面は契約内容を記載するものなので、契約後に作成して交付します。交付の相手方は、**契約の当事者（売主・買主、貸主・借主、交換における宅地・建物の取得者）**です。**ケース2**の場合、Aは、売主にも37条書面を交付しなければなりません。

＼アドバイス／

重要事項の説明と異なり、売主・貸主に対しても交付しなければならないことに注意してください。

宅建士の記名が必要な点は重要事項の説明と同じですが、内容を説明する必要はありません。

必須 37条書面の作成・交付

1. 宅建業者は、売買・交換・貸借契約の**成立後、遅滞なく、契約の当事者**に契約内容を記載した書面（37条書面）を交付しなければならない。
2. 宅建業者は、37条書面を作成したときは、**宅建士**をして、当該書面に**記名**させなければならない。

3. 37条書面の記載事項

Case 3　37条書面に引渡しの時期を記載しなかった

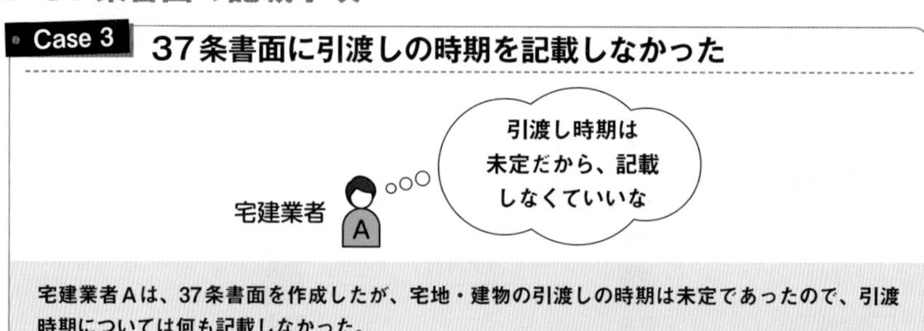
宅建業者
A
引渡し時期は
未定だから、記載
しなくていいな

宅建業者Aは、37条書面を作成したが、宅地・建物の引渡しの時期は未定であったので、引渡時期については何も記載しなかった。

37条書面に記載すべき事項は、次のとおりです。

必須 37条書面の記載事項

	売買・交換	貸借
定めの有無にかかわらず記載すべき事項	① 当事者の氏名（法人の場合、その名称）、住所 ② 宅地・建物を特定するために必要な表示	
	❸ 代金・交換差金の額・支払時期・支払方法 ❹ 宅地・建物の**引渡しの時期** ❺ **移転登記の申請時期** ⑥ **既存建物**の場合、建物の構造耐力上主要な部分等の状況について当事者の双方が**確認した事項**※	③ 貸借の額・支払時期・支払方法 ④ 宅地・建物の**引渡しの時期**
定めがあれば記載すべき事項	① 契約の**解除**に関する定めがあるときは、その内容 ② **損害賠償額の予定**・違約金に関する定めがあるときは、その内容 ③ 天災その他不可抗力による損害の負担に関する定めがあるときは、その内容	
	④ 代金・交換差金**以外**の金銭の授受に関する定めがあるときは、その額・授受時期・授受目的 ⑤ 代金・交換差金についての金銭の貸借の**あっせん**に関する定めがあるときは、そのあっせんが**成立しないときの措置** ⑥ 種類・品質に関する**契約不適合を担保すべき責任**またはその履行に関して講ずべき保証保険契約の締結等の措置について定めがあるときは、その内容 ⑦ **租税**その他の公課の負担に関する定めがあるときは、その内容	④ 借賃**以外**の金銭の授受に関する定めがあるときは、その額・授受時期・授受目的

※「当事者の双方が確認した事項」とは、原則として、建物状況調査等の専門的な第三者による調査が行われ、その調査結果の概要を重要事項として宅建業者が説明したうえで契約締結した場合の当該「調査結果の概要」のことである。

＼アドバイス／

❸代金・交換差金の額等、❹引渡しの時期、❺移転登記の申請時期は、売買・交換の37条書面には定めの有無にかかわらず記載すべきですが、重要事項の説明の対象ではありません。この点は、よく出題されます。

ケース3の場合、宅地・建物の引渡しの時期を記載していないので、宅建業法に違反します。定めがない場合には、「定めなし」のように記載する必要が

あります。

OXチャレンジ

Q 宅地建物取引業者が自ら売主として宅地の売買契約を締結した場合、契約の解除に関する事項を37条書面に必ず記載しなければならない。

A 契約の解除に関する定めがあるときは、その内容を記載しなければならないとされています。定めがあるときに記載すべき事項であり、「必ず」ではありません。

＼アドバイス／

重要事項の説明と37条書面の交付については、両者を比較する問題が出題されることもあるので、ここでまとめておきましょう。

必須 重要事項の説明方法と37条書面の交付方法

	重要事項の説明	37条書面の交付
時期	契約が成立するまで	契約後、遅滞なく
担当者	宅建士が説明	誰が交付してもよい
相手方	取得しようとする者 借りようとする者	契約の当事者
記名	宅建士	宅建士
説明の要否	原則として必要	不要
場所	制限なし	制限なし

 このレッスンが終わったら「きほんの問題集」の問題52〜58にチャレンジ！

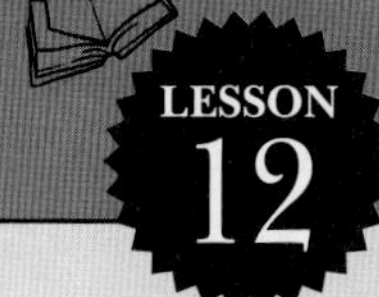

学習優先度 高

LESSON 12 その他の業務上の規制

「宅建業者やその従業員が行ってはならないことは？」

introduction

この物件、昔から新駅のうわさがある場所の近くですね。買っておけば、値上がりしそうです。
「新駅ができます」とか「確実に値上がりします」とか、お客様に対して断言してはダメですよ。

いい情報だと思ったのですが…

新駅ができることも値上がりも確実ではありません。確実ではないことを断言すると、お客様に誤解を与えて損をさせてしまうおそれがあるので、宅建業法で規制されています。

上記は、業務に関する禁止事項の内容の1つです。このほかにも、宅建業者や従業者に関しては、業務に関して様々な義務や禁止事項が定められています。このレッスンでは、それらについて学習します。

学習のポイント

❶業務上知り得た秘密を他に漏らしてはならない

❷手付の貸付け等により契約の締結を誘引してはならない

❸事務所には、従業者名簿や業務に関する帳簿を備えなければならない

❹案内所等には、標識の掲示等が必要である

1 守秘義務

Case 1 業務で知った秘密を漏らした

仕事で知ったんだけどさあ、
Bさんて実は……
宅建業者の従業者A

宅建業者の従業者Aは、有名人Bが家を借りる際、その媒介業務に従事したことからBの自宅の場所を知り、それを他人に漏らした。

宅建業者やその従業者は、業務の中で、お客さんの秘密（たとえば、経済状態・家族関係など）を知ることがあります。そこで、宅建業法は、**守秘義務**（＝秘密を守る義務）を定めています。

必須 守秘義務

1. 宅建業者は、**正当な理由**がある場合でなければ、業務上知り得た**秘密**を他に漏らしてはならない。**宅建業を営まなくなった後**も、同様である。
2. 宅建業者の従業者は、**正当な理由**がある場合でなければ、宅建業の業務を補助したことについて知り得た**秘密**を他に漏らしてはならない。**従業者でなくなった後**も、同様である。

ケース1の場合、Aは業務中に知った秘密を他に漏らしているので、原則として守秘義務違反になります。

なお、「正当な理由」は、①**本人の承諾**があるとき、②**法律上秘密を告げる義務**があるとき（裁判の証人、税法上の調査など）、③**取引の相手方に告げる必要**があるときに認められます。

○×チャレンジ

Q 宅地建物取引業者は、いかなる場合も、業務上知り得た秘密を他に漏らしてはならない。

A 正当な理由があれば、他に漏らしてかまいません。

×

2 手付貸与(たいよ)等の禁止

Case 2 手付金を貸すので契約しましょうと誘った

手付金は
お貸ししますから
今日契約してください
親切な不動産屋さん…
借りて契約しようかな！
宅建業者A

宅建業者Aは、宅地の購入を検討しているが手付金の持ち合わせがないBに、「手付金分のお金を貸すので、契約してください」と契約を勧めた。

購入の意思を固めておらず手付金を持ち合わせていないお客さんに、手付金分を貸してあげると、それに誘われて契約をしてしまう可能性があります。宅建業法は、このような安易な契約を防止するために、次のような規制をしています。

必須 手付貸与等の禁止

宅建業者は、手付について**貸付けその他信用の供与**をすることにより契約の締結を誘引してはならない。

具体的には、手付金を**貸し付ける**ことのほか、手付の**後払い**や**分割払い**を認めること、手付金を**手形**で受け取ることなどが「信用の供与」にあたります。

そのような行為によって「契約の締結を誘引する」（＝契約締結を誘う）ことを禁止しているのです。

ケース2の場合、Aは、手付金の貸付けによって契約の締結を誘引しているので、宅建業法に違反します。

＼アドバイス／
これに対し、手付に関し銀行との間の金銭のあっせんをすることや、当初提示した手付金額を減額することは「信用の供与」にはあたりません。

3 業務に関する禁止事項

Case 3 「絶対に値上がりする」と購入を勧めた

この土地は必ず
値上がりしますよ！
宅建業者が
言うんだから
確定だよなあ…
宅建業者A

宅建業者Aは、宅地の購入を検討しているBに「この土地は必ず値上がりします」と言って、購入を強く勧めた。

相手をだましたり脅したりすることは、許されることではありません。ところが、実際には、お客さんに対していい加減なことを言ったり、脅迫めいたことを言ったりするトラブルが後を絶ちません。そこで、宅建業法は、次のように定めています。

必須 業務に関する禁止事項

1. 宅建業者等（＝宅建業者、その代理人・使用人その他の従業者）は、宅建業に係る契約の締結を勧誘するに際し、相手方等に対し、**利益が生ずることが確実であると誤解させるべき断定的判断を提供する**行為をしてはならない。

2. 宅建業者等は、宅建業に係る契約を締結させ、または契約の申込みの撤回・解除を妨げるため、**相手方等を威迫**（いはく）してはならない。

3. 宅建業者等は、宅建業に係る契約の締結の勧誘をするに際し、相手方等に対し、次に掲げる行為をしてはならない。

① 当該契約の目的物である宅地・建物の**将来の環境・交通その他の利便について誤解させるべき断定的判断を提供**すること

② 正当な理由なく、当該契約を締結するかどうかを判断するために**必要な時間を与えることを拒む**こと

③ 当該**勧誘に先立って**宅建業者の商号・名称、当該勧誘を行う者の氏名、当該契約の締結について勧誘をする目的である旨を**告げずに、勧誘**を行うこと

④ 相手方等が当該契約を**締結しない旨の意思**（当該勧誘を引き続き受けることを希望しない旨の意思を含む）を表示したにもかかわらず、当該**勧誘を継続**すること

⑤ **迷惑を覚えさせるような時間**に電話し、または訪問すること

⑥ 深夜または長時間の勧誘その他の**私生活または業務の平穏を害するような方法**によりその者を困惑させること

4. 宅建業者等は、**相手方等が契約の申込みの撤回を行うに際し**、すでに**受領した預り金を返還することを拒んではならない。**

5. 宅建業者等は、**相手方等が手付を放棄して契約の解除を行うに際し、正当な理由なく、当該契約の解除を拒み**、または**妨げてはならない。**

ケース3の場合、上記の必須1に該当するので、宅建業法に違反します。

4 従業者証明書・帳簿等

1．従業者証明書

宅建業者の従業者⊕であることを明確にさせるための制度です。

必須 従業者証明書

1. 宅建業者は、従業者に、その従業者であることを証する証明書（**従業者証明書**）を携帯させなければ、その者を業務に従事させてはならない。

2. 従業者は、**取引の関係者の請求**があったときは、従業者証明書を**提示しなければならない。**

⊕**補足**

宅建業者は、その従業者に対し、その業務を適正に実施させるため、必要な教育を行うよう努めなければならない。

従業者証明書は、宅建士証とは別のものです。したがって、宅建士証を提示しなければならないときに従業者証明書を提示しても、提示義務を果たしたことになりません。逆も同じです。

2. 従業者名簿

宅建業者の従業者であることを明確にするためには、従業者の名簿を作成し備え付けるという方法も有効です。そこで、宅建業法では、次のように定められています。

必須 従業者名簿

1. 宅建業者は、その**事務所ごと**に、従業者名簿⊕を備えなければならない。
2. 従業者名簿の保存期間は、**最終の記載をした日から10年間**である。
3. 宅建業者は、取引の関係者から請求があったときは、従業者名簿をその者の**閲覧**に供しなければならない。

3. 帳簿の備付け

取引の記録を残すために、宅建業者には帳簿の作成・備付けが義務付けられています。

必須 帳簿

1. 宅建業者は、その**事務所ごと**に、その業務に関する帳簿⊕を備え、宅建業に関し**取引のあったつど**、その取引の内容等を記載しなければならない。
2. 帳簿は**各事業年度の末日に閉鎖**し、**閉鎖後5年間**（当該宅建業者が自ら売主となる新築住宅に係るものは**10年間**）保存しなければならない。

4. 標識の掲示

宅建業者は、**事務所**や**一定の案内所等**（次の❺で説明します）に**標識**を掲示しなければなりません。

⊕補足
従業者名簿や帳簿への記載は、電子計算機に備えられたファイル・電磁的記録媒体に記録し、必要に応じて紙面に表示する（コンピュータのデータとして記録し、必要があればプリントアウトする）方法で行うこともできる。

5 案内所等の規制

1. 案内所等の規制の種類

宅建業者は分譲のための現地案内所等を設置することがありますが、そのような場所には、(1) **専任の宅建士の設置、標識の掲示、案内所等の届出**が必要なものと、(2) **標識の掲示だけ**が必要なものとがあります。

2. 専任の宅建士の設置等が必要な場所

Case 4 買受けの申込みを受ける案内所を設置した。

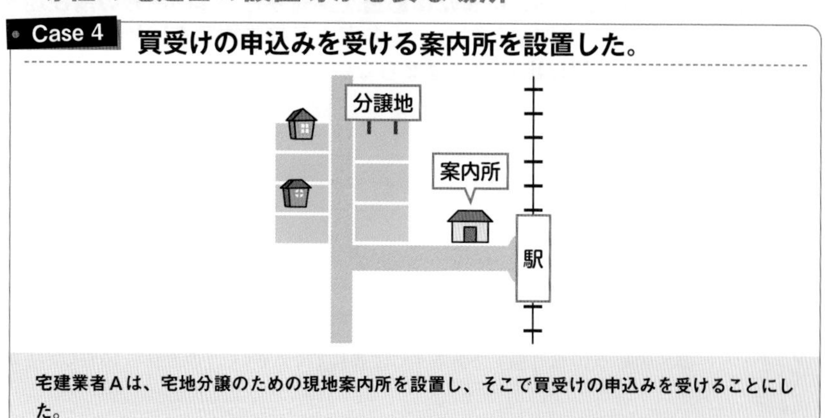

宅建業者Aは、宅地分譲のための現地案内所を設置し、そこで買受けの申込みを受けることにした。

次の場所には、**専任の宅建士の設置、標識の掲示、案内所等の届出**が必要です。

必須 専任の宅建士の設置等が必要な場所

次のうち、そこで**契約（予約を含む）を締結し、または契約の申込みを受ける場所**

① 継続的に業務を行うことができる施設を有する場所で事務所以外のもの
② 宅建業者が一団の宅地・建物の分譲を案内所を設置して行う場合の当該案内所
③ 他の宅建業者が行う一団の宅地・建物の分譲の代理・媒介を案内所を設置して行う場合の当該案内所
④ 宅建業者が業務に関し展示会その他これに類する催しを実施する場合のこれらの催しを実施する場所

この場合、レッスン5で説明したとおり、**専任の宅建士は、業務に従事する者の数に関係なく1人**で足ります。**ケース4**の場合、Aは現地案内所に、1人以上の専任の宅建士を設置し、標識を掲示し、案内所等の届出をしなければなりません。

案内所等の届出の方法等は次のとおりです。

必須 **案内所等の届出**

1. 届出方法
免許を受けた国土交通大臣または都道府県知事と、**案内所等の所在地を管轄する都道府県知事**に対し、その案内所等で**業務を開始する日の10日前まで**に、届け出なければならない。
2. 届出事項
① 所在地
② 業務内容
③ 業務を行う期間
④ 専任の宅建士の氏名

＼アドバイス／
業務開始の10日「前」である点に注意してください。「設置から10日以内」等ではありません。

3. 標識の掲示のみが必要な場所

次の場所には、標識の掲示のみが必要です。

必須 **標識の掲示のみが必要な場所**

①～④のうち、そこで契約（予約を含む）の締結も、契約の申込みの受領もしない場所
① 継続的に業務を行うことができる施設を有する場所で事務所以外のもの
② 宅建業者が一団の宅地・建物の分譲を案内所を設置して行う場合の当該案内所
③ 他の宅建業者が行う一団の宅地・建物の分譲の代理・媒介を案内所を設置して行う場合の当該案内所
④ 宅建業者が業務に関し展示会その他これに類する催しを実施する場合のこれらの催しを実施する場所
⑤ 宅建業者が一団の宅地・建物の分譲をする場合における**当該宅地・建物の所在場所**（契約の締結等をするか否かは関係なし）

4. 事務所・案内所等に必要なもののまとめ

事務所には、**従業者名簿・帳簿・報酬額の掲示**［▶L17］**・専任の宅建士・標識**の5つが必要です。これらのうち、従業者名簿・帳簿・報酬額の掲示の3つは、事務所のみに必要です。専任の宅建士は、従業者**5人に1人以上**です。

契約の締結等をする案内所等には、**専任の宅建士**と**標識**が必要で、**案内所等の届出**も必要です。専任の宅建士は**1人**で足ります。

契約の締結等をしない案内所等と**宅地・建物の所在場所**には、**標識のみ**が必要です。

【事務所・案内所等に必要なもののまとめ】

	従業者名簿 帳簿 報酬額の掲示	専任の 宅建士	標識	届出
事務所	○	5人に 1人以上	○	変更の届出 （免許換え）
契約締結等 をする案内所等	×	1人で 足りる	○	案内所等の 届出
契約締結等 をしない案内所等	×	×	○	×
宅地・建物の 所在場所	×	×	○	×

○必要　×不要

○×チャレンジ

Q 宅地建物取引業者は、一団の建物を分譲するための案内所を設置し、そこで売買契約の締結をする場合、当該案内所に、そこで業務に従事する者5人に1人以上の割合で専任の宅地建物取引士を置かなければならない。

A 案内所等の専任の宅建士は、従業者の数に関係なく1人で足ります。

×

このレッスンが終わったら「きほんの問題集」の問題59〜65にチャレンジ！

LESSON 13 自ら売主制限①

「契約をクーリング・オフできるのは、どんな場合？」

クーリング・オフをしたいというお客様がいらっしゃるので、調べたら弊社の事務所で買受けの申込みをしていました。

それだと、クーリング・オフはできませんね。

そうですよね。お客様にお話ししてみます。

何か事情があるはずですから、しっかり伺ったうえで、場合によっては手付放棄による解除などもご案内してください。

　レッスン13から15までは、自ら売主制限について学習します。これは、宅建業者が売主、宅建業者でない者が買主となる宅地・建物の売買契約に適用される制限です。このレッスンでは、クーリング・オフ制度について説明します。

学習のポイント

❶クーリング・オフの可否は、買受けの申込み等の場所で判断する

❷クーリング・オフ期間は、書面で告げられた日から起算して8日間

❸クーリング・オフの効力は、クーリング・オフする旨の書面を発した時に生じる

❹クーリング・オフに関し買主等に不利な特約は無効となる

1 自ら売主の制限とは

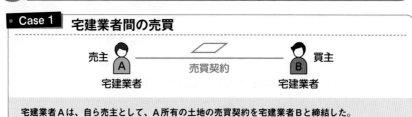

Case 1 宅建業者間の売買

売主 A 宅建業者 ―― 売買契約 ―― 買主 B 宅建業者

宅建業者Aは、自ら売主として、A所有の土地の売買契約を宅建業者Bと締結した。

自ら売主制限とは、**宅建業者が売主、宅建業者でない者が買主**となる宅地・建物の売買契約にのみ適用される8つの制限をいいます⊕。このような売買契約では、売主と買主の知識・経験等に大きな差があります。そこで、弱い立場にある買主を保護するため、契約内容に制限を加えたのです。

＼アドバイス／

宅建業者間の取引（＝売主も買主も宅建業者）や、宅建業者でない者同士の取引には、自ら売主制限は適用されません。

必須 自ら売主制限の適用範囲

自ら売主制限は、**宅建業者が自ら売主**となって**宅建業者でない買主**と宅地・建物の売買契約を締結する場合に適用される。

ケース1は買主Bも宅建業者なので、自ら売主制限は適用されません。

⊕補足

①クーリング・オフ制度、②自己の所有に属しない宅地・建物の売買契約制限、③担保責任の特約の制限、④損害賠償額の予定等の制限、⑤手付の額の制限等、⑥手付金等の保全措置、⑦割賦販売契約の解除等の制限、⑧所有権留保等の禁止、の8つです。

2 クーリング・オフ制度

1. クーリング・オフ制度とは

クーリング・オフ制度とは、簡単にいえば、お客さんがいったん行った契約やその申込みをなかったことにできる制度です。たとえば、宅建業者が「現地見学バスツアー」のような催しを行い、現地で強引に購入を勧めて契約を締結させ、その結果、あとからトラブルになるというケースがあります。このような場合に、契約を簡単になかったことにできる方法として、クーリング・オフ制度が設けられています。

＼アドバイス／

「本当は買う決心がつかなかったんだけど、宅建業者の誘いを断りきれずに契約してしまった」というようなお客さんを守るための制度なのです。

2. クーリング・オフ制度の適用の有無

Case 2 事務所近くの喫茶店で、買受けの申込み等をした

宅建業者ではない買主Bは、売主である宅建業者Aの事務所の近くの喫茶店で、買受けの申込みをし、そこで売買契約を締結した。

クーリング・オフ制度の目的からは、「お客さんが決心のつかないうちに契約してしまった場合は、クーリング・オフすることができる」という制度がベストです。しかし、そのような制度の実現は困難なので、**クーリング・オフ制度の適用の有無は、買受けの申込みまたは売買契約の締結の場所により決定⊕することにしました。**

⊕補足

買受けの申込みと契約締結の場所が異なる場合、買受けの申込みの場所でクーリング・オフ制度の適用の有無を判断する。

すなわち、宅建業者が自ら売主となる宅地・建物の売買契約について、**事務所等以外の場所において、買受けの申込みをした者**または**売買契約の締結をした買主**は、原則として、書面により当該**買受けの申込みの撤回**または**契約の解除**をすることができます。

＼アドバイス／
つまり、「事務所等」以外の場所で申込み等をするとクーリング・オフ制度の適用があり、「事務所等」で申込み等をするとクーリング・オフ制度の適用がないのです。

「事務所等」とは、次のような場所をいいます。

必須 クーリング・オフができない「事務所等」

① 宅建業者の**事務所**
② 宅建業者の**事務所以外の場所で継続的に業務を行うことができる施設**を有するもの
③ 宅建業者の**案内所**（**土地に定着**したものに限る）
④ 売主である宅建業者から代理・媒介の依頼を受けた宅建業者の①～③の場所
⑤ 宅建業者（代理・媒介をする宅建業者を含む）が、**専任の宅建士を置くべき場所**（**土地に定着する建物内のもの**に限る）で契約に関する説明をした後、展示会等の催しを土地に定着する建物内において実施する場合の、催しを実施する場所

（②～⑤のうち、**専任の宅建士の設置義務**があるもの）

⑥ **相手方**（**＝申込者・買主**）**から**その自宅・勤務場所で売買契約に関する説明を受ける旨を**申し出た場合の、相手方の自宅・勤務場所**

宅建業者の**事務所や案内所**などで申込みをした場合には、クーリング・オフ制度の適用対象になりません。わざわざそこまで出かけていったお客さんは買う決心をしていたものと考えられるからです。

これに対し、**喫茶店・ホテル・旅館**などで申込みをした場合には、クーリング・オフ制度の適用があります。実際にも、見学ツアーを組んで現地近くのホテル等で契約を迫るようなトラブルが多発していたことから、クーリング・オフ制度の適用対象とされているのです。**ケース2**の場合、喫茶店で買受けの申込み等をしているので、クーリング・オフ制度の適用があります。

＼アドバイス／
喫茶店・ホテルは、クーリング・オフ制度の適用がある場所として試験によく出てきます。

また、案内所は「土地に定着したものに限る」ので、土地に定着していない案内所（**テント張りの案内所**など）の場合は、クーリング・オフ制度の適用があります。

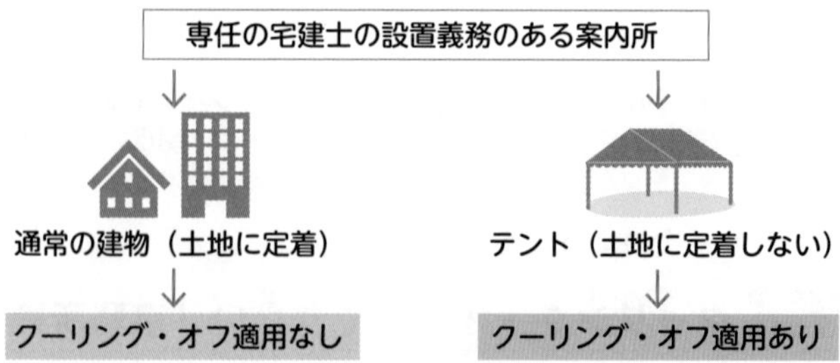

宅建業者の**相手方（申込者・買主）の自宅・勤務場所**については、**買主側から**そこで契約に関する説明を受ける旨を**申し出た場合**には、**クーリング・オフ制度が適用されません**。

＼アドバイス／

これに対し、宅建業者から申し出た場合には、買主の自宅・勤務場所で申込みがされても、クーリング・オフ制度の適用があります。

○×チャレンジ

Q 売主である宅地建物取引業者の事務所で買受けの申込みをし、喫茶店で売買契約の締結をした場合、宅建業者ではない買主は、クーリング・オフをすることができない。

A 買受けの申込みと契約締結の場所が異なる場合、クーリング・オフ制度の適用の有無は、申込みの場所で判断します。本問では、売主である宅建業者の事務所で買受けの申込みがされているので、クーリング・オフできません。

○

3 クーリング・オフの制限・効果

1. クーリング・オフの制限

Case 3　代金の全部を支払ったが、引渡しは受けていない

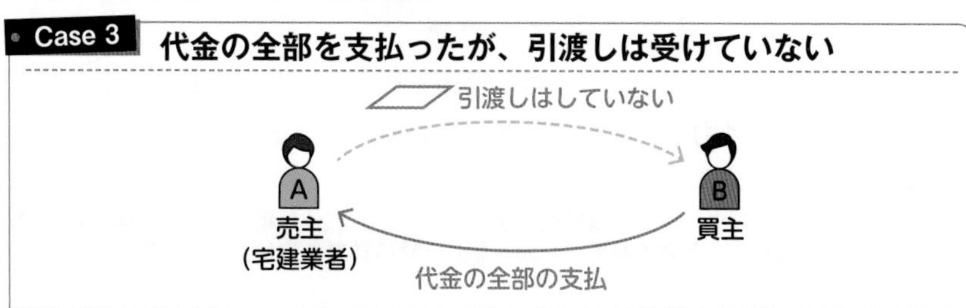

買主Bは、クーリング・オフ制度の適用のある売買契約を締結したが、クーリング・オフできる旨は告げられていない。Bは、代金の全部を支払ったが、引渡しは受けていない。

いつまでたっても買主がクーリング・オフできるのでは売主に酷なので、クーリング・オフできる時期の制限が設けられています。

必須　クーリング・オフの制限

次のいずれかに該当する場合は、クーリング・オフをすることができなくなる。

1. 宅建業者が申込みの撤回等を行うことができる旨およびその方法を**書面で告知した日から起算**して、**8日間**を経過したとき
2. 買主が宅地・建物の**引渡しを受け**、かつ**代金の全部を支払ったとき**

1の場合、書面で告知しなければ、8日間の期間制限がスタートしません⊕。「8日間」は告知された日を含んで計算します。たとえば、月曜日に告知されると、「月・火・水・木・金・土・日・月」と次の週の月曜日の終了時点で8日間が経過します。

＼アドバイス／

1週間の期間を置くことにより、その間に休みの日が入るので、買主はクーリング・オフするかどうかをじっくり検討できるのです。

2の「引渡しを受け、かつ代金の全部を支払ったとき」とは、「引渡し」と「代金の全部の支払」の両方とも終わったときです。**ケース3**では、クーリン

⊕補足

宅建業者には、クーリング・オフできる旨の告知をする義務はないが、告知しない場合や口頭で告知した場合には、8日間の期間制限がスタートしない。

グ・オフできる旨を告げられていないので**1**に該当せず、引渡しを受けていないので**2**にも該当しません。したがって、Bは、クーリング・オフできます。

2. クーリング・オフの方法・効果

クーリング・オフをする場合には、**書面で行う**必要があります。そして、クーリング・オフの効力は、その**書面を発した時**に生じます。

＼アドバイス／
クーリング・オフには期間制限があるので、郵便事情によって書面が遅く着く可能性などを考慮して、書面を発した時に効力が生じるとしたのです。

クーリング・オフがされた場合、申込みや契約はなかったことになります。したがって、買主は代金を支払わなくてすみますし、**すでに支払った手付金・代金等は返還してもらえます**。また、宅建業者は、**クーリング・オフに伴う損害賠償や違約金を請求することはできません**。

そして、クーリング・オフの規定に反する特約で**申込者・買主に不利なものは無効**となります。

＼アドバイス／
たとえば、クーリング・オフ期間を短縮する特約は、買主等に不利なので無効です。

必須 クーリング・オフの方法・効果

1. クーリング・オフは書面で行う必要があり、その**書面を発した時**にクーリング・オフの効力が生じる
2. クーリング・オフが行われた場合、宅建業者は、速やかに、受領していた**手付金その他の金銭を返還**しなければならない。
3. 宅建業者は、クーリング・オフに伴う**損害賠償・違約金の支払を請求することができない**。
4. クーリング・オフに関する特約で、**申込者・買主に不利なものは、無効**となる。

○×チャレンジ

Q クーリング・オフの効力は、クーリング・オフする旨の書面が売主である宅地建物取引業者に到達した時に効力を生じる。

A クーリング・オフの効力は、書面を発した時に生じます。

×

 このレッスンが終わったら「きほんの問題集」の問題66〜69にチャレンジ！

学習優先度 高

LESSON 14 自ら売主制限②

「担保責任や損害賠償額の予定に関する特約は？」

introduction

損害賠償額の予定を
代金の5割くらいにしたら、
お客様が必死で契約を
守ってくれませんか？
自ら売主制限では、
その額は宅建業法違反です。
代金額の2割までに
制限されています。

いいアイデアだと思ったのですが、これもダメですか。

高額すぎるとお客様に大きな負担になるので、制限されています。2割を超える部分は無効になり、2割になります。

自ら売主制限では、買主を守るために、買主に不利な契約や特約を制限しています。このレッスンでは、そのような制限等について学習します。

学習のポイント

❶他人物売買は原則として禁止

❷種類・品質に関する契約不適合責任について、民法より買主に不利な特約は、原則として無効

❸損害賠償額の予定と違約金の定めは、合計して代金額の2/10まで

1 自己の所有に属しない宅地・建物の売買契約制限

1．他人物売買の制限

自己の所有に属しない宅地・建物とは、①売主以外の者が所有する宅地・建物（＝他人の宅地・建物）、②未完成の宅地・建物をいいます。ここでは、まず①の他人物売買の制限について説明します。

Case 1　宅建業者が他人物売買契約を締結した

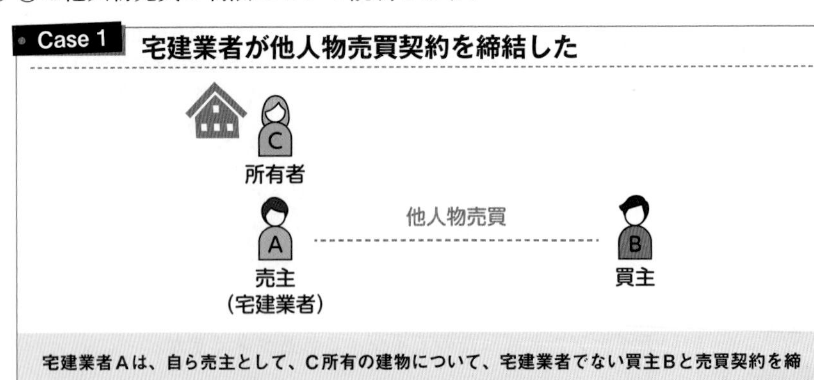

宅建業者Aは、自ら売主として、C所有の建物について、宅建業者でない買主Bと売買契約を締結した。

民法では、他人物売買は、特に制限されていません。しかし、他人物売買契約は、買主が目的物を取得できないおそれがある危険な契約です。たとえば、**ケース1**では、Cが建物を手放さなければ、Bはそれを取得することができません。

このように、他人物売買は買主に不利益を与えるおそれがあるので、宅建業者が自ら売主になる売買契約においては、原則として禁止されています。

必須　他人物売買の制限

1．原則
宅建業者は、自己の所有に属しない宅地・建物については、自ら売主となる**売買契約（予約を含む）を締結してはならない**。

2．例外
宅建業者が当該宅地・建物を取得する契約（**予約を含み、その効力の発生が条件に係るもの㊉を除く**）を締結している等、当該宅地・建物を取得できることが明らかな場合には、売買契約を締結することができる。

㊉**補足**
効力の発生に付けられた条件を、停止条件という。たとえば、「試験に合格したら、このクルマをあげる」（＝合格という条件を満たすと、贈与の効果が発生する）という場合である。

「2. 例外」の部分を、具体的に考えてみましょう。

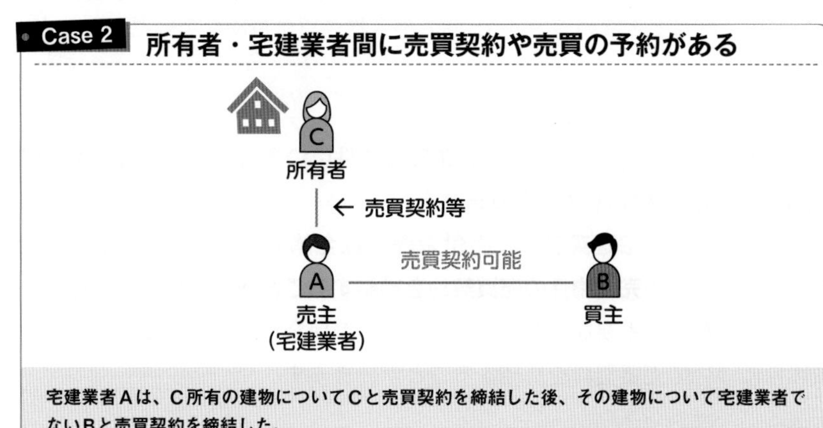
Case 2
所有者・宅建業者間に売買契約や売買の予約がある
所有者
C
← 売買契約等
売買契約可能
A
B
売主
（宅建業者）
買主
宅建業者Aは、C所有の建物についてCと売買契約を締結した後、その建物について宅建業者でないBと売買契約を締結した。

必須の「2. 例外」のとおり、**ケース2**の場合、宅建業者Aが建物を取得する契約を締結している場合には、AB間の売買契約が許されます。この場合、Aが建物を取得してBに渡すことが確実といえるからです。

＼アドバイス／

AC間は、売買の予約でもかまいません。また、売買契約やその予約があれば、代金の支払や登記移転が済んでいなくてもかまいません。

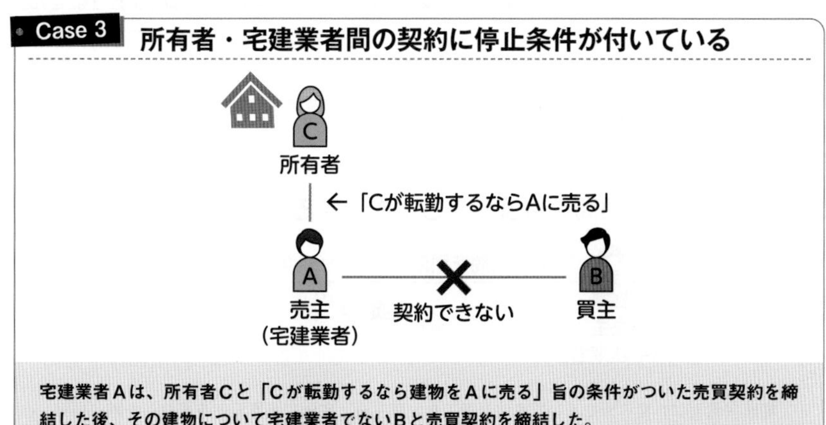
Case 3
所有者・宅建業者間の契約に停止条件が付いている
所有者
C
← 「Cが転勤するならAに売る」
A
B
売主
（宅建業者）
契約できない
買主
宅建業者Aは、所有者Cと「Cが転勤するなら建物をAに売る」旨の条件がついた売買契約を締結した後、その建物について宅建業者でないBと売買契約を締結した。

必須の「2. 例外」のとおり、**ケース3**のようにAC間の契約の効力発生が条件に係る場合（＝AC間の契約が**停止条件付き**の場合）は、AB間の売買契約を締結することはできません。なぜなら、条件が成立しなかったら（上記の

例だと、Cが転勤しなかったら）Aは建物を取得することができず、その結果、Bに渡すこともできないので、AB間の他人物売買は危険な契約だからです。

2. 未完成物件の売買制限

宅建業者は、原則 **原則として、未完成物件につき自ら売主となる売買契約（予約を含む）を締結してはなりません。**

ただし、例外 **宅建業者は、手付金等の保全措置［▶L15］を講ずれば、自ら売主として未完成物件の売買契約を締結することができます**。また、手付金等の保全措置が不要な場合には、手付金等の保全措置を講じなくても、未完成物件について売買契約を締結することができます。

＼アドバイス／
つまり、未完成物件の売買制限は、手付金等の保全措置が必要な場合にそれを講じずに契約することを禁止しているのです。

OXチャレンジ

Q 宅地建物取引業者Aは、建物について所有者Bと売買契約を締結したが、代金の支払が済まないうちに、宅地建物取引業者でない買主Cと当該建物の売買契約を締結した。Aの行為は、宅地建物取引業法の規定に違反する。

A Aは所有者Bと売買契約を締結しているので、Aが買主Cと売買契約を締結しても、宅建業法に違反しません。代金の支払が済んでいないことは関係ありません。

✕

2 担保責任の特約の制限

Case 4 通知期間を引渡しから１年とする旨を定めた

「通知期間を引渡しの日から1年とする」

宅地

宅建業者Aは、自ら売主として宅建業者でない買主Bと宅地の売買契約を締結した際、種類・品質に関する契約不適合責任における通知期間を宅地の引渡しから１年とする定めをした。

種類・品質に関する契約不適合責任［▶権利関係L8］に関する特約について、宅建業法は、次のような制限をしています。

「2. 例外」の部分を、具体的に考えてみましょう。

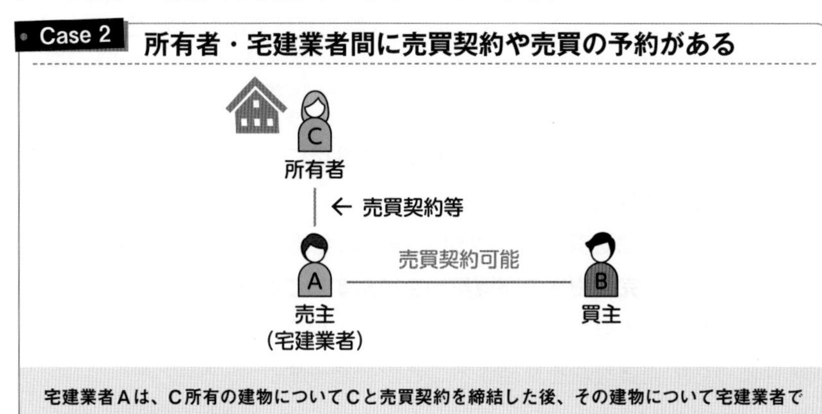
Case 2
所有者・宅建業者間に売買契約や売買の予約がある
C
所有者
← 売買契約等
A
売買契約可能
B
売主
(宅建業者)
買主
宅建業者Aは、C所有の建物についてCと売買契約を締結した後、その建物について宅建業者でないBと売買契約を締結した。

必須の「2. 例外」のとおり、**ケース2**の場合、宅建業者Aが建物を取得する契約を締結している場合には、AB間の売買契約が許されます。この場合、Aが建物を取得してBに渡すことが確実といえるからです。

＼アドバイス／
AC間は、売買の予約でもかまいません。また、売買契約やその予約があれば、代金の支払や登記移転が済んでいなくてもかまいません。

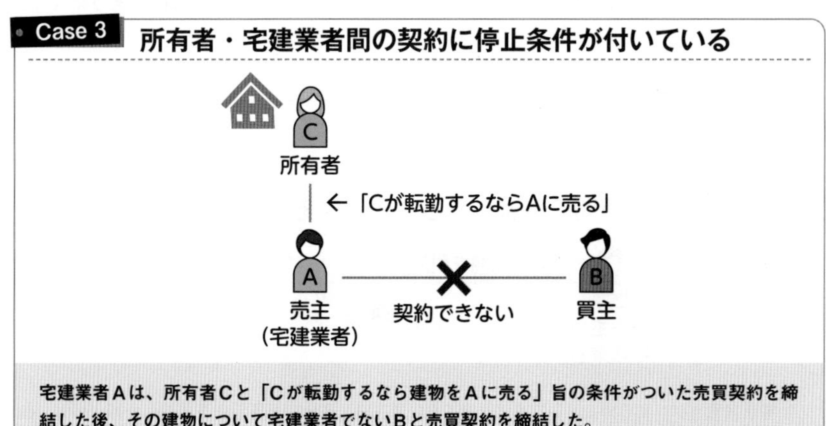
Case 3
所有者・宅建業者間の契約に停止条件が付いている
C
所有者
← 「Cが転勤するならAに売る」
A
B
売主
(宅建業者)
契約できない
買主
宅建業者Aは、所有者Cと「Cが転勤するなら建物をAに売る」旨の条件がついた売買契約を締結した後、その建物について宅建業者でないBと売買契約を締結した。

必須の「2. 例外」のとおり、**ケース3**のようにAC間の契約の効力発生が条件に係る場合（＝AC間の契約が**停止条件付き**の場合）は、AB間の売買契約を締結することはできません。なぜなら、条件が成立しなかったら（上記の

例だと、Cが転勤しなかったら）Aは建物を取得することができず、その結果、Bに渡すこともできないので、AB間の他人物売買は危険な契約だからです。

2. 未完成物件の売買制限

宅建業者は、原則 **原則として、未完成物件につき自ら売主となる売買契約（予約を含む）を締結してはなりません。**

ただし、例外 **宅建業者は、手付金等の保全措置［▶L15］を講ずれば、自ら売主として未完成物件の売買契約を締結することができます**。また、手付金等の保全措置が不要な場合には、手付金等の保全措置を講じなくても、未完成物件について売買契約を締結することができます。

＼アドバイス／
つまり、未完成物件の売買制限は、手付金等の保全措置が必要な場合にそれを講じずに契約することを禁止しているのです。

OXチャレンジ

Q 宅地建物取引業者Aは、建物について所有者Bと売買契約を締結したが、代金の支払が済まないうちに、宅地建物取引業者でない買主Cと当該建物の売買契約を締結した。Aの行為は、宅地建物取引業法の規定に違反する。

A Aは所有者Bと売買契約を締結しているので、Aが買主Cと売買契約を締結しても、宅建業法に違反しません。代金の支払が済んでいないことは関係ありません。

×

2 担保責任の特約の制限

Case 4 通知期間を引渡しから１年とする旨を定めた

宅建業者Aは、自ら売主として宅建業者でない買主Bと宅地の売買契約を締結した際、種類・品質に関する契約不適合責任における通知期間を宅地の引渡しから1年とする定めをした。

種類・品質に関する契約不適合責任［▶権利関係L8］に関する特約について、宅建業法は、次のような制限をしています。

必須 担保責任の特約の制限

1. 原則
宅建業者が自ら売主となる売買契約においては、種類・品質に関する契約不適合責任につき**民法の規定よりも買主に不利な特約をしてはならない**。
2. 例外
種類・品質に関する契約不適合責任についての**通知期間を引渡しの日から2年以上**とする特約は、許される。
3. 1・2に違反する**買主に不利な特約**は**無効**となる。その場合、民法の規定どおりの責任を負う。

「引渡しの日から2年以上とする特約」が許されるというのは、具体的には、「引渡しから2年間」とか「引渡しから3年間」という特約なら有効であるということです。

ケース4では、引渡しから1年間との特約をしているので、特約は無効になります。その結果、通知期間は、民法の規定どおり、買主が**不適合を知った時から1年**になります。

3 損害賠償額の予定等の制限

Case 5 損害賠償額の予定額を代金額と同額にした

損害賠償額の予定
1億円

A 売主（宅建業者）
宅地 代金1億円
B 買主

宅建業者Aは、自ら売主として宅建業者でない買主Bと宅地の売買契約（売買代金1億円）を締結した際、損害賠償の予定額を1億円と定めた。

高額すぎる賠償額の予定は、当事者に酷な場合があります。**ケース5**の場合、もし損害賠償額の予定が有効だとすると、Bが債務不履行をした場合、Aは売買契約を解除して1億円の損害賠償を請求することができます。しかしそれでは、Bは宅地を手に入れられないのに（契約を解除されているから）、1億円ものお金を支払わなければならないことになってしまいます。

そこで、宅建業法は、次のような規制をしています。

必須　損害賠償額の予定等の制限

宅建業者が自ら売主となる売買契約において、債務不履行を理由とする契約の解除に伴う**損害賠償額の予定や違約金の定め**をするときは、それらの**合計額が代金額の2/10**（＝2割、20%）**を超えてはならない。**2/10を超える定めは、**超える部分につき無効**になる。

ポイントは、次の2つです。

1つは、損害賠償額の予定と違約金は**合わせて代金額の2/10**までであって、それぞれ2/10までではないことです。

2つめは、2/10を超える定めをした場合、**超える部分について無効**なのであって（予定額は代金額の2/10になる）、定めがすべて無効になるわけではないことです。

ケース5の場合、予定額は代金の2/10である2,000万円になります。

〇×チャレンジ

Q 宅地建物取引業者が自ら売主として宅地建物取引業者でない買主と宅地の売買契約を締結する際、債務不履行を理由とする契約の解除に伴う損害賠償額の予定として代金額の2/10を超える額を定めた場合、その定めはすべて無効となる。

A 2/10を超える部分について無効となります。

×

学習優先度 高

LESSON 15 自ら売主制限③

「手付に関してはどんな制限があるの？」

introduction

手付を代金の
5割くらいにしたら、
解除されにくいと思うの
ですが、ダメですよね。
そのとおり。わかって
きましたね。自ら売主制限
では、手付は代金額の2割
までに制限されています。

損害賠償額の予定等は2割まで、手付も2割まで、担保責任の特約は引渡しから2年以上。「2」が多いですね。

よいところに気が付きましたね。そのようにまとめて覚えると、別々に覚えるより楽ですよ。

このレッスンでは4つの制限を説明しますが、一番重要なのは「手付金等の保全措置」で、ほとんど毎年1問出題されます。次が「手付の額の制限等」です。残りの2つは、あまり出題されません。

学習のポイント

❶手付の額は、代金額の2/10まで

❷必要な保全措置を講じないと、手付金等を受領できない

❸工事完了前の場合、代金額の5%かつ1,000万円以下の手付金等の受領には、保全措置不要

❹工事完了前の場合、保全措置の方法は、銀行等による保証と保険事業者による保証保険の2つ

1 手付の額の制限等

Case 1 手付金の額が代金の30%だった

売主（宅建業者）A ← 宅地 代金1億円 手付金3,000万円 ← B 買主

宅建業者Aは、自ら売主として宅地建物取引業者でない買主Bと宅地の売買契約（売買代金1億円）を締結し、手付金3,000万円を受け取った。

宅建業者が自ら売主となる売買契約においては、次のように**手付の額等が制限**されます。解約手付は、手付金を放棄すれば契約を解除できる（買わなくてよい）という点で買主保護の役割を果たしているからです。

必須 手付の額の制限等

宅建業者が自ら売主となる売買契約の締結に際して、

1. 宅建業者は、**代金額の2/10を超える**手付を受領してはならない。
2. 手付が支払われたときは、相手方が履行に着手するまでは、**買主は手付を放棄**して、**売主は手付の倍額を現実に提供**して、契約を解除することができ、これよりも**買主に不利な特約は無効**になる。

ケース1の場合、Aは、代金額1億円の2/10である2,000万円までしか、手付金を受領してはなりません。3,000万円を受領したことは、宅建業法に違反します。

また、たとえば「買主は、手付を放棄して契約を解除することができない」との定めをした場合、**買主に不利な特約なので、無効**になります。この場合、買主は手付放棄により契約を解除することができます。

○×チャレンジ

Q 宅地建物取引業者が自ら売主として宅地建物取引業者でない買主と宅地の売買契約を締結した場合において、買主は手付の半額を放棄すれば売買契約を解除することができる旨の特約をしたときは、その特約は有効である。

A 手付の半額の放棄で解除できる旨の特約は、買主に有利なので、有効です。

○

2 手付金等の保全措置

1. 手付金等の保全措置とは

宅建業者が何らかの事情で買主から受け取った手付金等を買主に返さなければならない場合に、宅建業者にお金がなくて返すことができなければ、買主は大きな損害を被ります。そのような事態を防ぐため、宅建業者は、**銀行の保証や保険などによって、買主から受け取ったお金を確実に返せるようにしておかなければなりません**。これが「**手付金等の保全措置**」の制度です。

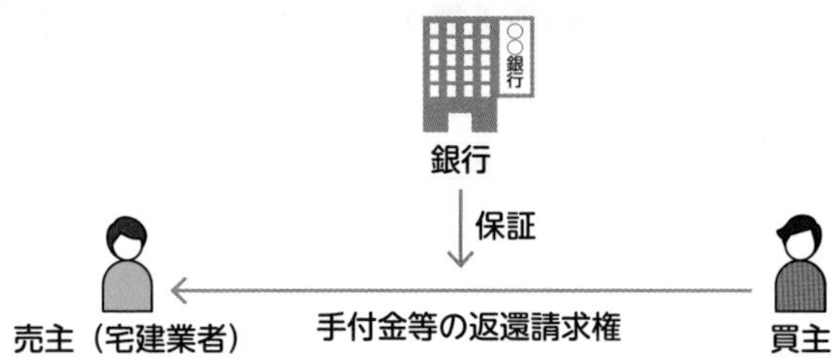

2. 保全措置の要否

手付金等とは、「**代金の全部または一部として授受される金銭および手付その他の名義をもって授受される金銭で、代金に充当されるものであって、契約の締結日以後その宅地・建物の引渡し前に支払われるもの**」をいいます。要するに、①どのような名目で授受されたのかには関係なく、②代金に充てられるもので、かつ、③**契約日から引渡し前に支払われる**ものをいうのです。実際には、**手付金のほか、中間金、残代金などの名目**で支払われます。

＼アドバイス／
ポイントは③です。すなわち、引渡しと同時または引渡し後に支払われる金銭は、手付金等にあたらず、よって保全措置を講じる必要はないのです。

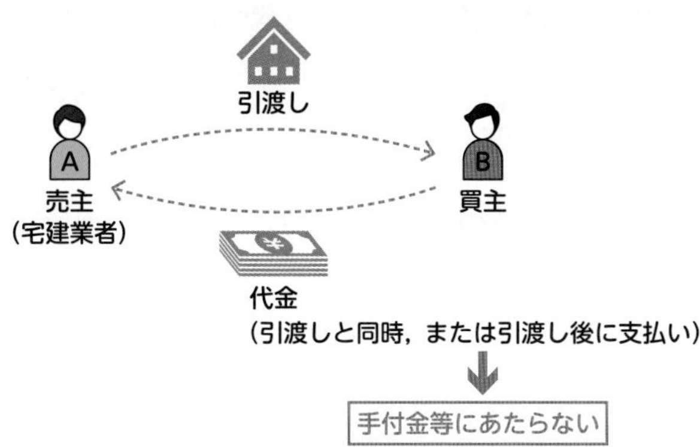

必須 手付金等の保全措置（原則）

1. 宅建業者は、自ら売主となる売買契約においては、原則として**保全措置を講じた後**でなければ、買主から**手付金等を受領**してはならない。宅建業者が必要な保全措置を講じない場合は、買主は、**手付金等を支払わないことができる。**
2. **引渡しと同時または引渡し後**に支払われる金銭は「手付金等」にあたらず、その受領に際して**保全措置を講じる必要はない。**

手付金等を受領しようとするときでも、例外的に**保全措置が不要な場合**があります。大まかにいえば、**受け取る額が少ない場合や買主が登記をした場合**です。

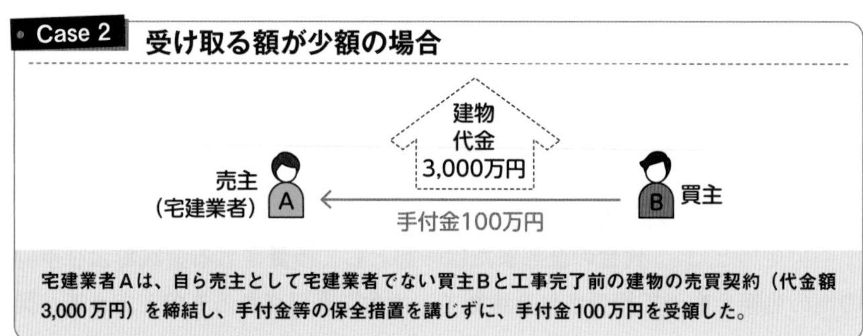

宅建業者Aは、自ら売主として宅建業者でない買主Bと工事完了前の建物の売買契約（代金額3,000万円）を締結し、手付金等の保全措置を講じずに、手付金100万円を受領した。

保全措置が不要な場合は、次のとおりです。

必須 手付金等の保全措置（例外）

次の場合、宅建業者は、保全措置を講じなくても、手付金等を受領することができる。

1. 受領しようとする手付金等の額が（**既に受領した手付金等と合わせて**）、
   ① **工事完了前**に契約を締結した場合は、代金の額の**5/100**（5%）**以下かつ1,000万円以下**
   ② **工事完了後**に契約を締結した場合は、代金の額の**1/10**（10%）**以下かつ1,000万円以下**

   であるとき
2. 買主に**所有権移転の登記**がされたとき、または買主が**所有権の登記**をしたとき

1は、額が比較的少ないことと、営業保証金の額は最低でも1,000万円であり、1,000万円までは営業保証金からの還付がある程度期待できることが理由です。2は、買主は所有権の登記を得れば宅地・建物の所有権を主張することができるので、手付金等が戻ってこなくても問題がないからです。

ケース2では、工事完了前に売買契約を締結しているので、代金額3,000万円の5%である150万円以下かつ1,000万円以下（つまり、150万円以下）であれば、保全措置が不要です。したがって、保全措置を講じずに手付金100万円を受領しても、宅建業法に違反しません。

ところで、保全措置が必要な場合には、**既に受領した額も含めた全額**について**保全措置を講じる必要**があります。次のようなケースで検討が必要になります。

Case 3 **中間金についてのみ保全措置を講じた**

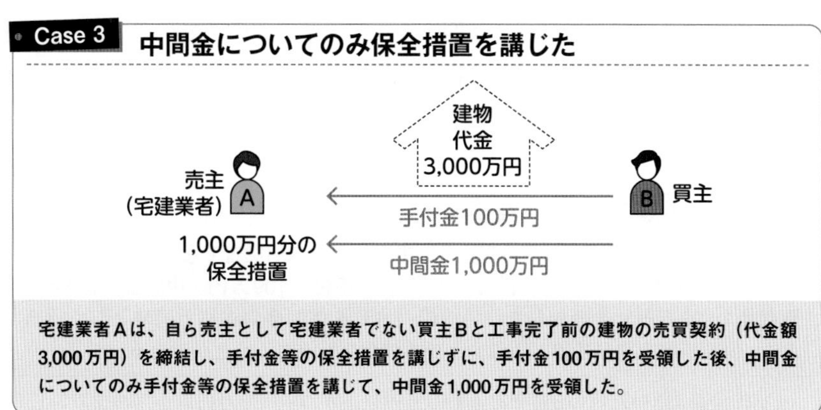

宅建業者Aは、自ら売主として宅建業者でない買主Bと工事完了前の建物の売買契約（代金額3,000万円）を締結し、手付金等の保全措置を講じずに、手付金100万円を受領した後、中間金についてのみ手付金等の保全措置を講じて、中間金1,000万円を受領した。

手付金100万円に関しては**ケース2**と同じなので、保全措置は不要です。その後、中間金を受領する際には手付金と合計して1,100万円になるので、保全措置が必要です。この場合、**既に受領した額も含めた全額について保全措置が必要**なので、その額は1,100万円です。したがって、**ケース3**は宅建業法に違反します。

3. 保全措置の方法

宅建業法は、保全措置の方法として、次の3種類を定めています。

必須 保全措置の方法

1. **工事完了前**に売買契約を締結した場合（未完成物件）
① **銀行等**による保証
② **保険事業者**による保証保険
2. **工事完了後**に売買契約を締結した場合（完成物件）
上記①、②に加え、
③ **指定保管機関**による保管

①や②を利用するには保証料・保険料がかかります。未完成物件を自ら売主として販売する宅建業者は、比較的大きな宅建業者が中心で、そのような負担にも耐えられますが、完成物件を扱う宅建業者には中小の業者も多く、より負担の少ない制度も必要です。そこで、完成物件には③の制度が用意されています。

〇×チャレンジ

Q 宅地建物取引業者Aは自ら売主として宅地建物取引業者でない買主Bと工事完了前の宅地の売買契約（代金3,000万円、手付金100万円、中間金1,400万円、残代金1,500万円）を締結した。宅地の引渡しを中間金の支払と同時とした場合、Aは、保全措置を講じずに、手付金及び中間金を受領することができる。

A 代金額3,000万円の5%である150万円以下かつ1,000万円以下（つまり、150万円以下）であれば保全措置は不要なので、手付金を受領する際には保全措置は不要です。引渡しと同時または引渡し後に支払う金銭は手付金等にあたらないので、中間金を受領する際にも保全措置は不要です。

〇

3 その他の自ら売主制限

＼アドバイス／

ここは、毎年出題されている項目ではありません。理解が難しければ、とりあえず先に進んでかまいません。

1. 割賦(かっぷ)販売契約の解除等の制限

割賦販売契約とは、分割払いの売買契約のことです。割賦販売契約に関し、宅建業法は、次のような解除の制限をしています。

宅建業者は、自ら売主となる宅地・建物の割賦販売契約について**賦払金**(ぶ(ふ)ばらいきん)の支払の義務が履行されない場合においては、**30日以上の相当の期間**を定めてその支払を**書面で催告**し、その期間内にその義務が履行されないときでなければ、賦払金の支払の遅滞を理由として、**契約を解除し、または支払時期の到来していない賦払金の支払を請求することができません**。これに反する特約は、無効です。

＼アドバイス／

催告から解除までの期間を「30日以上」と長くとり、また「書面で催告」することを義務付け、買主を保護しているのです。

2. 所有権留保(りゅうほ)等の禁止

所有権留保とは、売主の買主に対する代金請求権を担保する（＝確実に支払いを受けられるようにする）ために、買主が代金を完済するまでは売主に所有権を留めておくことです。

＼アドバイス／

所有権を売主に留めておくので、所有権留保というのです。

所有権留保に関しては、宅建業法は、次のような制限をしています。

宅建業者は、原則として所有権留保（**＝引渡し後も、所有権やその登記を売主に留めておくこと**）ができません。例外として、次の①または②に該当するときは、所有権留保をすることができます。

【賦払金】 分割払いの際、各回に支払うお金のこと

① 引渡しまでに**代金の3/10を超える支払を受けていないとき**（この場合、代金の3/10を超える額の支払を受けるまでに、登記その他引渡し以外の売主の義務を履行しなければならない）

② 代金債務について、買主が抵当権・先取特権の設定登記をしたり保証人を立てたりする見込みがないとき

＼アドバイス／

①は、支払額が3/10までの場合は所有権留保を認める規定、②は、他に担保を立てる見込みがないときは所有権留保を認める規定です。なお、自ら売主制限には2/10という数字が多く、3/10はここだけです。

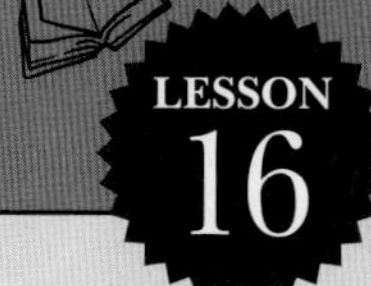

学習優先度 高

LESSON 16 報酬に関する制限①（売買・交換）

「売買の媒介の報酬限度額は？」

introduction

3%＋6万円、
3%＋6万円…
さっきから呪文の
ように唱えていますが、
どうしたのですか。

報酬の速算式の暗記をしようと思っているのです。3%＋6万円、3%＋6万円…

それだったら、ついでに5%や4%＋2万円も覚えたほうがいいですよ。200万円まで5%、400万円まで4%＋2万円…

報酬計算に関する問題は、ほぼ毎年1問出題されます。試験では、電卓やスマホの計算機能等は使えないので、筆算（手計算）できるように普段から練習しておきましょう。

学習のポイント

- **❶代金額400万円超の場合、速算式は3%＋6万円**
- **❷代理の場合は、依頼者から速算式の2倍の報酬**
- **❸交換の場合で評価額に差がある場合は、高いほうが基準**
- **❹課税事業者である宅建業者は、報酬に消費税10%を上乗せできる**

1 報酬計算の全体像

宅建業法では、**国土交通大臣**が報酬額の限度を定め、宅建業者はその額を超えて報酬を受領してはならないとされています。

報酬の限度額は、大きく分けて、**売買・交換契約の場合と貸借契約の場合に分かれます**。本レッスンでは売買・交換の場合を、次のレッスン17で貸借の場合を説明します。

報酬額の計算では、**消費税**の扱いもポイントの1つです。もっとも、最初は消費税を考慮しない計算方法をマスターし、そのうえで消費税の扱いを勉強した方が効率的です。

そこで、本レッスンでは、まず消費税を考慮せずに説明し、最後にまとめて消費税の扱いを説明します。

2 売買・交換の媒介・代理

1. 売買の媒介・代理の報酬限度額

(1) 媒介の場合

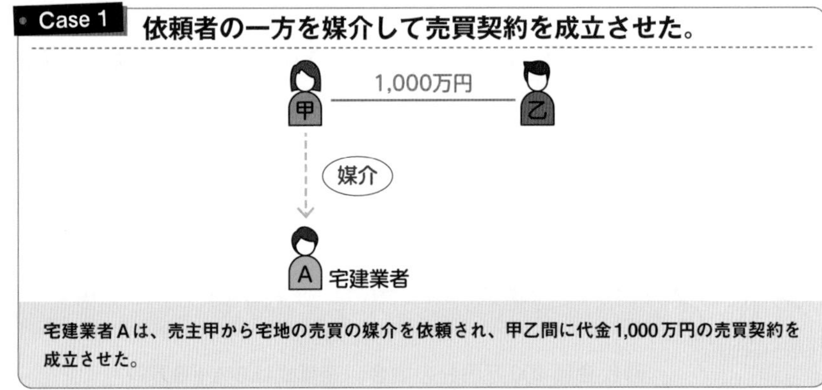

Case 1
依頼者の一方を媒介して売買契約を成立させた。
1,000万円
甲
乙
媒介
A
宅建業者
宅建業者Aは、売主甲から宅地の売買の媒介を依頼され、甲乙間に代金1,000万円の売買契約を成立させた。

売買の媒介の場合に、依頼者の一方から受領できる報酬の限度額は、次のような式を使って計算します。

用語

【消費税】 正しくは「消費税及び地方消費税」（＝消費税等）であるが、本書では単に「消費税」と表記することが多い。

必須 速算式

・代金額**200万円以下**　代金の**5%**
・代金額**200万円超400万円以下**　代金の**4%＋2万円**
・代金額**400万円超**　代金の**3%＋6万円**

＼アドバイス／
3つの式はどれも重要なので、200万円・400万円という境目の数字とともに、必ず覚えてください。

ケース1の場合、代金額が1,000万円なので、3%＋6万円の式を使います。したがって、甲から受領できる報酬の限度額は、1,000万円×3%＋6万円＝36万円になります。

(2) 代理の場合

代理の場合には、依頼者から**媒介の2倍**（速算式の2倍）の報酬を受領できます。たとえば、売主から宅地の売買の代理を依頼され、1,000万円の売買契約を成立させた場合、依頼者である売主から受領できる報酬の限度額は、1,000万円×3%＋6万円＝36万円の2倍である72万円です。

＼アドバイス／
媒介の場合は両方の当事者から依頼を受けることができますが、代理の場合には、双方代理が禁止されているので［▶権利関係L3］、原則として一方からしか依頼を受けることができません。そこで、媒介の場合の2倍を一方から受領できることになっています。

(3) 合計の限度額

Case 2　一方から代理、他方から媒介の依頼を受けた

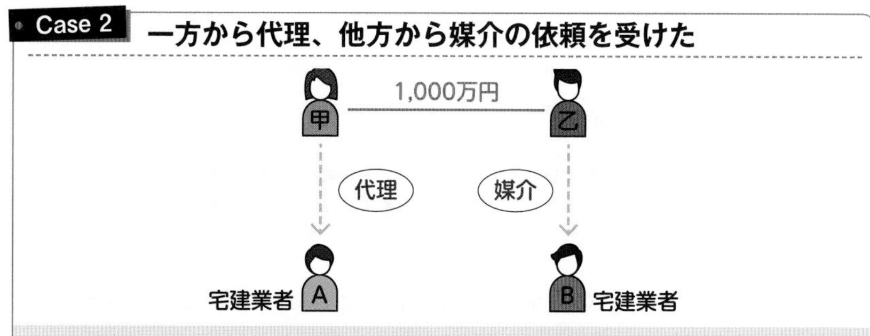

宅建業者Aは売主甲から宅地の売買の代理を依頼され、宅建業者Bは買主乙から宅地の売買の媒介を依頼され、AB共同して甲乙間に代金1,000万円の売買契約を成立させた。

1件の取引において、宅建業者が受領できる報酬の**合計限度額**は、**速算式の**

2倍になります。宅建業者が1人でも複数でも、このことは変わりありません。

ケース2では、代金が1,000万円なので、報酬の合計限度額は、(1,000万円×3%+6万円) ×2=72万円です。Aが甲から受領できる報酬の限度額は72万円、Bが乙から受領できる報酬の限度額は36万円ですが、その額を受領してしまうと合計108万円となって合計限度額を超えてしまいます。この場合、当事者が話し合って、合計72万円の範囲内で受領しなければなりません。

＼アドバイス／

報酬の問題を解くときには、それぞれの依頼者からの受領額と全部の受領額の合計をチェックする必要があります。どれかが限度額を超えていれば、宅建業法に違反します。

必須 売買の媒介・代理の報酬限度額

1. 当事者の一方から受領する報酬の限度額
   媒介の場合　⇒　速算式
   代理の場合　⇒　速算式の2倍
2. 1件の取引における報酬の合計限度額
   ⇒　速算式の2倍

2. 交換の場合

Case 3 交換の媒介をした

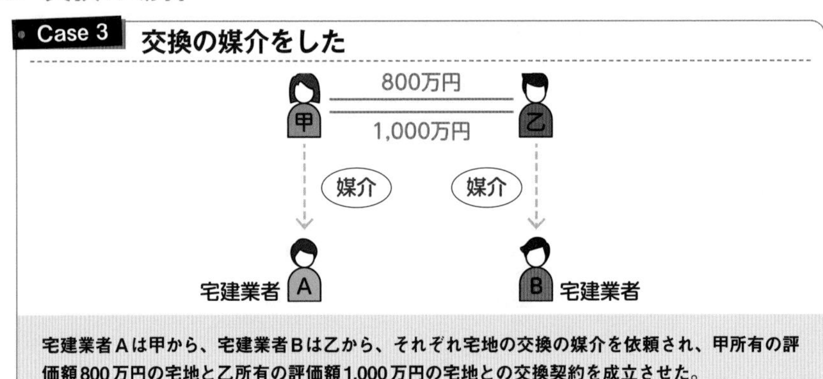

宅建業者Aは甲から、宅建業者Bは乙から、それぞれ宅地の交換の媒介を依頼され、甲所有の評価額800万円の宅地と乙所有の評価額1,000万円の宅地との交換契約を成立させた。

交換の場合に、目的物の評価額に差があるときは、**高いほうを基準**にして、**売買の場合と同様に報酬限度額を計算**します。

ケース3では1,000万円が基準になります。したがって、Aは甲から1,000万円×3%+6万円=36万円まで、Bは乙から同じく36万円まで、それぞれ受領することができます。

OXチャレンジ

Q 宅地建物取引業者Aは売主甲から代理の依頼を受け、宅地建物取引業者Bは買主乙から媒介の依頼を受け、AB共同して甲乙間に宅地の売買契約（代金1,000万円）を成立させ、Aは甲から72万円、Bは乙から36万円の報酬をそれぞれ受領した場合、宅地建物取引業法の規定に違反しない。

A 1件当たりの合計限度額は、1,000万円×3%＋6万円＝36万円の2倍である72万円です。したがって、合計で108万円を受領することは宅建業法に違反します。

×

3 低廉な空家等の場合の特例

1. 低廉な空家等の場合の特例とは

特例の対象となる「低廉な空家等」とは、消費税抜きの代金額（交換の場合は高いほうの評価額）が**800万円以下**の宅地・建物のことをいいます。

価額が低い物件の場合、通常の報酬では割が合わないため、宅建業者が媒介を避ける傾向がありました。そこで、次のような特例が設けられています。

2. 媒介の場合

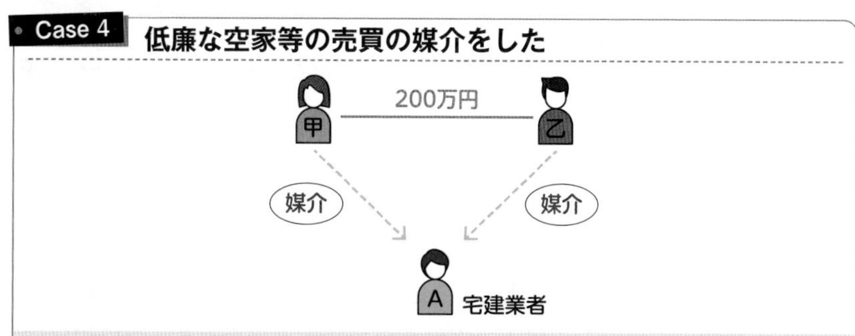

宅建業者Aは、売主甲と買主乙から宅地の売買の媒介の依頼を受け、甲乙間に代金200万円の売買契約を成立させた。

800万円以下の売買・交換の媒介の場合、**依頼者の一方から**は、当該媒介に要する費用を勘案して⊕、**30万円**まで受領することができます。

⊕補足

当該費用を上回る報酬の受領を禁じる趣旨ではなく、取引の難易度等に応じた費用の水準等を考慮して報酬額を算出することが求められている。

ケース4の場合、速算式で計算すると200万円×５％＝10万円ですが、800万円以下の宅地なので特例が適用され、売主甲と買主乙からそれぞれ30万円が限度額になります。

なお、宅建業者は、この特例に基づき速算式で計算した額を超えて報酬を受領する場合は、媒介契約の締結に際しあらかじめ、この特例に定める上限の範囲内で、報酬額について依頼者に対して説明し、合意する必要があります。

3. 代理の場合

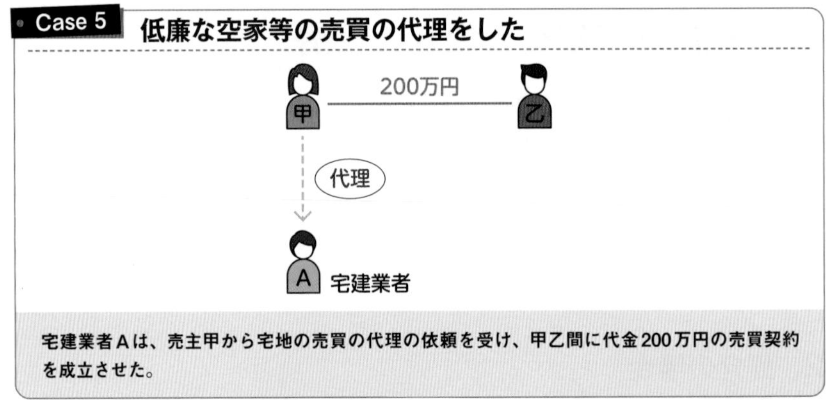
Case 5
低廉な空家等の売買の代理をした
200万円
甲
乙
代理
A
宅建業者
宅建業者Aは、売主甲から宅地の売買の代理の依頼を受け、甲乙間に代金200万円の売買契約を成立させた。

800万円以下の売買・交換の**代理**の場合、依頼者からは、**2．で述べた額の2倍**まで受領することができます。

＼アドバイス／
簡単にいえば、代理の場合、依頼者から60万円（30万円×2）まで受領することができるのです。

ケース5の場合、速算式で計算すると200万円×５％＝10万円の２倍である20万円ですが、800万円以下の宅地なので特例が適用され、60万円が売主甲から受領できる報酬の限度額になります。

＼アドバイス／
この額が1件の取引における報酬の合計限度額にもなるので、買主乙からも報酬を受領する場合、合計額がこの額を超えてはなりません。

必須 低廉な空家等の場合の特例

1. 低廉な空家等とは、消費税抜きの代金額（交換の場合、高いほうの評価額）が**800万円以下**の宅地・建物をいう。
2. 報酬限度額
   ①**媒介**の場合　→　一方の依頼者から**30万円以内**
   ②**代理**の場合　→　代理の依頼者から**60万円以内**

4 消費税

1. 全体像

報酬計算では、消費税は2つの場面に登場します。

1つは、報酬計算のベースになる取引代金を求める場面です。もう1つは、宅建業者が受け取る報酬に課される消費税分を報酬に上乗せして請求する場面です。

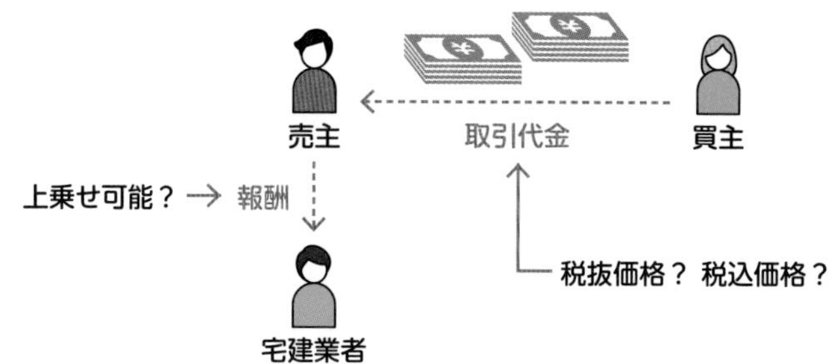

2. 取引代金に課される消費税

報酬計算のベースになるのは、**税抜価格（本体価格）**です。したがって、代金額が税込価格で表示されている場合には、税抜価格を求めなければなりません。そのためには、**税込価格を1.1で割ります**。

＼アドバイス／

たとえば、税込価格1,100万円であれば、税抜価格は1,100万円÷1.1＝1,000万円になります。

なお、土地の売買代金や居住用建物の借賃には消費税が課されないので、これらの場合は常に税抜価格・借賃で表示されています。

3. 報酬に課される消費税

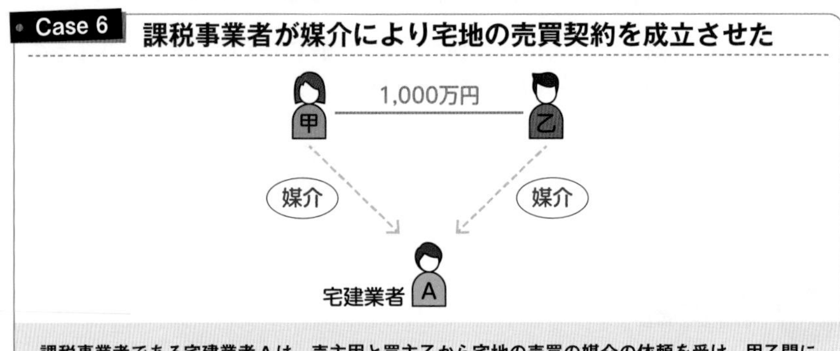
Case 6
課税事業者が媒介により宅地の売買契約を成立させた
1,000万円
甲
乙
媒介
媒介
宅建業者
A
課税事業者である宅建業者Aは、売主甲と買主乙から宅地の売買の媒介の依頼を受け、甲乙間に代金1,000万円の売買契約を成立させた。

宅建業者が課税事業者である場合には、報酬に課される消費税分を上乗せして請求することができます。まず、消費税分抜きの報酬額を求め、これに**10%を上乗せ**（求めた額×1.1）することにより、課税事業者の受領限度額を求めることができます。

ケース6は土地の売買なので、代金額1,000万円は税抜価格です。そうすると、消費税抜きの報酬限度額は、甲と乙からそれぞれ36万円です。Aは課税事業者なので、これらに消費税分を上乗せして、36万円×1.1＝39万6,000円まで甲と乙からそれぞれ受領することができます。

なお、**宅建業者が免税事業者**である場合、税抜きの報酬に**4%**を上乗せ⊕して（消費税抜きの報酬額×1.04）受領することができます。

＼アドバイス／
宅建業者が免税事業者である事例はほとんど出題されていませんが、念のために「4%加算できる」ことは覚えておいてください。

用語

【課税事業者】 基準期間の売上が1,000万円超の事業者をいう。宅建試験では、課税事業者か免税事業者かは問題文に明記されている。

⊕補足

免税事業者の4%上乗せは、報酬を増額するものであり、消費税分ではない。免税事業者も仕入れの際には消費税を支払っていることを考慮して、報酬に上乗せすることを認めたのである。

必須 消費税

1. 報酬額は、消費税分を除いた代金（**税抜価格**）をベースに計算する。
2. **課税事業者**は、計算によって求めた額（消費税抜きの報酬額）に、**10%**を上乗せして受領することができる。
3. **免税事業者**は、計算によって求めた額（消費税抜きの報酬額）に、**4%**を上乗せして受領することができる。

○×チャレンジ

Q 消費税の課税事業者である宅地建物取引業者Aが売主甲から建物の売買の媒介の依頼を受け、代金2,200万円（消費税等込み）の売買契約を成立させた場合、Aが甲から受領することができる報酬の限度額は、72万6,000円である。なお、相手方から受領する報酬は考慮しないものとする。

A 税込価格2,200万円なので、1.1で割って税抜価格2,000万円。3%＋6万円は66万円で、消費税10%を上乗せ（×1.1）して72万6,000円です。

○

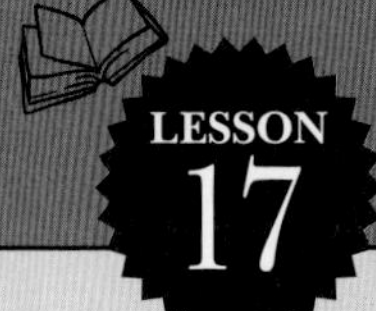

学習優先度 高

LESSON 17 報酬に関する制限②（貸借・要求制限等）

「貸借の媒介の報酬限度額は？」

知人が、媒介を依頼した宅建業者から、上限の3倍もの報酬を請求されたそうです。

それで支払ったのですか？

「それは違反ではないですか」といったら、「計算違いでした」といって制限内の報酬になったそうです。

不当に高額の報酬は、要求するだけで宅建業法違反です。わざとなら、ずいぶん悪質な宅建業者ですね。

このレッスンでは、賃貸の報酬計算等について学習します。報酬額の制限を理解するには、実際に計算するのが一番です。テキストを一読したら、問題集等を利用してどんどん計算してみましょう。

学習のポイント

❶合計で借賃1カ月分が限度

❷居住用建物の賃貸借の媒介の場合、依頼者の一方からは原則として0.5カ月分が限度

❸居住用建物以外の場合、権利金を基準に計算できる

❹不当に高額の報酬は要求するだけで宅建業法違反

1 貸借の媒介・代理

1．全体像

貸借の媒介・代理の報酬の限度額は、原則として、**借賃を基準に算出します**⊕。

ただし、**居住用建物以外の賃貸借**（＝宅地の賃貸借や、店舗・事務所等の賃貸借）で権利金の支払がされるときは、その**権利金**の額を基準に**売買の計算方法**で限度額を算出することもできます。

消費税の扱いは、大筋において、売買・交換の場合と同じです。すなわち、①報酬計算のベースになるのは税抜きの借賃であり、②課税事業者は消費税分10％を上乗せした額が限度額となり、③免税事業者は4％を上乗せした額が限度額になります。

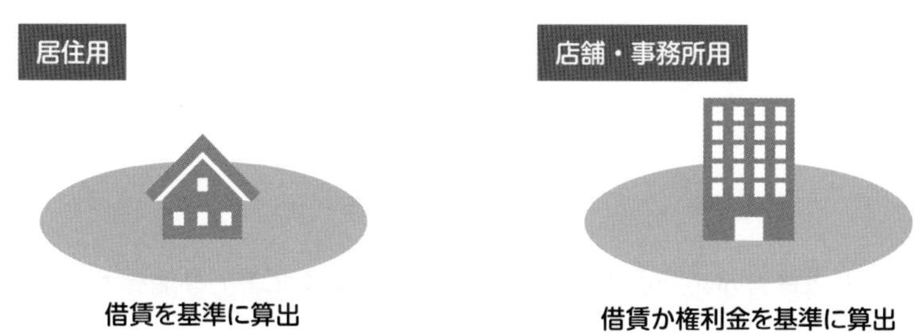
居住用
店舗・事務所用
借賃を基準に算出
借賃か権利金を基準に算出

2．借賃を基準にする方法

（1）原則

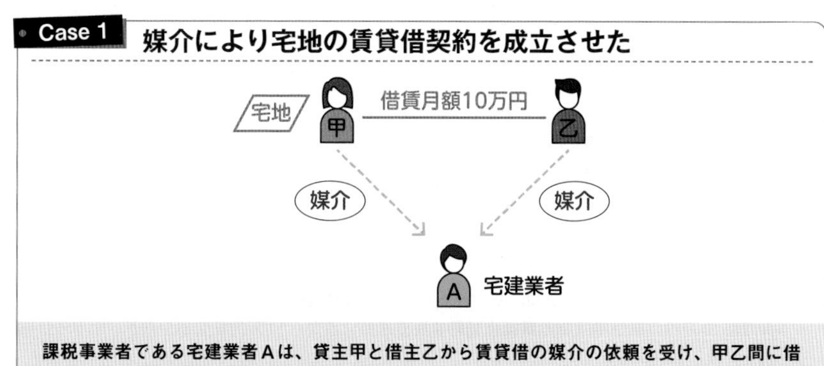
Case 1 媒介により宅地の賃貸借契約を成立させた
宅地
甲
借賃月額10万円
乙
媒介
媒介
A
宅建業者
課税事業者である宅建業者Aは、貸主甲と借主乙から賃貸借の媒介の依頼を受け、甲乙間に借賃月額10万円の宅地の賃貸借契約を成立させた。

⊕補足
使用貸借（ただで貸すこと）の場合は借賃の支払がないので、当該宅地・建物の通常の借賃を基準にする。

借賃を基準にする場合、宅建業者が受領できる額は、**依頼者双方から合わせて借賃の1カ月分以内**になります。

ケース1の場合、Aは甲と乙から合わせて、借賃月額10万円に消費税10%を上乗せした11万円まで受領することができます。**甲と乙からの受領額は、特に制限がない**ので、合わせて11万円の範囲で自由に決めることができます。

＼アドバイス／
合わせて1カ月分以内であって、それぞれ1カ月分以内ではない点に注意してください。

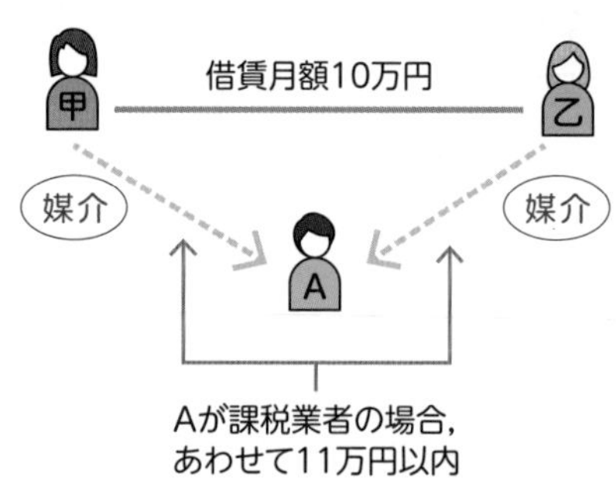

なお、宅建業者が複数の場合でも、すべての宅建業者の受領額を合計して1カ月分以内です。

(2) 居住用建物の賃貸借の媒介の場合

Case 2 媒介により居住用建物の賃貸借契約を成立させた

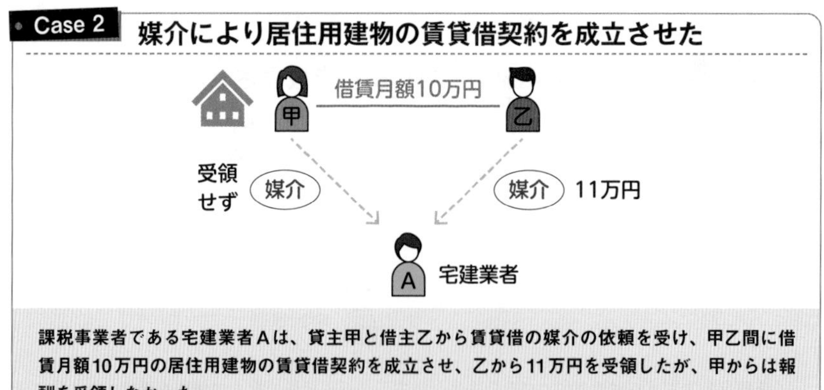

課税事業者である宅建業者Aは、貸主甲と借主乙から賃貸借の媒介の依頼を受け、甲乙間に借賃月額10万円の居住用建物の賃貸借契約を成立させ、乙から11万円を受領したが、甲からは報酬を受領しなかった。

居住用建物の賃貸借の媒介の場合、**媒介の依頼を受けるに当たって当該依頼者の承諾を得ている場合を除き**、**依頼者の一方**からは借賃**0.5カ月分**までしか受領することができません。

ケース2の場合、乙から1カ月分を受領しているので、媒介の依頼を受けるにあたって乙の承諾を得ていなければ、宅建業法に違反します。

＼アドバイス／
承諾は、媒介の依頼を受けるに当たって得ておく必要があります。後から承諾を得ても、一方から1カ月分を受領することはできません。

（3）長期の空家等の特例

「長期の空家等」とは、**長期間利用されていない宅地・建物**や、**将来にわたり利用される見込みがない宅地・建物**のことをいいます。

このような物件に関しては、賃料設定のための物件調査など貸主側の宅建業者の負担が増えるため、**貸主からは、借賃の2カ月分まで**報酬を受領することができます。この場合、報酬の合計限度額も借賃の2カ月分になりますが、**借主からの限度額は（1）（2）で述べた額のまま**です。

ケース1が長期の空家等の賃貸借であれば、Aは合計2カ月分の範囲で、貸主甲からは2カ月分まで、借主乙からは1カ月分まで受領することができます。

また、**ケース2**が長期の空家等の賃貸借であれば、Aは合計2カ月分の範囲で、貸主甲からは2カ月分まで、借主乙からは原則として0.5カ月分まで受領することができます。

必須　借賃を基準にする場合

1. 合計額
   貸主・借主から**合わせて借賃の1カ月分**以内
2. 依頼者のそれぞれからの受領額
   原則：合計して1カ月分の範囲内で、自由に決めることができる。
   例外：**居住用建物の賃貸借の媒介**の場合
   媒介の依頼を受けるに当たって当該依頼者の承諾を得ている場合を除き、依頼者の一方からは借賃0.5カ月分までしか受領することができない。
3. 長期の空家等の特例
   貸主からは、借賃の2カ月分以内（合計額の限度も2カ月分以内になるが、借主からの限度額は2．のとおり）

＼アドバイス／
1.で説明したとおり、上記のようにして計算した額に、①課税事業者は10%を上乗せした額が限度額になり、②免税事業者は4％を上乗せした額が限度額になります。

3. 権利金を基準にする方法

ここでの**権利金**とは、**権利設定の対価として支払われる金銭であって、返還されないもの**をいいます。居住用建物以外の賃貸借の場合、権利金の支払があるときは、**権利金の額をもとに売買の方法で報酬の額を計算**することもできます。

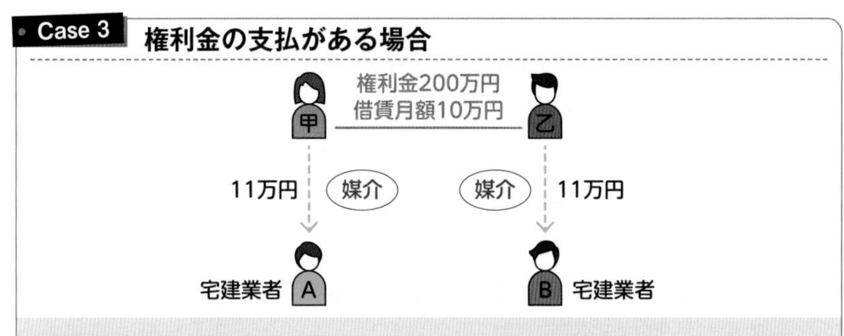

課税事業者である宅建業者Aは貸主甲から、課税事業者である宅建業者Bは借主乙からそれぞれ賃貸借の媒介の依頼を受け、甲乙間に権利金200万円、借賃月額10万円の宅地の賃貸借契約を成立させ、Aは甲から11万円、Bは乙から11万円をそれぞれ受領した。

借賃を基準にすると、合計で借賃1か月分10万円に消費税10%を上乗せした11万円が限度なので、合計で22万円を受領することはできません。

しかし、権利金の額を売買代金とみなして計算すると、一方からの受領限度額は200万円×5%＝10万円に10%を上乗せした11万円なので、ABはそれぞれ11万円を受領することができます。したがって、**ケース3**は、宅建業法に違反しません。

＼アドバイス／

このように、借賃と権利金で計算した場合、高いほうが限度額になります。

必須 権利金を基準にする場合

居住用建物以外の賃貸借の場合、権利金の授受があるときは、**権利金の額をもとに売買の方法**で報酬の額を計算することもできる。
この場合、借賃を基準にした場合と比べて**高いほう**が限度額になる。

Q 課税事業者である宅地建物取引業者Aは、貸主甲と借主乙から賃貸借の媒介の依頼を受け、甲乙間に借賃月額10万円の宅地（長期の空家等に該当しないものとする。）の賃貸借契約を成立させ、甲と乙からそれぞれ11万円の報酬を受領した。この場合、Aの行為は宅地建物取引業法の規定に違反する。

A 借賃を基準にする場合は、貸主・借主から合計して借賃1カ月分以内です。それぞれ1カ月分を受領することは、宅建業法に違反します。

○

2 その他の報酬に関する規制

1．規定外の報酬の受領禁止

宅建業者は、これまでに説明した以外に報酬を受領することはできません。したがって、規定以上の報酬を受領することはもちろん、費用等の他の名目で金銭を受け取ることもできません。

ただし、依頼者の依頼によって行う**特別の広告**（たとえば、大手新聞の紙面に大きく掲載する広告）や遠隔地での調査など、依頼者の**特別の依頼による特別の費用**については、**別途受領することができます**。これらまで報酬でまかなわなければならないのでは、宅建業者に酷だからです。

2．不当に高額の報酬の要求禁止

報酬限度額を超えて報酬を受け取った場合、宅建業法に違反しますが、それとは別に、**不当に高額の報酬を要求**することも禁止されています。

＼アドバイス／

要求すること自体が禁止されているので、結果として規定どおりの報酬しか受け取らなかった場合でも、要求したこと自体が宅建業法に違反します。

3．報酬額の掲示

宅建業者は、**国土交通大臣が定める報酬の額**を、**事務所ごとに**公衆の見やすい場所に**掲示**しなければなりません。

＼アドバイス／

案内所には必要ないこと、「事務所ごと」なので、主たる事務所だけでなく従たる事務所にも必要であることがポイントです。

このレッスンが終わったら「きほんの問題集」の問題77～82にチャレンジ！

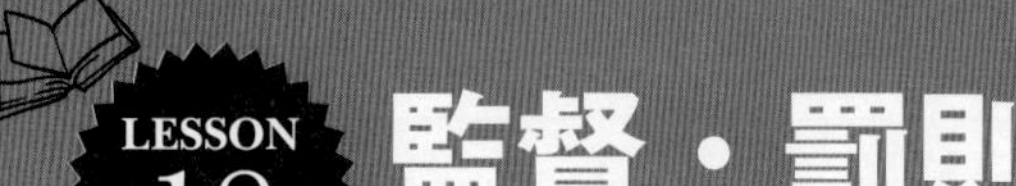

LESSON 18 監督・罰則

「業務停止処分や免許取消処分は、誰が行うの？」

introduction

脱サラして宅建業を始めた知人、ほかの仕事が忙しくなって、宅建業は開店休業状態だそうです。
それはもったいないですね。

何年か後に今の仕事が落ち着いたら、宅建業にも本腰を入れるそうです。

引き続いて1年以上事業を休止すると、免許取消処分の対象ですよ。念のために教えてあげたほうがよさそうですね。

監督処分は、ほぼ毎年1問出題されます。宅建業者に対する監督処分と宅建士に対する監督処分がありますが、前者の方が多く出題されています。罰則は、たまに肢の1つとして出題されることがあります。

学習のポイント

1. 指示処分・業務停止処分は、免許権者のほか、処分対象行為が行われた都道府県の知事も行うことができる
2. 業務停止処分の期間は、1年以内
3. 免許取消処分は、免許権者しかできない
4. 業務停止処分・免許取消処分をしたときは、公告が必要

1 宅建業者に対する監督処分

1. 監督処分の種類

宅建業者に対する監督処分には、①**指示処分**、②**業務停止処分**、③**免許取消処分**がありますが、これらは、後に記されたものほど重い処分です。

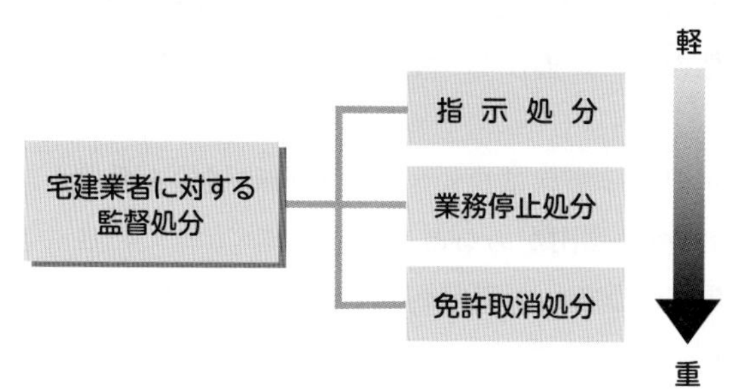

2. 指示処分

指示処分とは、宅建業者に対して必要な指示をすることです。

国土交通大臣または都道府県知事は、**その免許を受けた宅建業者**に対して指示処分を行うことができます。これに加え、都道府県知事は、**他の免許権者の免許を受けた宅建業者が、当該都道府県の区域内における業務に関して処分対象行為を行った**場合に、当該宅建業者に対して指示処分を行うことができます。

指示処分の対象事由のうち主なものは、次のとおりです。

① 宅建業法の規定に違反したとき
② 業務に関し他の法令に違反し、宅建業者として不適当であると認められるとき
③ 宅建士が指示処分・事務禁止処分・登録消除処分を受けた場合で、宅建業者の責めに帰すべき理由があるとき

3. 業務停止処分

業務停止処分とは、**1年以内**の期間を定めて、その業務の**全部または一部**の停止を命ずることです。

国土交通大臣または都道府県知事は、**その免許を受けた宅建業者**に対して業務停止処分を行うことができます。これに加え、都道府県知事は、**他の免許権者の免許を受けた宅建業者が、当該都道府県の区域内における業務に関して一**

定の処分対象行為を行った場合に、当該宅建業者に対して業務停止処分を行うことができます。

＼アドバイス／

業務停止処分の処分権者は、指示処分の場合とほぼ同様です。

業務停止処分の対象事由のうち主なものは、次のとおりです。

① 業務に関し他の法令に違反し、宅建業者として不適当であると認められるとき

② 宅建士が指示処分・事務禁止処分・登録消除処分を受けた場合で、宅建業者の責めに帰すべき理由があるとき

③ 宅建業法の規定のうち、一定のものに違反したとき

例：営業保証金を供託した旨の届出前に事業開始、誇大広告等の禁止に違反

④ 指示処分に違反したとき

＼アドバイス／

処分対象事由に該当するか否かが問われることはあまりないので、処分権者や業務停止の期間（1年以内）を覚えれば、とりあえず大丈夫です。

4. 免許取消処分

Case 1　業務停止処分に違反した

業務停止処分中

宅建業者A（甲県知事免許）は、乙県知事から受けた業務停止処分に違反した。

免許取消処分とは、国土交通大臣または都道府県知事が宅建業者の免許を取り消すことです。免許取消処分は、**免許権者**しか行うことができません。

＼アドバイス／

指示処分や業務停止処分とは異なり、宅建業者が不正行為を行った都道府県の知事は、免許取消処分を行うことができないのです。

免許取消処分対象事由には、必ず免許を取り消さなければならない場合（**必要的免許取消事由**）と、免許を取り消すことができる場合（＝取り消さなくてもよい場合、**任意的免許取消事由**）とがあります。

(1) 必要的免許取消事由

① 免許の欠格要件①、⑤～⑦、⑩～⑭とほぼ同様の者になったとき［▶L2❷］
② 免許換えが必要である場合において、免許換えによる免許を受けていないことが判明したとき
③ 免許を受けてから1年以内に事業を開始せず、または引き続いて1年以上事業を休止したとき
④ 廃業等の届出がなくて、破産・解散・廃業の事実が判明したとき
⑤ 不正な手段で免許を受けたとき
⑥ 業務停止処分事由に該当し情状が特に重いとき、または業務停止処分に違反したとき

(2) 任意的免許取消事由

① 営業保証金を供託した旨の届出をすべき旨の催告が到達した日から1カ月以内に宅建業者がその届出をしないとき
② 宅建業者が免許に付された条件に違反したとき
③ 宅建業者の事務所の所在地を確知できないとき、または宅建業者（法人の場合、その役員）の所在を確知できないときで、公告後30日を経過しても当該宅建業者から申出がないとき（この場合には聴聞不要。後述）

ケース1では、Aは業務停止処分に違反しているので、免許を取り消されます。免許取消処分をすることができるのは、免許権者である甲県知事です。

5. 監督処分の手続き

(1) 聴聞

監督処分の前には、対象となる宅建業者から事情を聞くための手続きが用意されています。その手続きを**聴聞**といいます。

国土交通大臣または都道府県知事は、指示処分・業務停止処分・免許取消処分をする場合には、原則として、**公開による聴聞**を行わなければなりません。ただし、任意的免許取消事由③の場合は、聴聞不要です。

＼アドバイス／
所在不明を理由とする免許取消処分なので、処分対象者に出頭を命じることが困難だからです。

なお、**国土交通大臣**は、広告の規制や重要事項の説明などの一定の規定に違反したことを理由として監督処分をしようとするときは、あらかじめ、**内閣総**

理大臣に協議しなければなりません。

(2) 処分後の手続き

業務停止処分・免許取消処分(任意的免許取消処分事由③の場合を除く)をした場合には、国土交通大臣は**官報**により、都道府県知事は**公報またはウェブサイトへの掲載**その他の適切な方法により、その旨を**公告**しなければなりません。

＼アドバイス／

指示処分の場合は、公告不要です。

国土交通大臣は、その免許を受けた宅建業者に指示処分・業務停止処分をした場合には、当該処分の年月日および内容を、主たる事務所の所在地の都道府県知事に**通知**しなければなりません。

都道府県知事は、国土交通大臣の免許を受けた宅建業者に対し指示処分・業務停止処分をしたときは、遅滞なく、当該処分の年月日および内容を国土交通大臣に**報告**しなければなりません。そして、報告を受けた国土交通大臣は、遅滞なく、当該処分の年月日および内容を、宅建業者の主たる事務所の所在地の都道府県知事(報告をした都道府県知事を除く)に**通知**しなければなりません。

また、都道府県知事が他の都道府県知事の免許を受けた宅建業者に対して指示処分・業務停止処分をしたときは、遅滞なく、当該処分の年月日および内容を当該都道府県知事に**通知**しなければなりません。

○×チャレンジ

Q 宅地建物取引業者A(甲県知事免許)が業務停止処分に違反した場合、甲県知事は、期間を2年と定めて、業務の全部の停止を命ずることができる。

A 業務停止処分の期間は、1年以内です。

×

2 宅建士に対する監督処分

宅建士に対する監督処分には、①**指示処分**、②**事務禁止処分**、③**登録消除処分**がありますが、これらは、後に記されたものほど重い処分です。

次の点は、宅建業者に対する監督処分とよく似ています。

① **指示処分・事務禁止処分**は、登録をした都道府県知事のほか、**宅建士が違反行為を行った都道府県の知事**も行うことができる。
② **登録消除処分**は、**登録をした都道府県知事**しかできない。
③ 事務禁止処分の期間は、**1年以内**である。
④ 監督処分をしようとするときは、**公開による聴聞**を行わなければならない。
⑤ 都道府県知事は、他の都道府県知事の登録を受けている宅建士に対して指示処分・事務禁止処分をしたときは、遅滞なく、その旨を当該宅建士の登録をしている都道府県知事に**通知**しなければならない。

なお、宅建業者に対する監督処分と異なり、**処分をした旨の公告の制度はありません。**

それぞれの処分の対象事由は、次のとおりです。

(1) 指示処分

① 宅建業者に自己が専任の宅建士として従事している事務所以外の事務所の専任の宅建士である旨の表示をすることを許し、当該宅建業者がその旨の表示をしたとき
② 他人に自己の名義の使用を許し、当該他人がその名義を使用して宅建士である旨の表示をしたとき
③ 宅建士として行う事務に関し不正または著しく不当な行為をしたとき

(2) 事務禁止処分

① 指示処分の①～③と同じ
② 宅建士が指示処分に従わないとき

(3) 登録消除処分

〈宅建士の場合〉
① 一定の登録欠格要件に該当するに至ったとき
② 不正の手段により登録を受けたとき
③ 不正の手段により宅建士証の交付を受けたとき
④ 事務禁止処分対象事由に該当し、情状が特に重いとき、または事務禁止処分に違反したとき

〈宅建士登録を受けているが宅建士証の交付を受けていない者の場合〉
① 宅建士の場合の①と②と同じ
② 宅建士としてすべき事務を行い、情状が特に重いとき

3 罰則

1. 罰則の内容

宅建業法上の罰則のうち、おもなものは次のとおりです。

(1) 3年以下の懲役もしくは300万円以下の罰金またはこれらの併科

〈宅建業者〉

① 不正の手段によって免許を受けた者

② 名義貸しの禁止の規定に違反して他人に宅建業を営ませた者

③ 業務停止処分に違反して業務を営んだ者

〈無免許の者〉

① 無免許で事業を営んだ者

(2) 6カ月以下の懲役もしくは100万円以下の罰金またはこれらの併科

〈宅建業者〉

① 営業保証金の供託の届出をせずに事業を開始した者（事務所新設の場合も同様）

② 誇大広告等の禁止の規定に違反した者

③ 宅地・建物の登記もしくは引渡しまたは取引に係る対価の支払を不当に遅延する行為をした者

④ 手付の貸与等による契約の締結の誘引行為を行った者

(3) 10万円以下の過料

〈宅建士〉

① 登録が消除されたとき、または宅建士証が効力を失ったときに、宅建士証を返納しなかった者

② 事務の禁止処分を受けたときに、宅建士証を提出しなかった者

③ 重要事項の説明のときに、宅建士証を提示しなかった者

2. 両罰規定

宅建業者の代表者や従業者などが宅建業法上の刑罰に処せられた場合には、宅建業者に対しても罰金刑が科されます。

この場合、罰金の額は、原則として**1**の（1）や（2）のそれぞれに規定さ

 このレッスンが終わったら「きほんの問題集」の問題83～89にチャレンジ！

れている額です。たとえば、(1)の場合、300万円以下の罰金になります。ただし、法人である宅建業者に対しては、1億円以下の罰金刑が科されます。

○×チャレンジ

Q 宅地建物取引士は、重要事項の説明以外の場面において、取引の関係者から宅地建物取引士証の提示を求められたにもかかわらず、その提示を行わなかった場合、10万円以下の過料に処せられる。

A 重要事項の説明の際に提示しなかった場合は、10万円以下の過料ですが、それ以外の場合に提示しなくても、過料には処されません。

×

学習優先度 高

LESSON 19

住宅瑕疵担保履行法

「新築住宅の瑕疵(かし)に備えるための措置は？」

瑕疵(かし)担保責任とは、
どのような
責任ですか？

民法の「種類・品質に
関する不適合責任」
のことを、この法律では
「瑕疵担保責任」
と呼んでいます。

ということは、品質等が契約内容に適合しない場合の責任のことですね。

そのとおりです。その責任が確実に履行されるように、この法律が作られました。

この法律は、毎年「問45」で出題されます。一見難しそうですが、同じような内容が繰り返し出題されているので、きちんと学習すれば得点できます。

学習のポイント

❶自ら売主として、宅建業者でない買主と新築住宅の売買契約を締結し引き渡した宅建業者は、資力確保措置を講じる義務を負う

❷資力確保措置には、保証金の制度と保険の制度がある

❸資力確保措置の状況についての届出は、基準日から3週間以内に行う

❹供託所の所在地等の説明は、売買契約を締結するまでに行う

1 住宅瑕疵(かし)担保履行法とは

1. 住宅瑕疵担保履行法とは

売主は**瑕疵担保責任**を負いますが、いくら売主である宅建業者に責任を課しても、その宅建業者に損害賠償等をするだけの財産がなければ、実際には買主は保護されません。そこで、住宅瑕疵担保履行法では、売主である宅建業者の資力（＝支払をできるだけの財産）を確保するための措置を定めています。

2. 住宅瑕疵担保履行法の適用対象

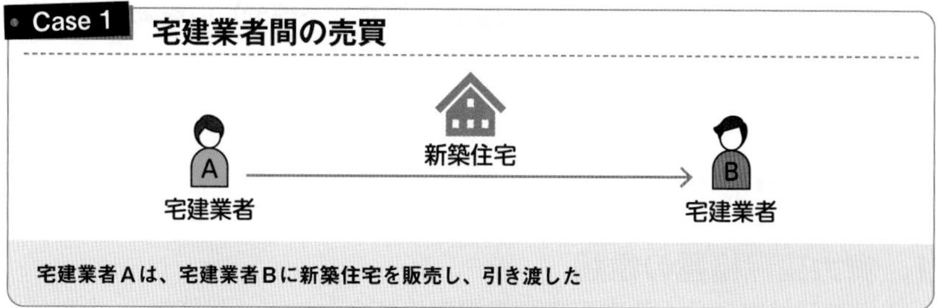
Case 1
宅建業者間の売買
新築住宅
A
宅建業者
B
宅建業者
宅建業者Aは、宅建業者Bに新築住宅を販売し、引き渡した

住宅瑕疵担保履行法の適用対象は、**新築住宅**です。ここでの新築住宅とは、新たに建設された住宅で、まだ人の居住の用に供したことのないもの（建設工事完了の日から起算して1年を経過したものを除く）をいいます。

資力を確保する義務の対象となるのは、住宅の基本構造部分（**構造耐力上主要な部分または雨水の侵入を防止する部分**。柱、はり、屋根、外壁など）の瑕疵に関する損害に限られます。

＼アドバイス／

たとえば給水設備やガス設備の瑕疵によって生じた損害は対象外です。

資力を確保する義務を負うのは、自ら売主として新築住宅を**宅建業者でない買主に**売却し引き渡した宅建業者です。

用語

【瑕疵担保責任】種類・品質に関する不適合についての担保責任のこと

【瑕疵】一般的にはキズ、欠陥のこと。この法律では、種類・品質に関して契約の内容に適合しない状態のこと

＼アドバイス／

代理や媒介をする宅建業者は、資力を確保する義務を負いません。また、宅建業者間の売買の場合も、売主は資力を確保する義務を負いません。

ケース1の場合、買主Bも宅建業者なので、売主Aは、資力を確保する義務を負いません。

必須 住宅瑕疵担保履行法の適用対象

1. 資力確保義務が課されるのは、自ら売主として、**宅建業者でない買主**と、**新築住宅**の売買契約を締結し引き渡した宅建業者である。
2. 資力を確保する義務の対象となるのは、住宅の基本構造部分（**構造耐力上主要な部分または雨水の侵入を防止する部分**）の瑕疵に関する損害に限られる。

2 資力確保措置

1．資力確保措置の種類

資力確保措置には、**住宅販売瑕疵担保保証金**（以下「保証金」）の供託と、**住宅販売瑕疵担保責任保険**（以下「保険」）への加入という2つの方法があります。

保証金の供託とは、その宅建業者が金銭等を供託所に預けておくことです。

保険への加入とは、国土交通大臣が指定する住宅瑕疵担保責任保険法人との間で、瑕疵が判明した場合に当該法人が保険金を支払うことを内容とする保険に入ることです。この保険では、保険料を支払うのは**宅建業者**であり、買主ではありません。また、買主が新築住宅の引渡しを受けてから**10年**以上の期間にわたって有効な保険であること、保険金額が**2,000万円**以上であることが必要です。

2. 保証金制度

Case 2 **保証金の供託**

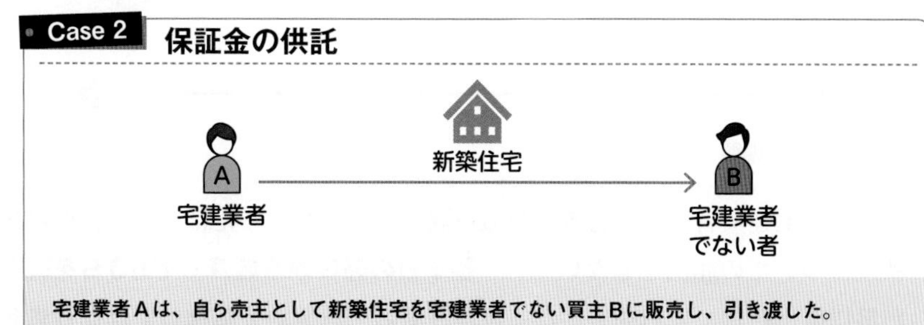

宅建業者Aは、自ら売主として新築住宅を宅建業者でない買主Bに販売し、引き渡した。

保証金制度を利用する場合、宅建業者は、**基準日**（3月31日）**から3週間を経過する日までの間に**、当該基準日前10年間に自ら売主となる売買契約に基づき買主に引き渡した新築住宅について、保証金を供託していなければなりません。**ケース2**では、Aは、基準日から3週間を経過する日までの間に保証金を供託しなければなりません。

供託額は、対象となる新築住宅の合計戸数に基づいて決まりますが、当該合計戸数の算定にあたって、**住宅の床面積が55m²以下**であるときは、2戸をもって1戸と数えます。

なお、基準日に保証金の額が基準額を超えている場合は、宅建業者は、免許権者の**承認**を受けて超過額を取り戻すことができます。

3. 資力確保措置の状況についての届出等

Case 3 **資力確保措置の状況についての届出を怠った**

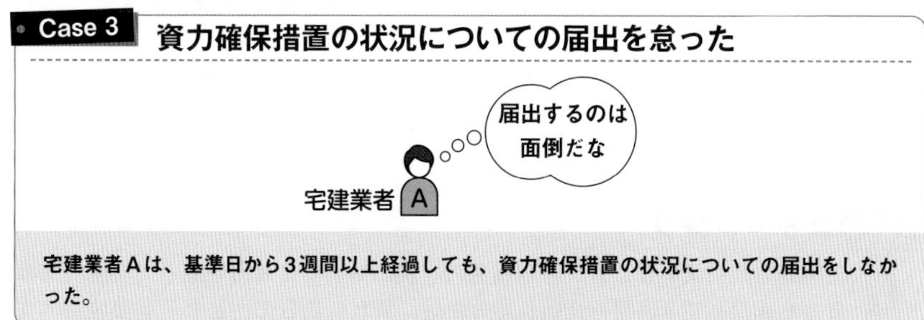

宅建業者Aは、基準日から3週間以上経過しても、資力確保措置の状況についての届出をしなかった。

新築住宅を引き渡した宅建業者（＝資力確保措置を講ずる義務を負う宅建業者）は、**基準日ごとに**、資力確保措置の状況について、**当該基準日から3週間以内**に**免許権者に届け出**なければなりません。

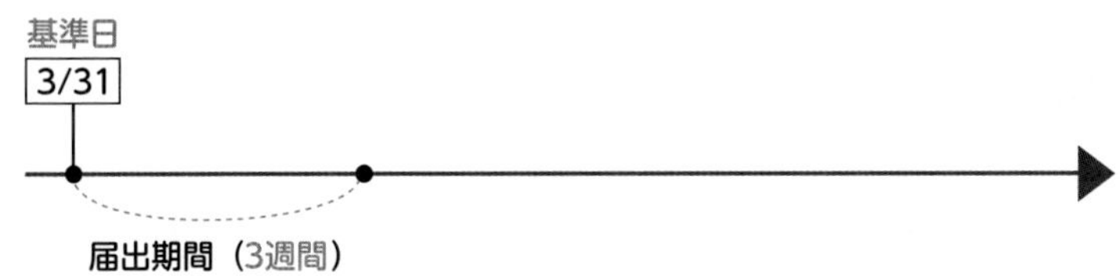

そして、宅建業者は、資力確保措置を講じない場合、または、資力確保措置の状況についての届出をしない場合、**基準日の翌日から起算**して**50日を経過した日以後**、新たに自ら売主となる**新築住宅の売買契約を締結してはなりません**。

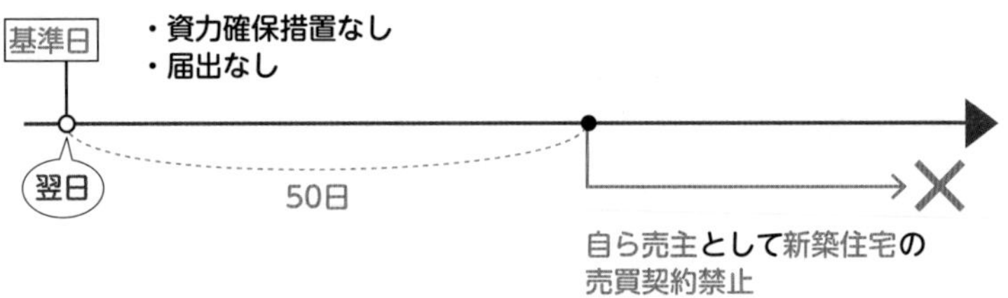

ケース3の場合、Aは、基準日の翌日から起算して50日を経過した日以後、新たに自ら売主となる新築住宅の売買契約を締結することが禁止されます。

必須 資力確保措置の状況についての届出等

1. 資力確保措置の状況についての届出
   基準日から3週間以内に免許権者に届け出なければならない。
2. 売買契約締結の制限
   基準日の翌日から起算して50日を経過した日以後、新たに自ら売主となる新築住宅の売買契約を締結できない

○×チャレンジ

Q 宅地建物取引業者は、資力確保措置の状況についての届出を怠った場合、基準日から起算して3週間を経過した日以後、新たに自ら売主となる新築住宅の売買契約を締結してはならない。

A 基準日の「翌日」から起算して「50日」を経過した日以後です。

×

3 供託所の所在地等の説明

Case 4 供託所の所在地等の説明

契約していただいたので、これから供託所の所在地等の説明をします

保証金を供託している宅建業者Aは、自ら売主となって新築住宅を宅建業者でないBに販売したので、その引渡し前に、供託所の所在地等をBに説明した。

保証金の供託をしている宅建業者は、自ら売主となる新築住宅の買主に対し、当該新築住宅の**売買契約を締結するまで**に、その保証金の供託をしている供託所の所在地等について、**書面を交付して説明**しなければなりません⊕。

ケース4の場合、Aは、売買契約締結後に供託所の所在地等の説明をしているので、住宅瑕疵担保履行法の規定に違反します。

必須 供託所等の所在地等の説明

保証金の供託をしている宅建業者は、自ら売主となる新築住宅の買主に対し、当該新築住宅の**売買契約を締結するまでに**、その保証金の供託をしている供託所の所在地等について、**書面を交付して**説明しなければならない。

○×チャレンジ

Q 住宅販売瑕疵担保保証金を供託している宅地建物取引業者は、自ら売主として宅地建物取引業者でない買主との間で新築住宅の売買契約を締結する場合、当該売買契約を締結するまでに、宅地建物取引士をして、供託所の所在地等の説明をさせなければならない。

A 説明担当者について特に規定はないので、宅建士をして説明させなくてもかまいません。

⊕補足

宅建業者は、書面の交付に代えて、買主の書面等による承諾を得て、当該書面に記載すべき事項を電磁的方法により提供することができる。なお、資力確保措置のもう1つの方法である保険に加入している場合には、保険証券等の書面が買主に交付されるので、上記のような説明の規定はない。

このレッスンが終わったら「きほんの問題集」の問題90～94にチャレンジ！

きほんの教科書

第２分冊

宅建業法

索 引

あ行

か行

さ行

た行

な行

は行

ま行

や行

ら行

MEMO

2025年版

ユーキャンの

宅建士 きほんの教科書

= 第3分冊 =

第3編［法令上の制限］

第4編［税・その他］

第3編 法令上の制限

第3分冊-①

法令上の制限 科目概要

1．どのような科目か？

宅建業法で学習する「重要事項の説明」の対象事項に、「都市計画法、建築基準法その他の法令に基づく制限の概要」というものがあります。宅建試験では、宅建士が取引をする物件に課せられている法令に基づく制限をきちんと理解して「重要事項の説明」を行うことができるように、**法令上の制限**を出題しているのです。

法令上の制限の学習内容について、少し掘り下げてご説明しましょう。本来、①**土地を取得**したり、②取得した**土地を造成**したり、③造成した土地に**建物を建築**したりすることは、**自由**なはずです。しかし、これらの行為を誰もが自由に行うことができるとすれば、狭い国土を合理的に利用したり、農業生産の基盤となる農地を確保したりすることは困難です。また、計画的なまちづくりを行うことや安全な建物を建築してもらうことも難しいでしょう。そこで、それぞれの**法律ごとに定められた目的**を実現するために、土地や建物を取得したり、土地の造成工事を行ったり、建物を建築したりする場合には、都市計画法や建築基準法といったさまざまな**法令による制限**が課されているのです。このような制限をまとめて、「法令上の制限」と呼んでいます。

このように、法令上の制限で学習するのは、**まちづくりや建物づくりのルール**です。ですから、まちや住まいに関心をお持ちのみなさんにとっては、とても興味深く楽しい内容の科目です。

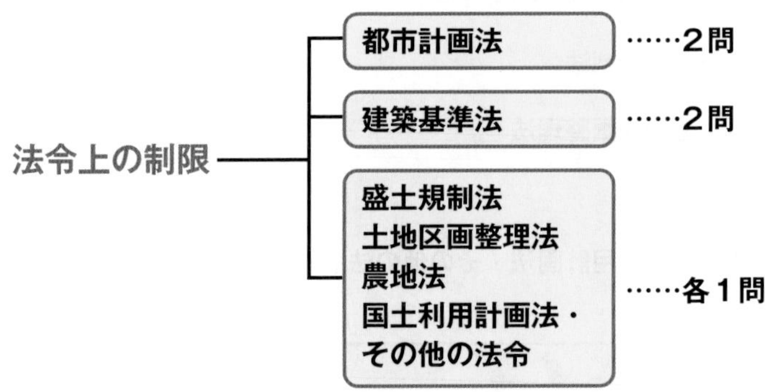

2. 出題数

法令上の制限の出題数は、50問中の**8問**です。令和6年度本試験の出題内訳は、**都市計画法2問**、**建築基準法2問**、**盛土規制法1問**、**土地区画整理法1問**、**農地法1問**、**国土利用計画法**（単独または「その他の法令」との混合）**1問**と予想されます。

3. 学習の指針

法令上の制限は、権利関係や宅建業法と比較して、①**専門用語や数字が多い**、②**知識自体を単純に問う問題が多い**という特徴があります。

まず、①の「専門用語や数字が多い」という特徴から、法令上の制限は、はじめのうちは、ややとっつきにくさを感じる科目です。しかし、かたい専門用語でも、実際のまちの様子などを思い描いて学習すれば、次第におなじみの言葉となってきます。また、無味乾燥に思える数字も、実際の土地の広さや建物の高さなどを想像しながら学習すれば、映像のかたちで記憶に残るようになります。ですから、法令上の制限では、とにかく**イメージ豊かに学習する**ことが、何よりも重要です。時間に余裕のある時期であれば、インターネットで専門用語を検索して実例を画像で確認してもよいでしょう。

次に、②の「知識自体を単純に問う問題が多い」という特徴から、「法令上の制限」は、**しっかり学習すれば、ある程度の得点が計算できる**科目です。ただ、項目によって、得点しやすいものと得点しにくいものがあります。具体的には、各1問の出題が予想される**都市計画法の開発許可制度**、**盛土規制法**、**農地法**、**国土利用計画法**は、比較的理解しやすいとともに、出題内容の**的を絞りやすい**といえます。これらについては、4問すべての得点を目指しましょう。逆に、都市計画法の開発許可制度以外の項目（例年1問）、建築基準法（同2問）、土地区画整理法（同1問）は、もともと内容が豊富であることから細かな知識が問われることも多く、やや的を絞りにくい項目です。これらについては、4問中1～2点程度の得点ができれば十分です。以上より、法令上の制限全体としては、合計8問中の**5点以上**を得点目標としましょう。

法令上の制限 過去10年間の出題一覧

ここでは、出題一覧と学習優先度を掲載しています。出題一覧は過去10年間のうち、出題された年度に●をつけています。学習優先度は、受験者の問題ごとの正答率データをもとに合格に必要な知識か否かを徹底的に解析し、ここ30年の出題傾向を踏まえて、合格するための学習優先度を総合的に判断したものです。学習優先度が高いと思われるものから順に、高・中・低の3段階で表示しています。（レッスン毎にも設定しています。）

	テーマ	H26	27	28	29	30	R1	2	3	4	5	学習優先度
都計法	都市計画	●	●	●		●	●	●	●	●	●	高
	開発許可制度	●	●	●	●	●	●	●	●	●	●	高
	開発許可制度以外の都市計画制限				●	●		●				中
建基法	建築基準法のしくみ					●				●		低
	建築確認	●	●		●	●		●	●	●		高
	集団規定	●	●	●	●	●	●	●	●	●	●	高
	単体規定	●		●	●	●	●	●	●	●	●	中
	建築協定		●									低
盛土法	宅地造成等工事規制区域	※	※	※	※	※	※	※	※	※	※	高
	特定盛土等規制区域											中
	造成宅地防災区域			●			●		●	●	●	中
区画法	土地区画整理法のしくみ					●						低
	土地区画整理事業の施行者				●			●				中
	換地計画	●					●	●	●			高
	建築行為等の制限			●		●			●	●		高
	仮換地		●	●		●				●	●	高
	換地処分	●	●				●		●	●	●	高
農地法	農地・採草放牧地	●		●		●		●				高
	3条・4条・5条許可	●	●	●	●	●	●	●	●	●	●	高
	許可を受けなかった場合			●				●	●	●	●	高
国土法・他	事後届出制	●	●	●	●	●	●	●	●	●	●	高
	事前届出制			●								低
	その他の法令	●			●						●	低

※ 改正前の「宅地造成工事規制区域」については、出題あり。

目標得点	5点/8問

論点別の傾向と対策

都市計画法：開発許可制度に関する問題が出題されることが多く、最重要項目ですが、近年、開発許可制度以外の都市計画制限からの出題も増えており、手を抜けません。また、都市計画区域や都市計画の内容は、他の法律の前提ともなる部分であり、正確に理解しておく必要があります。

建築基準法：近年、特定の項目の知識だけでなく、複数の項目の知識が必要となる総合問題の出題が増えています。このような問題に対処するため、各項目について幅広く知識を押さえておく必要があります。

盛土規制法：例年1問出題されてきた宅地造成等規制法の改正リニューアル版の法律です。改正前と比べて内容的に盛りだくさんとなった法律ですが、まずは、典型テーマである宅地造成等工事規制区域内での規制を中心に、ある程度ポイントを絞って学習しましょう。

土地区画整理法：出題範囲が広く、対策を立てづらい法律です。あまり深入りしないほうが、試験対策上は得策です。

農地法：農地の意味と3条、4条、5条許可からの出題がほとんどです。出題のポイントが少ないので、必ず得点できるように準備しておくべき法律です。

国土利用計画法：大別して事後届出制・事前届出制・許可制の3項目があります。このうち、事後届出制についての出題がほとんどですから、事後届出の要否の区別と手続きを中心に学習しましょう。

★上記以外の法律が出題されることもありますが、範囲が広い割に出題の可能性は低く、その学習に時間を割くことは、試験対策上、得策ではありません。そこで、本書ではポイントだけをまとめています。

LESSON 01 都市計画法①

住みやすいまちを計画しよう！

introduction

なぞなぞです。

プラン を選択・決定→

送別会ですか？

都市計画法の極意「まちづくり三段跳」ですよ。まずはHOP。都市計画区域という計画的に住みやすいまちづくりを進める場所を決めます。次にSTEP。まちづくりのプラン「都市計画」が列挙されたメニューから、必要なものをちょちょいと選んで決めます。最後のJUMPでプランをDo！　要は実行するわけです。

今日は饒舌（じょうぜつ）です。部長はプランを立てることが大好きですからね。

計画的なまちづくりを進めるために、それに適した場所を「都市計画区域」として定めます（HOP）。都市計画区域には、「都市計画」という様々なまちづくりのプランを定めます（STEP）。レッスン1では、まずはここまで学びましょう。

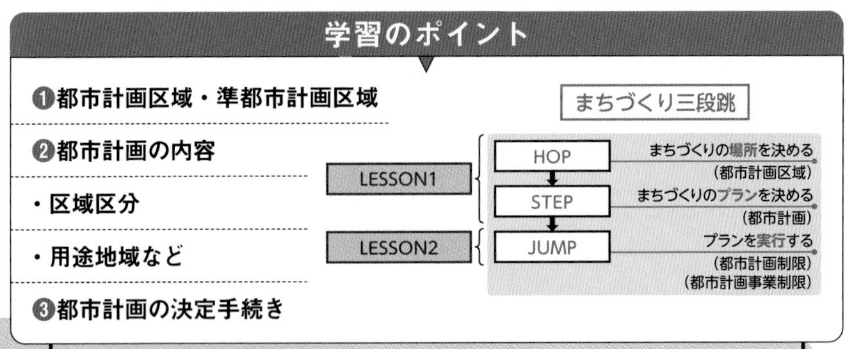

学習のポイント
❶都市計画区域・準都市計画区域
❷都市計画の内容
・区域区分
・用途地域など
❸都市計画の決定手続き
まちづくり三段跳
LESSON1
LESSON2
HOP
まちづくりの場所を決める
（都市計画区域）
STEP
まちづくりのプランを決める
（都市計画）
JUMP
プランを実行する
（都市計画制限）
（都市計画事業制限）

1 都市計画区域・準都市計画区域

1. 都市計画区域

(1) 都市計画区域の指定

計画的なまちづくりに適しているとして選ばれた場所を**都市計画区域**といいます。⊕

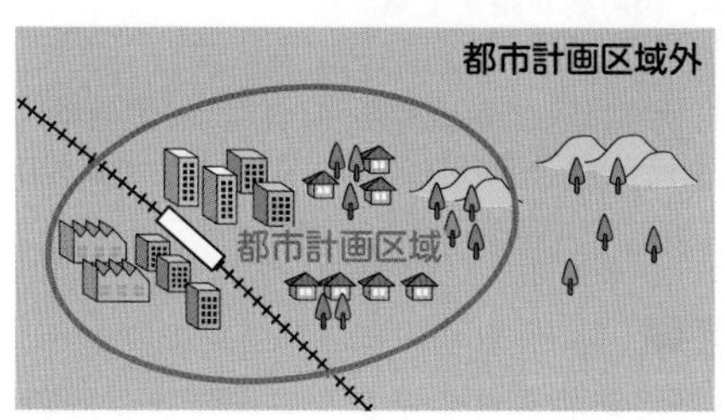

都市計画区域は、都市の広がりに応じて指定されますので、**1つの市町村や都府県の区域を越えて指定されることもあります。**

原則 **都市計画区域は、原則として都道府県が指定します。**ただし、例外 **都市計画区域が2つ以上の都府県にまたがって指定される場合には、その都市計画区域は、国土交通大臣が指定します。**

必須 **都市計画区域の指定**

① 都市計画区域は、**1つの市町村や都府県の区域を越えて**指定されることがある。
② 都市計画区域は、原則として**都道府県**が指定する。

(2) 都市計画区域内に定められる都市計画

ア．都市計画区域のマスタープラン

計画的にまちづくりをするには、どのようなまちづくりをするのかという方針が必要です。そこで、すべての都市計画区域について、「都市計画区域の整備、開発および保全の方針」というマスタープランを定めなければなりません。都市計画区域に定める都市計画は、マスタープランに沿ったものでなければなりません。

⊕補足
都市計画区域は、原則として、一体の都市として総合的に整備・開発・保全する必要がある区域に指定される。街の広がりごとに、全国で1,000以上の区域が指定されている。

イ．主な都市計画

都市計画にはいろいろなものがありますが、そのなかから必要なものを選んで定めます。試験対策上は、①**区域区分**、②**地域地区**（用途地域など）、③**都市施設**、④**市街地開発事業**、⑤**地区計画**の５つを中心に学習すれば十分です。

OXチャレンジ

Q 都市計画区域は、市町村が指定する。

A 都市計画区域は、原則として**都道府県**（2つ以上の都府県にまたがって指定される場合には国土交通大臣）が指定します。「市町村」ではありません。

×

2. 準都市計画区域

たとえば、農村地帯に新設されるインターチェンジ周辺などに、でたらめに遊興（ゆうきょう）・宿泊・流通などの施設が建築されたら好ましくないでしょう。

そこで、**都道府県**は、都市計画区域**外**の区域のうち、大規模な乱開発などを予防するための場所を**準都市計画区域**として指定し、必要な土地利用規制を定めることができます。⊕

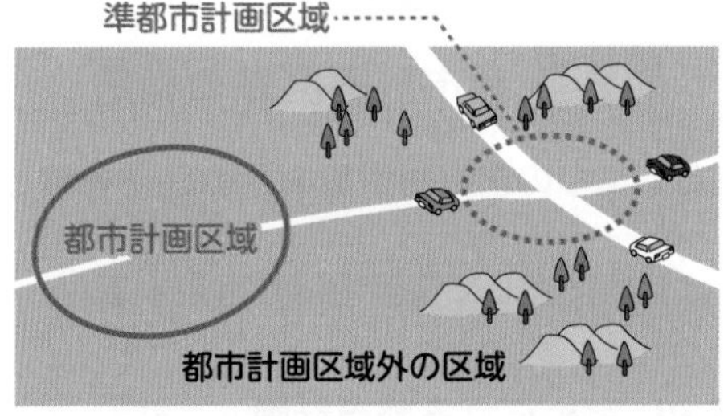

必須 準都市計画区域の指定

① 準都市計画区域は、都市計画区域**外**に指定される。
② 準都市計画区域は、**都道府県**が指定する。

⊕補足
準都市計画区域は、そのまま土地利用を整序するなどの措置を講じないで放置すれば、将来における一体の都市としての整備・開発・保全に支障が生じるおそれがある一定の区域に指定される。

Q 準都市計画区域は、市町村が指定する。

A 準都市計画区域は、**都道府県**が指定します。「市町村」ではありません。

×

2 都市計画の内容①（区域区分）

1. 区域区分

住みやすいまちづくりのためとはいえ、都市計画区域の全域に道路や下水道を整備するのは税金の無駄遣いです。また、農地や自然環境の保護も大切です。

そこで、都市計画で、都市計画区域のなかを、すでに建物の立ち並んだ市街地になっている区域やこれから計画的に市街地にしていく区域（＝**市街化区域**）と、市街化を抑える区域（＝**市街化調整区域**）の２つに区分できることにしました（**区域区分**）。

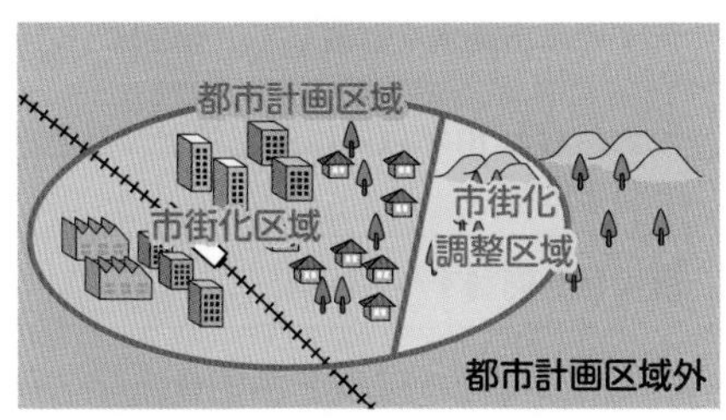

2. 区域区分の選択制

全国的には都市開発は活発ではありません。そこで、都道府県は、必要があると判断した場合にのみ、都市計画に区域区分を定めます（区域区分の選択制）。つまり、原則 区域区分は、**必ず定めなければならないものではありません。** その一方で、大都市では無秩序な開発を防止して計画的な市街化を図るうえで区域区分は重要ですから、例外 **一定の都市計画区域については、区域区分が義務づけられています。** ここでのポイントは、区域区分は必ず定めなければならないものではないという原則論です。

用語

【区域区分】 市街化区域と市街化調整区域との区分をいう。実務上、「線引き」と呼ばれることもある。

3. 非線引区域

区域区分（線引き）をするかどうかは原則として都道府県の選択次第ということは、都市計画区域について区域区分をしない場合もあります。このような都市計画区域を「**区域区分が定められていない都市計画区域**」（**非線引区域**）といいます。

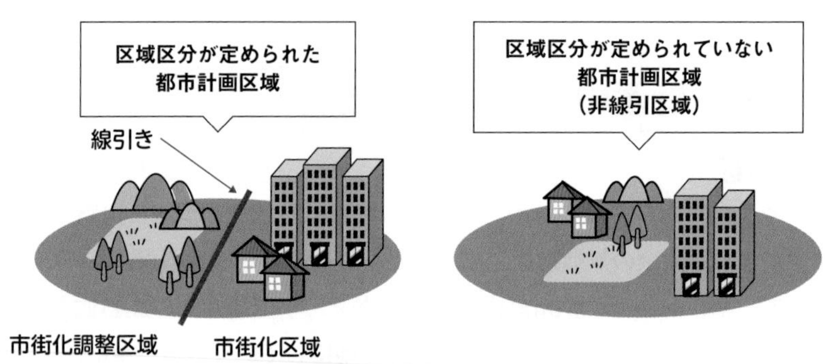

必須 区域区分

市街化区域	①すでに市街地を形成している区域 ＋ ②おおむね10年以内に優先的かつ計画的に市街化を図るべき区域
市街化調整区域	市街化を**抑制**すべき区域

都道府県は、都市計画に、市街化区域と市街化調整区域との区分（**区域区分**）を定めることができる。

⇒区域区分は、一定の都市計画区域を除き、**必ず定めなければならないものではない**。

○×チャレンジ

Q 都市計画区域については、無秩序な市街化を防止し、計画的な市街化を図るため、都市計画に必ず市街化区域と市街化調整区域との区分を定めなければならない。

A 区域区分は、一定の都市計画区域を除き、**必ず定めなければならないものではありません**。

×

4.「○○区域」相互の関係

ここまで学習した「○○区域」をまとめると、以下のような関係となります。今後の学習に必要な区分けですから、しっかりとイメージしておきましょう。

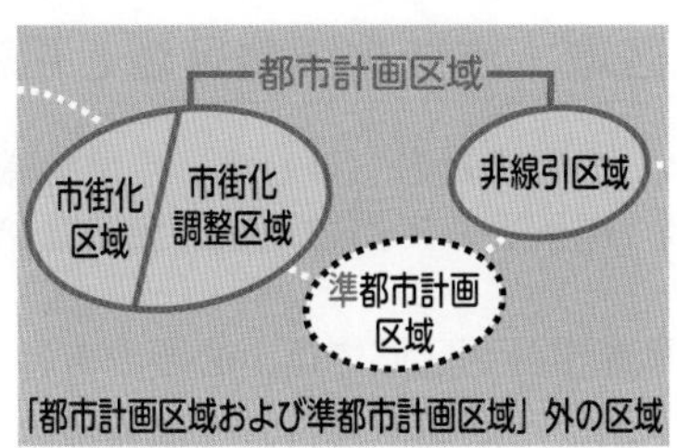

3 都市計画の内容②（用途地域）

1. 地域地区

都市計画には、いろいろな種類があります。そのなかに土地の利用のルールを決めているものがあり、「**地域地区**」といいます。「○○地域」や「△△地区」といった名称の様々なプランを定めているので、ひっくるめて「地域地区」と呼ばれます。この「地域地区」には、最も重要で基本的な地域地区である「**用途地域**」と、その他大勢にあたる「用途地域**以外**の地域地区」があります。まずは用途地域を学習しましょう。

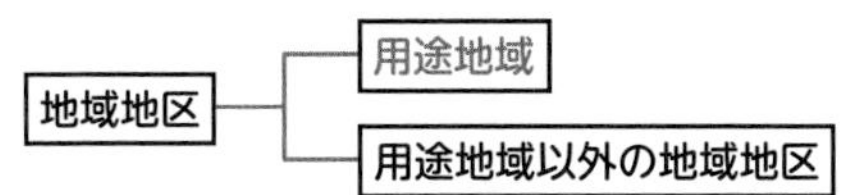

2. 用途地域

静かな住宅地のなかにショッピングモールや大きな工場などができると、お互いに不幸です。そこで、住宅、ショッピングモール、工場など、建築物の種類や規模によって建てることのできる場所を制限するためのプランを用意しました。それが**用途地域**です。

3. 市街化区域・市街化調整区域と用途地域の関係

用途地域は土地の利用の仕方を決める重要なものです。ですから、市街化をどんどん進めていく**市街化区域**では、**少なくとも**（＝必ず）用途地域を定めます。これに対して、市街化を抑えなければならない**市街化調整区域**では、原則として用途地域を**定めません**。つまり、都市計画区域内のすべての区域で用途地域を定めなければならないわけではないということになります。

必須 **市街化区域・市街化調整区域と用途地域の関係**

市街化区域 ⇒ **少なくとも**（＝必ず）用途地域を定める
市街化調整区域 ⇒ 原則として用途地域を**定めない**

なお、非線引区域や準都市計画区域では、必要があれば用途地域を定めることができるとされているので、必要がなければ用途地域を定めません。

＼アドバイス／
このような用途地域が定められていない場所のことを、実務では「白地地域」と呼ぶことがあります。

○×チャレンジ

Q 市街化区域については、少なくとも用途地域を定めるものとし、市街化調整区域については、原則として用途地域を定めないものとする。

A **市街化区域**については、**少なくとも**（＝必ず）用途地域を定めます。これに対して、**市街化調整区域**については、原則として用途地域を**定めません**。

○

4．用途地域の種類

用途地域は、全部で13種類あります。後で登場する建築基準法の学習の基礎になりますので、どのようなものがあるのか、イメージできるようにしましょう。

（1）住居系の用途地域

住居系の用途地域は、8種類あります。このうち「第一種」「第二種」と付くものについては、**住宅以外に建てることのできる建築物の種類が「第二種」>「第一種」となっていて、「第二種」のほうが制限は緩やかです。**

第一種低層住居専用地域と**第二種低層住居専用地域**は、一戸建てなどの低層住宅を中心とする閑静な住宅街にするための地域です。

第一種中高層住居専用地域と**第二種中高層住居専用地域**は、マンションなどの中高層住宅を建てるための地域です。

〈第一種低層住居専用地域〉　〈第一種中高層住居専用地域〉

第一種住居地域と**第二種住居地域**は、住宅とともに店舗、事務所、ホテルなど、いろいろな建築物が立ち並ぶことになる地域です。

準住居地域は、幹線道路沿いなどに設けられ、住居の環境の保護とともに自動車関連施設の利便をも図る地域です。

田園住居地域は、農業の利便の増進を図りつつ、これと調和した低層住宅に関する良好な住居の環境を保護するための地域です。

〈準住居地域〉　〈田園住居地域〉

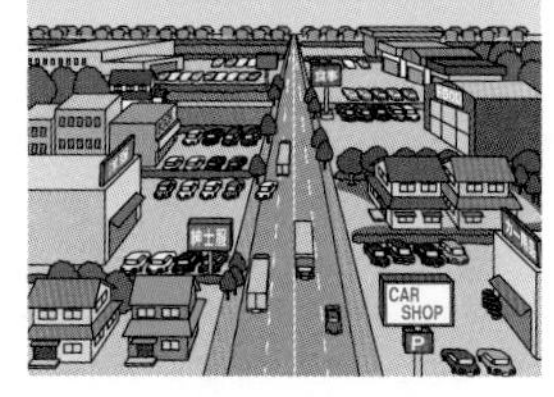

(2) 商業系の用途地域

商業系の用途地域は、2種類あります。

近隣商業地域は、近くの住民が日用品の買い物をする商店などが立ち並ぶ地域、**商業地域**は、商業ビル・オフィスビル・飲食店などが集中する地域です。

〈近隣商業地域〉

〈商業地域〉

(3) 工業系の用途地域

工業系の用途地域は、3種類あります。

準工業地域は、環境を悪くするおそれのない軽工業の工場などを建てるための地域です。

これに対して、**工業地域**は大工場などを建てるための地域、**工業専用地域**は大工場のなかでも特に石油化学コンビナートや工業団地などを建てるための地域です。

〈工業専用地域〉

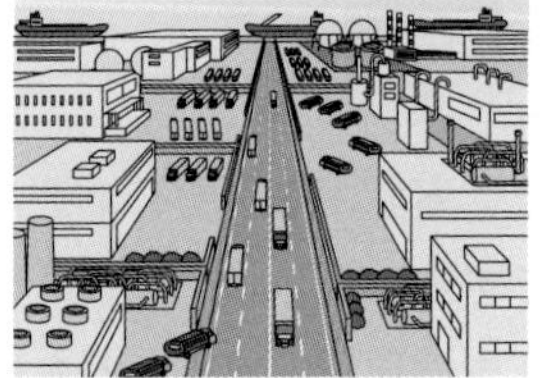

5. 用途地域に関する都市計画で必ず定める事項

次の表のとおり、**容積率・建蔽（けんぺい）率**・高さの限度の具体的な数値については、一定の用途地域に関する都市計画で必ず定めることになっています［▶L4］。

容積率	**すべての用途地域**
建蔽率	**商業地域以外の用途地域**
高さ	**第一種・第二種低層住居専用地域、田園住居地域**

用語

【容積率・建蔽率】 容積率とは建築物の延べ面積の敷地面積に対する割合のこと、建蔽率とは建築物の建築面積の敷地面積に対する割合のことである。詳しくは、建築基準法［▶L4］で学習する。

必須 用途地域の種類

	種類	意味
住居系	第一種低層住居専用地域	低層住宅に係る良好な住居の環境を保護するため定める地域
	第二種低層住居専用地域	**主として**低層住宅に係る良好な住居の環境を保護するため定める地域
	第一種中高層住居専用地域	中高層住宅に係る良好な住居の環境を保護するため定める地域
	第二種中高層住居専用地域	**主として**中高層住宅に係る良好な住居の環境を保護するため定める地域
	第一種住居地域	住居の環境を保護するため定める地域
	第二種住居地域	**主として**住居の環境を保護するため定める地域
	準住居地域	**道路の沿道**としての地域の特性にふさわしい業務の利便の増進を図りつつ、これと調和した住居の環境を保護するため定める地域
	田園住居地域	**農業**の利便の増進を図りつつ，これと調和した**低層住宅**に係る良好な住居の環境を保護するため定める地域
商業系	**近隣**商業地域	近隣の住宅地の住民に対する**日用品の供給**を行うことを主たる内容とする商業その他の業務の利便を増進するため定める地域
	商業地域	主として商業その他の業務の利便を増進するため定める地域
工業系	準工業地域	主として**環境の悪化をもたらすおそれのない**工業の利便を増進するため定める地域
	工業地域	**主として**工業の利便を増進するため定める地域
	工業**専用**地域	工業の利便を増進するため定める地域

4 都市計画の内容③（用途地域以外の地域地区）

「地域地区」には、基本となる「用途地域」以外にもさまざまなプランがあり、一部のものを除き、用途地域と重ねて定めることができます。ここでは、宅建試験で出題される可能性が高いものを見ていきましょう。特にキーワードの理解が大切です。

1．用途地域内にのみ定められるもの

（1）特別用途地区

たとえば、商業系の用途地域だけれど、大学キャンパス周辺なので特に静かな環境を確保したいというように、それぞれの地区の特別の目的のために用途地域における用途制限［▶L4］を強化または緩和するためのプランが**特別用途地区**です。したがって、**特別用途地区は、用途地域が定められている場所にさらに重ねて定める、用途地域内限定のプランです。**⊕

必須 特別用途地区

特別用途地区は、**用途地域内**の一定の地区における当該地区の特性にふさわしい土地利用の増進、環境の保護等の特別の目的の実現を図るため当該**用途地域の指定を補完**して定める地区である。

〇×チャレンジ

Q 特別用途地区は、用途地域が定められていない土地の区域内において、その良好な環境の形成又は保持のため当該地域の特性に応じて合理的な土地利用が行われるよう、制限すべき特定の建築物等の用途の概要を定める地区とされている。

A 特別用途地区は、**用途地域内**の一定の地区における当該地区の特性にふさわしい土地利用の増進、環境の保護等の特別の目的の実現を図るため当該**用途地域の指定を補完**して定める地区です。「用途地域が定められていない土地の区域」に定めることはできませんし、「制限すべき特定の建築物等の用途の概要を定める地区」でもありません。本問は、**3.**で学習する特定用途制限地域とのひっかけです。

×

⊕補足
特別用途地区内での制限の内容は、都道府県や市町村の条例で定める。たとえば、大学周辺に文教地区という名称の特別用途地区を定め、風俗営業施設の建築を制限したりする。

(2) 高層住居誘導地区

大都市の都心部などでタワーマンションなどを建設しやすくして、職住接近を図るためのプランが**高層住居誘導地区**です。**第一種住居地域、第二種住居地域、準住居地域、近隣商業地域、準工業地域の５種類の用途地域内で、都市計画で容積率が40/10または50/10と定められたものの内においてのみ、定めることができます。**①この高層住居誘導地区内では、一定の建築物について容積率などの制限が緩和されます。

必須 高層住居誘導地区

高層住居誘導地区は、住居と住居以外の用途とを適正に配分し、利便性の高い高層住宅の建設を誘導するため、容積率の最高限度などを定める地区である。
⇒**第一種住居地域、第二種住居地域、準住居地域、近隣商業地域、準工業地域**の5つの用途地域内にのみ定められる。

(3) 高度地区

住宅地では建築物の高さの最高限度を決めたほうがよいのに対して、まちの中心地では建築物の最低限度を決めて高さを一定以上にそろえたほうがよいでしょう。そこで用意されたプランが**高度地区**です。**高度地区では、建築物の「高さ」の最高限度または最低限度を定めます。**

必須 高度地区

高度地区は、**用途地域内**において市街地の環境を維持し、または土地利用の増進を図るため、建築物の「**高さ**」の最高限度または最低限度を定める地区である。

(4) 高度利用地区

敷地の狭い鉛筆のようなビルをペンシルビルと言いますが、このようなビルが密集して立ち並ぶのは土地の有効利用の点からは望ましくありません。そこで、用意されたプランが**高度利用地区**です。**高度利用地区では、容積率の最高限度・最低限度、建蔽率の最高限度、建築面積の最低限度、壁面の位置（＝建**

① **注意**
勘違いしやすいところであるが、第一種中高層住居専用地域などの「〇〇住居専用地域」に高層住居誘導地区を定めることはできない。

築物の壁を設置できる限界線のこと）の制限を定めます。

必須 高度利用地区

高度利用地区は、**用途地域内**の市街地における土地の合理的かつ健全な高度利用と都市機能の更新とを図るため、「**容積率**」の最高限度および最低限度、建蔽率の最高限度、建築面積の最低限度、壁面の位置の制限を定める地区である。①

○×チャレンジ

Q 高度利用地区は、用途地域内において市街地の環境を維持し、又は土地利用の増進を図るため、建築物の高さの最高限度又は最低限度を定める地区である。

A 高度利用地区は、用途地域内の市街地における土地の合理的かつ健全な高度利用と都市機能の更新とを図るため、**容積率**の最高限度および最低限度などを定める地区です。本問は、高度地区とのひっかけです。

×

2. 用途地域外にも定められるもの

(1) 特定街区

特定街区とは、建築基準法が定める容積率や高さの制限を外して、東京・西新宿のような超高層ビル街をつくるために定められるプランです。特定街区については、建築基準法の制限に代わり、都市計画でその街区にだけ適用される容積率・高さの最高限度、壁面の位置の制限が定められます。

(2) 防火地域と準防火地域

防火地域・準防火地域とは、建物が密集していて火災の危険が大きいため、建物を燃えにくい構造にしなければならない地域のことです。詳しくは建築基準法［▶L4］で学習しますので、ここでは言葉の意味を確認しておけば十分です。

(3) 風致地区

風致地区とは、**都市の風致**、すなわち、まちにある自然や緑などのよい環境を維持するため定める地区です。

①**注意**

高度地区と高度利用地区は、言葉が似ているので、ひっかけ問題のネタになる。高度地区：「高さ」⇔高度利用地区：「容積率」というキーワードで、両者を判別しよう。

3. 用途地域外にのみ定められるもの

●特定用途制限地域

非線引区域や準都市計画区域内では、必要があれば用途地域を定めることができますが、必ず定めなければならないというわけではありません。そのような**用途地域が定められていない**土地の区域（白地地域）では、原則として建築できる建築物の用途についての規制がないため、風俗営業施設やアミューズメント施設などがでたらめに立地してしまう危険性があります。そこで、このような地域の環境を守るために、一定規模以上の集客施設といった**特定の用途の建築物の建築のみを規制できるようにしたプランが特定用途制限地域です。**

必須 特定用途制限地域

特定用途制限地域は、**用途地域が定められていない**土地の区域（市街化調整区域を除く）内において、その良好な環境の形成または保持のため当該地域の特性に応じて合理的な土地利用が行われるよう、**制限**すべき**特定**の建築物等の**用途**の概要を定める地域である。

○×チャレンジ

Q 特定用途制限地域は、用途地域内の一定の区域における当該区域の特性にふさわしい土地利用の増進、環境の保護等の特別の目的の実現を図るため当該用途地域の指定を補完して定めるものとされている。

A 特定用途制限地域は、**用途地域が定められていない**土地の区域（市街化調整区域を除く）内において、その良好な環境の形成または保持のため当該地域の特性に応じて合理的な土地利用が行われるよう、**制限**すべき**特定**の建築物等の**用途**の概要を定める地域です。本問は、特別用途地区とのひっかけです。

×

5 都市計画の内容④（都市施設と市街地開発事業）

1. 都市施設

(1) 都市施設とは

都市計画には、都市の骨組みとなる道路・学校・公園などの「**都市施設**」と呼ばれる施設を積極的につくっていくものもあります。

(2) 必ず定める都市施設

都市施設にはいろいろなものがありますが、そのなかでも**道路・公園・下水**

道の3つは、安全で衛生的な都市生活を送るうえで特に重要です。そこで、**都市施設を定める場合、市街化区域および非線引区域（区域区分が定められていない都市計画区域）については、少なくとも（＝必ず）道路、公園、下水道を定めることになっています。**これに加えて、**住居系の用途地域**には、小学校などの義務教育施設も定めなければなりません。人々が生活する場には、子供たちもたくさんいるからです。

(3) 都市施設を定められる場所

道路などは、どんなに山奥でも必要があればつくらなければなりません。そこで、**都市施設は、特に必要があるときは、都市計画区域外であっても定めることができます。**

必須 都市施設

① 都市施設を定める場合、**市街化区域**および**非線引区域**については、少なくとも**道路**、**公園**、**下水道**を定める。
② 住居系の用途地域には、義務教育施設も定めなければならない。
③ 都市施設は、特に必要があるときは、都市計画区域**外**でも定めることができる。

OXチャレンジ

Q 都市施設は、都市計画区域外においては、定めることができない。

A 道路・公園などの**都市施設**は、特に必要があるときは都市計画区域**外**においても定めることができます。

×

2. 市街地開発事業

(1) 市街地開発事業とは

都市のなかには、古い木造の建物が密集する地域があります。このような地域では、道路などの都市施設を単体でつくるのではなく、地域全体で市街地を整備する必要があります。このような必要に応じるために、公的機関などが一定の地域を総合的に開発・整備する都市計画が「**市街地開発事業**」です。この

用語

【住居系の用途地域】 第一種低層住居専用地域、第二種低層住居専用地域、第一種中高層住居専用地域、第二種中高層住居専用地域、第一種住居地域、第二種住居地域、準住居地域、田園住居地域。

「市街地開発事業」とは7種類の事業の総称で、そのなかの代表例が土地区画整理事業［▶L7］や**市街地再開発事業**です。

(2) 市街地開発事業を定められる場所

市街地開発事業は、市街化区域または非線引区域内において、一体的に開発し、または整備する必要がある土地の区域について定めます。したがって、**市街化調整区域**や準都市計画区域などでは、都市計画に市街地開発事業を**定めることはできません。**

〇×チャレンジ

Q 市街化調整区域内においては、都市計画に、市街地開発事業を定めることができないこととされている。

A 市街地開発事業は、**市街化区域**または**非線引区域**内において、定めることとされています。したがって、「市街化調整区域内」においては、定めることはできません。

〇

必須 市街地開発事業

市街地開発事業は、**市街化区域**または**非線引区域**内において、一体的に開発し、または整備する必要がある土地の区域について定める。
⇒市街化調整区域や準都市計画区域などでは、定めることができない。

6 都市計画の内容⑤（地区計画）

(1) 地区計画とは

都市全体の土地利用や公共施設について定める都市計画だけでは、小さな地区ごとの事情を十分に反映できません。そこで、「A市B町一丁目」ぐらいの小さな地区レベルのきめ細かなプランを定める都市計画があり、これを「**地区計画**」といいます。たとえば、地区住民が主に利用する地区道路・小公園といった地区施設をつくったり、商店街の店のデザインをそろえて賑わいを演出したりします。

用語

【市街地再開発事業】 都市再開発法に基づき、古い木造建築物が密集している地区などで、敷地の統合や不燃化された共同建築物の建築をしたり、公園・道路などの公共施設を整備したりする事業。

【地区計画】 建築物の建築形態、公共施設その他の施設の配置等からみて、一体としてそれぞれの区域の特性にふさわしい態様を備えた良好な環境の各街区を整備・開発・保全するための計画。

(2) 地区計画を定められる場所

地区計画は、都市計画区域のうち、①用途地域が定められている土地の区域だけでなく、②用途地域が定められていない一定の土地の区域（住宅市街地の開発が行われる土地の区域など）にも、定めることができます。

(3) 地区計画の都市計画に定める事項

地区計画については、①都市計画に定めるものとされている事項と、②都市計画に定めるよう努めるものとされている事項とがあります。やや細かい内容なので、簡単に確認すれば十分です。

地区計画について定める事項	
定めるもの	定めるよう努めるもの
・地区計画の位置・区域など ・**地区整備計画**（**地区施設**・建築物等の整備や土地の利用に関する計画）	・**区域の面積** ・**当該地区計画の目標** ・当該区域の整備、開発および保全に関する方針　など

(4) 地区整備計画に定められる事項

原則 地区整備計画には、用途の制限、容積率の最高限度または最低限度、建蔽率の最高限度、高さの最高限度または最低限度等を定めることができます。ただし、例外 **市街化調整区域内では、地区整備計画に、容積率の「最低限度」、建築面積の「最低限度」、建築物の高さの「最低限度」を定めることはできません。**市街化調整区域内に大きな建物を建てさせないためです。

(5) 開発整備促進区

一定の地区計画には、劇場、店舗、飲食店などの用途に供する大規模な建築物（ショッピングモールなど）の整備による商業その他の業務の利便の増進を図るため、一体的かつ総合的な市街地の開発整備を実施すべき区域として、**開発整備促進区**を都市計画に定めることができます。**開発整備促進区は、第二種住居地域、準住居地域、工業地域、用途地域が定められていない土地の区域（市街化調整区域を除く）に定めることができます。**これらの区域では、大型の店舗などの立地が制限されていますが、開発整備促進区が定められた場合には、例外的に制限が緩和されることになっています。

用語

【地区整備計画】 主として街区内の居住者等の利用に供される生活道路、公園、広場、遊歩道などを「地区施設」という。「地区整備計画」とは、この地区施設や建築物等の整備と土地の利用に関する計画のことをいう。要するに、地区内での建物の建て方などについての具体的なルールである。

＼アドバイス／

工場跡地を住宅地や商業業務地に計画的に転換するというように、土地利用転換や都市機能の更新を図るため、地区計画の区域内に再開発等促進区という区域を定めることができます。開発整備促進区とは別のものですから、勘違いに注意しましょう。

必須 **地区計画**

① 地区計画
地区計画は、都市計画区域のうち、用途地域が定められている土地の区域だけでなく、**用途地域が定められていない**一定の土地の区域にも、定めることができる。

② 開発整備促進区
開発整備促進区は、**第二種住居地域・準住居地域・工業地域**・用途地域が定められていない土地の区域（市街化調整区域を除く）における地区計画について、一定の条件に該当する場合、都市計画に定めることができる。

○×チャレンジ

Q 都市計画区域については、用途地域が定められていない土地の区域であっても、一定の場合には、都市計画に、地区計画を定めることができる。

A **用途地域が定められていない**一定の土地の区域にも、都市計画に、**地区計画**を定めることができます。

○

7 都市計画の内容⑥（準都市計画区域内の都市計画）

準都市計画区域は、大規模な乱開発などを予防するために、必要な土地利用規制を定めることができる区域です。そこで、準都市計画区域内に定めることができる都市計画は、高度地区（建築物の高さの最高限度のみ）、特定用途制限地域など、**積極的なまちづくりを規制するプラン**に限られます。その一方で、**積極的なまちづくりを前提とするプランである、区域区分、高度利用地区、防火地域・準防火地域、市街地開発事業などは、定めることができません。**

次の『必須』の表で、赤字のものを中心に、定めることができる都市計画か否かを判別できるようにしておきましょう。本試験では、定めることができない都市計画を問うことが多いです。

必須 準都市計画区域内の都市計画

準都市計画区域内に定めることができる都市計画は、**積極的なまちづくりを規制するプラン**に限られます。

定めることができる都市計画	定めることができない都市計画
用途地域 特別用途地区 **高度地区**（建築物の高さの最高限度のみ） **特定用途制限地域** 風致地区　など	**区域区分** 高層住居誘導地区 **高度利用地区** 特定街区 **防火地域・準防火地域** **市街地開発事業** 地区計画　など

OXチャレンジ

Q 準都市計画区域について無秩序な市街化を防止し、計画的な市街化を図るため必要があるときは、都市計画に、区域区分を定めることができる。

A **準都市計画区域**については、都市計画区域と異なり、都市計画に、**区域区分を定めることはできません。**

×

8 都市計画の決定

1．都市計画の決定権者

(1) 都市計画の種類ごとの決定権者

都市計画には、空港や高速道路のように都市の大きな骨組みをつくるものもあれば、小学校や公園などのように住民に身近なものをつくるものもあります。そこで、**都市計画は、原則として、都道府県と市町村がそれぞれ分担して決めることにしています**（2以上の都府県の区域にわたる都市計画区域では、都道府県の代わりに国土交通大臣）。たとえば、マスタープランや区域区分は都道府県が、地区計画は市町村が、それぞれ決めることになっています。

(2) 市町村と都道府県の都市計画が食い違う場合

市町村が定める都市計画は、都道府県が定めた都市計画に適合することを要します。もし、**市町村が定めた都市計画が、都道府県が定めた都市計画と抵触するときには、その限りにおいて、都道府県が定めた都市計画が優先します。**

2 都市計画の決定手続き

(1) 都道府県が決定する場合の手続き

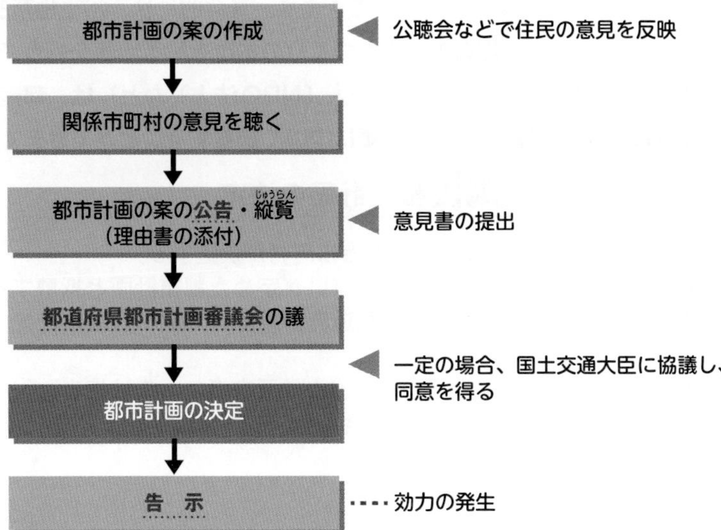

(2) 市町村が決定する場合の手続き

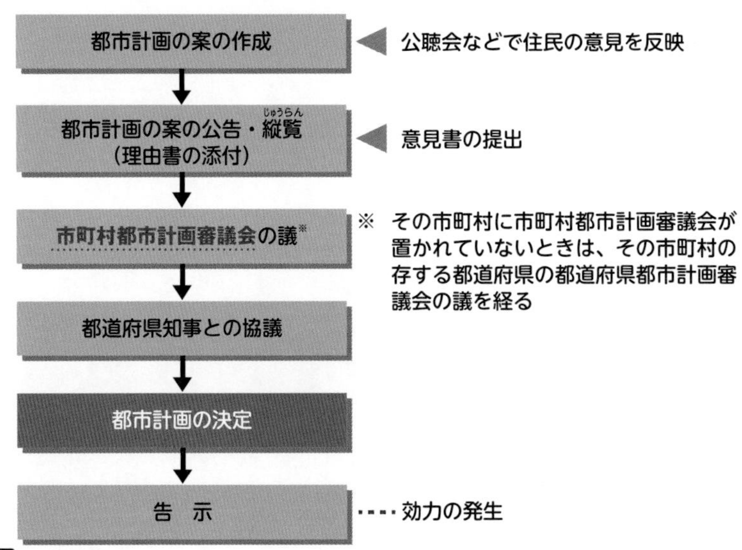

用語

【公告】 国や地方公共団体が、官報や公報などによって広く公衆に知らせること。

【告示】 公的機関が決定したことなどを、公式に広く一般に知らせる行為。

【都道府県都市計画審議会・市町村都市計画審議会】 都市計画を定めるときに都市計画の案を調査審議する機関で、学識経験者、地方議会の議員、関係行政機関の職員などから構成される。

(3) 都市計画の提案

都市計画は、原則として、市町村または都道府県が決定しますが、地域に住んでいる住民などから提案することもできます。具体的には、**①土地所有者、②借地権者、①②以外の一定の者（まちづくりの推進を図る活動を行うことを目的として設立された特定非営利活動法人〔NPO法人〕など）は、都道府県や市町村に対し、都市計画の決定・変更について提案することができます。**

必須 都市計画の決定

① 都市計画は、原則として**都道府県**と**市町村**が決定する。
② 市町村が定めた都市計画が、都道府県が定めた都市計画と抵触するときには、その限りにおいて、**都道府県が定めた都市計画が優先**する。
③ **都市計画の決定・変更の提案**は、①土地所有者、②借地権者、①②**以外**の一定の者が、することができる。

このレッスンが終わったら「きほんの問題集」の問題01～06にチャレンジ！

学習優先度 高

LESSON 02 都市計画法②

まちづくりの計画を実行しよう！

introduction

なぞなぞ第2弾だよ。
「まちづくりのプランをDo！」するのに必要なことって、な～んだ？
気合い…ですかね！
プラン実現のじゃまをさせないことでしょうね。

たしかに宅くんがもうちょっと頑張ってくれれば、我がチームの営業目標達成も夢ではありませんね。

話をごっちゃにしないでください。いま問題なのは、まちづくりのプランの実現ですよね。

造成工事や建築物の建築を好き勝手にされたらまちづくりのプランは実現できませんので、プランの実行の妨げになる行為を制限することにしています(まちづくり三段跳のJUMP)。レッスン2では、プランを実行する際の様々な制限について学びましょう。

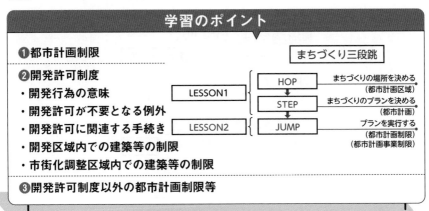

学習のポイント

❶都市計画制限

❷開発許可制度
- 開発行為の意味
- 開発許可が不要となる例外
- 開発許可に関連する手続き
- 開発区域内での建築等の制限
- 市街化調整区域内での建築等の制限

❸開発許可制度以外の都市計画制限等

まちづくり三段跳

LESSON1	HOP	まちづくりの場所を決める（都市計画区域）
	STEP	まちづくりのプランを決める（都市計画）
LESSON2	JUMP	プランを実行する（都市計画制限）（都市計画事業制限）

1 都市計画制限

都市計画を定めても、その計画のじゃまになるような造成工事や建物の建築などが勝手に行われるとすれば、都市計画を実現することはできません。そこで、都市計画の実現のじゃまになるような行為を制限できることになっています。このような制限のことを**都市計画制限**といいます。

都市計画制限にはいろいろなものがありますが、最も重要な制限は、**開発許可制度**です。そこで、レッスン2では、まずは開発許可制度について学習し、その後、**開発許可制度以外の都市計画制限**などについて学習します。

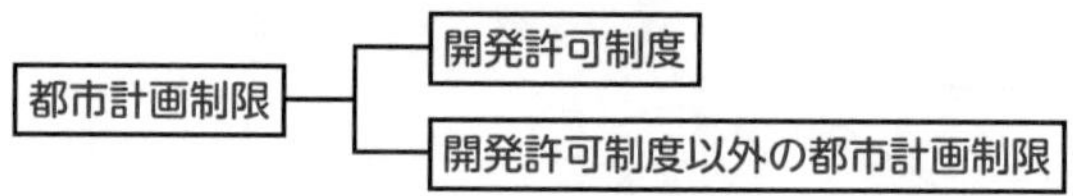

2 開発許可制度とは

宅地開発がでたらめに行われると、道路や下水道もない質の悪い住宅地ができあがってしまうおそれがあります。

そこで、宅地造成などのような 原則 **開発行為をしようとする者は、原則として、あらかじめ、都道府県知事の許可（開発許可）を受けなければならないとしています。**

以下このレッスン2では、①「**開発行為**」という用語の意味、②開発許可必要という原則に対する**例外**（開発許可が不要となる場合）、③開発許可の**手続き**の3点に注目して、順を追って学習を進めましょう。

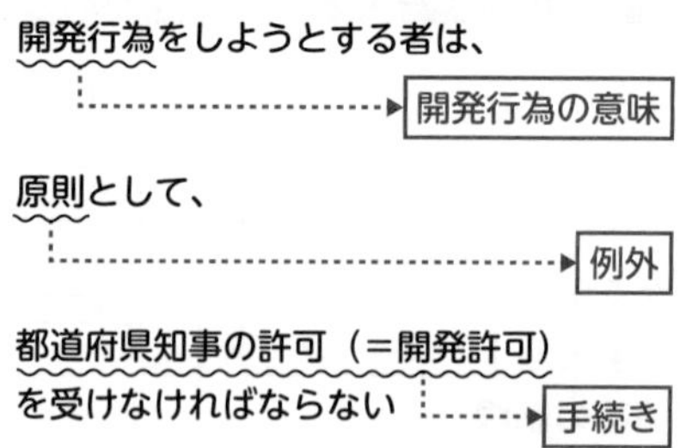

用語

【**許可**】法令により原則として禁止されている行為を、例外的に許すこと。

必須 開発許可制度

開発行為をしようとする者は、原則として、都道府県知事の許可（＝開発許可）を受けなければならない。

開発行為を規制する必要があるのは都市計画区域内だけではありませんので、都市計画区域での開発行為だけでなく、準都市計画区域での開発行為や「都市計画区域および準都市計画区域」外の区域での1ヘクタール（10,000m^2）以上の開発行為についても、開発許可制度は適用されます。

3 開発行為の意味

（1）開発行為とは

そもそも**「開発行為」でなければ開発許可を受ける必要はありません**ので、まずは「開発行為」とは何か、その用語の意味を確認しましょう。

開発行為とは、山林を切り崩して宅地を造成したり、ゴルフコースを建設するために造成工事をしたりすることです。正確には、**「主として建築物の建築または特定工作物の建設の用に供する目的で行う土地の区画形質の変更」を「開発行為」といいます。**

主たる目的		行為
① 建築物の建築 または ② 特定工作物の建設	⇒	土地の区画形質の変更

ですから、建築物の建築などの「主たる目的」と土地の区画形質の変更という「行為」のどちらか一方が欠けると「開発行為」にあたらないということになります。

「建築物」、「特定工作物」、「土地の区画形質の変更」という用語の意味は、次の（2）（3）のとおりです。

(2) 建築物・特定工作物

建築物とは、いわゆる建物のことです。住宅だけでなく事務所や倉庫なども含みます。

特定工作物とは、建築物にはあたらない一定の工作物をいい、第一種特定工作物と**第二種特定工作物**の2種類があります。そのうち、第一種特定工作物とは、騒音や悪臭を発生させ、まわりの環境に悪い影響を与えるおそれのある「コンクリートプラント」(=コンクリートを製造するための生産設備)や「アスファルトプラント」(=アスファルトを製造するための生産設備)などです。これに対して、**第二種特定工作物とは、ゴルフコースや1ヘクタール(10,000m²)以上の野球場、庭球場、遊園地、墓園などです。**特定工作物のうち出題が多いのは、第二種特定工作物です。

＼アドバイス／

「以上」「以下」にはちょうどの数字が含まれるので、「10,000m²以上」には、10,000m²が含まれます。これに対して、「超える」「未満」には、ちょうどの数字は含まれません。

(3) 土地の区画形質の変更

土地の区画形質の変更とは、土地の区画・形状・性質の変更のことです。たとえば、土地の「区画」の変更というのは、道路を新しくつくったり廃止したりすることにより敷地のかたちを変えるようなことです。また、土地の「形状」の変更というのは、「切土」(=傾斜地などで土を掘り下げること)や「盛土」(=傾斜地や低い土地に、土砂などを盛り上げること)などの造成工事を行うことです。そして、土地の「性質」の変更というのは、土地の利用目的を農地から宅地に変更するようなことをいいます。

必須 開発行為の意味

① 開発行為

主として**建築物の建築**または**特定工作物の建設**の用に供する目的で行う**土地の区画形質の変更**

② 特定工作物

第一種特定工作物	コンクリートプラント、アスファルトプラントなど
第二種特定工作物	**ゴルフコース**(面積の限定なし) **1ヘクタール**(10,000m²)**以上**の野球場・庭球場・遊園地・墓園など

Q 市街化調整区域において、野球場の建設を目的とした8,000m²の土地の区画形質の変更を行おうとする者は、あらかじめ、都道府県知事の許可を受けなければならない。

A **野球場**は、**1ヘクタール（10,000m²）以上**であれば、**第二種特定工作物**にあたります。本問の8,000m²の野球場は第二種特定工作物にあたらず、その建設の用に供する目的で行う土地の区画形質の変更は、そもそも**「開発行為」ではありません。**したがって、開発許可を受ける必要はありません。

4 開発許可が不要となる例外

開発行為を行おうとする者は、原則として事前に開発許可を受けなければなりません。しかし、**開発行為にあたる行為であっても、例外的に開発許可が不要となる場合があります。**たとえば、図書館のような社会公共の利益になる施設をつくるためのものである場合や、土地区画整理法［▶L7］によりすでに規制がなされている場合などは、例外的に開発許可が不要です。

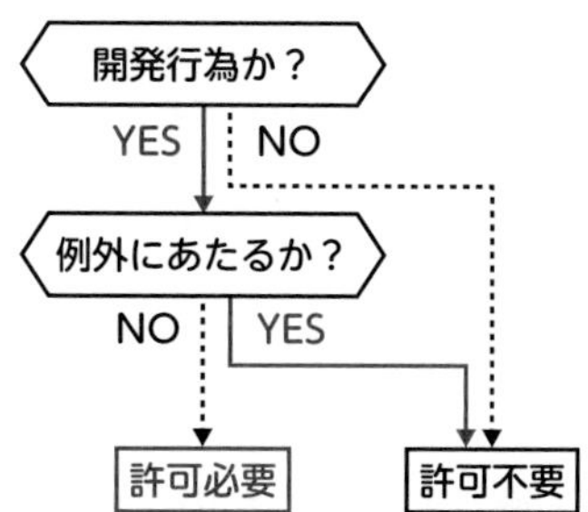

（1）小規模な開発行為

小規模な開発行為については、開発許可は不要です。規模が小さければ、環境などへの影響などが比較的小さいからです。**区域ごとに許可不要となる面積が異なる点に注意しましょう。**次ページの表で、区域ごとの数字を確実に覚えなければいけません（※の内容を覚える必要はありません）。⊕ただし、市街化調整区域は市街化を抑えて農地や山林をそのまま残しておこうとする区域で

⊕補足
次頁の表中の「都市計画区域および準都市計画区域外の区域内」とは、「都市計画区域および準都市計画区域」外の区域、つまり、都市計画区域でも準都市計画区域でもない場所のことである。

すから、**市街化調整区域内では、規模が小さいという理由で開発許可が不要になることはありません。**

必須 開発許可が不要となる例外①～小規模な開発行為～

都市計画区域			準都市計画区域	都市計画区域および準都市計画区域外の区域
市街化区域	市街化調整区域	非線引区域		
1,000m^2未満は許可不要※1・2	面積による**例外なし**	**3,000m^2未満**は許可不要※1		**1ha(10,000m^2)未満**は許可不要

※1特に必要があると認められる場合、都道府県などの条例で、面積の基準を引き下げることができる（一定の限度あり。たとえば、市街化区域の場合、300m^2以上1,000m^2未満の範囲内）。
※2三大都市圏の一定区域内にある市街化区域では、許可不要となるのは、1,000㎡未満ではなく、500㎡未満の場合である。

OXチャレンジ

Q 準都市計画区域内において、工場の建築の用に供する目的で1,000m^2の土地の区画形質の変更を行おうとする者は、あらかじめ、都道府県知事の許可を受けなければならない。

A **準都市計画区域内**では、原則として**3,000m^2未満**の開発行為を行う者は、**開発許可を受ける必要はありません**（小規模な開発行為の例外）。本問の開発行為の規模は1,000m^2ですから、開発許可を受ける必要はありません。

×

(2) 農林漁業用建築物を建築するための開発行為

市街化区域外の区域、つまり、①市街化調整区域、②非線引区域、③準都市計画区域、④「都市計画区域および準都市計画区域」外の区域は、基本的には農林漁業を続けられるようにすべき場所です。そこで、**「市街化区域外」の区域で行う「農林漁業用建築物」を建築するための開発行為については、開発許可は不要です。**なお、ここでの「農林漁業用建築物」とは、農林漁業用の一定の建築物（畜舎、温室、サイロなど）や**農林漁業を営む者の居住用の建築物**をいいます。⊕

これに対して、**市街化区域では、この例外はありません。**市街化区域は農林

⊕**補足**
ここでの「農林漁業用建築物」に、畜産食料品製造や野菜缶詰製造といった、生産される農産物などの処理・貯蔵・加工に必要な建築物は含まれない。

漁業を営むことを予定した場所ではないので、農林漁業用建築物を建築する目的であることを理由に開発許可不要とすべきではないからです。そこで、**市街化区域内では、農林漁業用建築物を建築するための開発行為であっても、小規模な開発行為など他の例外にあたらない限り、開発許可が必要です。**

必須 開発許可が不要となる例外②
～農林漁業用建築物を建築するための開発行為～

都市計画区域			準都市計画区域	都市計画区域および準都市計画区域外の区域
市街化区域	市街化調整区域	非線引区域		
「**農林漁業用建築物**の建築のための開発行為」という**例外はない**	**許可不要**			

○×チャレンジ

Q 準都市計画区域内において、農業を営む者の居住の用に供する建築物の建築を目的とした3,000m²の土地の区画形質の変更を行おうとする者は、あらかじめ、都道府県知事の許可を受けなければならない。

A 準都市計画区域など「**市街化区域外**」で、**農業を営む者の居住用の建築物**などの「**農林漁業用建築物**」の建築を目的とした開発行為を行う者は、**開発許可を受ける必要はありません**。

×

(3) 公益上必要な建築物を建築するための開発行為

図書館や公民館などは多くの住民が利用する施設で、都市生活にとってなくてはならないものです。そこで、こうした**公益上必要な建築物を建築するための開発行為は、例外として、開発許可は不要です。**この例外とされる公益上必要な建築物には、駅舎その他の鉄道の施設、**図書館**、**公民館**、変電所、公園施設、博物館などがあります。

これに対して、**社会福祉施設、病院などの医療施設、学校などは、例外とされる公益上必要な建築物に含まれません。**勘違いしないように、注意しましょう。

なお、国や都道府県などの公的機関が開発行為を行う場合でも、原則として開発許可が必要ですが、この場合には、国の機関や都道府県などと都道府県知事との協議が成立することをもって、開発許可があったものとみなされます。

必須 **開発許可が不要となる例外③**
～公益上必要な建築物を建築するための開発行為～

駅舎その他の鉄道の施設、**図書館**、**公民館**、変電所、公園施設、博物館などの公益上必要な建築物を建築するための開発行為については、**開発許可は不要**である。

○×チャレンジ

Q 市街化調整区域において、図書館法に規定する図書館の建築の用に供する目的で行われる3,000m²の開発行為については、常に開発許可が不要である。

A **図書館**など公益上必要な建築物の建築の用に供する目的で行われる開発行為については、例外として、常に**開発許可を受ける必要がありません**。

○

(4) 都市計画事業などの施行として行う開発行為

都市計画法によって実施される**都市計画事業**のように、個々の法律によって実施される一定の「**事業**」については、個々の法律による規制と開発許可制度による規制が重ならないようにしたほうがよいでしょう。

都市計画事業	都市計画法によって実施 [▶L2 ⑧]
土地区画整理事業	土地区画整理法によって実施 [▶L7]
市街地再開発事業	都市再開発法によって実施 [▶L1 ⑤]

そこで、**都市計画事業・土地区画整理事業・市街地再開発事業などの施行として開発行為が行われる場合、開発許可は不要です。**「**○○事業の施行として**」開発行為が行われる場合は開発許可不要と理解しておきましょう。

必須 **開発許可が不要となる例外④**
～都市計画事業などの施行として行う開発行為～

都市計画事業・土地区画整理事業・市街地再開発事業などの**施行として**行う開発行為については、**開発許可は不要**である。

用語

【都市計画事業】 都市計画の決定された都市施設（たとえば、道路や公園など）を「都市計画施設」といい、この都市計画施設の整備に関する事業を「都市計画事業」という。

（5）その他許可不要な行為

非常災害のため必要な応急措置として行う開発行為、「通常の管理行為や軽易な行為」（＝仮設建築物の建築の用に供する目的で行う開発行為、車庫や物置の建築の用に供する目的で行う開発行為など）なども、**開発許可は不要です。**

必須 開発許可が不要となる例外⑤～その他許可不要な行為～

非常災害のため必要な応急措置として行う開発行為などについては、**開発許可は不要**である。

（6）開発許可の要否の判断のまとめ

開発許可の要否が問われたら、以下の2段階でチェックしましょう。

①その行為は「開発行為」にあたるか？

→そもそも「開発行為」でなければ、開発許可不要❗

→「開発行為」にあたる場合、次の②をチェック

②例外にあてはまるか？

→例外にあたれば開発許可不要、あたらなければ開発許可必要

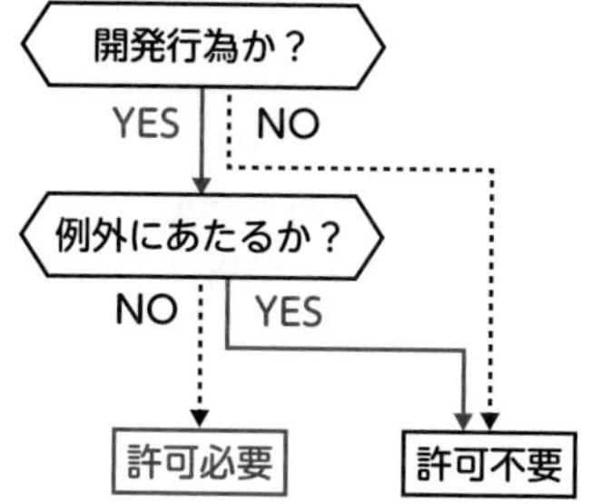

❗注意

特に、野球場・庭球場・遊園地などの建設を目的とした土地の区画形質の変更が出題された場合に要注意！　規模が１ヘクタール（10,000m²）以上でなければ、そもそも開発行為ではない。

必須 開発許可の要否の判断のまとめ

①その行為は開発行為にあたるか？ …あたらなければ開発許可不要

◆建築物の建築または特定工作物の建設の用に供する目的で行うものか？
◆土地の区画形質の変更を行うものか？

↓

②例外にあてはまるか？ …あたれば開発許可不要

必須 開発許可が不要となる場合のまとめ

	都市計画区域			準都市計画区域	都市計画区域および準都市計画区域外
	市街化区域	市街化調整区域	非線引区域		
・小規模な開発行為	1,000m²未満の場合は許可不要	面積による例外なし	3,000m²未満の場合は許可不要		1ha(10,000m²)未満の場合は許可不要
・農林漁業用建築物	農林漁業用建築物の例外なし	許可不要			

・公益上必要な建築物の建築のための開発行為
・都市計画事業、土地区画整理事業などの施行として行う開発行為
・非常災害のため必要な応急措置として行う開発行為
・通常の管理行為や軽易な行為　など

＼アドバイス／
小規模な開発行為の例外については、「胃酸じゅ～（1,000m²未満、3,000m²未満、10,000m²未満）」（迫る本試験を思うと胃が痛い…）と覚えるとよいでしょう。

5 開発許可に関連する手続き

1. 開発許可の手続きの流れ

開発許可を受けるためには、具体的にどのような手続きが必要になるのか、段階を分けて見ていきましょう。おおまかな流れは、次のとおりです。

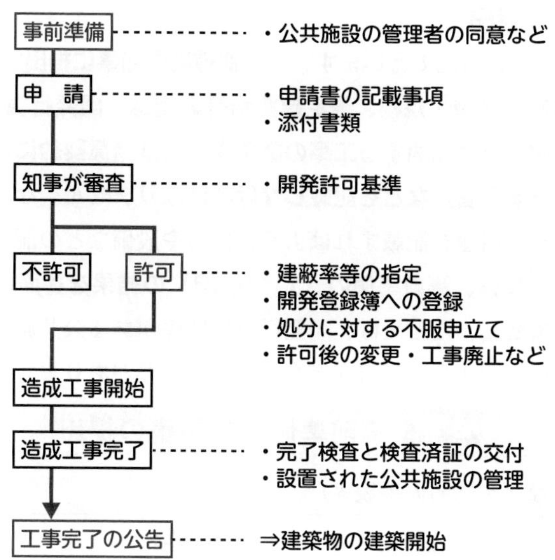

2. 事前準備（申請前の手続き）

開発許可申請**前**に、次の（1）～（3）の手続きが必要です。

（1）公共施設の管理者の同意

開発許可の申請をしようとする者は、開発区域内にすでに存在する道路のような**「開発行為に関係がある公共施設」について、あらかじめ、開発行為に関係がある公共施設の管理者（たとえば、「市」が管理する道路なら「市」）と協議し、その同意を得ておかなければなりません。**

（2）公共施設の管理予定者との協議

開発許可の申請をしようとする者は、開発行為で設置が予定されている公園のような**「開発行為により設置される公共施設」についても、あらかじめ、管理することとなる者（たとえば、「市」が公園の管理予定者なら「市」）と協議することが必要です。**

（3）土地の権利者などの相当数の同意

申請者は開発区域内の土地を所有していなくても、開発許可の申請をすることができます。しかし、その場合は、**土地の権利者などの相当数の同意を得ておくことが必要です。**

3. 申請書の提出

開発許可の申請は**書面**で行います。この**都道府県知事に提出する申請書には、開発区域の位置・区域・規模、予定建築物等の用途、開発行為に関する設計、工事施行者（開発行為に関する工事の請負人または請負契約によらないで自らその工事を施行する者）などを記載しなければなりません。**なお、予定建築物については、その用途を記載すればよく、構造や設備などの記載は不要です。

また、**申請書には、事前準備の（1）～（3）の結果を書面にして、添付しなければいけません。**たとえば、開発行為に関係がある公共施設の管理者の同意を得たことを証明する同意書などを添付する必要があります。

必須 **事前準備・申請書の提出**

1. 事前準備（申請前の手続き）

申請前に、あらかじめ	①	**関係がある**公共施設の管理者	**協議＋同意**
	②	設置される公共施設の管理者となる者	**協議**
	③	開発区域内の土地の権利者など	**相当数の同意**

2. 申請書の記載事項
①開発区域の位置・区域・規模
②**予定建築物等の用途**
③開発行為に関する設計
④工事施行者　など

4. 審査の基準（開発許可基準）

開発許可の申請について、都道府県知事は法定された開発許可基準に従って、許可か不許可かの処分をします。**開発許可基準を満たし、かつ、申請の手続きが適法なときは、都道府県知事は許可しなければなりません。**開発許可基準には都市計画法**33条の基準**（技術基準）と**34条の基準**（立地基準）の2つがあります。

33条の基準	開発区域が**どの区域にあっても、共通に適用**される基準
34条の基準	開発区域が**市街化調整区域**にある場合にだけ、**33条の基準に重ねて適用**される基準

用語
【処分】都道府県知事などの行政機関が公権力を行使する行為の一種のこと。

（1）33条の基準

どの区域でも共通に適用される33条の基準については、**①（主として）自己の居住用住宅建築目的、②（主として）自己の業務用施設建築目的、③（主として）①②以外（他人〈自己以外〉の居住用住宅・業務用施設建築目的など）という開発行為の目的ごとに、適用される基準が異なります。**

①	**自己の居住用住宅**建築目的の開発行為	自宅を建てる目的の開発行為
②	**自己の業務用施設**建築目的の開発行為	自分の店舗・病院・社会福祉施設などを建てる目的の開発行為
③	他人（自己以外）の居住用住宅・業務用施設建築目的の開発行為	分譲住宅や貸店舗などを建てる目的の開発行為

なかでも、**①の自己の居住用住宅建築目的の開発行為と②の自己の業務用施設建築目的の開発行為にも適用される基準かどうか**がポイントです。たとえば、**①の自己の居住用住宅建築目的の開発行為には、「予定建築物等の用途の基準」や「排水施設の構造・能力の基準」は適用されます**が、その他の主な基準については適用されないものが多いです。また、**②の自己の業務用施設建築目的の開発行為には、①の自己の居住用住宅建築目的の開発行為と異なり、「災害レッドゾーンでの開発禁止の基準」が適用されます。**

33条の基準の例としては、次のようなものがあります。やや細かい内容ですから、赤字・赤○の部分を中心に理解しておけば十分です。

どの区域でも共通の開発許可基準（33条の基準）

○適用される　×適用されない

開発行為の目的 ／ 33条の基準の例	**自己の居住用**住宅建築目的	**自己の業務用施設**建築目的	他人の居住用住宅・業務用施設建築目的
予定建築物等の用途の基準（用途地域等での用途の制限に適合していること） **排水施設**の構造・能力の基準	○	○	○
公園・緑地・広場の配置や道路の整備の基準 給水施設の基準	×	○	○
災害レッドゾーンでの開発禁止の基準（開発区域内に、いわゆる「災害レッドゾーン」※を原則含まないこと）	×	○	○
開発許可申請者の**資力・信用**の基準	×	×	○

※　**災害レッドゾーン**とは、建築基準法の「**災害危険区域**」、地すべり等防止法の「**地すべり防止区域**」、土砂災害警戒区域等における土砂災害防止対策の推進に関する法律の「**土砂災害特別警戒区域**」、特定都市河川浸水被害対策法の「浸水被害防止区域」などの、開発行為を行うのに適当でない区域内の土地の総称である。法令上の用語ではないが、国や自治体などが一般的に使用している用語である。この災害レッドゾーンでの開発禁止の基準は、**頻発・激甚化する自然災害の危険性の高いエリアで開発抑制を図るための基準**である。次の（2）の34条の基準の表中③④の条例指定区域から一定エリアが除外されているのも、同様の趣旨である。

（2）34条の基準

市街化調整区域における開発行為の場合は、33条の基準（技術基準）に適合しているだけでは許可されず、34条の基準（立地基準）に列挙されているもののうちのどれかにあたらない限り、許可を受けることはできません。なお、34条の基準に列挙されているものの例としては、次のようなものがあります。

34条の基準の例		
①	主として周辺住民の日常生活に必要な物品の販売などをする店舗を建築するために行う開発行為	
②	市街化区域に隣接などしている一定地域のうち、都道府県などの**条例**で指定する土地の区域内で行う開発行為で、予定建築物等の用途が環境の保全上支障があると認められる用途として条例で定めるものに該当しないもの	条例で指定する区域から、災害レッドゾーン・浸水ハザードエリア※等を除外
③	開発区域の周辺における市街化を促進するおそれがないと認められ、かつ、市街化区域内で行うことが困難または著しく不適当と認められる開発行為として、都道府県などの**条例**で区域、目的または予定建築物等の用途を限り定められたもの	
④	都道府県知事が「**開発審査会**」の議を経て、**開発区域の周辺における市街化を促進するおそれがなく**、かつ、市街化区域内で行うことが困難または著しく不適当と認める開発行為	

※いわゆる「浸水ハザードエリア」とは、水防法の浸水想定区域等のうち、災害時に人命に危険を及ぼす可能性の高いエリアをいう。

必須 開発許可基準

○適用される　×適用されない

33条の基準の例 ＼ 開発行為の目的	**自己の居住用**住宅建築目的	**自己の業務用施設**建築目的	他人の居住用住宅・業務用施設建築目的
予定建築物等の用途の基準（用途地域等での用途の制限に適合していること） **排水施設**の構造・能力の基準	○	○	○
災害レッドゾーンでの開発禁止の基準（開発区域内に、いわゆる「災害レッドゾーン」※を原則含まないこと）	×	○	○
開発許可申請者の**資力・信用**の基準	×	×	○

※　「災害危険区域」、「地すべり防止区域」、「土砂災害特別警戒区域」、「浸水被害防止区域」など、開発行為を行うのに適当でない区域内の土地

用語

【**開発審査会**】開発許可処分・不許可処分に関する不服の審査などをするために都道府県および指定都市等に置かれる機関で、法律・都市計画・行政などの専門家で構成される。

5. 許可処分と不許可処分

(1) 許可・不許可の処分

都道府県知事は、開発許可の申請があったときは、遅滞なく、**許可**または**不許可**の**処分**をしなければならず、これらの処分は、文書で申請者に通知されます。

(2) 開発許可に伴う建蔽率等の指定

都道府県知事は、用途地域の定められていない土地の区域における開発行為について開発許可をする場合には、次のように、その開発区域内の土地について、建蔽率など、建築物の敷地・構造・設備に関する制限を定めることができます。用途地域内であれば課される様々な建築制限が適用されない場所だからです。

必須 **開発許可に伴う建蔽率等の指定**

都道府県知事は、**用途地域の定められていない**土地の区域において開発許可をする場合において必要があると認めるときは、その開発区域内の土地について、建築物の**建蔽率**、建築物の**高さ**、**壁面の位置**その他**建築物の敷地、構造および設備に関する制限**を定めることができる。

〇×チャレンジ

Q 都道府県知事は、市街化区域内における開発行為について開発許可をする場合、当該開発区域内の土地について、建築物の建蔽率に関する制限を定めることができる。

A 都道府県知事は、**用途地域の定められていない**土地の区域における開発行為について開発許可をする場合において必要があると認めるときは、その開発区域内の土地について、建築物の**建蔽率**など、**建築物の敷地、構造および設備に関する制限**を定めることができます。しかし、**市街化区域内**には、**必ず用途地域が定められます**。したがって、この規定の適用はなく、開発許可をする際に建築物の建蔽率に関する制限を定めることはできません。

×

(3) 開発登録簿

都道府県知事は、開発許可をしたときは、予定建築物等(用途地域等の区域内の建築物などを除く)の用途など一定の事項を開発登録簿に登録しなければなりません。

また、都道府県知事は、**開発登録簿を常に公衆の閲覧に供するように保管し、**

かつ、請求があったときは、その写しを交付しなければなりません。なお、開発登録簿の写しの交付請求は、誰でもすることができます。

(4) 許可処分後の手続きの流れ

許可処分がなされると、開発行為を開始できます。やがて、**開発区域の全部について開発行為に関する工事が完了したときは、開発許可を受けた者は、都道府県知事に届出をしなければなりません（工事完了の届出）。**

都道府県知事は、この届出があったときは、遅滞なく、工事が開発許可の内容に適合しているかどうかを検査します（完了検査）。検査の結果、適合していると認めたときは、検査済証を開発許可を受けた者に交付しなければなりません。

都道府県知事は、検査済証を交付したときは、遅滞なく、工事が完了した旨を公告しなければなりません（工事完了公告）。

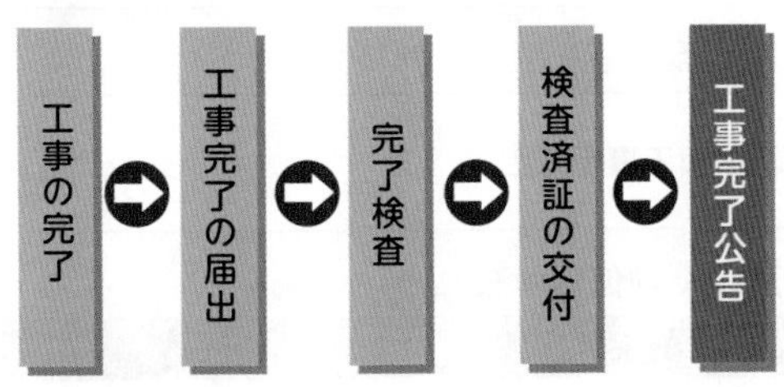

(5) 設置された公共施設の管理

開発許可を受けた開発行為または開発行為に関する工事により公共施設が設置されたときは、その**公共施設は、開発行為に関する工事完了公告の日の翌日において、原則として、その公共施設の存する市町村の管理に属することになっています。**ただし、①他の法律に基づく管理者が別にあるとき、②協議により管理者について別段の定めをしたときは、それらの者の管理に属します。

(6) 処分に対する不服申立て

開発行為の許可・不許可の処分に関して不服のある者は、開発審査会に対して審査請求をすることができます。

なお、裁判所に対する開発許可の取消しの訴えは、当該開発許可についての審査請求に対する開発審査会の裁決を経た後でなくても、直接、提起することができます。

用語

【届出】一定の事項について、官庁などに報告すること。

6. 変更があった場合

開発許可を受けた後に、開発区域の変更、工事の廃止、相続などがあり状況が変わった場合、次の一定の手続きが必要です。

必須 変更があった場合

① 開発許可の申請内容を変更する場合

	変更内容	手続き
原則	例. 開発区域の区域変更や予定建築物等の用途変更など	都道府県知事の**変更の許可**
例外	軽微な変更 例. 工事の完了予定年月日の変更	都道府県知事へ**届出**
	開発許可を要しない開発行為に変更 例. 住宅建築目的を図書館建築目的に変更	許可・届出とも**不要**

② 開発行為に関する工事を廃止した場合

開発行為に関する工事を廃止	都道府県知事へ**届出**

③ 開発許可に基づく地位の承継

	具体例	手続き
一般承継人	・相続人 ・合併後の存続会社	許可・承認**不要**
特定承継人	・開発許可を受けた土地の買主 ・開発許可に関する工事施行の権原を取得した者	都道府県知事の**承認**

6 開発区域内の建築制限

開発区域内では、勝手に建築物の建築などをしないように、**工事完了公告の前と後**の2段階に分けて規制をしています。

(1) 工事完了公告前の制限

工事完了公告があるまでは、まだ宅地の造成工事の真っ最中であったり、完了後の検査が終了していない段階ですから、原則 **原則として、開発区域内で建築物などを建築したり特定工作物を建設したりすることはできません。**ただし、3つの**例外があります。**

(2) 工事完了公告後の制限

工事完了公告があった後であっても、勝手に予定を変更されては困りますから、原則 **原則として、予定したもの以外の建築物や特定工作物を新築・新設することや、建築物を改築したり、その用途を変更したりして、予定した建築物以外のものとすることは、できません。** ただし、2つの**例外があります。**

出題のポイントは、**例外**です。次のように整理しましょう。

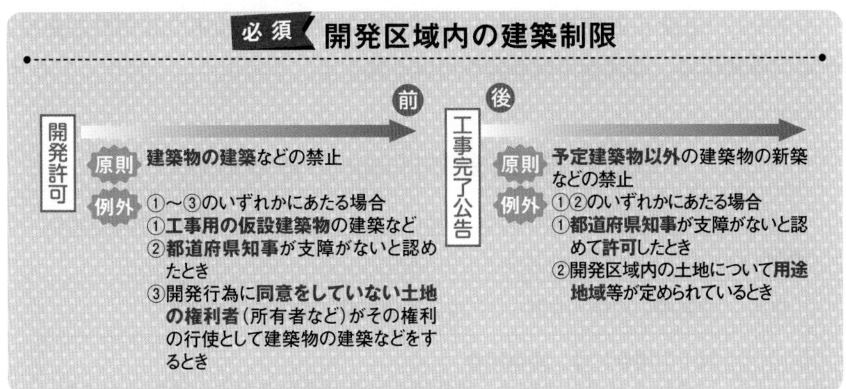

必須 開発区域内の建築制限
開発許可
前
原則 建築物の建築などの禁止
例外 ①〜③のいずれかにあたる場合
①工事用の仮設建築物の建築など
②都道府県知事が支障がないと認めたとき
③開発行為に同意をしていない土地の権利者（所有者など）がその権利の行使として建築物の建築などをするとき
工事完了公告
後
原則 予定建築物以外の建築物の新築などの禁止
例外 ①②のいずれかにあたる場合
①都道府県知事が支障がないと認めて許可したとき
②開発区域内の土地について用途地域等が定められているとき

7 市街化調整区域内の建築制限

市街化調整区域は、市街化を抑えることを目的とした区域ですから、建築物を自由に建築できるのは望ましくないです。そこで、原則 **市街化調整区域のうち、6の規制の及ばない「開発許可を受けた開発区域」以外の区域内で建築物の新築・改築・用途変更などをするには、原則として、都道府県知事の許可(!)が必要です。**

(!) 注意
この許可は、開発許可ではなく、建築物の新築・改築等の許可である。許可不要となる例外が開発許可と似ているので、開発許可と区別しつつ、一緒に整理しておこう。

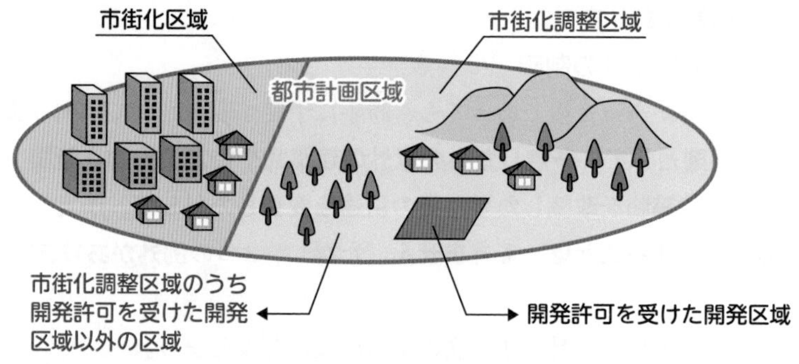

しかし、例外 **この建築規制には開発許可の場合と似たような例外があり、一定の場合には、都道府県知事の許可は不要です。**次のように、整理しておきましょう。

必須 市街化調整区域内の建築制限

市街化調整区域内の「開発許可を受けた開発区域」**以外**の区域内の建築制限

原則	建築物の新築・改築などには、**都道府県知事の許可**が必要
例外	以下の場合には、**許可不要** ①**農林漁業用**の建築物・**農林漁業を営む者の居住用**の建築物の建築を行う場合 ②**公益上必要**な建築物（例. 図書館、公民館など）の建築を行う場合 ③都市計画**事業**の**施行として**行う場合 ④**非常災害のため必要な応急措置**として行う場合 ⑤**仮設建築物**の新築　など

8 開発許可制度以外の都市計画制限

都市計画制限のなかで最も重要なのは開発許可制度ですが、それ以外の都市計画制限として、①**田園住居地域内の制限**、②**風致地区内の制限**、③**地区計画の区域内の制限**、④**都市施設や市街地開発事業に関連した制限**などがあります。③と④を中心に、それぞれの制限の内容を確認しましょう。

1. 田園住居地域内の制限

田園住居地域とは、レッスン1で学習したとおり、農業の利便の増進を図りつつ、これと調和した低層住宅に係る良好な住居の環境を保護するため定める地域です。**田園住居地域内の農地（＝耕作の目的に供される土地）の区域内では、次の建築等の制限があります。**

必須 **田園住居地域内の制限**

場所	**田園住居地域内の農地**の区域内
対象行為	①土地の形質の変更 ②建築物の建築その他工作物の建設　など
内容	原則　**市町村長の許可**が必要 例外　以下の場合には、許可不要 ・非常災害のため必要な応急措置として行う行為 ・都市計画事業の施行として行う行為　など

2. 風致地区内の制限

風致地区とは、レッスン1で学習したとおり、まちにある自然や緑など都市の風致を維持するため定める地区です。**風致地区内では、次の建築等の制限をすることができます。**

必須 **風致地区内の制限**

風致地区内における建築物の建築、宅地の造成、木竹の伐採その他の行為については、政令で定める基準に従い、**地方公共団体の条例**で、都市の風致を維持するため必要な規制をすることができる。

3. 地区計画の区域内の制限

地区計画とは、レッスン1で学習したとおり、小さな地区レベルのきめ細かなプランを定める都市計画です。地区整備計画等が定められている**地区計画の区域内では、次の建築等の制限があります。**

＼アドバイス／

この建築等の制限（届出制）とは別に、市町村は、「条例」で、地区整備計画で所定の事項が定められている地区計画の区域内の「農地」での土地の形質の変更、建築物の建築などについて、市町村長の「許可」を受けなければならないとする許可制を実施できます。

必須 地区計画の区域内の制限

場所	地区整備計画等が定められている**地区計画の区域内**
対象行為	①土地の区画形質の変更 ②建築物の建築 ③工作物の建設　など
内容	原則として、行為に着手する日の**30日前**までに**市町村長**に**届出** ⇒届出に係る行為が地区計画に適合しない場合、市町村長は設計変更などを**勧告**できる

○×チャレンジ

Q 地区整備計画が定められている地区計画の区域内において、建築物の建築を行おうとする者は、都道府県知事（市の区域内にあっては、当該市の長）の許可を受けなければならない。

A 地区整備計画が定められている地区計画の区域内において、土地の区画形質の変更、建築物の建築、工作物の建設などを行おうとする者は、原則として、その行為に着手する日の30日前までに、行為の種類、場所などを**市町村長**に**届け出**なければなりません。「都道府県知事」等の「許可」を受けなければならないのではありません。

×

4. 都市施設や市街地開発事業に関連した建築等の制限

①**都市計画施設等の区域内の制限**（例．道路を計画した場所での制限）と②**都市計画事業の事業地内の制限**（例．道路を建設中の場所での制限）について学習します。**①は計画段階の緩やかな制限、②は工事実施段階の厳しい制限です。**

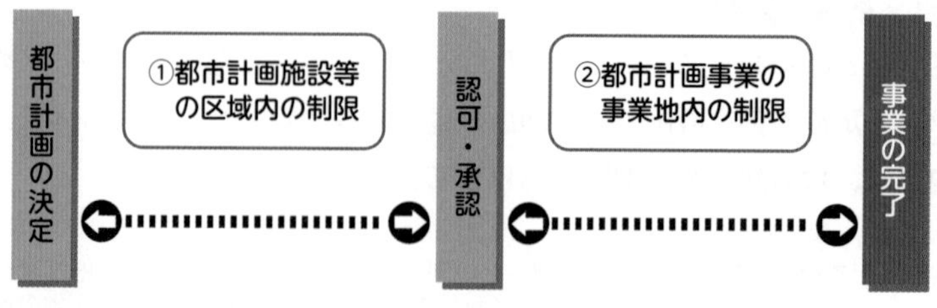

まずは、この項目で登場する用語を確認しておきます。

用語	意味
都市計画施設	都市計画が決定された都市施設（道路・公園など）
市街地開発事業	土地区画整理事業や市街地再開発事業など、公的機関などが一定の地域を総合的に開発・整備する都市計画
都市計画施設等の区域	都市計画施設の区域と市街地開発事業の施行区域
都市計画事業	都市計画施設を実際に建設したりすること
都市計画事業の事業地	都市計画事業を行う場所

（1）都市計画施設等の区域内の制限（計画段階）

道路などの都市施設を建設する場合、事業を進めるのにじゃまになる建築物が勝手に建てられたりしないように、都市計画が決まった段階で制限をする必要があります。そこで、原則 **都市計画施設の区域や市街地開発事業の施行区域内で建築物の建築をしようとする者は、原則として、都道府県知事等の許可を受けなければなりません。** ただし、次のとおり、例外 **例外的に許可が不要な行為もあります。**

必須 都市計画施設等の区域内の制限（計画段階）

原則	**建築物の建築**には、**都道府県知事等の許可**が必要
例外	次の行為には、都道府県知事等の許可は**不要** **非常災害のため必要な応急措置**　など

（2）都市計画事業の事業地内の制限（実施段階）

都市計画事業の施行について都道府県知事などの認可や承認を受けて都市計画として決定した工事を実際に始める場合、工事のじゃまにならないように、より厳しく制限することが必要です。そこで、**都市計画事業を施行する事業地内で、都市計画事業の施行の障害となるおそれのある、①建築物の建築その他工作物の建設や②土地の形質の変更などを行おうとする者は、都道府県知事等の許可を受けなければなりません。**（1）と異なり、「建築物の建築」以外の行

用語

【都道府県知事等】 土地の所在地を管轄する都道府県知事（市の区域内にあっては、当該市の長）をいう。

為も制限されます。この都市計画事業の事業地内の制限では、すでに工事の実施段階であることを考慮して、(1) で認められたような**例外はありません。**

必須 都市計画事業の事業地内の制限（実施段階）

原則	都市計画事業の施行の障害となるおそれがある次の行為には、**都道府県知事等の許可**が必要 ①建築物の建築その他工作物の建設 ②土地の形質の変更　など
例外	なし

(3) まとめ

①**都市計画施設等の区域内の制限**（計画段階の緩やかな制限）と②**都市計画事業の事業地内の制限**（工事実施段階の厳しい制限）を対比しましょう。

必須 都市施設や市街地開発事業に関連した建築等の制限(まとめ)

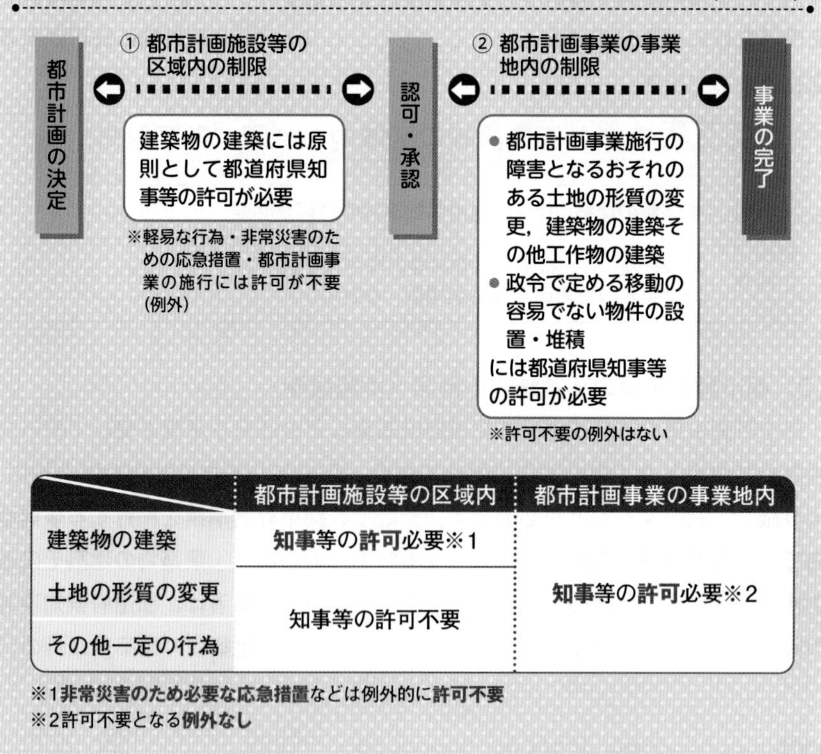

	都市計画施設等の区域内	都市計画事業の事業地内
建築物の建築	**知事等の許可**必要※1	**知事等の許可**必要※2
土地の形質の変更	知事等の許可不要	
その他一定の行為		

※1**非常災害のため必要な応急措置**などは例外的に**許可不要**
※2許可不要となる**例外なし**

OXチャレンジ

Q **市街地開発事業の施行区域内においては、非常災害のために必要な応急措置として行う建築物の建築であっても、都道府県知事（市の区域内にあっては、当該市の長）の許可を受けなければならない。**

A 市街地開発事業の施行区域内において建築物の建築をしようとする者は、原則として、都道府県知事等の許可を受けなければなりません。ただし、**非常災害のため必要な応急措置**として行う行為については、**例外**として、許可を受ける必要はありません。

5. 土地建物等の先買い

施行者（たとえば、市町村や都道府県など）が都市計画事業の用地を円滑に取得できなかったら困ります。そこで、施行者による都市計画事業の認可等の公告の日の翌日から起算して10日を経過すると、以下の手続きで、事業地内の土地建物等について**施行者に先買い権が発生**することにしました（**土地建物等の先買い**）。

① 事業地内の土地建物等を**有償で譲り渡そうとする者**は、予定対価の額などを施行者に**届け出**なければならない

② 施行者が届出をした者にその土地建物等を買い取るべき旨を通知

⇓

③ 予定対価の額で両者間に**売買が成立**したとみなされる

出題のポイントは、①の有償譲渡前の届出義務です。次のようにまとめましょう。

必須 **土地建物等の先買い**

都市計画事業の認可等の公告の日の翌日から起算して10日を経過した後に**事業地内の土地建物等を有償で譲り渡そうとする者**は、原則として、予定対価の額や譲渡の相手方などを書面で**施行者に届け出**なければならない。

6. 市街地開発事業等予定区域の区域内の制限

市街地開発事業等予定区域に関する都市計画において定められた区域内で、土地の形質の変更や建築物の建築などを行おうとする者は、非常災害のため必要な応急措置などを除き、都道府県知事等の許可を受けなければなりません。制限の程度は、都市計画施設等の区域内の制限（計画段階）より厳しく、都市計画事業の事業地内の制限（実施段階）より緩やかです。**中くらいの制限**とイメージしましょう。

用語

【市街地開発事業等予定区域】 市街地開発事業などの本来の目的となる都市計画が決定される前の計画予定段階の区域をいう。

このレッスンが終わったら「きほんの問題集」の問題07～19にチャレンジ！

学習優先度 高

LESSON 03 建築基準法①

建てるにはルール＆事前チェックあり！

introduction

どんな建物をつくってもよいわけではありません。建物づくりにも、ちゃんとルールがあるのです。
「ルールは破るためにある」と、この前読んだ本に書いてありました。

キミみたいにとんでもないのがいますから、「建築基準法」という法律で建物づくりのルールを決め、そのなかに、設計図の段階でルール違反かどうかをチェックする「建築確認」という手続きを設けているのです。

うちのチームは、不動部長の寛容すぎるチェックのおかげで、いろいろとうまく回っていますね。

建築基準法は、建築物を建築する際のさまざまなルールを定めた法律です。そのなかには、個々の建築物のルールを定める「単体規定」と、複数の建築物の間で必要なルールを定める「集団規定」とがあります。さらに、これらの規定を守ってもらうための事前のチェックの手続きとして、「建築確認」があります。

学習のポイント

❶建築基準法のしくみ

- 単体規定・集団規定・建築確認
- 建築基準法の適用されない建築物

❷建築確認

- 建築確認の要否
- 建築確認の手続き

1 建築基準法のしくみ

1. 単体規定・集団規定・建築確認

(1) 単体規定

建物が、火災によって燃えてしまったり、ちょっとした地震で倒れたりしたら困ります。そこで、建築基準法は、まず、個々の建物が十分に安全で、しかも衛生的なものであるように規制をしています。

このような、個々の建物についての安全性などを守るためのルールのことを「**単体規定**」といい、この**単体規定は、全国どこに建てる建築物であっても、適用されます** [▶L5❶]。

(2) 集団規定

建物がたくさん集まって立ち並んでいるところでは、建物どうしの間のルールも必要です。たとえば、狭い場所に建物を密集して建てられてしまうと、日当たりや風通しが悪くなります。そこで、建築基準法は、建物の大きさや高さなどのルールを決めています。

このような、建物どうしの間のルールを「**集団規定**」といい、この**集団規定は、原則として、都市計画区域および準都市計画区域内で適用されます** [▶L4]。建物どうしの間のルールであるなら、建物がたくさん集まって立ち並んでいる場所に適用されれば十分だからです。

＼アドバイス／

「都市計画区域および準都市計画区域」外でも、地方公共団体の条例で、建築物の容積率や高さなどに関して必要な制限を定めることができる場合があります。

(3) 建築確認

「単体規定」「集団規定」といった、具体的な建物づくりのルールが決められていても、それが守られなければ意味がありません。そこで、具体的な建物づくりのルールが守られているか、設計図の段階で事前にチェックする手続きを設けました。これが「**建築確認**」です。

単体規定（安全性など、個々の建物についてのルール） ⇒全国	⇐**建築確認** （事前チェックの制度）
集団規定（建物の大きさや高さなど、建物どうしの間のルール） ⇒原則、都市計画区域・準都市計画区域内	

2. 建築基準法の適用されない建築物

(1) 国宝・重要文化財

法隆寺や姫路城の材料や構造を建築基準法で規制したら、文化財としての価値がなくなってしまいます。そこで、文化財保護法の規定によって**国宝や重要文化財などに指定または仮指定された建築物には、建築基準法の規定は適用されません。**

(2) 既存不適格建築物

建築したときは建築基準法に適合していたものの、その後の法改正により改正後の規定に適合しなくなった建築物を**既存不適格建築物**といいますが、そのすべてを現在の規定に適合するように改修させるのは非現実的です。そこで、既存不適格建築物には、原則として、改正後の建築基準法の規定は適用されません。ですから、改正後の規定に適合しないからといって、**既存不適格建築物が違反建築物となるわけではなく、ただちに改正後の規定に適合させなければならないわけではありません。**なお、増築等を行う場合には、原則として、建築物全体を改正後の建築基準法の規定に適合させなければなりません。

必須 建築基準法の適用除外

① 国宝や**重要文化財**などに**指定**または**仮指定**された建築物には、建築基準法の規定は**適用されない**。
② **既存不適格建築物**には、原則として、改正後の建築基準法の規定は適用されない。
⇒**違反建築物とならず**、当該建築物の所有者・管理者は、原則として、**改正後の建築基準法の規定に適合させる必要はない**。

〇×チャレンジ

Q 建築基準法の改正により、現に存する建築物が改正後の規定に適合しなくなった場合、当該建築物の所有者又は管理者は速やかに当該建築物を改正後の建築基準法の規定に適合させなければならない。

A **既存不適格建築物**の所有者または管理者は、原則として、**改正後の建築基準法の規定に適合させる必要はありません。**

×

2 建築確認

1. 建築確認の要否

⑴規模の基準、⑵場所の基準のどちらかにあたれば、原則として、建築確認が必要です。

(1)	規模	規模の大きい建築物	原則として建築確認必要
(2)	場所	「都市計画区域・準都市計画区域」＋新築など	
		「防火地域・準防火地域」＋増改築など	

（1）規模の基準

「規模の大きい建築物」については、全国どこでも、原則として、建築確認が必要です。サイズが大きいということは、安全性などのチェックが特に必要となるからです。

この「規模の大きい建築物」には、次のとおり、①特殊な用途に供する部分の床面積の合計が**200m²超**の**特殊建築物**、②用途に関係なく**２階以上**または延べ面積が**200m²超**の建築物一般（木造・鉄骨造・鉄筋コンクリート造などの構造を問わない）の２種類があります。このうち、**特殊建築物とは、人がたくさん集まる建築物などをいい、たとえば、劇場、映画館、ホテル、旅館、下宿、寄宿舎、共同住宅、百貨店、バー、飲食店、物品販売業を営む店舗（床面積が10m²以内のものを除く）、倉庫、自動車車庫などをいいます。勘違いしやすいところですが、一般の事務所は含まれません。**

		階数	面積
①	特殊建築物		200m²超
②	建築物一般（右のいずれかにあたるもの）	2階以上	200m²超

これらの「規模の大きい建築物」については、新築、増築・改築・移転、**大規模の修繕・模様替**、用途変更を行う場合、その場所に関係なく、原則として、建築確認を受ける必要があります。

用語

【大規模の修繕・模様替】 建物の壁や床などの半分を超える部分について、前と同じように修復するのが「大規模の修繕」、材質などを別のものに替えて工事するのが「大規模の模様替」である。

		新築	10m^{2}超の 増築・改築・移転※1	大規模の修繕 大規模の模様替	用途変更 ※2
①	**規模の大きい 特殊建築物**	**必要**			**必要※3**
②	**規模の大きい** 建築物一般※4				

※1増築の場合、増築後の面積で「規模の大きい建築物」かどうかを判断する
※2**規模の大きい特殊建築物に用途変更する場合のみ**
※3**類似の用途相互間**の用途変更の場合、例外として建築確認は**不要**。類似の用途とは、たとえば、ホテルと旅館、劇場と映画館と演芸場、下宿と寄宿舎など。
※4木造・鉄骨造・鉄筋コンクリート造などの**構造を問わない**

(2) 場所の基準

都市計画区域・準都市計画区域内などでは、規模の大きい建築物でなくても、①新築、②10m^{2}超の増築・改築・移転について、建築確認が必要です。住みやすいまちをつくるために、安全性などのチェックが特に求められる場所だからです。

都市計画区域 準都市計画区域 など	新築（規模を問わない）	**必要**
	10m^{2}超の増築・改築・移転	

市街地での火災の危険を防ぐために定められる「防火地域」や「準防火地域」では、どんなに小さな面積の増築・改築・移転についても、火災に対する安全性を十分に確かめておかなければなりません。そこで、都市計画区域内の土地のなかでも特に**防火地域・準防火地域内では、新築だけでなく、増築・改築・移転をする部分の床面積の合計が10m^{2}以内の増築・改築・移転についても例外にならず、建築確認が必要です。**

防火地域 準防火地域	新築、増築・改築・移転（**規模を問わない**）	**必要**

必須 建築確認の要否

① 規模の基準

	新築	10m²超の増築・改築・移転※1	大規模の修繕 大規模の模様替	用途変更※2
規模の大きい特殊建築物	**必要**			**必要※3**
規模の大きい建築物一般※4				

※1増築の場合、増築後の面積で「規模の大きい建築物」かどうかを判断する
※2**規模の大きい特殊建築物に用途変更する場合のみ**
※3**類似の用途相互間**の用途変更の場合、例外として建築確認は**不要**。類似の用途とは、たとえば、ホテルと旅館、劇場と映画館と演芸場、下宿と寄宿舎など。
※4木造・鉄骨造・鉄筋コンクリート造などの**構造を問わない**

「規模の大きい建築物」

	階数	面積
特殊建築物		**200m²超**
建築物一般（右のいずれかにあたるもの）	**2階以上**	**200m²超**

② 場所の基準

都市計画区域 **準都市計画区域**　など	新築（規模問わない） 10m²超の増築・改築・移転	**必要**
防火地域 **準防火地域**	新築、増築・改築・移転 （**規模問わない**）	

○×チャレンジ

Q ホテルの用途に供する建築物を共同住宅（その用途に供する部分の床面積の合計が300m²）に用途変更する場合、建築確認は不要である。

A 建築物の**用途を変更**して**規模の大きい特殊建築物**（その用途に供する部分の床面積の合計が**200m²を超える**特殊建築物）とする場合、原則として、**建築確認が必要**です。したがって、本問の300m²の建築物の用途を変更して特殊建築物である共同住宅にする場合、建築確認が必要です。

×

2. 建築確認の手続き

(1) 建築確認の申請

建築確認が必要な場合、建築主は、工事を始める前に、その建築計画について建築確認の申請書を建築主事等に提出しなければなりません。なお、建築確認などは、指定確認検査機関という民間の機関も行うことができますが、(1)～(5) では、建築主事等による場合を前提に説明します。

この申請書を受け取った**建築主事等は、建築計画が建築基準関係規定（建築基準法や都市計画法など）に適合しているかどうかを審査し、適合していることを確認したときは確認済証を交付します。**建築主事等は、申請書を受理した場合、**規模の大きい建築物**であれば35日以内に、それ以外の建築物であれば7日以内に審査し、確認するかどうか決定しなければなりません。

また、**建築主事等は、建築確認をする場合、原則として、あらかじめ、その建築確認に係る建築物の所在地を管轄する消防長または消防署長の同意（消防同意）を得ておかなければなりません。**建築計画の消防上の安全性を確保するためです。

(2) 中間検査

確認済証の交付を受けると、建築主は、建築工事を始めることができます。しかし、マンションなどの建築工事の途中で手抜きがあると、完成した後で検査しても発見するのが難しくなります。そこで、**建築主は、工事が特定工程（階数が３以上である共同住宅の２階の床およびこれを支持するはりに鉄筋を配置する工事の工程など）を含む場合には、その特定工程に係る工事を終えたときは、その都度、その工事を終えた日から４日以内に建築主事等に到達するように、中間検査の申請をしなければなりません。**

(3) 完了検査

工事を完了したときは、**建築主は、工事完了日から４日以内に建築主事等に到達するように、完了検査を申請しなければなりません。建築主事等は、この申請を受理した日から７日以内に完了検査を行い、建築物やその敷地が建築基準法などの建築基準関係規定に適合していると認めたときは、検査済証が交付されます。**

用語

【建築主事等】 建築物全般について建築確認や検査ができる公務員を「建築主事」、一定の小規模な建築物についてのみ建築確認や検査ができる公務員を「建築副主事」といい、両者を総称して「建築主事等」という。

(4) 建築物の使用開始

原則 **「規模の大きい建築物」の新築等をした場合には、それ以外の建築物の場合と異なり、建築主が検査済証の交付を受けるまでは、原則として、建築物を使用することはできません。**ただし、例外1 **①特定行政庁が、安全上、防火上および避難上支障がないと認めたとき、**例外2 **②建築主事等が、安全上、防火上および避難上支障がないものとして国土交通大臣が定める基準に適合していることを認めたとき、**例外3 **③完了検査の申請が受理された日から7日を経過したときは、例外的に使用することができます。**

(5) 審査請求

建築主は、建築主事等が建築確認の申請について不適合の処分をした場合、その建築主事等が置かれた市町村や都道府県の**建築審査会**に対して、審査請求をすることができます。なお、「建築審査会」とは、法律・建築・行政などの専門家で構成され、上記の審査などをするために建築主事を置く市町村および都道府県に置かれる機関のことをいいます。その意味内容を覚えておく必要はありません。

(6) 指定確認検査機関

建築確認・中間検査・完了検査・仮使用認定((4)の例外2)は、建築主事等のほか、**指定確認検査機関**という民間の機関も行うことができます。したがって、建築主は、建築主事等に建築確認などを申請するかわりに、指定確認検査機関による建築確認などを受けることもできます(**選択制**)。

用語

【特定行政庁】 原則として、建築主事または建築副主事を置く市町村の区域については当該市町村の長をいい、その他の市町村の区域については都道府県知事をいう。特定行政庁という名前の役所があるわけではない。

必須 建築確認の手続き

建築主事等による建築確認の手続きの流れを整理しておきましょう。

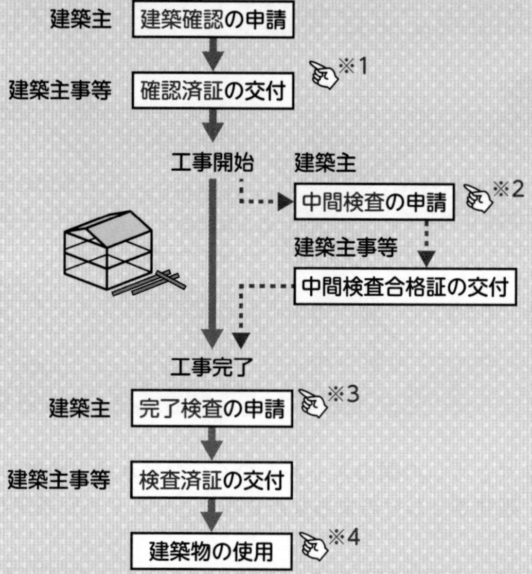

※1建築主事等は、建築計画が**建築基準関係規定**に適合することを確認したときは、当該申請者に**確認済証を交付**しなければならない。なお、**建築主事等**（×「建築主」）は、建築確認をする場合、原則として、あらかじめ**消防長または消防署長の同意**を得ておかなければならない。

※2建築主は、工事が**特定工程**（**階数が3以上である共同住宅の2階の床およびこれを支持するはりに鉄筋を配置する工事の工程**など）を含む場合、その特定工程にかかる工事を終えたときは、その都度、**中間検査**の申請をしなければならない。

※3完了検査の申請は、工事が完了した日から**4日以内**に建築主事等に到達するようにしなければならない。

※4**規模の大きい建築物**を新築等する場合、建築主は、検査済証の交付を受けた後でなければ、原則として、建築物を使用できない。ただし、①**特定行政庁**が、安全上、防火上および避難上支障がないと認めたとき、②建築主事等が、安全上、防火上および避難上支障がないものとして国土交通大臣が定める基準に適合していることを認めたとき、③完了検査の申請が受理された日から**7日**を経過したときは、例外的に、**検査済証の交付を受ける前でも使用できる**。

このレッスンが終わったら「きほんの問題集」の問題20～24にチャレンジ！

建築基準法②

集団規定は建物どうしのチームプレー！

introduction
書類をそんなに積み上げたら、君のデスクの広さに対して、完全にキャパオーバーです。いつか倒れてきそうでヒヤヒヤしてます。
いつも気付くとこんな状態で…
部長は、「集団規定かいっ！」って、つっこんでほしいんだと思うよ。

デスクどうしの間のルールをつくらなければ、快適に仕事ができません。建物ぎっしりのまちなかも同じ。そこで集団規定なんです。

建物が、土地に対してキャパオーバーとならないように容積率（ようせきりつ）の制限が、まわりの土地に日影をつくらないように斜線制限や日影規制があるってわけか〜。

建物がたくさん集まる都市計画区域などでは、ボリューム過大な建物のせいで、人の数と道路の容量のバランスがとれなくなったり、まわりの土地の日当たりが悪くなったりと、様々な問題が発生します。そこで、建築基準法では、建物の大きさや高さなど建物どうしの間のルールを「集団規定」として定めました。建築基準法の最重要項目ですから、建蔽率（けんぺいりつ）や容積率の制限を中心に、しっかり学習しましょう。

学習のポイント

❶道路規定	❷用途制限
❸建蔽率の制限	❹敷地面積の最低限度
❺容積率の制限	❻高さに関する制限等
❼防火・準防火地域内の制限	

1 道路規定

1.「道路」とは

(1) 建築基準法の「道路」

火災の際に消防車と他の車両とのすれ違いができなければ、消火活動をスムーズに行うことはできません。そこで、原則 **建築基準法の集団規定（建築基準法３章の規定）での道路（以下「道路」という）とは、原則として、都市計画区域・準都市計画区域の指定・変更や一定の条例の制定・改正により建築基準法３章の規定が適用されるに至った際現に存在する道などのうち幅員が4m以上のものをいいます。**

ただし、除雪が必要な豪雪地帯では4mでは不十分です。そこで、例外1 **特定行政庁が地方の気候や風土の特殊性などから指定する区域内では、幅員を6m以上とすることができます。**

(2) ２項道路

昔からの古い道には幅員4m未満のものもありますが、その両側に建物がすでに立ち並んでいる場合も多いです。そこで、例外2 **都市計画区域・準都市計画区域の指定・変更などにより建築基準法３章の規定が適用されるに至った際現に建築物が立ち並んでいる幅員4m未満の道で、特定行政庁の指定したものを、道路とみなすことにしています（２項道路）。**

○×チャレンジ

Q 都市計画区域の変更等によって建築基準法第3章の規定が適用されるに至った際、現に建築物が立ち並んでいる幅員4m未満の道は、特定行政庁の指定がなくとも、同章の規定における道路とみなされる。

A 建築基準法3章の規定（集団規定）上の**道路**とみなされるためには、**特定行政庁の指定**が必要です。

×

２項道路については、将来は幅員を広げることができるようにしておく必要があります。そこで、**２項道路については、道路の中心線から両側にそれぞれ2m後退した線をその道路の境界線とみなすことにしています。**このように道路の境界線を後退させることを「セットバック」と呼びます。こうしておくと、道路の境界線とみなされる線より道路側の部分には、建物を建築できませんし、その部分の面積を敷地面積に算入することもできませんから、建物が建て替わるにつれて道幅が広がっていくことが期待できます。

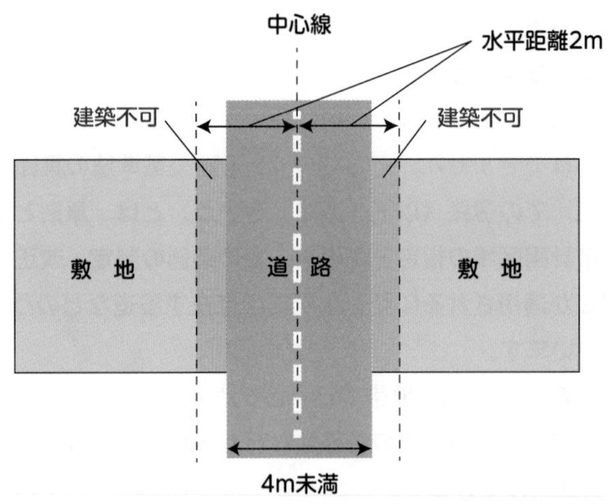

必須 建築基準法の「道路」

原則	「**道路**」とは、都市計画区域・準都市計画区域の指定・変更などにより建築基準法3章の規定（集団規定）が適用されるに至った際現に存在する道などのうち幅員が**4m以上**のものをいう
例外	建築基準法3章の規定が適用されるに至った際現に建築物が立ち並んでいる幅員**4m未満**の道で、**特定行政庁の指定**したものは、「**道路**」とみなされる（2項道路） →道路の中心線から両側にそれぞれ**2m後退した線**をその**道路の境界線**とみなす

2. 接道義務

(1) 接道義務の原則

火災の際の消火活動のことを考えると、建築物の敷地は、自動車の幅程度は道路に接していることが必要でしょう。そこで、原則 **建築物の敷地は、原則として、道路に2m以上接していなければなりません。**この義務を「**接道義務**」といいます。なお、接道義務の対象となる道路には、高速道路のような自動車専用道路は含まれません。

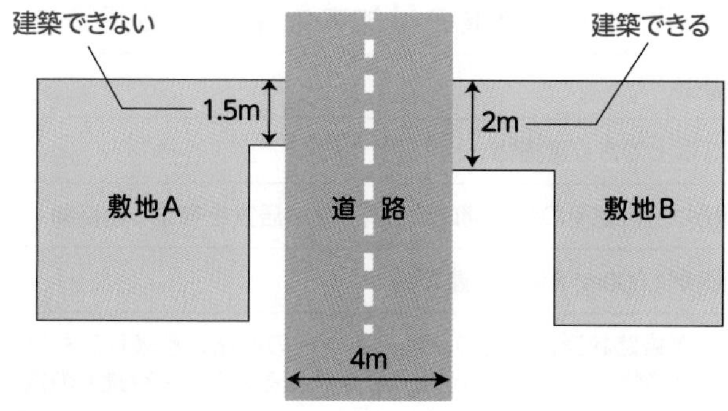

(2) 接道義務の例外

敷地のまわりに公園などの空地があって消火活動などが十分にできるのであれば、敷地が道路と2m以上接している必要はありません。そこで、例外 **建築物の敷地の周囲に広い空地がある場合などで、特定行政庁が交通上・安全上・防火上・衛生上支障がないと認めて建築審査会の同意を得て許可したものなどについては、道路に2m以上接している必要はありません。**

必須 接道義務

原則	建築物の敷地は、道路に**2m以上**接していなければならない
例外	建築物の敷地の周囲に**広い空地**がある場合などで、**特定行政庁**が交通上・安全上・防火上・衛生上支障がないと認めて建築審査会の同意を得て**許可**したものなどについては、道路に2m以上接していなくてもよい

＼アドバイス／

敷地と道路の関係については、「ボクは死に（幅員4m以上、2m以上接道）ましぇ～ん！」（道路の真ん中で宅建愛を叫ぶ）と覚えるとよいでしょう。

3. 条例による制限の付加

地方公共団体は、次の①～⑤のいずれかに該当する建築物について、その用途・規模・位置の特殊性により、避難・通行の安全の目的達成が困難と認めるときは、**条例で、その敷地が接しなければならない道路の幅員やその敷地が道路に接する部分の長さなど、その敷地または建築物と道路との関係に関して必要な制限を付加（加重）することができます。**

【 条例による制限の付加の対象となる建築物 】

①	特殊建築物
②	階数が3以上である建築物
③	一定面積以上の窓その他の開口部を有しない居室を有する建築物
④	延べ面積が1,000m²を超える建築物
⑤	その敷地が袋路状道路（その一端のみが他の道路に接続したものをいう）にのみ接する建築物で、延べ面積が150m²を超えるもの（**一戸建ての住宅を除く**）

これに対して、上記の制限を条例で**「緩和」することはできません。**したがって、①～⑤の建築物の敷地が道路に接する部分の長さ（接道義務）について、本来の「最低2m以上」という制限を条例で付加して「最低5m以上」とすることはできますが、「最低1m以上」と制限を緩和することはできません。

必須 条例による制限の付加

地方公共団体は、一定の建築物※については、**条例**で、その敷地が接しなければならない道路の幅員やその敷地が道路に接する部分の長さなど、その敷地または建築物と道路との関係に関して必要な制限を「**付加**」（加重）できる。

⇒**「緩和」はできない。**

※　過去に出題されたのは、①延べ面積が1,000m²を超える建築物、②敷地が袋路状道路にのみ接する建築物で延べ面積が150m²を超えるもの（**一戸建ての住宅を除く**）など

4. 道路内の建築制限など

（1）道路内の建築制限

道路内に建築物が建てられると、避難や消火活動が困難となります。そこで、**建築物などは、原則として、道路内に建築したり道路に突き出して建築したりしてはなりません。**

もっとも、道路を通行するじゃまにならないような建築物であれば問題はないので、次のような建築物は例外です。

必須 **道路内の建築制限**

原則	建築物などは、**道路内**に建築したり道路に突き出して建築したりしてはならない
例外	①地下（**地盤面下**）に設ける建築物（例．地下街）
	②**公衆便所**や**巡査派出所**などの公益上必要な建築物で**特定行政庁**が通行上支障がないと認めて建築審査会の同意を得て**許可**したもの
	③公共用歩廊などで特定行政庁が安全上・防火上・衛生上他の建築物の利便を妨げ、その他周囲の環境を害するおそれがないと認めて許可したもの（例．商店街のアーケード）

（2）私道の変更・廃止

私道でも、特定行政庁からその位置の指定を受けた幅員4m以上の一定の道は、原則として、「道路」です。ですから、道路とされる私道にのみ2m接している敷地でも、接道義務には違反しません。ただ、この私道を廃止すると、その敷地は、接道義務違反となってしまいます。

そこで、私道の変更や廃止によって、その道路に接する敷地が接道義務に違反することとなる場合、特定行政庁は、その私道の変更や廃止を禁止したり制限したりすることができます。

2 用途制限

1．用途制限とは

レッスン1「都市計画法①」で学習したとおり、市街化区域では必ず用途地域を定めなければなりません。**都市計画で用途地域が定められると、その用途地域に従い、具体的にその場所に自由に建築できる用途も決まります。このように、用途地域ごとに「建築できる用途」「建築できない用途」を定めたものが、建築基準法の「用途制限」です。**

2の「用途制限の具体的内容」で紹介する用途制限の表では、自由に建築できる場合を○、建築できない場合を×で表記しています。ただし、**×になっている建築物も原則として建築できないだけであり、特定行政庁の許可があれば建築できます。**

なお、建築基準法での田園住居地域内の制限は、第二種低層住居専用地域内の制限とほぼ共通です。そこで、本レッスンでは、レッスン1と異なり、左から3番目の枠で田園住居地域について整理します。

2. 用途制限の具体的内容

最初から用途制限の具体的内容を正確に覚えるのは困難ですから、まずは色文字や網掛けで強調している部分を中心に確認しましょう。今後、過去問を検討するなかで正確な知識を身につけていけば十分です。

(1) 用途制限（すべての用途地域で建築できる建築物）

①神社・教会・寺院などの宗教施設、②診療所・公衆浴場・保育所・幼保連携型認定こども園などの医療福祉的性格の施設、③巡査派出所・公衆電話所などの公益施設は、すべての用途地域で建築できます。これらの施設の必要性は、地域を選ばないからです。

(2) 用途制限（工業専用地域に建築できない建築物）

工業専用地域は、石油化学コンビナートや工業団地などにする地域ですから、住宅などにはまったく向かない環境です。次の表では、**住宅・共同住宅、老人ホーム、図書館を代表例として、工業専用地域だけ×であることを納得しておきましょう。**

必須 用途制限（工業専用地域に建築できない建築物）

○＝自由に建築できる　×＝特定行政庁の許可がなければ建築できない

建築物の用途＼用途地域	第一種低層住居専用	第二種低層住居専用	田園住居	第一種中高層住居専用	第二種中高層住居専用	第一種住居	第二種住居	準住居	近隣商業	商業	準工業	工業	工業専用
住宅・共同住宅	○	○	○	○	○	○	○	○	○	○	○	○	×
老人ホーム	○	○	○	○	○	○	○	○	○	○	○	○	×
図書館・博物館・美術館	○	○	○	○	○	○	○	○	○	○	○	○	×

＼アドバイス／

工業専用地域で住まい系（住宅・共同住宅、老人ホームなど）は×なので、「街の右端には住めません！」（表の右端の枠だけ住めない）と覚えるとよいでしょう。

(3) 用途制限(教育施設・医療施設)

(1) で確認したとおり、診療所・保育所・幼保連携型認定こども園は、すべての用途地域で建築できます。また、**小学校・中学校・高等学校については、大学と異なり、第一種・第二種低層住居専用地域と田園住居地域が○となっている点に要注意です。** さらに、**大学と病院は、用途制限が同じです。**

必須 用途制限(教育施設・医療施設)

建築物の用途＼用途地域	第一種低層住居専用	第二種低層住居専用	田園住居	第一種中高層住居専用	第二種中高層住居専用	第一種住居	第二種住居	準住居	近隣商業	商業	準工業	工業	工業専用
診療所・保育所・幼保連携型認定こども園	○	○	○	○	○	○	○	○	○	○	○	○	○
小学校・中学校・高校	○	○	○	○	○	○	○	○	○	○	○	×	×
大学・高専、専修・各種学校	×	×	×	○	○	○	○	○	○	○	○	×	×
病院	×	×	×	○	○	○	○	○	○	○	○	×	×

＼アドバイス／

小学校・中学校・高校の用途制限については、「先公と呼ばないで!」(工業専用と工業は×)と覚えるとよいでしょう(先公＝先生のこと。昭和のツッパリ用語)。

(4) 用途制限（商業・娯楽施設等）

商業・娯楽施設等のうち、まずはホテル・映画館・カラオケボックス・料理店について、×と○の境目を確認しましょう。 なお、「料理店・キャバレー」とは、いわゆる料亭やキャバクラといった風俗営業施設の一種で、レストラン・居酒屋などの「飲食店」とは異なります。

必須 用途制限（商業・娯楽施設等）

建築物の用途＼用途地域	第一種低層住居専用	第二種低層住居専用	田園住居	第一種中高層住居専用	第二種中高層住居専用	第一種住居	第二種住居	準住居	近隣商業	商業	準工業	工業	工業専用
ホテル・旅館	×	×	×	×	×	○※1	○	○	○	○	○	×	×
劇場・映画館・ナイトクラブ①（客席部分の床面積の合計が200m²未満）	×	×	×	×	×	×	×	○	○	○	○	×	×
劇場・映画館・ナイトクラブ②（客席部分の床面積の合計が200m²以上）	×	×	×	×	×	×	×	×	○	○	○	×	×
カラオケボックス・ダンスホール	×	×	×	×	×	×	○※2	○※2	○	○	○	○※2	○※2
店舗・飲食店（2階以下かつ床面積の合計が150m²以内）	×	○	○	○	○	○	○	○	○	○	○	○	×
店舗・飲食店（床面積の合計が10,000m²超）	×	×	×	×	×	×	×	×	○	○	○	×	×
料理店・キャバレー	×	×	×	×	×	×	×	×	×	○	○	×	×
倉庫業を営む倉庫	×	×	×	×	×	×	×	○	○	○	○	○	○
床面積の合計が150m²以内の自動車修理工場	×	×	×	×	×	×	×	○	○	○	○	○	○

※1床面積の合計が3,000m²以下
※2床面積の合計が10,000m²以下

Q 近隣商業地域内では、カラオケボックスは建築できるが、料理店は建築できない。ただし、特定行政庁の許可は考慮しないものとする。

A **カラオケボックス**は**近隣商業地域内に建築できます**が、**料理店**を建築できるのは**商業地域**と**準工業地域内**のみです。したがって、料理店を近隣商業地域内に建築することはできません。

〇

(5) 特別用途地区内の制限

特別用途地区内においては、建築基準法により定められている建築物の用途制限を除き、その地区の指定の目的のためにする建築物の建築の制限または禁止に関して必要な規定は、**地方公共団体の条例**で定めることになっています。

また、**特別用途地区内においては、地方公共団体は、その地区の指定の目的のために必要と認める場合においては、国土交通大臣の承認を得て、条例で、建築基準法により定められている建築物の用途制限を緩和することができます。**

(6) ごみ焼却場等の立地制限

都市計画区域内においては、卸売市場、火葬場、と畜場（ちくじょう）、汚物処理場、ごみ焼却場などの建築物は、原則として、都市計画においてその敷地の位置が決定しているものでなければ、新築・増築できません。ただし、特定行政庁が都道府県都市計画審議会や市町村都市計画審議会［▶L1⑧］の議を経てその敷地の位置が都市計画上支障がないと認めて許可したなどの場合は、例外です。

(7) 敷地が2以上の用途地域にまたがる場合

敷地が2以上の用途地域にまたがる場合、敷地の全部について、敷地の過半の属する地域の用途制限が適用されます。たとえば、建築物の敷地（200m²）が、第一種住居地域（120m²）と第二種住居地域（80m²）にまたがる場合、第一種住居地域の用途制限が適用されます。したがって、原則として、カラオケボックスの建築はできません。

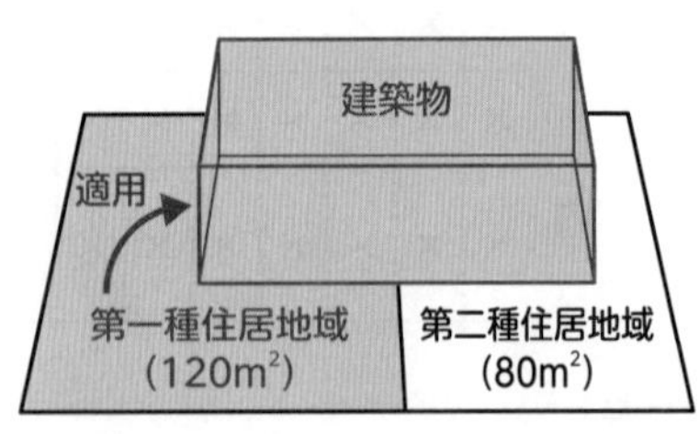

必須 **敷地が2以上の用途地域にまたがる場合**

敷地の過半の属する地域の用途制限が、敷地の全部に適用される。

○×チャレンジ

Q 一の敷地で、その敷地面積の40%が第二種低層住居専用地域に、60%が第一種中高層住居専用地域にある場合は、原則として、当該敷地内には大学を建築することができない。

A 建築物の敷地が2以上の用途地域にまたがる場合、敷地の全部について敷地の**過半**の属する用途地域の制限が適用されます。本問では、敷地の過半にあたる60%が第一種中高層住居専用地域にあるので、敷地の全部について**第一種中高層住居専用地域**の用途制限が適用されます。**大学**は「**第一種低層住居専用地域、第二種低層住居専用地域、田園住居地域、工業地域**および**工業専用地域**」**以外**の用途地域で建築できます。したがって、大学を建築することができます。

3 建蔽率の制限

1. 建蔽率(けんぺいりつ)とは

建蔽率とは、敷地面積に対する建築物の建築面積の割合のことです。

建物を敷地いっぱいに建ててしまうと、日当たりや風通しが悪くなるばかりか、火災の際にすぐに延焼してしまいとても危険です。そこで、敷地の面積に対して建築面積をどれくらいまでとっていいかという建蔽率の制限が設けられたのです。

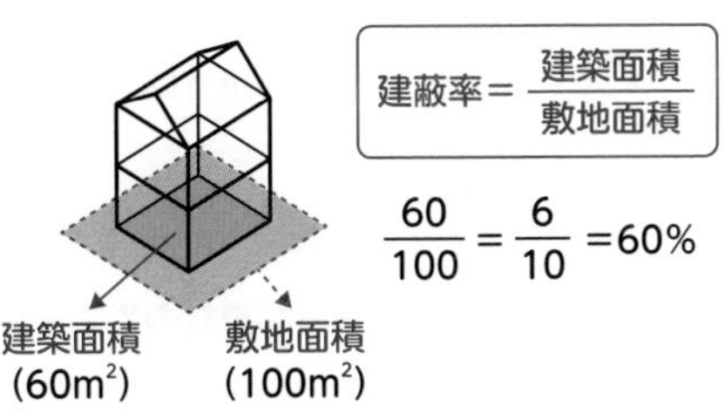

たとえば、敷地の面積が$100m^2$で建蔽率が6/10（60%）であれば、この敷地に建築できる建物の建築面積は、最高でも$60m^2$までに制限されるというわけです

なお、「**建築面積**」とは、建築物の壁の中心線などで囲まれた部分の面積のことです。ふつうは1階部分の面積であるとイメージしておきましょう。

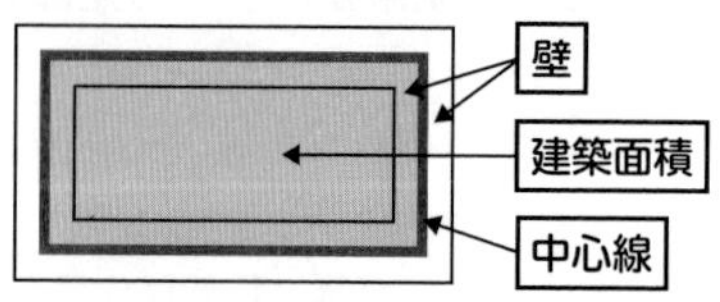

2. 建蔽率の限度

(1) 用途地域ごとの原則的な建蔽率

原則 **商業地域以外の用途地域の建蔽率は、用途地域の種類ごとに都市計画で定められる選択制です（指定建蔽率）**。これに対して、**商業地域についての原則的な建蔽率は8/10一択です。**

区域ごとの建蔽率は、次の表のとおりです。数値については、商業地域の原則的な建蔽率が8/10であることを覚えておけば十分です。

用途地域	建蔽率
第一種低層住居専用地域 第二種低層住居専用地域 第一種中高層住居専用地域 第二種中高層住居専用地域 田園住居地域 工業専用地域	$\frac{3}{10}$、$\frac{4}{10}$、$\frac{5}{10}$、$\frac{6}{10}$のうち**都市計画で定める数値**
第一種住居地域 第二種住居地域 準住居地域 準工業地域	$\frac{5}{10}$、$\frac{6}{10}$、$\frac{8}{10}$のうち**都市計画で定める数値**
近隣商業地域	$\frac{6}{10}$、$\frac{8}{10}$のうち**都市計画で定める数値**
商業地域	$\mathbf{\frac{8}{10}}$
工業地域	$\frac{5}{10}$、$\frac{6}{10}$のうち**都市計画で定める数値**
用途地域の指定のない区域	$\frac{3}{10}$、$\frac{4}{10}$、$\frac{5}{10}$、$\frac{6}{10}$、$\frac{7}{10}$のうち特定行政庁が都道府県都市計画審議会の議を経て定める数値

用語

【建築面積】 建築物の壁の中心線などで囲まれた部分の面積のこと。イメージとしては、1階部分の面積である。

(2) 建蔽率制限が緩和される場合

建蔽率の制限は火災の際の延焼防止などのための制限ですから、逆に延焼の危険性が少ない建築物については、制限が緩和されます。

①防火・準防火地域内の延焼防止性能の高い建築物

市街地での火災の危険を防ぐために定められた防火地域や準防火地域に**耐火建築物**や**準耐火建築物**のような**延焼防止性能の高い建築物**が建てば、火災に強いまちになります。そこで、例外1 **防火地域や準防火地域にある延焼防止性能の高い一定の建築物については、建蔽率制限が緩和されます。**

延焼防止性能の高い建築物とは、以下のとおりです。なんとなくイメージできれば十分です。用語の内容を暗記する必要はありません。

耐火建築物	通常の火災が終了するまで建物の倒壊や延焼を防止するのに必要な性能などを有する一定の建築物。建築基準法に基づく現在の技術的基準に照らして、最も燃えにくいタイプの建築物である。イメージは、鉄筋コンクリート造のビルなど。
耐火建築物等	**耐火建築物**または耐火建築物と**同等以上**の延焼防止性能を有するものとして政令で定める建築物
準耐火建築物	耐火建築物ほどの建物の倒壊や延焼を防止する性能はないものの、通常の火災による延焼を抑制するのに必要な性能などを有する一定の建築物。普通の木造建築物と比べて燃えにくいタイプの建築物である。イメージは、木造や鉄骨造などの建築物のうち、火災の際に建物内の人が安全に避難できる程度の性能があるもの。
準耐火建築物等	**準耐火建築物**または準耐火建築物と**同等以上**の延焼防止性能を有するものとして政令で定める建築物

具体的には次のように、建蔽率の制限が緩和されます。たとえば、商業地域にある防火地域で耐火建築物等を建てる場合、建蔽率制限がなくなることから建蔽率は10分の10（100%）となり、建物を敷地いっぱいに建てることが可能となります。「どのような建築物」について「どの程度」緩和されるのか、しっかり判断できるようにしましょう。

必須 防火・準防火地域内の延焼防止性能の高い建築物

地域＼建築物の種類	防火地域内の耐火建築物等	準防火地域内の耐火建築物等または準耐火建築物等
建蔽率の限度が8/10とされている地域外の地域	＋1/10	＋1/10
建蔽率の限度が**8/10**とされている地域内①	**制限なし**	

②特定行政庁が指定する角地にある建築物

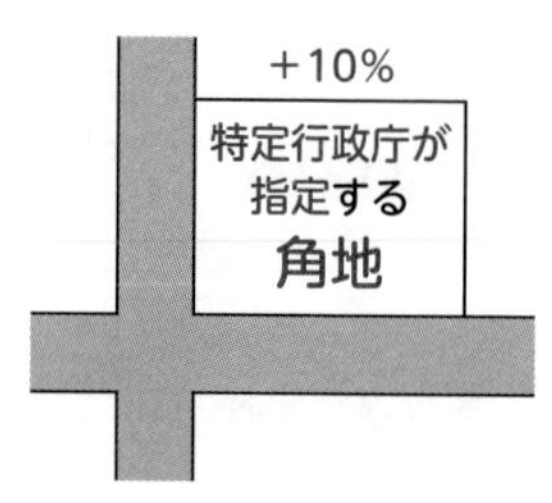

道路の交差点などの角地にある建築物についても、延焼の危険性が少なく日当たりや風通しの面でも心配は少ないです。そこで、例外2 **特定行政庁が指定する角地にある建築物については、すべての用途地域において建蔽率が1/10（10%）だけ緩和されます。**たとえば、都市計画で建蔽率の限度が6/10と定められた第一種住居地域にある特定行政庁の指定する角地（防火地域や準防火地域でないものとする）に建築物を建てる場合、6/10に1/10だけ上乗せされ、建蔽率の限度は10分の7（70%）となります。

必須 特定行政庁が指定する角地にある建築物

特定行政庁が指定する**角地**にある建築物については、すべての用途地域において建蔽率が**1/10（10%）緩和**される。

③ ①と②の両方にあたる建築物

防火地域にある特定行政庁が指定する角地で耐火建築物等を建てる場合のように、例外3 **①と②の両方にあたるときは、建蔽率の限度が8/10とされている地域外の地域であれば建蔽率は2/10（20%）緩和され、建蔽率の限度が8/10とされている地域内であれば建蔽率は制限なしになります。**

① 注意
原則的な建蔽率の限度が10分の8である商業地域や、都市計画で建蔽率の限度が10分の8と定められた近隣商業地域などをいう。

建蔽率制限が緩和される場合をまとめると、次のとおりです。

必須 建蔽率制限が緩和される場合（まとめ）

<table>
<tr><th rowspan="3">用途地域</th><th colspan="4">緩和される割合</th></tr>
<tr><th colspan="2">①</th><th>②</th><th rowspan="2">①②の両方</th></tr>
<tr><th>防火地域内の耐火建築物等</th><th>準防火地域内の耐火建築物等・準耐火建築物等</th><th>特定行政庁が指定する角地にある建築物</th></tr>
<tr><td>第一種低層住居専用地域
第二種低層住居専用地域
田園住居地域
第一種中高層住居専用地域
第二種中高層住居専用地域
工業専用地域</td><td colspan="2">$+\frac{1}{10}$</td><td rowspan="5">$+\frac{1}{10}$</td><td>$+\frac{2}{10}$</td></tr>
<tr><td>第一種住居地域
第二種住居地域
準住居地域
準工業地域</td><td rowspan="2">$+\frac{1}{10}$
（建蔽率の限度が$\frac{8}{10}$の地域では制限なし）</td><td rowspan="2">$+\frac{1}{10}$</td><td rowspan="2">$+\frac{2}{10}$
（建蔽率の限度が$\frac{8}{10}$の地域では制限なし）</td></tr>
<tr><td>近隣商業地域</td></tr>
<tr><td>商業地域</td><td>制限なし</td><td>$+\frac{1}{10}$</td><td>制限なし</td></tr>
<tr><td>工業地域</td><td colspan="2">$+\frac{1}{10}$</td><td>$+\frac{2}{10}$</td></tr>
</table>

＼覚えるポイント／

<table>
<tr><td rowspan="2">①</td><td>防火地域内の耐火建築物等</td><td rowspan="3">＋1/10</td></tr>
<tr><td>準防火地域内の耐火建築物等・準耐火建築物等</td></tr>
<tr><td>②</td><td>特定行政庁が指定する角地にある建築物</td></tr>
<tr><td>③</td><td>①②の双方</td><td>＋2/10</td></tr>
<tr><td>④</td><td>指定建蔽率が8/10の地域＋防火地域内の耐火建築物等</td><td>制限なし</td></tr>
</table>

Q 建蔽率の限度が10分の8とされている地域内で、かつ防火地域内にある耐火建築物については建蔽率の限度が10分の9に緩和される。

A 建蔽率の限度が**8/10**とされている地域内で、かつ、**防火地域内**にある「**耐火建築物等**」（＝耐火建築物または耐火建築物と同等以上の延焼防止性能を有する建築物）については、**建蔽率の制限は適用されず、制限がなくなります**。「9/10に緩和される」わけではありません。

×

（3）建蔽率制限の異なる２以上の地域にまたがる場合

敷地が建蔽率制限の異なる２以上の地域にまたがる場合には、それぞれの地域に属する敷地の部分の割合に応じて計算（按分計算）して算出した数値が、敷地の全部に適用されます。要するに、**それぞれの地域の数値を混ぜる**わけです。

本来、敷地全体の建蔽率の限度は、「各地域の建蔽率の限度」×「各地域の面積/敷地全体の面積」を地域ごとに計算して、最後に両者を合計して求めます。しかし、この本来の計算方法はやや複雑なので、次の方法で説明します。

① まず、**地域ごとに別々に建築面積の限度を計算**し、
② その後に**両者を合計**する。
③ 最後に、②の面積を**敷地全体の面積で割る**。

たとえば、このような特定行政庁の指定を受けた角地である敷地があったとします。

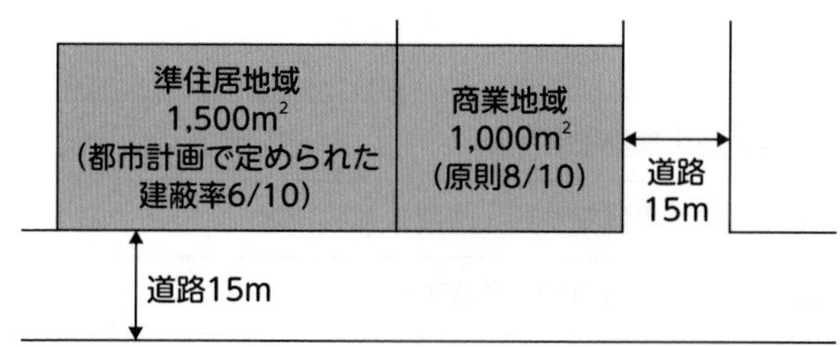

特定行政庁の指定を受けた角地ですので、それぞれの建蔽率が1/10だけ上乗せされます（建蔽率の緩和は敷地単位なので、準住居地域の部分も1/10上乗せ）。そこで、適用される建蔽率は準住居地域が7/10（70%）、商業地域が9/10（90%）です。したがって、次のように計算します。

① $1,500m^2 \times 7/10 = 1,050m^2$〈準住居地域分の建築面積の限度〉
$1,000m^2 \times 9/10 = 900m^2$〈商業地域分の建築面積の限度〉
② $1,050m^2 + 900m^2 = 1,950m^2$〈敷地全体の建築面積の限度〉
③ $1,950m^2 \div 2,500m^2$〈敷地全体の面積〉＝78/100（78%）

この78/100（78%）が、設例での敷地全体の建蔽率の限度です。

近年では、建蔽率の計算問題が出題されることはほとんどありませんので、「それぞれの地域の数値を混ぜる」とイメージできれば十分です。

必須 敷地が建蔽率制限の異なる2以上の地域にまたがる場合

敷地全体の建蔽率の限度は、それぞれの地域に属する敷地の部分の割合に応じて計算（按分計算）して算出した数値となる。

3. 建蔽率制限の適用除外

建蔽率の制限は、**2**（2）で紹介した「建蔽率の限度が8/10とされている地域内で、かつ、防火地域内にある耐火建築物等」のほかに、例外4 **次のいずれかに該当する建築物については適用しません。**

①巡査派出所、公衆便所、公共用歩廊その他これらに類するもの
②公園、広場、道路、川などの内にある建築物で特定行政庁が安全上、防火上および衛生上支障がないと認めて許可したもの

4 敷地面積の最低限度

敷地がどんどん分割され、小さい面積の敷地に建物が建てられていくと、住宅街が狭苦しくゆとりのないものになってしまいます。そこで、**すべての用途地域において、都市計画で$200m^2$を超えない範囲で敷地面積の最低限度を定めることができます。**

たとえば、都市計画で敷地面積の最低限度が$150m^2$と定められた場合、購入した敷地の面積が$150m^2$未満であれば、そのままではその敷地に建物を建てることができません。そこで、$150m^2$以上にするために隣地を購入するなどしなければならなくなります。

都市計画で敷地面積の最低限度を150m²とした場合

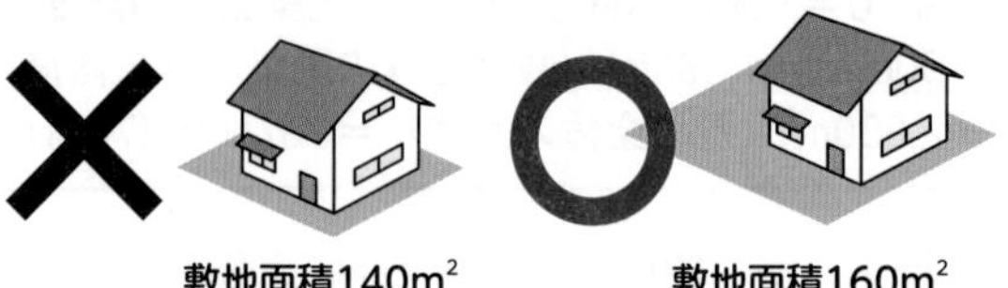

必須 **敷地面積の最低限度**

すべての用途地域において、都市計画で200m²を超えない範囲で敷地面積の最低限度を定めることができる。

5 容積率の制限

1. 容積率とは

容積率とは、建築物の延べ面積の敷地面積に対する割合のことです。

建物が大きくなればなるほど建物の周辺を通行する人や車の量が増え、排出されるごみや下水の量も多くなりますので、地域の道路や下水道などの整備状況に合わせて建物の大きさを制限する必要があります。建物の大きさは、建築物の延べ面積の最高限度を決めておけば制限できます。そこで、容積率の制限が設けられたのです。

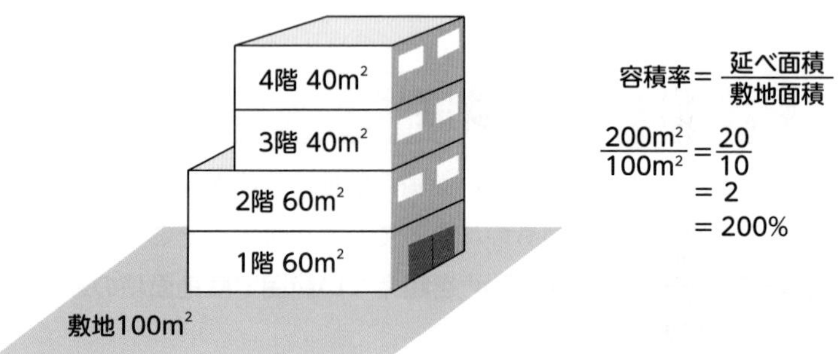

たとえば、敷地の面積が100m²で、都市計画で容積率が10分の20（200%）と定められていた場合、延べ面積の最高限度は200m²ということになります。

用語

【延べ面積】 建築物の各階の床面積の合計のこと。

2. 容積率の限度

(1) 指定容積率

容積率を制限する必要性は、住宅地か商業地か、道路や下水道などの公共施設が十分整備されているかによって違います。そこで、原則 **容積率の限度は、それぞれの地域の実情に合わせて、都市計画によって、用途地域ごとに定められています**。この定められた数値のことを**指定容積率**といいます。

区域ごとの容積率は、次の表のとおりです。数値を覚える必要はありません。

用途地域	指定容積率
第一種低層住居専用地域 第二種低層住居専用地域 田園住居地域	$\frac{5}{10}$、$\frac{6}{10}$、$\frac{8}{10}$、$\frac{10}{10}$、$\frac{15}{10}$、$\frac{20}{10}$のうちから**都市計画で定める数値**
第一種中高層住居専用地域 第二種中高層住居専用地域 第一種住居地域 第二種住居地域 準住居地域 近隣商業地域 準工業地域	$\frac{10}{10}$、$\frac{15}{10}$、$\frac{20}{10}$、$\frac{30}{10}$、$\frac{40}{10}$、$\frac{50}{10}$のうちから**都市計画で定める数値**
工業地域 工業専用地域	$\frac{10}{10}$、$\frac{15}{10}$、$\frac{20}{10}$、$\frac{30}{10}$、$\frac{40}{10}$のうちから**都市計画で定める数値**
商業地域	$\frac{20}{10}$、$\frac{30}{10}$、$\frac{40}{10}$、$\frac{50}{10}$、$\frac{60}{10}$、$\frac{70}{10}$、$\frac{80}{10}$、$\frac{90}{10}$、$\frac{100}{10}$、$\frac{110}{10}$、$\frac{120}{10}$、$\frac{130}{10}$のうちから**都市計画で定める数値**
用途地域の指定のない区域	$\frac{5}{10}$、$\frac{8}{10}$、$\frac{10}{10}$、$\frac{20}{10}$、$\frac{30}{10}$、$\frac{40}{10}$のうちから特定行政庁が都道府県都市計画審議会の議を経て定める数値

(2) 前面道路の幅員と容積率の関係

道路の幅員（幅のこと）が狭いのに指定された容積率の最高限度めいっぱいに大きな建物が建てられてしまうと、道路が人や車であふれかえってしまいます。

そこで、例外 **敷地の前面道路の幅員が12m未満の場合、（1）の指定容積率の数値以下でなければならないとともに、敷地の前面道路の幅員を使って計**

算した数値以下でなければならないことになっています。つまり、**両者の数値を比べて、より小さいほうの制限が適用されることになります。**具体的には次のように考えます。

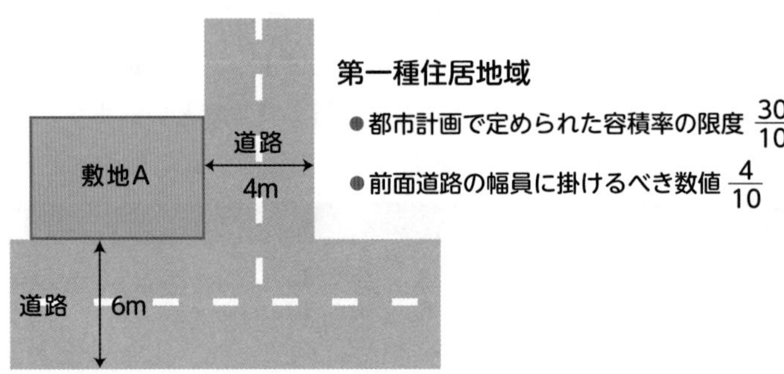

①まず、**各用途地域に関する都市計画で定められた容積率（指定容積率）の数値を確認します。**

> 設例では、**30/10**（★）となります。

②前面道路の幅員が12m以上の場合は、（★）の値が容積率の最高限度となります。しかし、設例のように**前面道路の幅員が12m未満の場合は、その幅員に一定の数値（住居系の用途地域では、原則4/10）を掛けたもの（☆）を求めます。複数の道路に敷地が接する場合には、最も大きな幅員で計算します。**設例では、4mと6mのうち**6m**で計算します。

> 設例では、前面道路の幅員6m×4/10＝**24/10**（☆）

③**（★）と（☆）を比較して、小さいほうの数値が、その敷地の容積率の最高限度となります。**

> 30/10（★）と24/10（☆）を比較→小さいほうである**24/10**が最高限度

前面道路の幅が12m未満の場合の容積率の求め方は、次のとおりです。**前面道路の幅員に乗じる数値については、住居系の用途地域は原則4/10、それ以外の地域は原則6/10と理解しておけば十分です。**

必須 前面道路の幅員と容積率の関係(前面道路の幅が12m未満の場合)

	用途地域	容積率の計算方法	適用される容積率
住居系の用途地域	第一種低層住居専用地域 第二種低層住居専用地域 田園住居地域	前面道路の幅※× $\frac{4}{10}$	左の計算式で出した数値と指定容積率の数値を比べて**小さいほう**が適用される
	第一種中高層住居専用地域 第二種中高層住居専用地域 第一種住居地域 第二種住居地域 準住居地域	原則として 前面道路の幅※× $\frac{4}{10}$	
	上記以外の地域	原則として 前面道路の幅※× $\frac{6}{10}$	

※前面道路が2以上あるときは、**幅員の最大のもの**

○×チャレンジ

Q 前面道路の幅員が12m未満である場合、建築物の容積率は、都市計画において定められた数値以下であり、かつ、建築物の前面道路の幅員に一定の数値を乗じて得た数値以下でなければならない。

A 前面道路の幅員が**12m未満**である場合には、容積率は、**都市計画において定められた数値(指定容積率)以下**であり、かつ、**前面道路の幅員に一定の数値を乗じて得た数値以下**でなければなりません。

○

(3) 容積率制限の異なる2以上の地域にまたがる場合

敷地が容積率制限の異なる2以上の地域にまたがる場合には、それぞれの地域に属する敷地の部分の割合に応じて計算(按分計算)して算出した数値が、敷地の全部に適用されます。要するに、**それぞれの地域の数値を混ぜる**わけです。

本来、敷地全体の容積率の限度は、「各地域の容積率の限度」×「各地域の

補足

特定行政庁は、街区内における建築物の位置を整えその環境の向上を図るために、「壁面線」という一定の線を指定して、この線を越えて建築物の壁や柱などを建築してはならないという制限をすることができる。容積率制限を適用するにあたっては、前面道路の境界線から後退して壁面線の指定がある場合、一定の条件を満たすときは、前面道路と壁面線との間の部分の面積は、敷地面積に算入しない。

面積/敷地全体の面積」を地域ごとに計算して、最後に両者を合計して求めます。しかし、この本来の計算方法はやや複雑なので、次の方法で説明します。

> ① まず、**地域ごとに別々に延べ面積の限度を計算**し、
> ② その後に**両者を合計**する。
> ③ 最後に、②の面積を**敷地全体の面積で割る**。

たとえば、このような敷地があったとします。

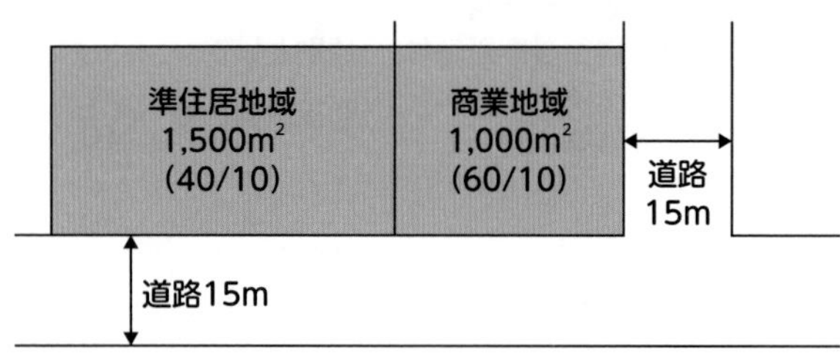

次のように計算します。

> ① $1{,}500m^2 \times 40/10 = 6{,}000m^2$〈準住居地域分の延べ面積の限度〉
> $1{,}000m^2 \times 60/10 = 6{,}000m^2$〈商業地域分の延べ面積の限度〉
> ② $6{,}000m^2 + 6{,}000m^2 = 12{,}000m^2$〈敷地全体の延べ面積の限度〉
> ③ $12{,}000m^2 \div 2{,}500m^2$〈敷地全体の面積〉$= 48/10$（480%）

この48/10（480%）が、設例での敷地全体の容積率の限度です。

近年は、容積率の計算問題が出題されることはほとんどありませんので、「それぞれの地域の数値を混ぜる」とイメージできれば十分です。

必須　敷地が容積率制限の異なる2以上の地域にまたがる場合

敷地全体の容積率の限度は、それぞれの地域に属する敷地の部分の割合に応じて計算（按分計算）して算出した数値となる。

3. 容積率の特例等

次の場合、容積率の制限が緩和されます。特に（1）と（2）を混同しないように、注意しましょう。

（1）住宅などの地下室に関する特例

住宅などの地下を有効活用してもらうために、 **容積率を計算すると**

きは、一定の建築物の地階で住宅・老人ホーム等（老人ホーム、福祉ホームなど。次の（2）でも同じ）として使われている部分の床面積は、その建築物のうち住宅・老人ホーム等として使われている部分の床面積の3分の1を限度として、延べ面積に算入しません。

たとえば、建物のうち住宅として使用されている部分の延べ面積が75m²で、そのうち地下室部分の床面積が35m²である場合、75m²の3分の1である25m²を限度として、延べ面積に算入しません。結局、容積率の計算においては、地上部分が40m²、地下室部分が10m²（35m²－25m²）ということになり、住宅部分の延べ面積が50m²の建築物として扱われます。

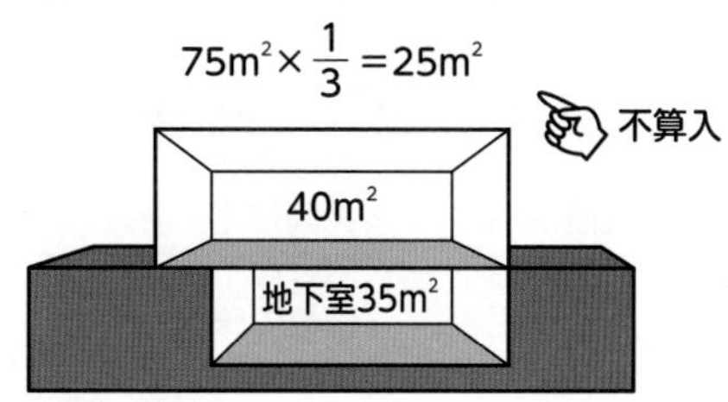

（2）共同住宅の共用の廊下などに関する特例

容積率を制限する目的は、地域の道路や下水道などの公共施設の整備に合わせて建物の大きさを制限することにあります。そうだとすれば、人が増えて公共施設の負荷が増大するものでなければ、制限を緩和してもよいでしょう。そこで、例外2 **容積率の算定の基礎となる延べ面積には、①政令で定める昇降機（エレベーター）の昇降路の部分の床面積、②共同住宅・老人ホーム等の共用の廊下・階段の用に供する部分の床面積、または③住宅・老人ホーム等に設ける給湯設備（例. ヒートポンプ式給湯器など）の機械室等で、特定行政庁が交通上、安全上、防火上および衛生上支障がないと認めるものの床面積は、一定の場合を除き、算入しません。**

＼アドバイス／

（1）の住宅などの地下室に関する特例には「3分の1を限度」という制約があるのに対して、（2）の共同住宅の共用の廊下などに関する特例にはそのような制約がないことに注意しましょう。

（3）宅配ボックス設置部分に関する規定

宅配ニーズの増加にこたえるために、容積率制限ぎりぎりの建築物に宅配ボックスを設置しやすくする必要があります。そこで、例外3 **容積率の算定の基礎となる延べ面積には、宅配ボックス設置部分の床面積は、建**

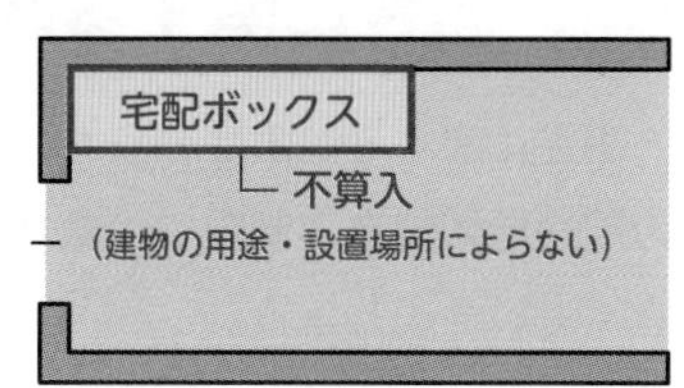

築物の用途や設置場所に関係なく、一定面積を限度として、算入しません（一定の場合を除く）。

必須 容積率の特例等

住宅などの地下室に関する特例	一定の建築物の**地階**で ①**住宅**の部分の床面積 ②**老人ホーム等**の部分の床面積	その建築物のうち住宅・老人ホーム等の部分の床面積の**1/3**を限度として、延べ面積に**算入しない**
共同住宅の共用の廊下などに関する特例	①**エレベーターの昇降路**の部分の床面積 ②**共同住宅・老人ホーム等の共用の廊下・階段**の用に供する部分の床面積 ③**住宅・老人ホーム等**に設ける**給湯設備の機械室**等で一定のものの床面積	延べ面積に**算入しない** （一定の場合を除く）
宅配ボックス設置部分に関する規定	宅配ボックス設置部分の床面積 ⇒建築物の用途や設置場所は関係ない	敷地内の建築物の各階の床面積の合計の1/100を限度として、延べ面積に算入しない（一定の場合を除く）

OXチャレンジ

Q 容積率を算定する上では、共同住宅の共用の廊下及び階段部分は、当該共同住宅の延べ面積の3分の1を限度として、当該共同住宅の延べ面積に算入しない。

A エレベーターの昇降路の部分または**共同住宅・老人ホーム等の共用の廊下・階段**の用に供する部分の床面積についての容積率制限の特例は、単にこれらの部分の床面積を「延べ面積に**算入しない**」というものです。地階の住宅・老人ホーム等の部分の例外と異なり、「3分の1を限度」という限定はありません。

×

6 高さに関する制限等

高さに関する制限等のうち、斜線制限と日影規制では適用区域、低層住宅系の用途地域特有の制限では数字がポイントです。余裕のある時期から、徐々に覚えていきましょう。

1．斜線制限

(1) 斜線制限とは

道路の両側にビルが壁のように立ち並ぶと、道路が暗く風通しが悪いものになってしまいます。そこで、道路の境界線などから敷地の上空に一定の角度で引いた斜めの線より上の範囲に建物を建てることはできないことになっています。このような高さ制限のことを、斜めの線を用いて制限するので、**斜線制限**といいます。

(2) 斜線制限の種類

斜線制限には、ア．道路高さ制限（**道路斜線制限**）、イ．隣地高さ制限（**隣地斜線制限**）、ウ．北側高さ制限（**北側斜線制限**）の3種類があります。

以下本書では、一般的な呼び方である「○○斜線制限」という表現で説明します。

ア．道路斜線制限

道路斜線制限は、道路と道路に面した建物の採光や通風等を確保するために、道路の上空に一定の空間をつくるものです。

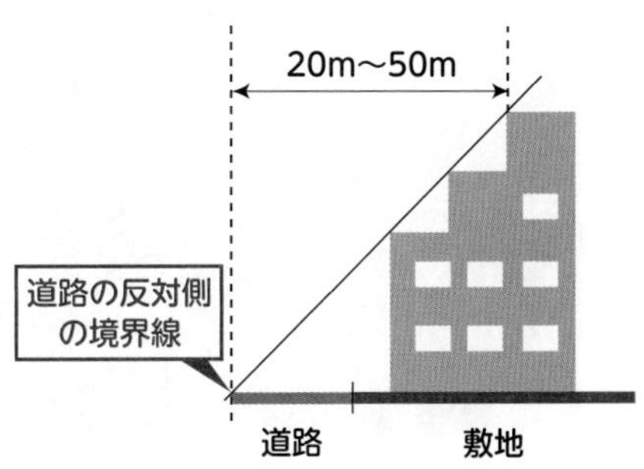

イ．隣地斜線制限

隣地斜線制限は、隣の敷地との間に空間をつくることにより、隣の敷地の建物の採光や通風等を確保するためのものです。

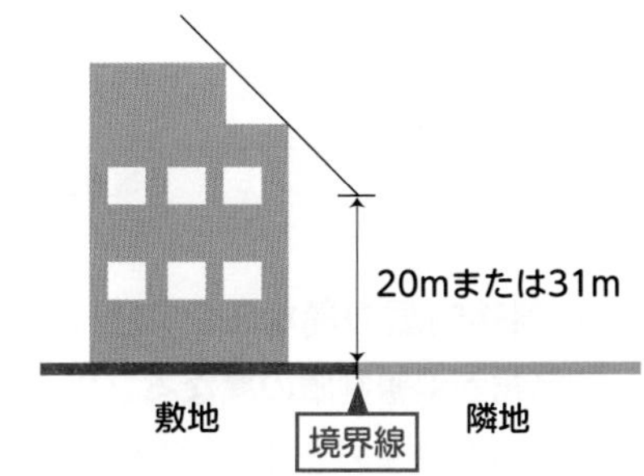

ウ．北側斜線制限

北側斜線制限は、北側の敷地の建物の採光や通風等を確保するために、建物の北側の高さを制限するものです。

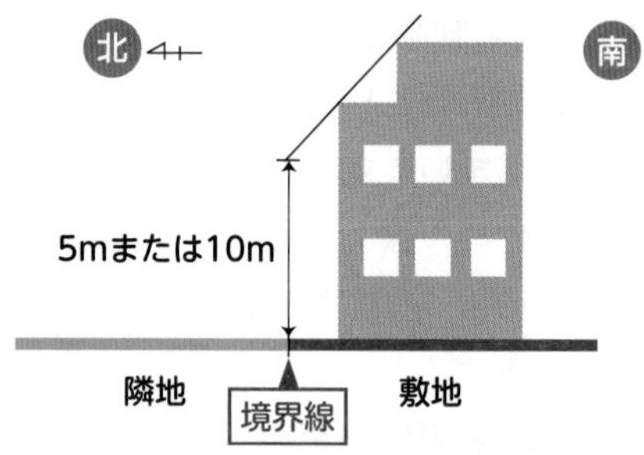

（3）斜線制限の適用地域

斜線制限は、種類により適用される地域が異なります。**ポイントは、隣地斜線制限が適用されない地域と北側斜線制限が適用される地域です。**

次のように整理しましょう。

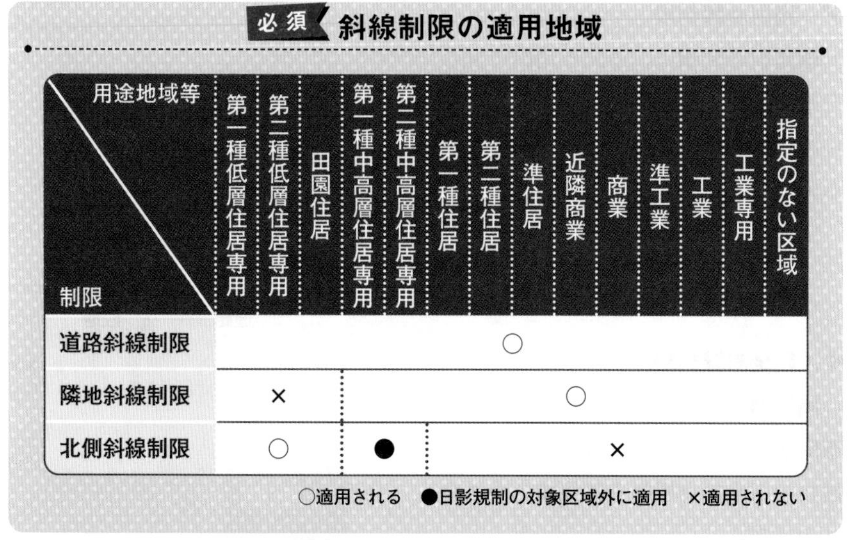

必須　斜線制限の適用地域

<table>
<tr><th>用途地域等／制限</th><th>第一種低層住居専用</th><th>第二種低層住居専用</th><th>田園住居</th><th>第一種中高層住居専用</th><th>第二種中高層住居専用</th><th>第一種住居</th><th>第二種住居</th><th>準住居</th><th>近隣商業</th><th>商業</th><th>準工業</th><th>工業</th><th>工業専用</th><th>指定のない区域</th></tr>
<tr><td>道路斜線制限</td><td colspan="13">○</td></tr>
<tr><td>隣地斜線制限</td><td colspan="3">×</td><td colspan="10">○</td></tr>
<tr><td>北側斜線制限</td><td colspan="3">○</td><td colspan="2">●</td><td colspan="8">×</td></tr>
</table>

○適用される　●日影規制の対象区域外に適用　×適用されない

（4）斜線制限の異なる２以上の区域にまたがる場合

建築物が斜線制限の異なる２以上の区域にまたがる場合には、区域ごとに適用の有無が決まります（属地主義）。いずれかの区域の制限に統一するわけではありません。

たとえば、建築物が第一種低層住居専用地域と第一種住居地域にまたがる場合には、建築物のうち、第一種低層住居専用地域に属する部分については北側斜線制限が適用されますが、第一種住居地域に属する部分については北側斜線制限は適用されません。

必須 **斜線制限の異なる2以上の区域にまたがる場合**

建築物が斜線制限の異なる2以上の区域にまたがる場合、**区域ごとに**適用の有無が決まるので、建築物のうち斜線制限の適用区域に存する部分にのみ斜線制限が適用される。

〇×チャレンジ

Q 建築物が第二種中高層住居専用地域及び近隣商業地域にわたって存する場合で、当該建築物の過半が近隣商業地域に存する場合には、当該建築物に対して建築基準法第56条第1項第3号の規定（北側斜線制限）は適用されない。

A 建築物が斜線制限の異なる2以上の区域にまたがる場合、**区域ごとに**適用の有無を決めます（属地主義）。したがって、建築物のうち、近隣商業地域に存する部分については北側斜線制限が適用されませんが、**第二種中高層住居専用地域**に存する部分については**北側斜線制限が原則として適用されます**。

2. 日影規制

(1) 日影規制とは

住宅地に中高層のマンションなどが建設されると、まわりの敷地の日当たりが極端に悪くなってしまいます。もちろん、北側の敷地の日当たりを確保するためには北側斜線制限が設けられていますが、それだけでは不十分です。そこで、**日影規制**（日影による中高層の建築物の高さの制限）という制限を設け、**建物がまわりの敷地に影を落とす時間（日影時間）を一定の時間未満とするように直接制限することにしました。**この**日影時間の測定は、冬至日の一定時刻の間について行われます。**冬至日が1年で最も日影が長いからです。

＼アドバイス／

日影時間を測定する時間は、真太陽時（標準時ではなく、太陽の南中時刻を正午として修正した時刻）の午前8時から午後4時まで（北海道では、午前9時から午後3時まで）です。

必須 **日影時間の測定**

日影時間の測定は、**冬至日**の一定時刻の間について行われる。

(2) 対象区域

日影規制が適用される場所は、地方公共団体が条例で指定する区域です。地方公共団体は、「商業地域・工業地域・工業専用地域」以外の用途地域と、都市計画区域および準都市計画区域内の用途地域の指定がない区域において、日影規制の対象区域を指定します。その一方で、**商業地域、工業地域、工業専用地域では、日影規制の対象区域を指定することができず、日影規制は適用されません。**

日影規制については、対象区域となりうる場所のほうが圧倒的に多いです。ですから、対象区域とならない場所（適用されない場所）を覚えましょう。

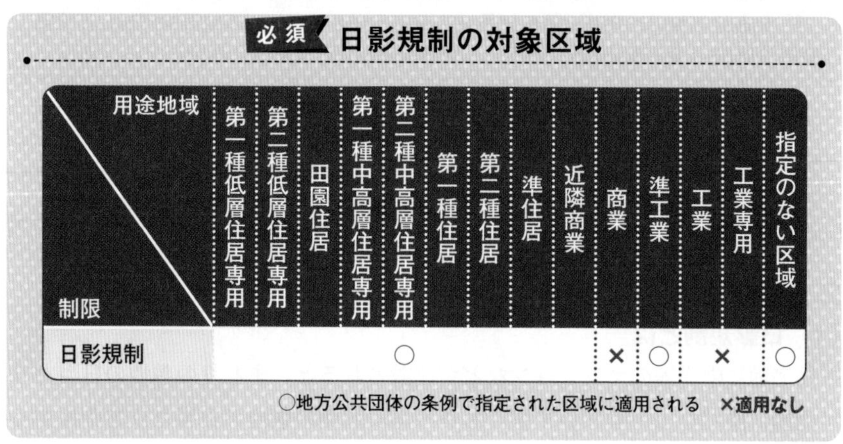

必須 日影規制の対象区域

用途地域／制限	第一種低層住居専用	第二種低層住居専用	田園住居	第一種中高層住居専用	第二種中高層住居専用	第一種住居	第二種住居	準住居	近隣商業	商業	準工業	工業	工業専用	指定のない区域
日影規制	○									×	○	×		○

○地方公共団体の条例で指定された区域に適用される　×適用なし

OXチャレンジ

Q 建築基準法第56条の2第1項の規定による日影規制の対象区域は地方公共団体が条例で指定することとされているが、商業地域、工業地域及び工業専用地域においては、日影規制の対象区域として指定することができない。

A 日影規制の対象区域は地方公共団体が**条例**で指定しますが、**商業地域**、**工業地域**、**工業専用地域**においては、**日影規制の対象区域を指定することはできません。**

○

(3) 対象建築物

対象区域にある建築物のすべてに日影規制が適用されるわけではありません。日影規制の適用される建築物は、次のとおりです。

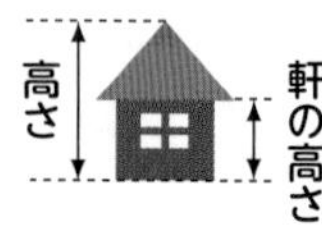

第一種低層住居専用地域 第二種低層住居専用地域 田園住居地域	**軒の高さが7mを超える**建築物または地階を除く**階数が3以上**の建築物 ……………………………①
上記以外の用途地域	高さが**10mを超える建築物**……………………②
用途地域の指定のない区域	①または②のうちから地方公共団体がその地方の気候・風土、土地利用の状況等を勘案して条例で指定するもの

(4) 日影規制の適用についての例外

ア. 同一の敷地内に2つ以上の建築物がある場合

同一の敷地内に2つ以上の建築物がある場合には、これらの建築物を1つの建築物とみなして、日影規制が適用されます。

イ. 対象区域外にある建築物に適用される場合

日影規制の対象区域外にある高さが10mを超える建築物で、冬至日に対象区域内の土地に日影を生じさせるものは、対象区域内にある建築物とみなして、日影規制を適用します。

必須 日影規制の対象区域外にある建築物

日影規制の**対象区域外**にある高さが**10mを超える**建築物で、**冬至日**に対象区域内の土地に日影を生じさせるものは、対象区域内にある建築物とみなして、**日影規制を適用する。**

3. 「低層住宅」系の用途地域特有の制限

(1) 高さ制限

レッスン1(都市計画法①)で学習したように、**第一種・第二種低層住居専用地域**と**田園住居地域**は、程度の違いはありますが、いずれも「低層住宅」に関する良好な住居の環境の保護を目指す用途地域です。そこで、日当たりや風通しが悪くなって「低層住宅」の住環境が損なわれることのないように、これら**「低層住宅」系の3つの用途地域では、建築物の高さは、原則として、10mまたは12mのうち都市計画で定められた高さの限度を超えてはなりません。**

(2) 外壁の後退距離の限度

隣の敷地との境界線にあまりくっつけて建物を建築すると、隣の建物との間隔が狭くなり、見た目にゆとりがないだけでなく、日当たりや風通しも悪くなります。また、火災のときに延焼しやすくなり危険です。そこで、**「低層住宅」系の３つの用途地域では、都市計画で、建築物の外壁などから敷地の境界線までの距離（「外壁の後退距離」といいます）を1.5mまたは1mと定めることができます。**

＼アドバイス／

たとえば、第一種低層住居専用地域で外壁の後退距離が1.5mと定められた場合、建物の壁を隣の敷地との境界線より1.5m以上離して建築しなければならないことになります。

必須 「低層住宅」系の用途地域特有の制限

高さ制限	**第一種・第二種低層住居専用地域、田園住居地域**では、建築物の高さは、原則として、**10mまたは12m**のうち**都市計画**で定められた高さの限度を超えてはならない
外壁の後退距離の限度	**第一種・第二種低層住居専用地域、田園住居地域**では、建築物の外壁などから敷地境界線までの距離（**外壁の後退距離**）は、原則として、**1.5mまたは1m**のうち**都市計画**で定められた外壁の後退距離の限度以上でなければならない

4．高度地区内の制限

レッスン1（都市計画法①）で学習した高度地区内では、建築物の高さは、高度地区に関する「都市計画」で定められた内容に適合するものでなければなりません。

7 防火・準防火地域内の制限

1．防火・準防火地域内の建築物の構造方法

レッスン1（都市計画法①）で学習したように、**防火地域・準防火地域は、市街地での火災の危険を防ぐために定められる地域であり、「地域地区」という都市計画の１つです。**通常、防火地域はまちの中心地に、準防火地域は住宅地に指定されます。

この防火地域や準防火地域で火災の際に延焼を防止するには、建物の周りで発生した火が燃え移りやすい部分に火炎をさえぎる防火戸などを設けておくこ

とが有効です。そこで、**防火地域または準防火地域内にある建築物は、その外壁の開口部（例．窓、出入口）で延焼のおそれのある部分に防火戸その他の政令で定める防火設備を設けなければなりません**。出入り口の防火扉・防火シャッターなどをイメージしましょう。

それに加えて、**防火地域または準防火地域内にある建築物は、原則として、壁、柱、床その他の建築物の部分および当該防火設備を延焼防止性能に関して「防火地域・準防火地域の別や建築物の規模に応じて政令で定める技術的基準」に適合する一定のものとしなければなりません。ただし、門または塀で高さ2m以下のものなどについては例外です。**

この「防火地域・準防火地域の別や建築物の規模に応じて政令で定める技術的基準」（防火・準防火地域内の建築物に要求される性能）とは、以下のとおりです。

必須 防火地域内の建築物の技術的基準（要求される性能）

延べ面積／地階を**含む**階数	100m²以下	**100m²超**
3階以上	**耐火建築物相当**の建築物	（耐火建築物相当の建築物）
2階以下	**準耐火建築物相当**の建築物でもOK	（耐火建築物相当の建築物）

必須 準防火地域内の建築物の技術的基準（要求される性能）

延べ面積／地階を**除く**階数	500m²以下	500m²超 1,500m²以下	**1,500m²超**
4階以上	**耐火建築物相当**の建築物	（耐火建築物相当の建築物）	（耐火建築物相当の建築物）
3階	（準耐火建築物相当の建築物でもOK）	**準耐火建築物相当**の建築物でもOK	（耐火建築物相当の建築物）
2階以下	木造・非木造の別に応じて政令で定める一定の技術的基準に適合する建築物でもOK	（準耐火建築物相当の建築物でもOK）	（耐火建築物相当の建築物）

政令で定める技術的基準の実際の内容は、かなり専門性の高い難解なものとなっています。ですから、「技術的基準に適合する一定のものとしなければならない」という具合に、2つの表のおおよその内容を理解できれば問題ありません。

必須 **防火・準防火地域内の建築物の構造方法**

① **防火地域・準防火地域内**にある建築物は、その**外壁の開口部**で延焼のおそれのある部分に**防火戸**その他の政令で定める**防火設備**を設けなければならない。

② **防火地域・準防火地域内**にある建築物は、原則として、壁、柱、床その他の建築物の部分および防火設備を延焼防止性能に関して**防火地域・準防火地域の別**や**建築物の規模**に応じて政令で定める**技術的基準**に適合する一定のものとしなければならない。

○×チャレンジ

Q 準防火地域内にある建築物は、その外壁の開口部で延焼のおそれのある部分に防火戸その他の政令で定める防火設備を設けなければならない。

A **防火地域・準防火地域内**にある建築物は、その**外壁の開口部**で延焼のおそれのある部分に**防火戸**その他の政令で定める**防火設備**を設けなければなりません。

○

2. 屋根

建物の屋根は、材料に気をつけないと火災のときに火の粉により延焼してしまう危険性があります。そこで、**防火地域・準防火地域内の建築物の屋根は、市街地における火災を想定した火の粉による建築物の火災の発生を防止するために屋根に必要とされる性能に関して政令で定める技術的基準に適合する一定のものとしなければなりません。**

3. 隣地境界線に接する外壁

建物を築造するには、隣の敷地との境界線より50cm以上の距離を保たなければならないのが民法上の原則です。火災のときの延焼を防止したりするためです。しかし、鉄筋コンクリート造のビルなどのように延焼のおそれがほとんどない建物であれば、例外を認めてもさしつかえないでしょう。そこで、**防火地域または準防火地域内にある建築物で、外壁が耐火構造のものについては、**

その外壁を隣地境界線に接して設けることができます。

必須 隣地境界線に接する外壁

防火地域・準防火地域内にある建築物で、外壁が耐火構造のものについては、その外壁を**隣地境界線に接して**設けることができる。

○×チャレンジ

Q 防火地域内にある建築物は、外壁が耐火構造であっても、その外壁を隣地境界線に接して設けることはできない。

A **防火地域**・準防火地域内にある建築物は、外壁が耐火構造であれば、その外壁を**隣地境界線に接して**設けることができます。

×

4. 看板等の防火措置

繁華街などまちの中心部の建物の屋上に設置された看板や広告塔などに火がつくと、まわりの建築物などに燃え広がりやすいのでとても危険です。そこで、**防火地域内にある看板、広告塔、装飾塔その他これらに類する工作物で、建築物の屋上に設けるものまたは高さ3mを超えるものは、その主要な部分を不燃材料で造り、または覆わなければなりません。**この看板等の防火措置の規定は、防火地域だけで適用され、準防火地域では適用されないことに注意しましょう。

必須 看板等の防火措置

防火地域内にある**看板**、広告塔、装飾塔その他これらに類する工作物で、建築物の**屋上**に設けるものまたは高さ3mを超えるものは、その主要な部分を**不燃材料**で造り、または覆わなければならない。

○×チャレンジ

Q 準防火地域内にある看板で、建築物の屋上に設けるものは、その主要な部分を不燃材料で造り、又は覆わなければならない。

A **看板等の防火措置**の規定は、**防火地域だけ**で適用され、準防火地域では適用されません。

×

用語

【耐火構造】 耐火性能（通常の火災が終了するまでの間火災による建築物の倒壊・延焼を防止するために必要とされる性能）に関する一定の技術的基準に適合する鉄筋コンクリート造などの構造。

5. 防火地域と準防火地域に共通の内容か否かのまとめ

防火地域と準防火地域に共通する内容か否かを次のように整理しておきましょう。

必須 防火地域と準防火地域に共通の内容か否かのまとめ

①	外壁の開口部の防火設備	防火地域・準防火地域共通
②	屋根	
③	隣地境界線に接する外壁	
④	看板等の防火措置	防火地域だけ

6. 防火地域・準防火地域にまたがる場合

建築物が防火地域と準防火地域にまたがって建築される場合は、原則として、厳しい防火地域内の建築物に関する規定が適用されます。(!)また、防火地域と防火・準防火地域として指定されていない区域にまたがって建築される場合も、原則として、防火地域内の建築物に関する規定が適用されます。さらに、準防火地域と防火・準防火地域として指定されていない区域にまたがって建築される場合は、原則として、準防火地域内の建築物に関する規定が適用されます。

結局のところ、**建築物が防火地域・準防火地域などの内外にまたがる場合、より厳しいほうの規定が、原則として建築物の全部に適用されるということになります。**

(!) 注意

建築物が防火地域と準防火地域にまたがって建築される場合、たとえば、防火地域内の建築物に関する規定である「看板等の防火措置」の規定が適用されることになる。

必須 建築物が防火地域・準防火地域にまたがる場合

建築物が防火地域・準防火地域などの内外にまたがる場合、より厳しいほうの規定が、原則として建築物の全部に適用される。

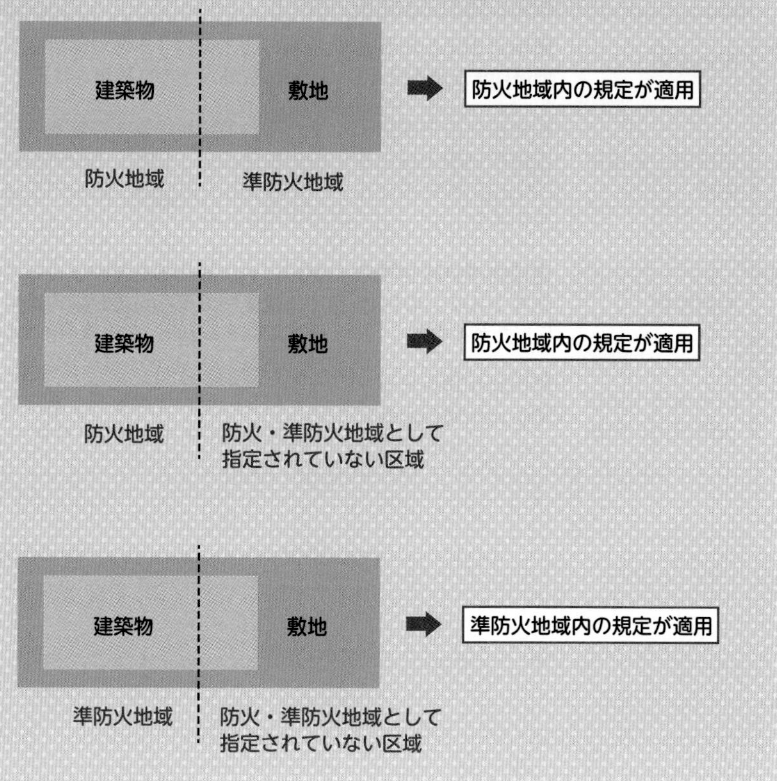

○×チャレンジ

Q 建築物が防火地域及び準防火地域にわたる場合においては、その建築物の全部について準防火地域内の建築物に関する規定が適用される。

A **建築物が防火地域および準防火地域にまたがる**場合、原則として、その建築物の全部について**防火地域内の規定**が適用されます。

×

7. 制限の異なる区域にまたがる場合のまとめ

レッスン4で学習した項目のうち、**用途制限、建蔽率の制限、容積率の制限、斜線制限、防火・準防火地域内の制限については、「制限の異なる区域にまたがる場合に、建築基準法の規定がどのように適用されるか？」が問われます。**

次のように、横断的にまとめておきましょう。①

必須 制限の異なる区域にまたがる場合のまとめ

制限の種類	どのような場合？	どのように適用されるか？
用途制限	敷地が2以上の用途地域にまたがる場合	敷地の**過半**の属する地域の用途制限が、敷地の全部に適用される
建蔽率・容積率制限	敷地が建蔽率制限・容積率制限の異なる2以上の地域にまたがる場合	それぞれの地域に属する敷地の部分の**割合に応じて計算**（按分計算）して算出した数値が、敷地の全部に適用される
斜線制限	建築物が斜線制限の異なる2以上の区域にまたがる場合	**区域ごとに**適用の有無が決まるので、建築物のうち斜線制限の適用区域に存する部分にのみ適用される
防火地域・準防火地域内の制限	建築物が防火地域・準防火地域の内外にまたがる場合	より**厳しいほう**の規定が、原則として建築物の全部に適用される

① 注意

用途制限と建蔽率・容積率制限については「敷地」がまたがる場合であるのに対して、斜線制限と防火地域・準防火地域内の制限については「建築物」がまたがる場合である。

このレッスンが終わったら「きほんの問題集」の問題25～34にチャレンジ！

学習優先度 中

LESSON 05 建築基準法③

単体規定は個を強くするルール！

introduction

わがチームでも、
ひとりひとりが守るべき
「個を強くする」ルールを
つくりましたよ。
僕や大家さんに、
営業力を磨いて
ほしいというわけですね。

個々の建物を強くしたり、安全にしたり、衛生的にしたりするためのルールが「単体規定」です。

集団規定で建物どうしのチームプレーができても、個々の建物がダメでは危険ですからね。

建築基準法の「単体規定」とは、個々の建物が強くて安全かつ衛生的であるために定めたルールです。集団規定と異なり、全国どこでも適用されます。また、「建築協定」についても学習します。建築基準法の規定とは別に、土地の所有者等が自主的に定める建築のルールです。両者とも細かい内容の出題も多いので、本書で紹介する典型的な内容を中心に学習すれば十分です。

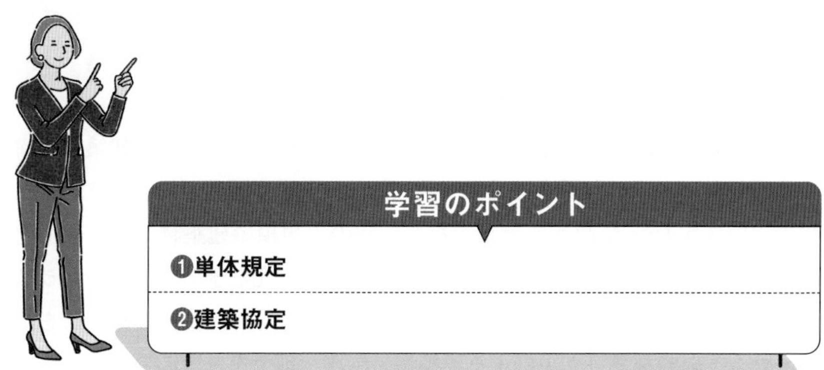

学習のポイント
❶単体規定
❷建築協定

1 単体規定

建物は私たちが生活したり経済活動を行ったりするために、なくてはならないものですが、その建物が、火災によって簡単に燃えてしまったり、ちょっとした地震で倒れてしまっては困ります。そこで、建築基準法は、ひとつひとつの建物を強くて安全かつ衛生的なものにするための規定である**単体規定**を設けています。この**単体規定は、都市計画区域、準都市計画区域に限らず、全国どこであっても適用されます。**重要なものを中心に見ていきましょう。

1．建築物の敷地

（1）建築物の敷地・地盤面

建築物の敷地は、原則として、これに接する道の境よりも高くなければなりません。また、建築物の地盤面は、原則として、これに接する周囲の土地より高くなければなりません。

（2）建築物の敷地の衛生

建築物が不衛生な状態にならないよう、建築物の敷地には、雨水および汚水を排出し、または処理するための適当な下水管・下水溝・ためます等の施設が必要です。

2．建築物の構造等

（1）構造耐力

建築物は、自重・積載荷重・積雪荷重・風圧・土圧・水圧や、地震などの震動・衝撃に対して安全な構造のものとして、建築物の規模や構造による区分に応じて定める一定の基準（構造計算によって確かめられる安全性を有しているなど）に適合するものでなければなりません。

（2）大規模の建築物の主要構造部

主要構造部とは、壁、柱、床、はり、屋根、階段のことです（建築物の構造上重要でない一定の部分などを除く）。①地階を除く階数が4以上である建築物、②高さが16mを超える建築物など一定の大規模の建築物で、その主要構造部である壁、柱、はりのうち自重や積載荷重を支える部分に木材、プラスチックなどの可燃材料を用いたものは、原則として、その**特定主要構造部**を政令で定める技術的基準（火災による建築物の倒壊・延焼を一定時間防止するために必要とされる性能に関する基準）に適合する一定のものとしなければなりません。

(3) 防火壁等

原則 **延べ面積が1,000m²を超える建築物は、原則として、防火上有効な構造の防火壁または防火床によって有効に区画し、かつ、各区画の床面積の合計をそれぞれ1,000m²以内としなければなりません。**

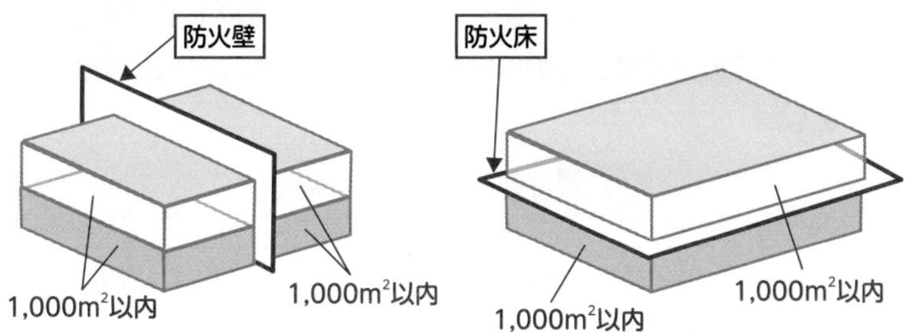

ただし、例外 **耐火建築物または準耐火建築物などは例外です。**防火壁等については、面積の数字よりも、この点がポイントです。

必須 **防火壁等**

延べ面積が1,000m²を超える建築物は、原則として、防火上有効な構造の**防火壁**または**防火床**によって有効に区画し、かつ、各区画の床面積の合計をそれぞれ1,000m²以内としなければならない。ただし、**耐火建築物・準耐火建築物**などは**例外**である。

用語

【特定主要構造部】「主要構造部」のうち、次の①の部分のことである。

主要構造部	
① **特定主要構造部**	② 特定主要構造部**以外**の主要構造部
主要構造部のうち、「防火上・避難上支障が**ない**一定の部分」（②の部分）**以外**の部分 ⇒ 火災時の損傷によって建築物全体への倒壊・延焼に影響が**ある**主要構造部	主要構造部のうち、「防火上・避難上支障が**ない**一定の部分」 ⇒ 火災時の損傷によって建築物全体への倒壊・延焼に影響が**ない**主要構造部

【防火壁・防火床】 火災が発生した部分から他の部分への延焼防止のために木造などの建築物に設けられる耐火構造（鉄筋コンクリート造など）の壁・床のこと。

(4) 居室の採光と換気

住宅の居住のための居室には、地階に設ける居室などを除き、採光のための窓その他の開口部を設け、その**採光に有効な部分の面積は、原則として、その居室の床面積に対して1/7以上**（床面において50ルックス以上の照度を確保することができるよう**照明設備を設置している居室にあっては、その居室の床面積に対して1/10以上**）**としなければなりません。**

また、居室には、原則として、換気のための窓その他の開口部を設け、その**換気に有効な部分の面積は、その居室の床面積に対して、1/20以上としなければりません。**

必須 居室の採光と換気

採光に有効な部分の面積	住宅の場合、居室の床面積に対して**1/7以上**（床面において50ルックス以上の照度を確保することができるよう照明設備を設置している居室にあっては、その居室の床面積に対して**1/10以上**）
換気に有効な部分の面積	居室の床面積に対して**1/20以上**

(5) 石綿などの飛散・発散に対する衛生上の措置

石綿などによる室内の空気汚染により健康障害が発生することは防がねばなりません。そこで、**建築物には、石綿をあらかじめ添加した建築材料を、原則として使用してはなりません。**

さらに、**居室を有する建築物は、その居室内において化学物質（クロルピリホスおよびホルムアルデヒド）の発散による衛生上の支障がないよう、建築材料および換気設備について一定の技術的基準に適合するものとしなければなりません。**

必須 飛散・発散に対する衛生上の措置で規制対象の物質

① **石綿**
② **クロルピリホス**
③ **ホルムアルデヒド**

(6) 居室の天井の高さ

居室の天井の高さは、2.1m以上でなければなりません。この天井の高さは、室の床面から測り、**一室で天井の高さの異なる部分がある場合には、その平均の高さによります。**

(7) 地階における住宅等の居室

住宅の居室・学校の教室・病院の病室・寄宿舎の寝室で地階に設けるものは、壁や床の防湿の措置その他の事項について衛生上必要な政令で定める技術的基準に適合するものとしなければなりません。

(8) 便所

下水道法に規定する処理区域内においては、便所は、水洗便所（汚水管が一定の公共下水道に連結されたものに限る）以外の便所としてはならないとされています。

3. 建築物の建築設備等

(1) 避雷設備

落雷による電撃から人命や建物を保護するため、**高さ20mを超える建築物には、周囲の状況によって安全上支障がない場合を除き、有効に避雷設備を設けなければなりません。**

(2) 非常用昇降機

建築物の高層階は火災時などに外部からの救助が難しいので、**高さ31mを超える建築物には、原則として、非常用の昇降機を設けなければなりません。**

(3) 非常用の進入口

建築物の高さ31m以下の部分にある3階以上の階には、原則として非常用の進入口を設けなければなりません。

(4) 非常用の照明装置

一定の規模の大きい建築物などの居室、一定面積以上の窓その他の開口部を有しない居室、これらの居室から地上に通じる廊下・階段その他の通路などには、原則として、**非常用の照明装置**を設けなければなりません。これに対して、**一戸建の住宅や共同住宅の住戸などについては、設ける必要はありません。**

(5) 手すり壁など

共同住宅など一定の用途に供する特殊建築物や階数が3以上である建築物などの屋上広場または**2階以上の階にあるバルコニーその他これに類するものの周囲には、安全上必要な高さが1.1m以上の手すり壁、さくまたは金網を設けなければなりません。**

次の表では、避雷設備と非常用昇降機の数字の違いがポイントです。

必須 建築物の建築設備等

避雷設備	高さ**20mを超える**建築物には、周囲の状況によって安全上支障がない場合を除き、有効に**避雷設備**を設けなければならない
非常用昇降機	高さ**31mを超える**建築物には、原則として、**非常用の昇降機**を設けなければならない
手すり壁等	共同住宅など一定の用途に供する特殊建築物や階数が3以上である建築物などの屋上広場または**2階以上の階**にあるバルコニーその他これに類するものの周囲には、安全上必要な高さが1.1m以上の**手すり壁**、さくまたは金網を設けなければならない

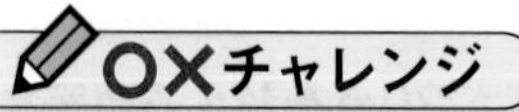

Q 高さ30mの建築物には、非常用の昇降機を設けなければならない。

A 高さ**31mを超える**建築物には、原則として、**非常用の昇降機**を設けなければなりません。「高さ30m」であれば、その必要はありません

×

4. 災害危険区域

災害危険区域については、次の点がポイントです。

必須 災害危険区域

① 地方公共団体は、**条例**で、津波、高潮、出水等による危険の著しい区域を**災害危険区域**として指定することができる。

② 災害危険区域内における住居の用に供する建築物の建築の禁止その他**建築物の建築に関する制限**で災害防止上必要なものは、当該**条例**で定める。

2 建築協定

建築協定は、建築基準法の規定とは別に、土地の所有者等（土地の所有者および借地権を有する者）が自主的に定める建築に関するルールです。たとえば、住宅地で、建物の色彩を定めたり、隣地境界線を生垣としなければならない旨を定めたりすることがあります。

建築協定を締結するには建築協定区域内の土地の所有者等の全員の合意が必要であり、この土地の所有者等は、建築協定書を作成して特定行政庁の認可を受けなければなりません。⊕

建築協定については、次の点を確認しておけば十分です。

必須 建築協定

協定の主体	土地の所有者等（所有権者、借地権者） ⇒土地の所有者が1人しかいない場合（例. 土地の所有者が宅地分譲業者1社のみ）でも、建築協定を定めることができる（一人協定）
協定の内容	建築協定区域内での建築物の敷地、位置、構造、**用途**、形態、意匠（デザイン）または建築設備に関する基準
手続き	①**締結**　**全員**の合意　→特定行政庁へ申請→認可→公告 ②**変更**　**全員**の合意　→特定行政庁へ申請→認可→公告 ③**廃止**　**過半数**の合意→特定行政庁へ申請→認可→公告
効力	建築協定区域内の土地の所有者等の全員に及ぶだけでなく、原則として、その**公告のあった日以後に建築協定区域内の土地の所有者等となった者**に対しても及ぶ

○×チャレンジ

Q 認可の公告のあった建築協定は、その公告のあった日以後に協定の目的となっている土地の所有権を取得した者に対しても、効力がある。

A 建築協定の認可等の公告のあった建築協定は、原則として、その**公告のあった日以後**において当該建築協定区域内の**土地の所有者等**（土地の所有者および借地権を有する者）**となった者**に対しても、その**効力**があります。

○

⊕補足
建築協定は、市町村の建築協定条例により定められた区域内でなければ締結できない。

このレッスンが終わったら「きほんの問題集」の問題35～37にチャレンジ！

LESSON 06

盛土規制法

盛り過ぎて崖崩れが起こらないように…

introduction

会社の裏山に
盛土してるのは、
やはり君でしたか。
思いのほか高い崖が
できてしまい、動揺してます…。
ってそんなことしません！
規制区域だから
許可取ってない
ならやばいぞ～

宅地造成等工事規制区域という崖崩れの危険のある場所で宅地造成等に関する工事をするには、原則、盛土規制法の許可が必要です。

いつまでもダメな僕ではありませんよ。やるなら、ちゃんと許可取ります。安心してください！

宅地造成及び特定盛土等規制法（盛土規制法）では、宅地造成などに伴う崖崩れや土砂の流出などによる災害の防止を目的として、宅地造成等工事規制区域・特定盛土等規制区域・造成宅地防災区域という3つの区域を設けて、それぞれの区域内で規制を実施しています。どのような場合に許可や届出が必要なのかという点を中心に学習しましょう。

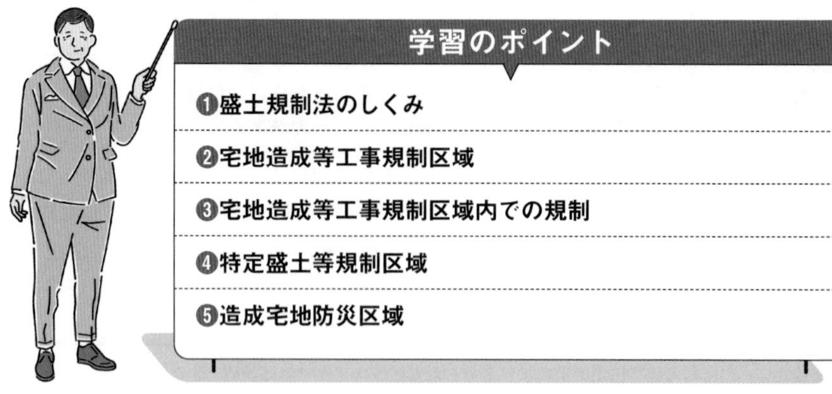

学習のポイント

❶盛土規制法のしくみ

❷宅地造成等工事規制区域

❸宅地造成等工事規制区域内での規制

❹特定盛土等規制区域

❺造成宅地防災区域

1 盛土規制法のしくみ

崖崩れや土砂の流出による災害を未然に防ぐには、危険性が高いエリアをあらかじめ指定して、そのエリア内での盛土等を規制するのが効果的です。

そこで、**盛土等により人家等に被害を及ぼす可能性があるエリアを規制区域として指定し、その区域内での一定の工事などについて許可や届出を必要としたり、その区域内の土地の所有者などに対して土地の保全義務を課したりしています。**この規制区域には2つのタイプがありますが、**①人家等のある有人エリアについて指定されるのが「宅地造成等工事規制区域」、②市街地や集落から離れているものの、地形等の条件から人家等に危害を及ぼしうる斜面地等の無人エリアなどに指定されるのが「特定盛土等規制区域」です。**

一方で、**既存の宅地のうち宅地造成等工事規制区域として指定されていないエリア**でも、地震などの際に、地すべり的崩落が発生することがあります。そこで、**宅地造成等工事規制区域外の宅地であっても、大地震などの際に地すべり的崩落の危険のある場所を「造成宅地防災区域」として指定し、造成宅地の所有者などに対して、災害の防止のための措置を講じるように努めなければならないとする努力義務を課しています。**

次の図のとおり、**盛土規制法による規制が実施されたり義務が課されたりするのは、宅地造成等工事規制区域・特定盛土等規制区域・造成宅地防災区域という3つの区域だけです。**しっかり確認しておきましょう。

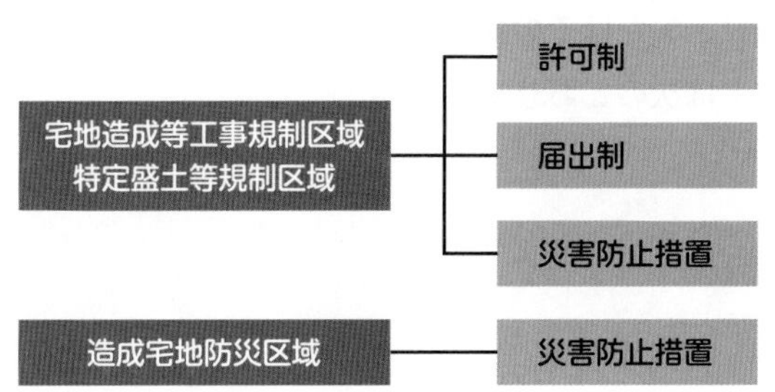

2 宅地造成等工事規制区域

1. 宅地造成等工事規制区域

宅地造成等工事規制区域のイメージは、盛土等により人家等に被害を及ぼす可能性がある場所のうち、人家等のある有人エリアです（ただし、森林や農地を含めて広く指定されます）。次のように整理しておきましょう。

必須 宅地造成等工事規制区域

宅地造成等工事規制区域とは	宅地造成等（＝宅地造成・特定盛土等・土石の堆積。❸参照）に伴い災害が生ずるおそれが大きい市街地等区域（＝市街地・市街地となろうとする土地の区域または集落の区域〈これらの区域に隣接・近接する土地の区域を含む〉）であって、**宅地造成等に関する工事**について規制を行う必要があるものとして指定された区域
指定できる場所	**都市計画区域の内・外関係なし**
指定権者	**都道府県知事**　×「国土交通大臣」

2. 基礎調査のための土地の立入り

都道府県知事は、基礎調査のために他人の占有する土地に立ち入って測量・調査を行う必要があるときは、その必要の限度において、他人の占有する土地に、自ら立ち入り、またはその命じた者・委任した者に立ち入らせることができます。ポイントは次のとおりです。

用語

【**基礎調査**】都道府県が、おおむね５年ごとに行う、宅地造成等工事規制区域・特定盛土等規制区域・造成宅地防災区域の指定などに必要な、地形や地質の状況などに関する調査をいう。

必須 基礎調査のための土地の立入り

立入りできる場合	**宅地造成等工事規制区域・特定盛土等規制区域・造成宅地防災区域の指定**などに必要な**基礎調査**のために測量・調査を行う必要があるとき
立入り拒絶等の禁止	土地の占有者は、正当な理由がない限り、立入りを**拒み**、または**妨げてはならない**
損失補償	都道府県は、土地の立入りにより他人に**損失**を与えたときは、損失を受けた者に対して、**通常生ずべき損失を補償**しなければならない

3 宅地造成等工事規制区域内での規制

1. 宅地造成等に関する工事の許可

宅地造成等工事規制区域内において行われる「宅地造成等に関する工事」については、工事主は、工事に着手する前に、原則として、都道府県知事の許可を受けなければなりません。⊕ただし、宅地造成等に伴う災害の発生のおそれがないと認められる一定の工事については、許可を受ける必要はありません。

「工事主」とは、次の①または②をいいます。

工事主	①宅地造成等（＝宅地造成・特定盛土等・土石の堆積）に関する工事の請負契約の注文者　　工事主≠工事施行者
	②請負契約によらないで自ら①の工事をする者（工事施行者）　　工事主＝工事施行者

必須 宅地造成等に関する工事の許可

① **宅地造成等工事規制区域内**において行われる「**宅地造成等に関する工事**」については、**工事主**は、工事に着手する前に、原則として、都道府県知事の**許可**を受けなければならない。

② 工事主とは、**宅地造成等に関する工事の請負契約の注文者**または請負契約によらないで自らその工事をする者をいう。

⊕補足

宅地造成等工事規制区域内において行われる宅地造成・特定盛土等について当該宅地造成等工事規制区域の指定後に都市計画法の開発許可を受けたときは、当該宅地造成・特定盛土等に関する工事については、許可を受けたものとみなされる。

2.「宅地造成等」

(1) 宅地の意味

許可が必要な「宅地造成等に関する工事」の意味を理解する前提として、まずは、「**宅地**」という用語の意味を確認しましょう。

盛土規制法での**「宅地」とは、農地等(=農地・採草放牧地・森林)および公共施設用地(道路・公園・河川などの土地)以外の土地をいいます。**宅建業法や土地区画整理法とは、意味が異なります。たとえば、果樹園(農地)は「宅地」ではありませんが、民間のゴルフ場である土地は「宅地」にあたります。

必須 「宅地」の意味

「**宅地**」とは、「農地・採草放牧地・森林・公共施設用地」**以外**の土地をいう。

(2) 宅地造成等工事規制区域内で許可が必要となる「宅地造成等」

次に、「**宅地造成等**」という用語の意味を確認しましょう。**「宅地造成等」とは、一言でいえば、「宅地造成、特定盛土等または土石の堆積」のことです。**

これらのうち、宅地造成等工事規制区域内で許可が必要となる**「宅地造成」とは、宅地以外の土地を宅地にするために行う盛土その他の土地の形質の変更で、次の①~⑤のいずれかの規模(一定規模(A)-1)にあたるものをいいます。**

①**盛土**については、高さが**1mを超える崖**を生ずるもの

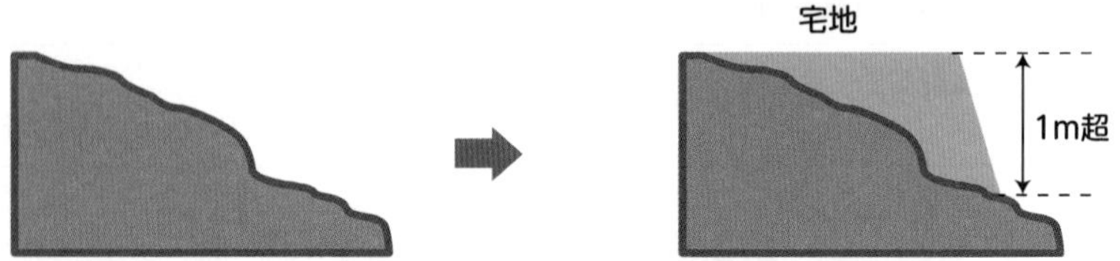

②**切土**については、高さが**2mを超える**崖を生ずるもの

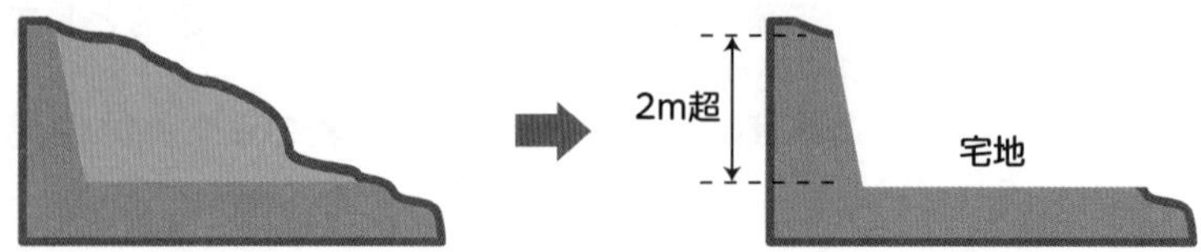

用語

【崖】地表面が水平面に対し30度を超える角度をなす土地で、硬岩盤(風化の著しいものを除く)以外のものをいう。要するに、勾配の急な、切り立った地形のことである。

③**盛土と切土**とを同時にする場合に、盛土と切土をした土地の部分に高さが**2m**を**超える**崖を生ずるもの（①②を除く）

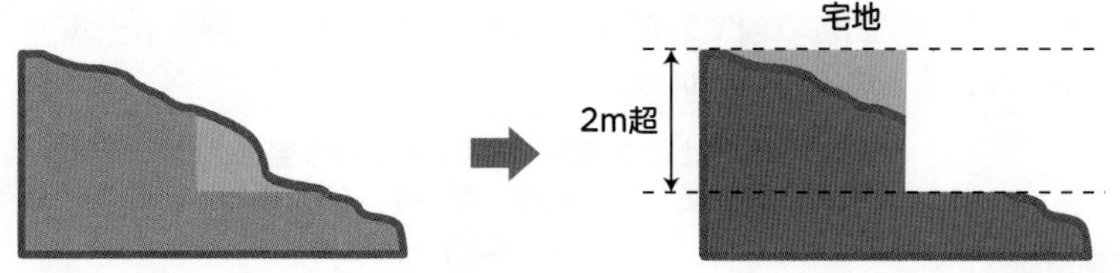

④①③に該当しない**盛土**（①③の崖を生じない、こんもりした盛土）で、高さが**2m**を**超える**もの

⑤①～④に該当しない盛土または切土で、盛土または切土をする土地の面積が**500㎡**を**超える**もの

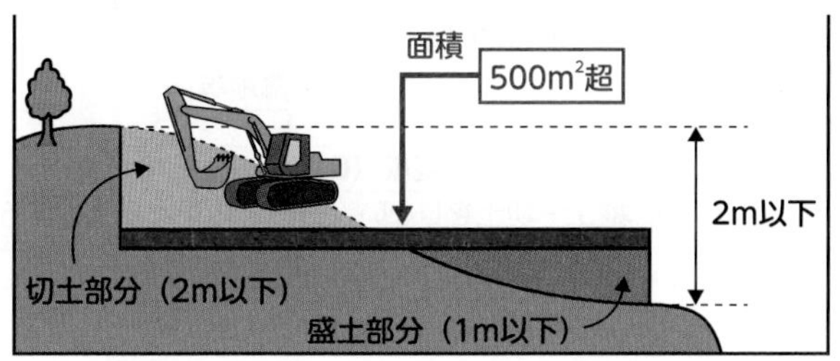

以上が、「宅地造成等」のうち「宅地造成」の意味です。「宅地造成等」の残りの２つである「特定盛土等」と「土石の堆積」もあわせて、宅地造成等工事規制区域内で許可が必要となる「宅地造成等」について、整理しておきましょう。

必須　**「宅地造成等」**

「**宅地造成等**」とは、**宅地造成**、**特定盛土等**または**土石の堆積**をいう。宅地造成等工事規制区域内で**許可**が必要となる宅地造成・特定盛土等・土石の堆積とは、次のものをいう。

宅地造成	**宅地以外**の土地を**宅地**にするために行う盛土その他の**土地の形質の変更**で**一定規模（A）-1**（(3) 参照）のもの 宅地以外→宅地 ＋ **一定規模（A）-1**の土地の形質の変更 例．丘陵地での新たな宅地の造成
特定盛土等	**宅地**または**農地等**において行う盛土その他の**土地の形質の変更**で**一定規模（A）-1**（(3) 参照）のもの 宅地・農地等 ＋ **一定規模（A）-1**の土地の形質の変更 例．森林での盛土
土石の堆積	**宅地**または**農地等**において行う**土石の堆積**で**一定規模（B-1）**（(3) 参照）のもの（一定期間の経過後に当該土石を除却するものに限る） 宅地・農地等 ＋ **一定規模（B）-1**の土石の堆積 例．盛土・切土をしない、山林での単なる土捨て行為

(3) 宅地造成等工事規制区域内で許可が必要な一定規模

宅地造成等工事規制区域内で許可が必要となる一定規模をまとめると、次のとおりです。宅地造成と特定盛土等の規模要件は共通（**一定規模（A）-1**）ですが、土石の堆積の規模要件（**一定規模（B）-1**）は別個です。両者を区別して、数値を覚えましょう。

必須 宅地造成等工事規制区域内で許可が必要な一定規模

【一定規模（A）-1】 宅地造成・特定盛土等
（①～⑤のいずれかにあたるもの）

①	盛土	高さが**1mを超える**崖を生ずるもの
②	切土	高さが**2mを超える**崖を生ずるもの
③	盛土＋切土	盛土と切土をした土地の部分に高さが**2mを超える**崖を生ずるもの（①②を除く）
④	①③以外の盛土（こんもり盛土）	①③に該当しない盛土（①③の崖を生じない、こんもりした盛土）で、高さが**2mを超える**もの
⑤	面積	①～④に該当しない盛土または切土で、盛土または切土をする土地の面積が**500㎡を超える**もの

おイモ 1m超盛土　**おにぎり** 2m超切土　**もりきり・こんもり2丁で** 盛土＋切土 こんもり 2m超　**500円** 500㎡超

【一定規模（B）-1】 土石の堆積
（①または②のいずれかにあたるもの）

①	高さ＋面積	高さが**2mを超える**土石の堆積で、土石の堆積を行う土地の面積が**300㎡を超える**もの
②	面積	①に該当しない土石の堆積で、土石の堆積を行う土地の面積が**500㎡を超える**もの

砥石 土石　**300円×2個で** 300㎡超かつ2m超　**500円（安い！）** 500㎡超

OXチャレンジ

Q 宅地造成等工事規制区域内において、宅地以外の土地を宅地にするために行われる盛土であって、当該盛土をする土地の面積が600㎡で、かつ、高さ1mの崖を生ずることとなるものに関する工事を行う場合には、都道府県知事の許可を受ける必要はない。

A 宅地造成等工事規制区域内で宅地以外の土地を宅地にするために行われる盛土については、盛土をする土地の面積が**500㎡を超える**場合や**盛土**部分に生じる崖の高さが**1mを超える**場合には、原則として、都道府県知事の許可（**宅地造成等に関する工事の許可**）が必要です。本問の場合、盛土をする土地の面積が500㎡を超えています。

×

3. 宅地造成等に関する工事の許可の手続き

1. で学習したとおり、**宅地造成等工事規制区域内において行われる宅地造成等に関する工事については、原則として、都道府県知事の許可が必要です。**

この許可の手続きについては、次のように整理しておきましょう。

必須 宅地造成等に関する工事の許可の手続き

①	許可申請	**工事主**は、工事に着手する前に、原則として、都道府県知事の**許可**を受けなければならない	
②	災害を防止するため必要な条件	都道府県知事は、許可に、工事の施行に伴う**災害を防止**するため**必要な条件を付する**ことができる	
③	災害を防止するため必要な措置	宅地造成等工事規制区域内において行われる宅地造成等に関する工事は、原則として、**擁壁**、排水施設の設置など、宅地造成等に伴う**災害を防止**するため**必要な措置**が講ぜられたものでなければならない（都道府県知事は、その地方の気候・風土・地勢の特殊性により、宅地造成・特定盛土等・土石の堆積に伴う崖崩れや土砂の流出の防止の目的を達し難いと認める一定の場合には、**都道府県の規則**で、技術的基準を強化し、または必要な技術的基準を付加することができる） ⇒上記措置のうち、高さが**5mを超える擁壁**の設置、盛土・切土をする土地の面積が1,500㎡を超える土地での排水施設の設置には、一定の**資格を有する者の設計**が必要	
④	計画変更	原則	都道府県知事の**許可**（変更の許可）
		例外	**軽微変更**（例. 工事施行者の氏名・名称などの変更）の場合、遅滞なく、都道府県知事に**届出**
⑤	工事完了の検査	宅地造成または特定盛土等に関する工事の許可を受けた者（＝工事主）は、許可を受けた工事を完了した場合、都道府県知事の**検査**を申請しなければならない	

用語

【擁壁】 盛土や切土をした斜面の崩壊を防ぐための壁状の構造物で、一般的にコンクリートや石で作られる。

○×チャレンジ

Q 宅地造成等工事規制区域内において行われる宅地造成等に関する工事の許可を受けた者は、主務省令で定める軽微な変更を除き、当該許可に係る工事の計画の変更をしようとするときは、遅滞なくその旨を都道府県知事に届け出なければならない。

A 宅地造成等工事規制区域内において行われる宅地造成等に関する工事の許可を受けた者は、一定の**軽微な変更**を**除き**、その工事の計画を変更しようとするときは、原則として、都道府県知事の「**許可**」を受けなければなりません。「届け出」なければならないのではありません。なお、宅地造成等に関する工事の許可を受けた者が工事施行者の氏名・名称など一定の軽微な変更をしたときについては、遅滞なく、その旨を都道府県知事に届け出なければなりません。

4. 違反者に対する監督処分

都道府県知事は、一定の違反者に対して、**①許可の取消し、②工事の施行(しこう(せこう))停止、③土地の使用禁止などの監督処分をすることができます。**

違反者に対する監督処分については、次のように、種類と対象者を確認すれば十分です。

必須 違反者に対する監督処分

許可の取消し	**①偽りその他不正な手段により許可を受けた者** **②許可に付した条件に違反した者**
工事の施行停止	**許可を受けていない**宅地造成等に関する工事などの工事主・工事の請負人・現場管理者
土地の使用禁止	許可を受けないで宅地造成等に関する工事が施行された土地、工事完了の検査を申請していない土地、工事完了の検査の結果工事が一定の技術的基準に適合していないと認められた土地の所有者・管理者・占有者・工事主

5. 工事等の届出

宅地造成等に関する工事の許可が必要な場合でなくても、崖崩れなどの災害が発生する危険性の高い場合があります。そこで、**宅地造成等工事規制区域内では、一定の場合に都道府県知事に届出をしなければなりません。**

必須 工事等の届出

届出義務者	届出期間	届出先
宅地造成等工事規制区域の**指定の際**、その宅地造成等工事規制区域内で**行われている**宅地造成等に関する工事の工事主	指定があった日から**21日以内**	都道府県知事
宅地造成等工事規制区域内の土地（公共施設用地を除く）で、**擁壁等に関する工事**（＝高さが**2mを超える擁壁**・崖面崩壊防止施設や**地表水等を排除するための排水施設**などの除却の工事）を行おうとする者※	工事に着手する日の**14日前まで**	
宅地造成等工事規制区域内で、公共施設用地を宅地または農地等に**転用**した者※	転用した日から**14日以内**	

※宅地造成等に関する工事の許可を受けた者など一定の者を除く

OXチャレンジ

Q 宅地造成等工事規制区域の指定の際に、当該宅地造成等工事規制区域内において宅地造成等に関する工事を行っている者は、当該工事について都道府県知事の許可を受けなければならない。

A 宅地造成等工事規制区域の**指定の際**、当該宅地造成等工事規制区域内において**行われている**宅地造成等に関する工事の工事主は、その指定があった日から21日以内に、当該工事について都道府県知事に「**届け出**」なければなりません。しかし、「許可」を受ける必要はありません。

6. 災害防止措置

宅地造成等工事規制区域内の土地（公共施設用地を除く）における災害の防止のための措置について、次のように整理しておきましょう。誰に対して、**土地の保全義務**が課され、**勧告**や**改善命令**ができるのかがポイントです。**過去に宅地造成等に関する工事が行われ、現在は工事主とは異なる者がその土地の所有者である場合、現在の土地の所有者に対して、土地の保全義務が課されるとともに勧告・改善命令ができる点に要注意です。**

必須 宅地造成等工事規制区域内における災害防止措置

	対象者	内容
土地の保全義務	**土地の** ・**所有者** ・**管理者** ・**占有者**	宅地造成等（**宅地造成等工事規制区域の指定前に行われたものを含む**。以下、表中において同じ）に伴う災害が生じないよう、その土地を**常時安全な状態に維持**するように努めなければならない
勧告	**土地の** ・**所有者** ・**管理者** ・**占有者** ・**工事主** ・**工事施行者**	都道府県知事は、宅地造成等工事規制区域内の土地について、宅地造成等に伴う災害の防止のため必要があると認める場合には、**擁壁等の設置**など宅地造成等に伴う災害の防止のため必要な措置をとることを**勧告**できる
改善命令	**土地・擁壁等の** ・**所有者** ・**管理者** ・**占有者**	都道府県知事は、宅地造成等工事規制区域内の土地で、宅地造成等に伴う災害の発生のおそれが大きいと認められるものがある場合には、一定の限度において、相当の猶予期限を付けて、**擁壁等の設置**などの工事を行うことを**命ずる**ことができる
報告の徴取	**土地の** ・**所有者** ・**管理者** ・**占有者**	都道府県知事は、宅地造成等工事規制区域内の土地または当該土地において行われている**工事の状況**について**報告を求める**ことができる

4 特定盛土等規制区域

1．特定盛土等規制区域

特定盛土等規制区域のイメージは、盛土等により人家等に被害を及ぼす可能性がある場所のうち、人家等のない無人エリアです。市街地や集落から離れていても、地形等の条件から人家等に崖崩れや土砂の流出の危害を及ぼしうる斜面地等があります。そのようなエリアに指定されるのが、特定盛土等規制区域です。

必須 **特定盛土等規制区域**

特定盛土等規制区域とは	宅地造成等工事規制区域**以外**の土地の区域であって、土地の傾斜度、渓流の位置その他の自然的条件および周辺地域における土地利用の状況その他の社会的条件からみて、当該区域内の土地において**特定盛土等**または**土石の堆積**が行われた場合には、これに伴う災害により市街地等区域その他の区域の居住者等の生命または身体に危害を生ずるおそれが特に大きいと認められるとして指定された区域

⇒**都市計画区域の内・外関係なく**指定できるという点と**都道府県知事**が指定するという点は、宅地造成等工事規制区域と共通である。

2. 特定盛土等・土石の堆積に関する工事の届出

特定盛土等規制区域内において行われる特定盛土等・土石の堆積に関する工事については、工事主は、工事に着手する日の30日前までに、原則として、工事の計画を都道府県知事に届け出なければなりません。⊕ただし、特定盛土等・土石の堆積に伴う災害の発生のおそれがないと認められる一定の工事については、届け出る必要はありません。

なお、**届出が必要とされる「特定盛土等」と「土石の堆積」の意味や規模要件は、**❸2.（2）（3）**（一定規模（A）-1・一定規模（B）-1参照）で学習した内容と共通です。**

必須 **特定盛土等・土石の堆積に関する工事の届出**

特定盛土等規制区域内において行われる**特定盛土等・土石の堆積に関する工事**については、**工事主**は、**工事に着手する日の30日前までに**、原則として、工事の計画を都道府県知事に**届け出**なければならない。

3. 特定盛土等・土石の堆積に関する工事の許可

特定盛土等規制区域内において行われる特定盛土等・土石の堆積（次頁の一定規模（A）-2・一定規模（B）-2のものに限る）に関する工事については、工事主は、当該工事に着手する前に、都道府県知事の許可を受けなければなり

⊕**補足**

特定盛土等規制区域内において行われる特定盛土等について都市計画法の開発許可の申請をしたときは、当該特定盛土等に関する工事については、届出をしたものとみなされます。

ません（3.の許可を受けた者は、2.の届出は不要）。⊕ただし、特定盛土等・土石の堆積に伴う災害の発生のおそれがないと認められる一定の工事については、許可を受ける必要はありません。

この**特定盛土等規制区域内で許可が必要とされる一定規模**は、次のとおりです。宅地造成等工事規制区域内で許可が必要とされる一定規模（❸2.（3））と区別して、数値を覚えましょう。

必須 特定盛土等規制区域内で許可が必要な一定規模

【一定規模（A）-2】 特定盛土等
（①～⑤のいずれかにあたるもの）

①	**盛土**	高さが**2mを超える**崖を生ずるもの
②	**切土**	高さが**5mを超える**崖を生ずるもの
③	**盛土＋切土**	盛土と切土をした土地の部分に高さが**5mを超える**崖を生ずるもの（①②を除く）
④	**①③以外の盛土**（こんもり盛土）	①③に該当しない盛土（①③の崖を生じない、こんもりした盛土）で、高さが**5mを超える**もの
⑤	**面積**	①～④に該当しない盛土または切土で、盛土または切土をする土地の面積が**3,000㎡を超える**もの

特盛区域の	**森に**	**意外とゴミ**	**散在**
特定盛土等規制区域	盛土２ｍ超	①以外５ｍ超３つ	3,000㎡超

【一定規模（B）-2】 土石の堆積
（①または②のいずれかにあたるもの）

①	**高さ＋面積**	高さが**5mを超える**土石の堆積で、土石の堆積を行う土地の面積が**1,500㎡を超える**もの
②	**面積**	①に該当しない土石の堆積で、土石の堆積を行う土地の面積が**3,000㎡を超える**もの

特盛区域に	**医師**	**御**	**一行**	**様**
特定盛土等規制区域	（土）石	５ｍ超・	1,500㎡超	3,000㎡超

⊕**補足**
盛土規制法には、「宅地造成等工事規制区域および特定盛土等規制区域」外で届出を必要とする規定はありません。

4. 特定盛土等・土石の堆積に関する工事の許可の手続き

特定盛土等・土石の堆積に関する工事の許可の手続きについては、特有の用語に関する読み替えはありますが、❸-3. で学習した**宅地造成等に関する工事の許可の手続き（①許可申請、②災害を防止するため必要な条件、③災害を防止するため必要な措置、④計画変更、⑤工事完了の検査）とほぼ同様です。**

5. 違反者に対する監督処分

特定盛土等・土石の堆積に関する工事の許可制度の違反者に対する監督処分については、特有の用語に関する読み替えはありますが、❸-4. で学習した**宅地造成等に関する工事の許可制度の違反者に対する監督処分**（①許可の取消し、②工事の施行停止、③土地の使用禁止など）**とほぼ同様です。**

6. 工事等の届出

特定盛土等・土石の堆積に関する工事等の届出は、特有の用語に関する読み替えはありますが、❸-5. で学習した**宅地造成等に関する工事等の届出とほぼ同様です。**

7. 災害防止措置

特定盛土等規制区域内の土地（公共施設用地を除く）における災害の防止のための措置は、特有の用語に関する読み替えはありますが、❸-6. で学習した**宅地造成等工事規制区域内の土地（公共施設用地を除く）における災害の防止のための措置**（土地の保全義務、勧告、改善命令、報告の徴取）**とほぼ同様です。**

5 造成宅地防災区域

1. 造成宅地防災区域

造成宅地防災区域のイメージは、既存の造成宅地のうち、地震などによる地すべり的崩落の危険のある場所です。特に、**指定できる場所が宅地造成等工事規制区域外の土地に限られる**ことに注意しましょう。

必須 造成宅地防災区域

造成宅地防災区域とは	宅地造成または特定盛土等（宅地において行うものに限る）に伴う災害で相当数の居住者等に危害を生ずるものの発生のおそれが大きい一団の造成宅地の区域であって一定の基準に該当するもの ⇒2つの規制区域と異なり、「宅地造成等に関する**工事**」や「特定盛土等・土石の堆積に関する**工事**」について**規制を行う区域ではない**
指定できる場所	宅地造成等工事規制区域**外**のみ ⇒都市計画区域の内・外関係なし
指定権者	都道府県知事
指定の解除	都道府県知事は、区域の指定の事由がなくなったと認めるときは、**指定を解除**する

2. 造成宅地防災区域内における災害防止措置

造成宅地防災区域内の造成宅地については、その**所有者**・管理者・占有者に災害防止措置義務（保全義務）が課されるとともに、都道府県知事は、一定の者に対して、**災害の防止のための措置**を講じることができます。

必須 造成宅地防災区域内における災害防止措置

	対象者	内容
災害防止措置義務	**造成宅地**の ・**所有者** ・管理者 ・占有者	宅地造成または特定盛土等に伴う災害が生じないよう、造成宅地について**擁壁等の設置などの必要な措置**を講ずるように努めなければならない
勧告	**造成宅地**の ・**所有者** ・管理者 ・占有者	都道府県知事は、造成宅地防災区域内の造成宅地について、宅地造成または特定盛土等に伴う災害の防止のため必要があると認める場合には、**擁壁等の設置**など災害の防止のため必要な措置をとることを**勧告**できる
改善命令	**造成宅地**・擁壁等の ・**所有者** ・管理者 ・占有者	都道府県知事は、造成宅地防災区域内の造成宅地で、宅地造成または特定盛土等に伴う災害の発生のおそれが大きいと認められる一定の場合には、相当の猶予期限を付けて、**擁壁等の設置**などの工事を行うことを**命ずる**ことができる

 このレッスンが終わったら「きほんの問題集」の問題38〜45にチャレンジ！

学習優先度 中

LESSON 07 土地区画整理法

ジグザグタウンを整然に！

introduction

会社までの曲がりくねった路地を勝手に広げたのも宅くんですね？
狭くてくねくねなんて、うんざりなんです。…って勝手に変なキャラ設定しないでください！
区画整理は手続きにしたがってやってね。

まちぐるみで整然とした区画に生まれ変わらせる魔法が土地区画整理事業です。

ジグザグのまち並みも嫌いじゃないですが、非効率で危険ですからね。外回り中に休憩できる公園ができるのも悪くないです。

土地区画整理法は、土地区画整理事業について定めた法律です。法令上の制限で学習する法律のなかで最も難しく、さまざまな手続きや独特の言葉がたくさん登場します。ですから、まずは事業の流れと言葉の意味を理解するようにしましょう。もっとも、苦手とする受験者が多く、正解率がかなり低いこともある項目ですから、深入りしないように注意しましょう。

学習のポイント

- ❶土地区画整理法のしくみ
- ❷土地区画整理事業の施行者
- ❸換地計画
- ❹建築行為等の制限
- ❺仮換地
- ❻換地処分

1 土地区画整理法のしくみ

1. 土地区画整理事業とは

都市計画区域内の密集した市街地などで、道路の幅を広くして宅地の形を整えたり、道路・公園・広場・河川などの公共施設を整備・改善したりする事業のことを土地区画整理事業といいます。

土地区画整理事業では、道路や公園などの公共施設を整備・改善したり宅地を利用しやすいものにしたりするという目的のための手段として、土地を新たに買収するのではなく、「**減歩**」と「**換地**」という方法を使います。

減歩	宅地の一部を土地の所有者から一定の割合で少しずつ提供してもらうこと ⇒提供された土地を集めて道路や公園などの用地にする
換地	土地区画整理事業により造成され、「**従前の宅地**」（土地区画整理事業の施行前の宅地）の代わりに交付される宅地のこと

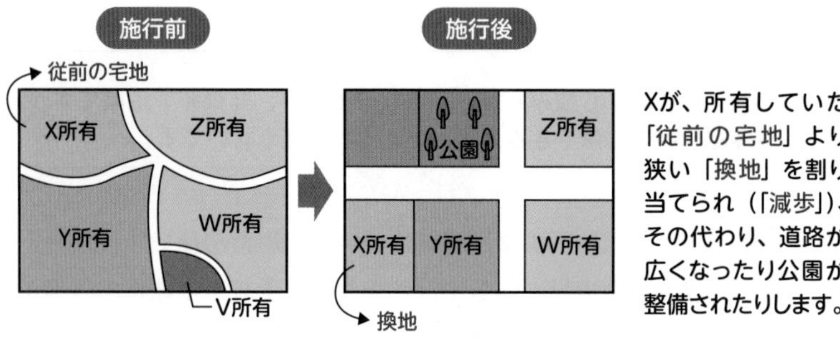
施行前
施行後
従前の宅地
X所有
Z所有
Y所有
W所有
V所有
公園
Z所有
X所有
Y所有
W所有
換地
Xが、所有していた「従前の宅地」より狭い「換地」を割り当てられ（「減歩」）、その代わり、道路が広くなったり公園が整備されたりします。

「土地区画整理事業」という用語の正確な意味は次のとおりです。**実施できる場所は都市計画区域内だけという点を確認しておきましょう。**

必須 土地区画整理事業とは

土地区画整理事業とは、都市計画区域内の土地について、道路や公園などの公共施設の整備改善や宅地の利用の増進を図るために行われる土地の区画形質の変更と公共施設の新設・変更に関する事業をいう。

用語

【宅地】 土地区画整理法での「宅地」とは、「公共施設の用に供されている国または地方公共団体の所有する土地」以外の土地をいう。宅建業法や宅地造成等規制法とは、意味が異なる。

2. 土地区画整理事業の流れ

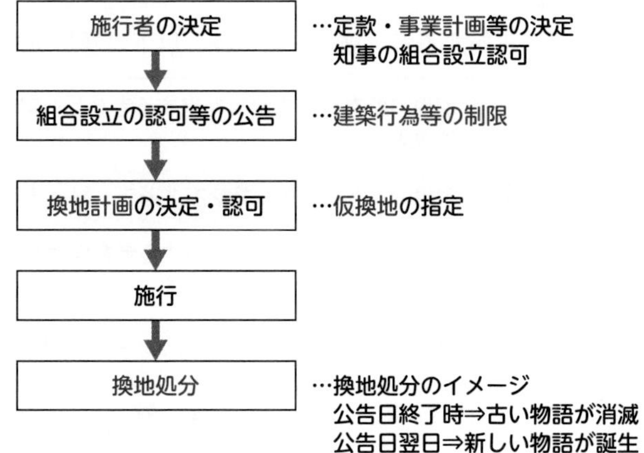

(1) 施行者の決定

まずは、**誰が行うかを決めます。**土地区画整理事業をする者を施行者といい、典型例は、土地区画整理組合です。

(2) 計画の決定

組合設立などの最初の段階で、**事業全体の流れについてのプランとして「事業計画」を決めます。**次のステップとして、**最終的な宅地の割当てなどのプランとして「換地計画」を決めます。**

(3) 施行

いよいよ本格的に、区画整理のための工事がスタートします。工事のじゃまをされたら事業が進みませんから、一定の時期から**建築行為等の制限も課されます。**

(4) 仮換地の指定

工事をする土地に人が住んでいると、工事ができません。そこで、**工事中の仮住まいの土地を指定できます。この土地を「仮換地」といいます。**

(5) 換地処分

工事が終了したら、もとの宅地に代えて新たな宅地を割り当てます。これが「換地処分」です。こうして、土地区画整理事業はフィナーレを迎えます。

2 土地区画整理事業の施行者

1. 施行者の種類

土地区画整理事業を実施する者（施行者）には、以下の種類があります。

民間施行	個人施行者	宅地の所有権・借地権を有する者など一定の者1人または数人
	土地区画整理組合	宅地の所有権・借地権を有する者が設立する組合
	区画整理会社	宅地の所有権・借地権を有する者を株主とする株式会社で土地区画整理事業の施行を主目的とするもの
公的施行	地方公共団体（都道府県・市町村）、国土交通大臣、都市再生機構（UR）などの公的機関 ⇒施行する土地区画整理事業ごとに**土地区画整理審議会**を置く※	

※**民間施行**では、**土地区画整理審議会を置かない**

必須 施行者の種類と土地区画整理審議会

民間施行	**土地区画整理審議会を置かない** ⇒後に学習する、換地計画に保留地を定める場合、仮換地を指定する場合などについて、**土地区画整理審議会の同意や意見聴取が必要となることはない**
公的施行	施行する土地区画整理事業ごとに**土地区画整理審議会**を置く

出題が多いのは土地区画整理組合施行（組合施行）の場合ですから、土地区画整理組合に的を絞って説明します。

2. 土地区画整理組合

（1）設立

土地区画整理組合を設立するには、まず、宅地の所有権や借地権を有する者が7人以上で共同して、定款と事業計画（事業計画の決定に先立って組合を設立する場合には事業基本方針）を定めます。この事業計画には施行地区・事業

用語

【**土地区画整理審議会**】換地計画、仮換地の指定等について審議する諮問機関（ご意見番）。公的施行の場合に、地主・借地権者や有識者の意見を反映させるために設置される。

施行期間などを定めます。定款などが定まったら、**組合の設立について都道府県知事の認可を受けます。**

(2) 組合員

組合が設立されると、**施行地区内の宅地について所有権や借地権を有する者は、すべてその組合の組合員とされます。**その一方で、建物の賃借人にすぎない借家人は、組合員になりません。

(3) 経費

組合は、その事業に要する経費に充てるため、**組合員から賦課金等の金銭を徴収できます。**

組合員の種類	名目
一般の組合員 (参加組合員以外の組合員)	賦課金
参加組合員 (都市再生機構、地方住宅供給公社その他一定の者であって、組合が都市計画事業として施行する土地区画整理事業に参加することを希望し、定款で定められたもの)	負担金 分担金

(4) 解散

組合は、所定の事由により解散します。ただ、勝手に解散されては困りますから、組合の意思決定機関である**総会の議決による解散や事業の完成・完成不能による解散などについては、都道府県知事の認可を受けなければなりません。**

土地区画整理組合については、やや細かい点まで出題されます。次のように4つの重要項目を整理しましょう。

用語

【定款・施行地区】「定款」とは、組合の名称、事業の範囲などを定めた組合の根本的な規則のこと。「施行地区」とは、土地区画整理事業を施行する土地の区域のこと。

必須 土地区画整理組合

<table>
<tr><td rowspan="1">設立</td><td colspan="3">土地区画整理組合を設立しようとする者は、**7人以上**共同して、定款と事業計画（または事業基本方針）を定め、組合の設立について、**都道府県知事の認可**を受けなければならない
⇒定款などについて、施行地区となるべき区域内にある宅地の所有者や借地権者のそれぞれ2/3以上の同意が必要</td></tr>
<tr><td rowspan="2">組合員</td><td colspan="3">組合が設立されると、施行地区内の宅地について**所有権**や**借地権**を有する者は、**すべてその組合の組合員**とされる
⇒建物の賃借人（借家人）は、組合員にならない
⇒登記をしていない借地権は、申告または届出をしておかなければ、存在しないものとみなされる</td></tr>
<tr><td colspan="3">組合員の有する所有権・借地権の**全部・一部を承継した者**
⇒組合員がその所有権・借地権の全部・一部について組合に対して有する権利義務は**承継した者に移転**し、承継した者は**組合員**となる</td></tr>
<tr><td>経費</td><td colspan="3">組合は、その事業に要する経費に充てるため、組合員から**賦課金**等の金銭を徴収できる
⇒組合員が組合に対して債権をもっているときでも、その債権との**相殺**を主張して、賦課金等の金銭の納付を**免れることはできない**
⇒組合の総会で賦課金徴収の議決があったときは、**組合員から所有権・借地権を承継して組合員となった者**も、賦課金の納付義務を負う</td></tr>
<tr><td rowspan="6">解散</td><td>①</td><td>**総会の議決**</td><td rowspan="3">⇒解散につき**都道府県知事の認可**が必要
⇒組合に借入金があるときは、解散につき**債権者の同意**が必要</td></tr>
<tr><td>②</td><td>定款で定めた解散事由の発生</td></tr>
<tr><td>③</td><td>**事業の完成**または完成の不能</td></tr>
<tr><td>④</td><td colspan="2">設立についての認可の取消</td></tr>
<tr><td>⑤</td><td colspan="2">合併</td></tr>
<tr><td>⑥</td><td colspan="2">事業の引継</td></tr>
</table>

3 換地計画

1. 換地計画の決定・認可

最終的な宅地の割当てなどのプランを換地計画といいます。**施行者は、施行地区内の宅地について換地処分を行うため、換地計画を定めなければなりません。**

この場合には、**施行者（都道府県・国土交通大臣施行を除く）は、換地計画について都道府県知事の認可を受けなければなりません。**

2. 換地計画に定める内容

換地計画には、①換地設計、②清算金、③保留地などを定めます。

換地設計	従前の宅地から換地への配置換えや保留地の配置などに関する設計図
清算金	換地を定めるときに生ずる不公平を調整するために、交付したり徴収したりするお金 ⇒換地計画では、その額が定められる
保留地	①**土地区画整理事業の施行の費用**に充てるため、または、②定款などで定める目的（例. 学校用地）のため（民間施行のみ）、換地として定めないで、換地計画に定めておく土地 ⇒**公的施行**で保留地を定める場合、**土地区画整理審議会**の同意が必要

3. 換地照応の原則

原則 **換地計画で換地を定める場合は、できるだけ不公平にならないように換地と従前の宅地の位置・地積・土質・水利・利用状況・環境などが照応するように定めなければなりません。**このような原則を「**換地照応の原則**」といいます。

ただし、私道のような 例外 **公共施設の用に供している宅地などに対しては、換地計画において、その位置、地積等に特別の考慮を払い、換地を定めることができます。**

必須 換地計画

換地計画の決定・認可	施行者（都道府県・国土交通大臣施行を除く）は、換地計画について**都道府県知事の認可**を受けなければならない
換地計画に定める内容	①換地設計 ②**清算金** ③**保留地**　など ⇒**土地区画整理事業の施行の費用**に充てるなどの目的で、一定の土地を換地として定めないで、保留地として定めることができる ⇒**公的施行**で保留地を定める場合、**土地区画整理審議会**の同意が必要
換地照応の原則	換地計画で換地を定める場合は、できるだけ不公平にならないように**換地と従前の宅地の位置・地積・土質・水利・利用状況・環境などが照応**するように定めなければならない（**換地照応の原則**） ⇒**公共施設**の用に供している宅地などに対しては、換地計画において、その位置、地積等に**特別の考慮**を払い、換地を定めることができる

○×チャレンジ

Q 土地区画整理事業の施行者が土地区画整理組合であるときは、その換地計画について都道府県知事及び市町村長の認可を受けなければならない。

A 施行者（都道府県・国土交通大臣施行を除く）は、**換地計画**について**都道府県知事の認可**を受けなければなりません。しかし、市町村長の認可は不要です。

×

4 建築行為等の制限

土地区画整理事業が始まると、宅地の形を整える工事などのじゃまになる建築物の建築などが勝手にできないように、**建築行為等が制限されます。**制限される期間は、**組合設立の認可等の公告など一定の公告があった日から換地処分の公告がある日までの間、つまり、事業が行われている間です。**

組合設立の認可等の公告

建築行為等の制限 ⇒ 許可が必要

事業の施行の障害となるおそれのある

土地の形質の変更

新築・改築・増築など

換地処分の公告

次のように整理しておきましょう。特に、組合施行の場合であっても、許可権者は土地区画整理組合ではないことに注意しましょう。

必須 建築行為等の制限

① 土地の形質変更等の許可

土地区画整理事業の施行の障害となるおそれがある

・**土地の形質の変更**

・**建築物**その他の工作物の**新築**・改築・増築　など

国土交通大臣が施行する場合	国土交通大臣の許可が必要
国土交通大臣以外が施行する場合 例．組合施行の場合	**都道府県知事等**（都道府県知事または**市長**）の許可が必要

② 原状回復等の命令

国土交通大臣や都道府県知事等は、許可を受けずに建築行為等を行った者やその者から土地・建築物についての権利を承継した者に対して、土地の原状回復や建築物などの**移転・除却**を命じることができる。

5 仮換地

1. 仮換地とは

道路・公園をつくったり宅地の区画整理を進めたりする土地に人が住んでいると、工事ができません。そこで、**工事中の仮住まいの土地を指定できます。この土地を「仮換地」といいます。**

2. 仮換地の指定

(1) 指定できる場合

土地区画整理事業の施行者は、換地処分を行う前において、次の①または②の場合には、施行地区内の宅地について仮換地を指定できます。

①	土地の区画形質の変更、公共施設の新設・変更に係る工事のため必要がある場合
②	**換地計画に基づき換地処分を行うため必要**がある場合

(2) 指定前の手続き

仮換地を指定する場合、あらかじめ、一定の手続きが必要となります。施行者の種類ごとに異なりますので、次のように整理しておきましょう。

必須 仮換地を指定できる場合と指定前の手続き

① 施行者は、換地処分を行う前において、**換地計画に基づき換地処分を行うため必要**があるなどの場合には、施行地区内の宅地について**仮換地**を指定できる。

② 仮換地を指定する場合、あらかじめ、以下の手続きが必要である。

個人施行	従前の宅地と仮換地となるべき宅地の所有者などの同意を得なければならない
組合施行	**総会**などの**同意**を得なければならない
区画整理会社施行	施行地区内の宅地の所有者と借地権者のそれぞれ2/3以上の同意を得なければならない
公的施行	**土地区画整理審議会**の**意見**を聴かなければならない ⇒**民間施行**(個人・組合・区画整理会社施行)の場合、**土地区画整理審議会の意見を聴く必要はない**

(3) 仮換地の指定方法

仮換地の指定は、その仮換地となるべき土地の所有者と従前の宅地の所有者に対し、仮換地の位置・地積・仮換地の指定の効力発生の日を通知して行います。次のように、X所有の甲地について、指定された仮換地がY所有の乙地だったとすると、施行者はXとYの両方に対して、通知をすることになります。

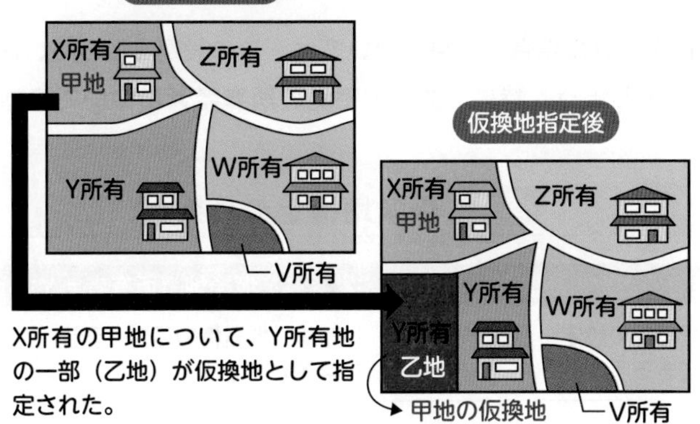

また、①仮換地となるべき土地を使用・収益できる権利（例．地上権、賃借権）を有する者、②従前の宅地を使用・収益できる権利を有する者があるときは、これらの者への通知も必要です。

必須 仮換地の指定方法

仮換地の指定は、その**仮換地**となるべき土地の所有者と**従前の宅地**の所有者に対し、仮換地の位置・地積・仮換地の指定の効力発生の日を**通知**して行う。

2. 仮換地指定の効果

たとえば、Xの土地（従前の宅地）を工事するために、Yの土地を仮換地に指定したとしましょう。この場合、**Xのことを「従前の宅地について権原に基づき使用し、または収益することができる者」、Yのことを「仮換地について権原に基づき使用し、または収益することができる者」といいます。**

用語

【**権原**】ある行為をすることを正当化する法律上の原因のこと。土地区画整理事業では、従前の宅地や仮換地を使用・収益することを正当化する所有権・地上権・賃借権などのことをいう。

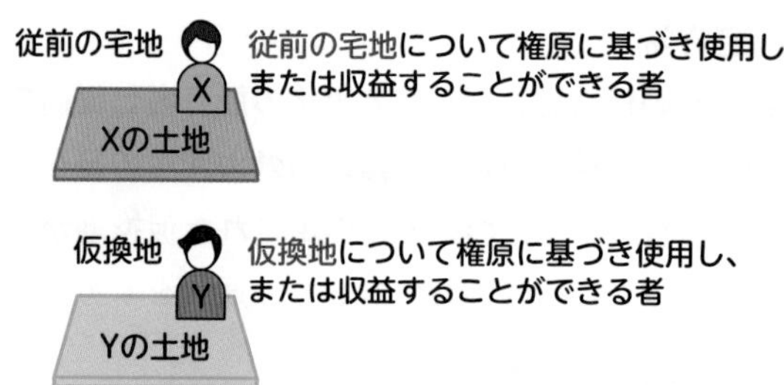

仮換地が指定された場合の効果については、この設例を使って、次のように整理しておきましょう。特に、**従前の宅地の所有者Xについての効果がポイントです。**

必須 仮換地指定の効果

従前の宅地（所有者＝X）	仮換地（所有者＝Y）
売却、抵当権の設定・登記 ⇒**X**ができる	売却、抵当権の設定・登記 ⇒**Y**ができる
使用・収益 ⇒Xはできない ⇒**施行者**が**管理**し、必要があれば、建築物を移転・除却できる	使用・収益 ⇒Yはできない ⇒**X**が、**従前の宅地**について有する権利の内容である使用・収益と**同じ**使用・収益ができる

施行者は、仮換地に使用・収益の障害となる物件が存するなど特別の事情があるときは、**仮換地の使用・収益の開始の日**を、仮換地指定の効力発生日と**別に定める**ことができる。

6 換地処分

1. 換地処分とは

道路・公園をつくったり宅地の区画整理を進めたりする工事が終了すると、土地区画整理事業の総仕上げとして**換地処分**をすることになります。この**換地処分によって、最終的に、従前の宅地の代わりに換地が割り当てられ、この換地が従前の宅地とみなされることになります。**

まずは、換地処分の流れを確認しましょう。

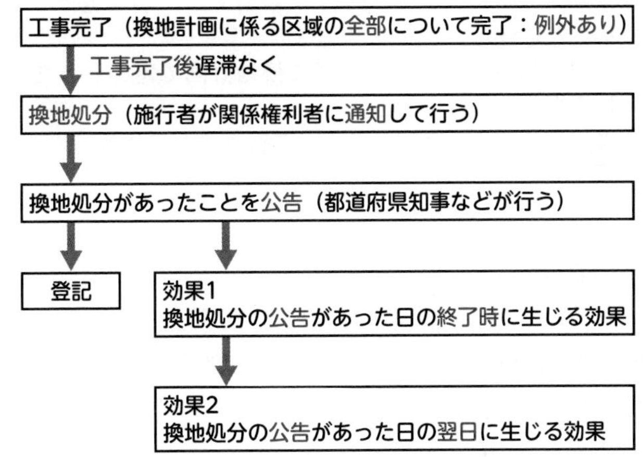

2. 換地処分の時期・方法

（1）換地処分の時期

換地処分は、原則として、換地計画に係る区域全部について土地区画整理事業の工事が完了した後に、遅滞なくすることになっています。しかし、土地区画整理組合の定款などに別段の定めがあれば、**例外として、換地計画に係る区域全部について工事が完了する以前でも換地処分をすることができます。**

（2）換地処分の方法

換地処分は、施行者が関係権利者に換地計画で定められた関係事項を通知して行います。たとえば、組合施行の場合であれば、施行者である土地区画整理組合が、換地の所有者となる者などに対して、換地の位置などを文書で知らせるといった方法で行います。

施行者（国土交通大臣・都道府県を除く）は、換地処分をした場合においては、遅滞なく、その旨を都道府県知事に届け出なければなりません。この届出があった場合、**都道府県知事は、換地処分があった旨を「公告」しなければなりません。**なお、「公告」とは、官庁などが一般公衆に告知することをいい、都道府県の公報や官報に掲載するなどの方法で行われます。

必須 換地処分の時期・方法

① **換地処分**は、原則として、換地計画に係る区域全部について土地区画整理事業の工事が完了した**後**に、遅滞なく行わなければならない。
⇒**例外**として、土地区画整理組合の定款などに別段の定めがあれば、区域全部について工事が完了する**以前**でも、換地処分できる場合があることに注意。

② 換地処分は、施行者が関係権利者に換地計画で定められた関係事項を**通知**して行う。
⇒「公告」ではなく「通知」によって行うことに注意。

3. 換地処分の効果

換地処分が行われると、「**公告のあった日の終了時**」に古い物語が終わり（効果1）、「**公告のあった日の翌日**」に新しい物語が始まります（効果2）。

（1）効果1（終わる物語）

①換地を定めなかった従前の宅地

換地計画において換地を定めなかった従前の宅地について存する権利は、換地処分の公告があった日の終了時に消滅します。たとえば、従前の宅地について、清算金の交付による解決を図るなどして換地計画で換地を定めなかった場合、従前の宅地の所有権は、換地処分の公告があった日の終了時に消滅します。

②仮換地の指定の効果

仮換地の指定の効果は、仮換地の指定の効力発生日から換地処分の公告がある日までですから、換地処分の公告があった日の終了時に消滅します。

③地役権

原則 **施行地区内の宅地の地役権は、原則として、換地処分の公告があった日の翌日以後も、なお従前の宅地上に残ります。**

用語

【公告のあった日の終了時・翌日】 3/31が公告の日だとすると、「公告のあった日の終了時」というのは3/31の24時、「公告のあった日の翌日」というのは翌4/1の0時という意味である。

しかし、土地区画整理事業の施行により 例外 **行使する利益がなくなった地役権は、換地処分の公告があった日の終了時に消滅します。** たとえば、N土地にM土地のための通行地役権が設定されていた場合（左の図）、土地区画整理事業の施行による道路の新設（右の図）で「行使する利益がなくなった」通行地役権は、換地処分の公告があった日の終了時に消滅します。

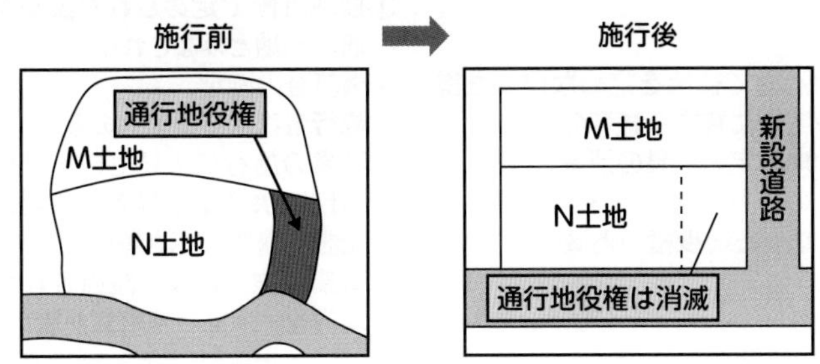

(2) 効果2（始まる物語）

①換地計画で定められた換地

換地計画で定められた換地は、換地処分の公告があった日の翌日から従前の宅地とみなされます。 したがって、従前の宅地に設定されていた抵当権や借地権などは換地に移ります。

②清算金

換地計画で定められた清算金は、換地処分の公告があった日の翌日に確定します。

③保留地

換地計画で定められた保留地は、換地処分の公告があった日の翌日に、施行者が取得します。

④公共施設の用に供する土地

土地区画整理事業の施行により生じた公共施設の用に供する土地は、原則として、換地処分の公告があった日の翌日に、その公共施設を管理すべき者（市町村に限らない）に帰属します。

⑤設置された公共施設

土地区画整理事業の施行により道路や公園などの公共施設が設置された場合は、原則として、その公共施設は、換地処分の公告があった日の翌日に、その公共施設のある市町村が管理することになります。

必須 換地処分の効果

効果1～終わる物語	効果2～始まる物語
換地処分の公告があった日の**終了時**に生じる効果	換地処分の公告があった日の**翌日**に生じる効果
①換地計画で**換地を定めなかった従前の宅地に存する権利**の消滅 ②仮換地指定の効果の消滅 ③事業の施行により**行使する利益がなくなった地役権**の消滅※	①換地計画で定められた**換地**が、**従前の宅地**とみなされる ②清算金の確定 ③**施行者**による**保留地**の取得 ④事業の施行により生じた**公共施設の用に供する土地**が、原則、**公共施設を管理すべき者**に帰属 ⑤事業の施行により設置された**公共施設**を、原則、**市町村**が管理

※施行地区内の宅地について存する**地役権**は、「事業の施行により行使する利益がなくなった」場合を除き、換地処分の公告があった日の翌日以後においても、なお**従前の宅地の上に存する**

〇✕チャレンジ

Q 換地処分の公告があった場合においては、換地計画において定められた換地は、その公告があった日の翌日から従前の宅地とみなされ、換地計画において換地を定めなかった従前の宅地について存する権利は、その公告があった日が終了した時において消滅する。

A 換地処分の公告があった場合、換地計画において定められた**換地**は、その公告があった日の翌日から**従前の宅地**とみなされ、換地計画において**換地を定めなかった従前の宅地**について存する権利は、その公告があった日が終了した時に**消滅**します。

〇

4. 換地処分に伴う登記等

(1) 登記所への通知

施行者は、換地処分の公告があった場合には、ただちに、その旨を換地計画に係る区域を管轄する登記所に通知しなければなりません。

(2) 換地処分に伴う登記

施行者は、換地処分の公告があった場合において、施行地区内の土地や建物について土地区画整理事業の施行により変動があったときは、遅滞なく、その変動に係る登記を申請または嘱託しなければなりません。なお、換地処分に伴う登記を行うのは「施行者」であって、換地を取得した者ではないことに注意しましょう。

(3) 他の登記の制限

原則 **換地処分の公告があった日以後は、施行地区内の土地や建物に関しては、その変動に係る登記がされるまでは、原則として、他の登記をすることができません。**ただし、例外 **登記の申請人が確定日付のある書類によりその公告前に登記原因が生じたことを証明した場合は、例外です。**

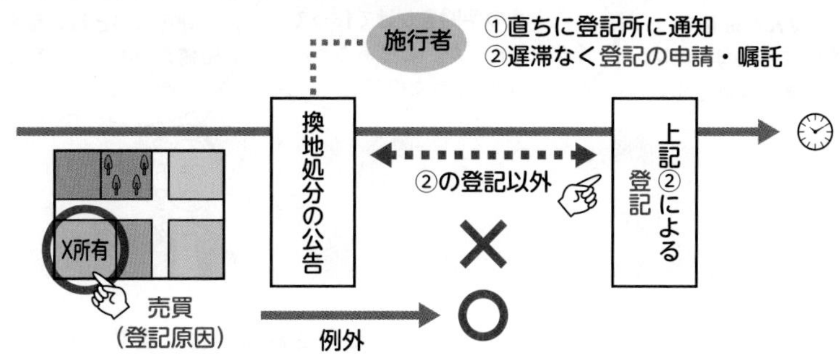

必須 換地処分に伴う登記等

① **施行者**は、換地処分の公告があった場合において、施行地区内の土地や建物について土地区画整理事業の施行により変動があったときは、遅滞なく、その**変動に係る登記**を申請等しなければならない。
② 換地処分の公告があった日以後は、施行地区内の土地や建物に関しては、その**変動に係る登記がされるまで**は、**原則**として、**他の登記をすることができない。**

用語

【確定日付のある書類】 公正証書、登記所・公証人役場で日付ある印章を押捺した私署証書、郵便認証司が郵便法の規定により内容証明の取扱いに係る認証をした文書など。

このレッスンが終わったら「きほんの問題集」の問題46〜52にチャレンジ！

LESSON 08 農地法

いつもごはんのある幸せ

農地法は農地を守るための法律。転用される場合は当然、耕作目的での取得もチェックする点がミソです。

いくら耕作目的でも、いい加減な人が取得したら農地が荒れてしまいますからね！

農地法については、3条許可、4条許可、5条許可それぞれについて、どのような場合に何条の許可が必要で、また例外的に不要なのかを判断できるようにならなければいけません。合格者の正解率が高い項目ですから、農地法の出題の大半を占める3つの許可について、しっかりと学習しましょう。

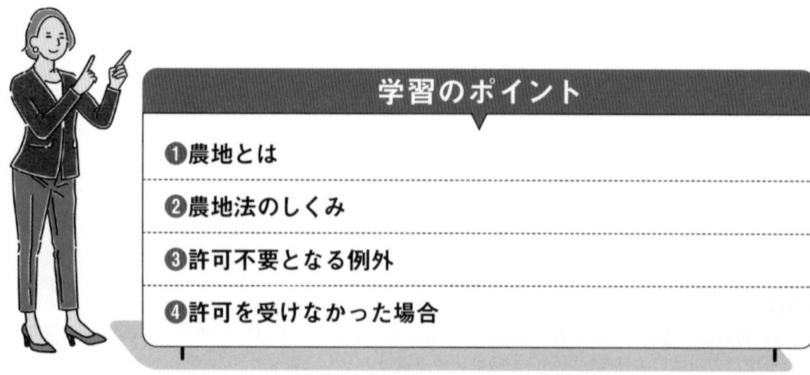

学習のポイント
❶農地とは
❷農地法のしくみ
❸許可不要となる例外
❹許可を受けなかった場合

1 農地とは

1. 農地法の目的

農地法は、農業を営む耕作者の地位の安定と国内の農業生産の増大を図ることによって、国民に対して食料を安定供給できるようにすることを目的とする法律です。そこで、農地法では、**農地を農地以外のものにすることを規制するとともに、農地を効率的に利用する耕作者による農地の取得を促進することにしています。**

2. 「農地」と「採草放牧地」の意味

農地法では、農業を営む場所である「農地」や「採草放牧地」の取引や転用などを規制しています。

農地法での農地と採草放牧地の意味は、次のとおりです。

「農地」	**耕作の目的に供される土地** 例. 田んぼや畑など	現況で判断 ⇒**登記簿の地目は関係ない**
「採草放牧地」	農地以外の土地で、主に家畜用の牧草を採ったり家畜を放牧したりする目的に供される土地	

農地や採草放牧地であるかどうかは現況で判断され、その**登記簿の地目に何と書いてあるかは関係ありません。**ですから、登記簿の地目が「山林」、「原野」、「雑種地」などとなっていても、その土地が事実上農地として使用されていれば、農地法では農地です。

＼アドバイス／

休耕田のように遊休化している農地は、現在耕作されていなくても農地とされています。逆に、作物を植えていても、家庭菜園は農地とされていません。

必須 農地の意味

「**農地**」とは、耕作の目的に供される土地をいう。
⇒現況で判断され、**登記簿の地目は関係ない。**

なお、採草放牧地に関する規制は、あまり出題されていません。ですから、これから先は、農地に関する規制を中心に説明します。

2 農地法のしくみ

農地法では、農地について3種類の許可制を設けています。

1．3条許可

原則 **耕作目的での農地を「使う人」の変更（耕作目的での農地の権利移動）をする場合、当事者は、原則として、農地法3条1項の許可（以下「3条許可」）が必要です。**

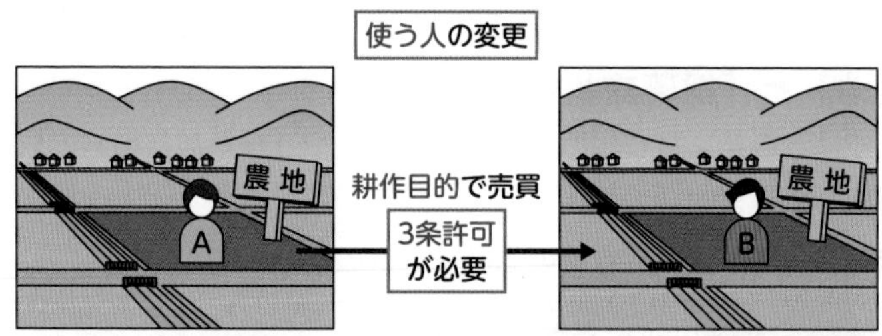

近年、株式会社の農業参入が話題となっていますが、**「農地所有適格法人でない法人」で営利を目的とするもの（一般の株式会社など）は、農地を所有できませんが、農地法3条の許可を受けて耕作目的で農地を借りることはできます。**

3条許可が原則として必要な場合かどうかを判断できるようにしましょう。

必須 3条許可

耕作目的での**農地を「使う人」の変更**には、原則として、**3条許可**が必要
⇒**農地所有適格法人**の要件を満たしていない**株式会社**でも、、3条許可を受けて、**耕作目的で農地を借り入れる**ことはできる。

3条許可の対象	3条許可の対象外
・**売買**（**競売**を含む） ・贈与 ・**賃貸借**※ ・使用貸借　など	・**抵当権設定** ・農地以外を造成して農地化　など

※農地の**賃貸借**は、その登記がなくても、農地の**引渡し**があったときは、その後に物権を取得した第三者に**対抗できる**。なお、その存続期間は、民法どおり、**最長50年**である。また、農地の賃貸借の当事者は、**都道府県知事の許可**を受けなければ、原則として、賃貸借の解除・**解約の申入れ**などができない。

用語

【農地所有適格法人】 主たる事業が農業であることなど、農地法の規定する一定の要件を満たす法人。農地所有適格法人は、一般の株式会社などと異なり、農地を所有することができる。

2. 4条許可

原則 **農地の「使い方」の変更（農地を農地以外に転用）をする場合、転用する者は、原則として、農地法4条1項の許可（以下「4条許可」）が必要です。** ⊕「農地を一時的に資材置場に転用」する場合のような**一時的な転用でも同様です。**

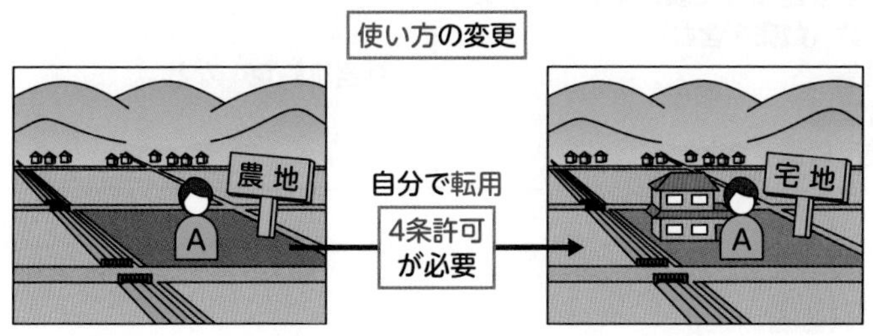

4条許可が原則として必要な場合かどうかを判断できるようにしましょう。

必須 4条許可

農地の「使い方」の変更には、原則として、**4条許可**が必要（**一時的な転用でも同様**）

3. 5条許可

原則 **農地の「使い方」と農地を「使う人」の両方の変更（農地を農地以外に転用する目的での権利移動）をする場合、当事者は、原則として、農地法5条1項の許可（以下「5条許可」）が必要です。**「砂利採取のために農地を一時的に貸し付ける場合」のような**一時的な転用目的でも同様です。**

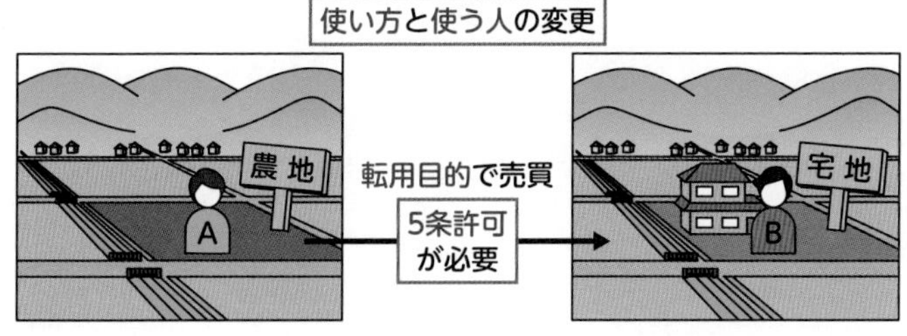

5条許可が原則として必要な場合かどうかを判断できるようにしましょう。

⊕補足

採草放牧地には、3条許可と5条許可はあるが、4条許可はない。したがって、採草放牧地の所有者がその土地を採草放牧地以外に転用する場合、4条許可は不要である。

必須 **5条許可**

農地の「使い方」と農地を「使う人」の両方の変更には、原則として、**5条許可**が必要（**一時的な転用目的でも同様**）

5条許可の対象	5条許可の対象外
農地を農地以外に転用する目的での ・**売買（競売を含む）** ・**贈与** ・**賃貸借** ・**使用貸借**　など	・**抵当権設定**　など

4. 許可権者

次のように、3条許可・4条許可・5条許可の許可権者を整理しましょう。**農地の面積の大小で許可権者が変わることはありません。**ひっかけに注意です。

必須 **許可権者**

許可の種類	許可権者
3条許可（**農地を使う人**の変更）	**農業委員会**※1
4条許可（**農地の使い方**の変更）	**都道府県知事等**※2
5条許可（**農地の使い方**と**農地を使う人**の変更）	

※1農地の利用関係の調整など農地に関する事務を行う合議体。農業者などの委員によって構成され、原則として市町村ごとに置かれる。
※2都道府県知事または**指定市町村**の長

用語
【指定市町村】 農地・採草放牧地の農業上の効率的かつ総合的な利用の確保に関する施策の実施状況を考慮して農林水産大臣が指定する市町村をいう。

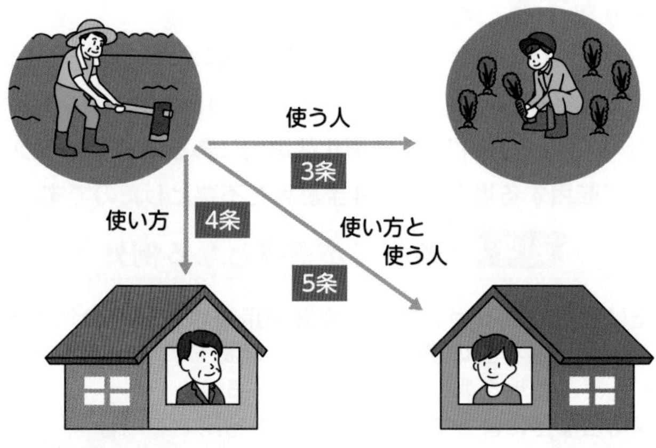

○×チャレンジ

Q 農業者が住宅の改築に必要な資金を銀行から借りるため、市街化区域外の農地に抵当権の設定が行われ、その後、返済が滞ったため当該抵当権に基づき競売が行われ第三者が当該農地を取得する場合であっても、農地法第3条第1項又は同法第5条第1項の許可を受ける必要がある。

A 市街化区域外の**農地を取得**する場合、**競売**による取得であっても、原則として、耕作目的であれば**3条許可**、転用目的であれば**5条許可**を受ける必要があります。

○

3 許可不要となる例外

1. 3条許可が不要となる例外

耕作目的での農地の権利移動でも、次の場合には、例外 **例外的に3条許可が不要となります。** なお、市街化促進につながらない**3条許可には、4条許可・5条許可にある市街化区域内の例外はありません。**

必須 3条許可が不要となる例外

① 権利取得者が国や都道府県である場合
② 民事調停法による農事調停によって権利が取得される場合
③ 土地収用法などによって権利が収用または使用される場合
④ **相続・遺産の分割・包括遺贈・相続人に対する特定遺贈**などにより権利が取得される場合
⇒④の場合、権利を取得した者は、遅滞なく、**農業委員会**にその旨を**届け出**なければならない。

2. 4条許可が不要となる例外

農地の転用でも、次の場合には、例外 **例外的に4条許可が不要となります。** 特に、③の市街化区域内の例外が重要です。市街化を進めるべき場所なので農地をつぶす行為の規制を緩和し、**市街化区域内にある農地をあらかじめ農業委員会に届け出て転用する場合には、4条許可を不要としたのです。**

必須 4条許可が不要となる例外

① 国または都道府県等が、道路、農業用用排水施設その他の地域振興上または農業振興上の必要性が高いと認められる一定の施設の用に供するため、農地を農地以外のものにする場合
② 土地収用法などによって収用した農地を転用する場合
③ **市街化区域内**にある農地を**あらかじめ農業委員会に届け出**て転用する場合
④ 耕作の事業を行う者がその農地（**2アール未満**のものに限る）を**農業用施設**として利用する目的で転用する場合

3. 5条許可が不要となる例外

農地を農地以外に転用する目的での権利移動でも、次の場合は、例外 **例外的に5条許可が不要となります。** 特に、③の市街化区域内の例外が重要です。4条許可の例外と同様に、市街化を進めるべき場所なので農地をつぶす行為の規制を緩和し、**市街化区域内にある農地についてあらかじめ農業委員会に届け出て権利を取得する場合には、農地を転用する目的でも、5条許可を不要としたのです。**

必須 5条許可が不要となる例外

① 国または都道府県等が、道路、農業用用排水施設その他の地域振興上または農業振興上の必要性が高いと認められる一定の施設の用に供するため、権利を取得する場合
② 土地収用法などによって権利が収用または使用される場合
③ **市街化区域内**にある農地について**あらかじめ農業委員会に届け出**て権利を取得する場合

用語
【包括遺贈・特定遺贈】 遺言で自分の死亡後に財産を無償で譲ることを「遺贈」といい、遺産の全部または一定割合を遺贈するのが「包括遺贈」、特定の財産を遺贈するのが「特定遺贈」である。

Q 市街化区域内の農地を宅地とする目的で権利を取得する場合は、あらかじめ農業委員会に届出をすれば農地法第5条第1項の許可は不要である。

A 農地を農地以外に転用する目的で取得する場合、原則として、5条許可が必要です。しかし、**市街化区域内**にある農地について、**あらかじめ農業委員会に届け出**て取得する場合、例外的に**5条許可は不要**です。

○

4. 法定協議制度

国または都道府県等による農地の転用や転用目的での農地・採草放牧地の権利取得については、本来、農地法4条の許可や5条の許可が必要な場合でも、**国または都道府県等と都道府県知事等との協議が成立することをもって農地法4条・5条の許可があったものとみなされます**（法定協議制度）。要するに、許可を申請しなくても許可があったことになるという制度です。

4 許可を受けなかった場合

1. 行為の効力

3条許可・5条許可が必要な場合にこれらの許可を受けないでした行為は、その効力を生じません。たとえば、3条許可または5条許可が必要な場合に許可を受けずに農地の売買契約を締結しても、農地の所有権移転の効力は生じません。

2. 違反是正措置

4条許可・5条許可が必要な場合に許可を受けなかった違反転用者等に対しては、**都道府県知事等は、必要の限度において、工事の停止や原状回復などの違反是正措置をとるべきことを命ずることができます。**

3. 罰則

3条許可・4条許可・5条許可のいずれの違反についても、**罰則があります。**

この場合に、法人の代表者やその従業者などがその法人の業務・財産に関して違反行為をしたときは、**行為者を罰するほか、その法人も罰金に処せられます。**このように、違反行為を直接行った者だけでなく、その者を使用している法人などもあわせて罰する規定のことを両罰規定といいます。

＼アドバイス／
罰則については、3条許可・4条許可・5条許可のいずれの違反についても罰則があることをわかっていれば十分です。数字を覚える必要はありません。

必須 許可を受けなかった場合

		3条許可	4条許可	5条許可
行為の効力		**効力を生じない**	—	**効力を生じない**
違反是正措置		—	都道府県知事等は、違反転用者等に対して、工事の停止や**原状回復**を命ずることができる	
罰則	個人	3年以下の懲役または300万円以下の罰金		
	法人	300万円以下の罰金	1億円以下の罰金	

○×チャレンジ

Q 農地法第3条第1項又は同法第５条第１項の許可が必要な農地の売買について、これらの許可を受けずに売買契約を締結しても、その所有権の移転の効力は生じない。

A **3条許可・5条許可を受けないでした行為**はその**効力を生じない**ので、これらの許可が必要な農地の売買について許可を受けずに売買契約を締結しても、その所有権の移転の効力は生じません。

○

5 農地法のまとめ

農地法の出題範囲は、きわめて狭いです。必要な知識をコンパクトにまとめておきましょう。

必須 農地法（まとめ）

<table>
<tr><th colspan="2">種類</th><th>3条許可
（使う人の変更）</th><th>4条許可
（使い方の変更）</th><th>5条許可
（使い方と使う人の変更）</th></tr>
<tr><td colspan="2">具体例</td><td>Aの(農)→Bの(農)
Aの(採)→Bの(採)
Aの(採)→Bの(農)</td><td>Aの(農)
→Aの(農)以外</td><td>Aの(農)→
Bの(農)以外
Aの(採)→
Bの(農)(採)以外</td></tr>
<tr><td colspan="2">許可権者</td><td>農業委員会</td><td colspan="2">都道府県知事等</td></tr>
<tr><td rowspan="3">許可不要となる例外</td><td>共通の例外</td><td colspan="3">・土地収用法などによって権利が収用または使用される場合、土地収用法などによって収用した農地を転用する場合</td></tr>
<tr><td rowspan="2">特有の例外</td><td rowspan="2">・国または都道府県が権利を取得する場合
・民事調停法による農事調停によって権利が取得される場合
・相続・遺産の分割・包括遺贈・相続人に対する特定遺贈などにより権利が取得される場合（ただし、遅滞なく、農業委員会に届け出なければならない）</td><td>・耕作の事業を行う者がその農地（2アール未満のものに限る）を農業用施設として利用する目的で転用する場合</td><td></td></tr>
<tr><td colspan="2">・国や都道府県等が、道路、農業用用排水施設などの一定の施設の用に供するため、転用・権利取得する場合
・市街化区域内にある農地について、あらかじめ農業委員会に届け出て、転用・権利取得する場合
↔3条許可には、市街化区域内の例外はない（市街化区域内でも許可必要）</td></tr>
<tr><td rowspan="4">許可を受けなかった場合</td><td>行為の効力</td><td>効力を生じない</td><td></td><td>効力を生じない</td></tr>
<tr><td>違反是正措置</td><td></td><td colspan="2">都道府県知事等は、違反転用者等に対して、工事の停止や原状回復を命ずることができる</td></tr>
<tr><td rowspan="2">罰則</td><td colspan="3">3年以下の懲役または300万円以下の罰金</td></tr>
<tr><td>法人：300万円以下の罰金（両罰規定）</td><td colspan="2">法人：1億円以下の罰金（両罰規定）</td></tr>
</table>

(農)：農地　(採)：採草放牧地⊕

⊕**補足**

採草放牧地については、出題がきわめて少ない。3条・5条許可のみで、4条許可はないことを確認しておけば十分である。

このレッスンが終わったら「きほんの問題集」の問題53～61にチャレンジ！

学習優先度 高

LESSON 09 国土利用計画法・その他の法令

無駄な土地利用をチェ～ック！

introduction

宅くん、
マイホームの
ご予定は？
まず、彼女もいませんし、
もっと稼がなきゃマイホームなんて
夢のまた夢です。
私も、職住接近
なんてとても無理。
今年こそググッと昇給
できませんか～！

たしかに、マイホームに手が届かない世の中になったら困りますからね。国土利用計画法では、事後届出制という地道な土地取引の規制を続けているんですよ。

それが無駄な土地利用や地価の高騰の解消につながるというわけですね。そしていつかは僕にもマイホームが？　う～む…

国土利用計画法の土地取引の規制には、事後届出制・事前届出制・許可制がありますが、このうち、事後届出制についての出題がほとんどです。ですから、①事後届出の要否の区別と②事後届出の手続きを中心に学習しましょう。近年は、「その他の法令」とワンパックの問題で選択肢1本しか出題されないこともありますから、他のレッスン以上にメリハリをつけて学習しましょう。

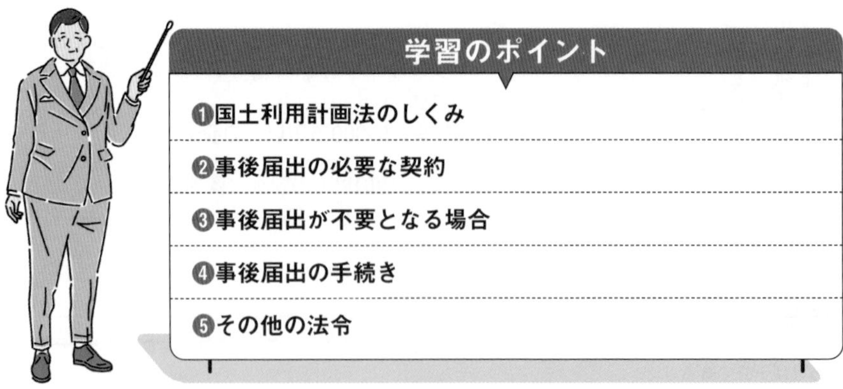

学習のポイント
❶国土利用計画法のしくみ
❷事後届出の必要な契約
❸事後届出が不要となる場合
❹事後届出の手続き
❺その他の法令

1 国土利用計画法のしくみ

1. 国土利用計画法の目的

狭い日本の国土は、現在・将来の国民のための限られた資源です。無駄な土地利用や地価の高騰で、マイホームに手が届かなくなったら困ります。

そこで、**総合的かつ計画的な国土の利用を図ることを目的に国土利用計画法が制定されました。**より具体的には、**土地取引の規制などを実施して、①国土の合理的な利用と②地価の高騰の抑制を図ることが、真のねらいです。**

国土利用計画法のねらい	土地取引の規制などを実施して	①	**国土の合理的な利用**を図る
		②	**地価の高騰の抑制**を図る

2. 国土利用計画法のしくみ

国土利用計画法は、このような目的を実現するため、規制する必要に応じて、4つの土地取引の規制を用意しています。

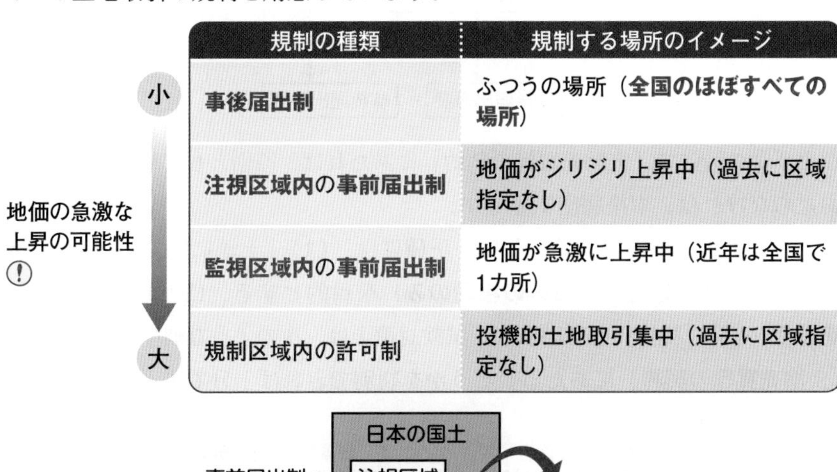

規制の種類	規制する場所のイメージ
事後届出制	ふつうの場所（**全国のほぼすべての場所**）
注視区域内の事前届出制	地価がジリジリ上昇中（過去に区域指定なし）
監視区域内の事前届出制	地価が急激に上昇中（近年は全国で1カ所）
規制区域内の許可制	投機的土地取引集中（過去に区域指定なし）

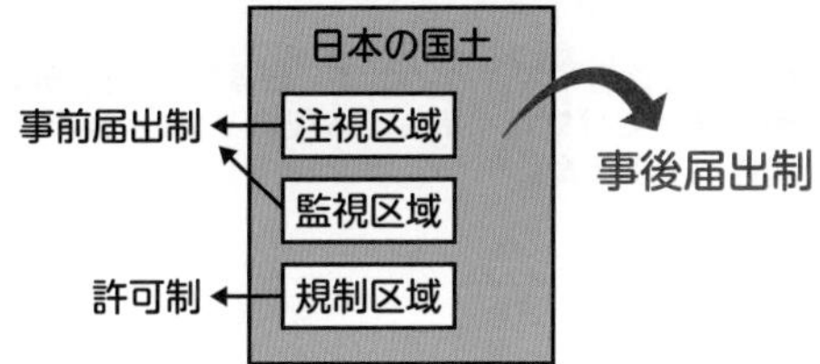

注意
地価上昇の度合いは監視区域>注視区域であるので、監視区域では、都道府県の規則で届出必要な面積を注視区域よりも引き下げ、より狭い面積の土地取引にも事前届出を必要としている。

これらのうち、**全国のほぼすべての場所で実施されているのは事後届出制ですから、出題が圧倒的に多いのも事後届出制です。**ですから、このテキストでは、以下、事後届出制について学習します。

2 事後届出の必要な契約

原則 **注視区域、監視区域、規制区域のいずれにも属さない土地について、「土地売買等の契約」を締結した場合、原則として、事後届出が必要です。**事後届出が必要かどうかは、次の①→②→③の順序で判断します。

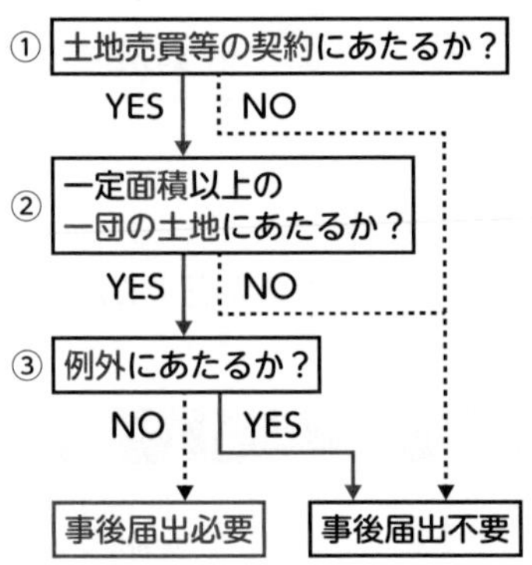

まず①の段階で「土地売買等の契約」にあたれば、原則として事後届出必要、あたらなければ、事後届出不要です。

この**「土地売買等の契約」とは、正確には、(1)「土地に関する権利」(所有権・賃借権・地上権がらみの権利のみ)を目的とする、(2)「対価の授受」を伴う、(3)「契約」をいいます。**試験対策上は、次のような典型例について、「土地売買等の契約」にあたるかどうかを判別できれば十分です。

＼アドバイス／

あたらないものに注目です。たとえば、贈与契約は対価の授受がない、相続は対価の授受がないだけでなくそもそも契約でないという理由で、「土地売買等の契約」にあたりません。

必須 土地売買等の契約

「**土地売買等の契約**」を締結した場合には、原則として、**事後届出**が必要

「土地売買等の契約」に**あたる** ⇒原則、事後届出**必要**	「土地売買等の契約」に**あたらない** ⇒事後届出**不要**
売買契約 **売買予約** **停止条件付き**売買契約 **交換契約** **賃借権・地上権**の設定・移転契約 （設定・移転の**対価**が**ある**場合）	**抵当権**の設定契約 **贈与契約** **相続** **時効** **賃借権・地上権**の設定・移転契約 （設定・移転の**対価**が**ない**場合）

3 事後届出が不要となる場合

1．面積要件

（1）区域ごとの面積要件

❷の流れ図の①で**「土地売買等の契約」にあたるとしても、** 例外1 **②の面積要件を満たしていなければ、事後届出は不要です。**

面積要件（事後届出が必要となる面積）は、区域ごとに異なります。⊕

必須 区域ごとの面積要件

区域	面積要件
市街化区域	**2,000m² 以上**
市街化調整区域 非線引区域	**5,000m² 以上**
都市計画区域外（準都市計画区域も含む）	**10,000m²（1ha）以上**

（2）面積要件の判断

個々の土地は面積要件未満であっても、**買主が隣り合ったいくつかの土地を計画的に買い集めたため、面積を合計すると届出が必要な面積になるような場**

⊕補足
共有地の持分譲渡の場合、共有持分を共有地全体の面積に乗じて得た面積で面積要件を判定する。たとえば、2,000m²土地の共有持分1/2を購入した場合、1,000m²として判定する。

合、「一団の土地」として、合計面積で届出が必要かどうかを判断します（いわゆる「買いの一団」）。

この**面積要件を満たす「一団の土地」にあたるかどうかの判断は、買主などの「権利取得者」を基準に行います。**なお、面積要件を満たす「一団の土地」について複数回に分割して土地売買等の契約を締結した場合、各契約が面積要件を満たさなかったとしても、**契約ごとに事後届出が必要です。**

次の設例の場合、権利取得者である買主Cを基準にすると、合計2,000m²となりますので、市街化区域内で2,000m²以上という面積要件を満たす「一団の土地」についての売買契約といえます。したがって、Cは、Aとの契約とBとの契約それぞれについて事後届出をしなければなりません。

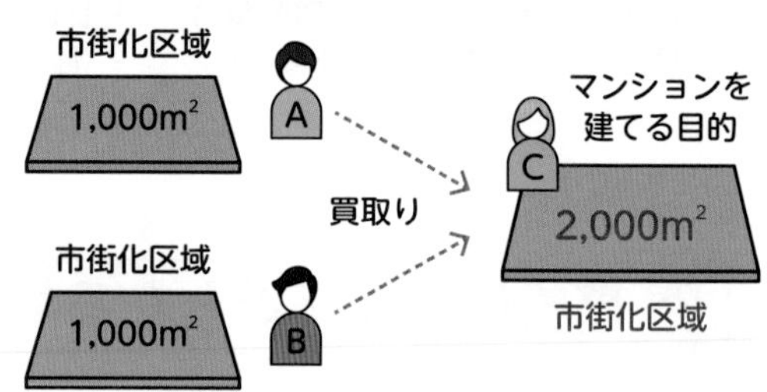

必須 面積要件の判断

① 買主が隣り合った土地を計画的に買い集めたような場合、「**一団の土地**」として、**合計面積**で届出の要否を判断する（買いの一団）。
② 面積要件を満たす「一団の土地」にあたるかどうかの判断は、**買主**などの「**権利取得者**」を基準に行う。
③ 面積要件を満たす「一団の土地」について複数回に分割して土地売買等の契約を締結した場合、各契約が面積要件を満たさなかったとしても、**契約ごとに事後届出が必要**である。

○×チャレンジ

Q 宅地建物取引業者Aが所有する市街化調整区域内の6,000m²の一団の土地を、宅地建物取引業者Bが一定の計画に従って、3,000m²ずつに分割して購入した場合、Bは事後届出を行わなければならない。

A **面積要件を満たす一団の土地**について複数回に分割して土地売買等の契約を締結した場合には、**各契約が面積要件を満たさなかったとしても**、契約ごとに**事後届出が必要**となるのが原則です。**市街化調整区域内**で事後届出が必要とされる面積は**5,000m²以上**ですから、6,000m²の一団の土地を一定の計画に従って分割して購入したBは、事後届出を行わなければなりません。

○

2. 届出不要な例外

❷の流れ図の①で**「土地売買等の契約」にあたり、②の面積要件を満たしていても、** 例外2 **③の例外にあたれば、事後届出は不要です。**

必須 届出不要な例外

① **民事調停法による調停**に基づく場合
② 当事者の**一方**または双方が**国**や**地方公共団体**などである場合
③ **農地法3条許可**を受けて契約を締結した場合（[▶L8]）
⇒×「農地法5条許可」

4 事後届出の手続き

事後届出の届出義務者は、買主などの「権利取得者」です。権利取得者は、**契約を締結した日から起算して2週間以内に、土地の利用目的や対価の額などを、土地の所在する市町村の長を経由して、都道府県知事に届け出なければなりません。**

都道府県知事は、「土地の利用目的」を審査し、問題があれば、届出の日から起算して原則として3週間以内に、「土地の利用目的」を変更するように勧告できます。⊕この場合に、**勧告を受けた者が勧告に従わないときは、都道府県知事は、勧告に従わない旨および勧告の内容を公表できます。**

次のように、契約締結から罰則の適用の有無まで、派生する手続きも含め、一連の流れのなかで知識を整理しましょう。

用語

【民事調停法による調停】 裁判のような勝ち負けではなく、話合いでお互いが合意することで紛争の解決を図る手続。一般市民から選ばれた調停委員が、裁判官とともに紛争の解決にあたる。

⊕**補足**

対価の額は審査対象ではないので、対価の額を変更するように勧告することはできない。

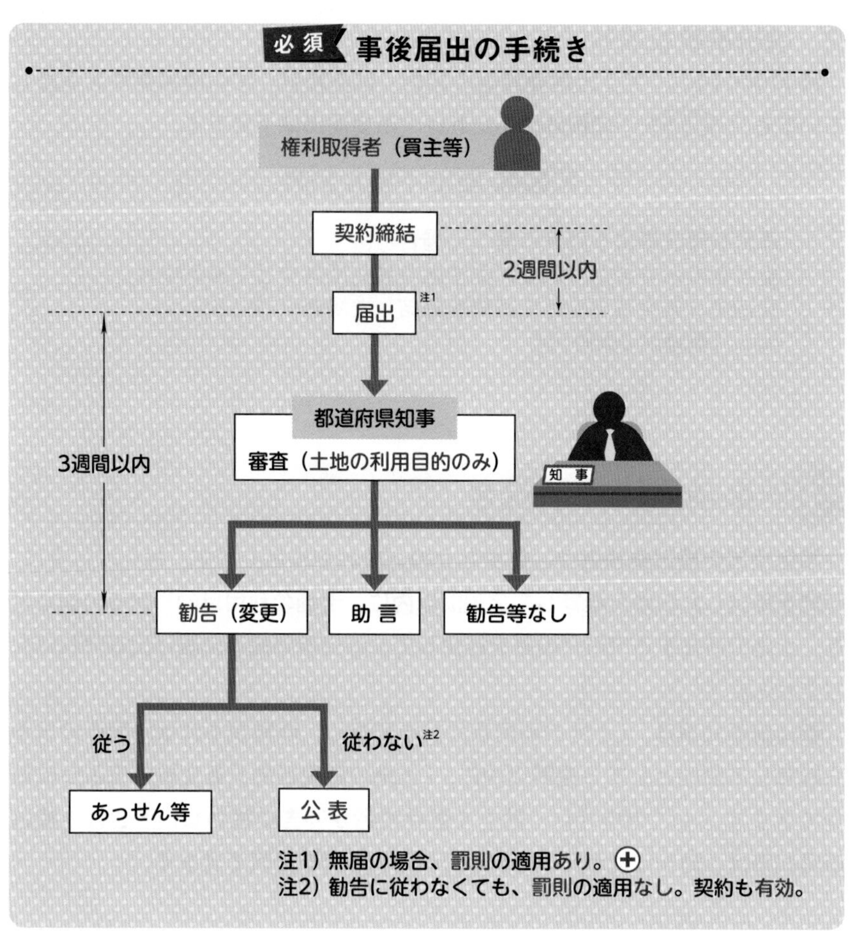

補足

事後届出が必要な土地売買等の契約を締結したにもかかわらず、所定の期間内に届出をしなかった者は、6カ月以下の懲役または100万円以下の罰金に処せられます。

Q Aが所有する市街化区域内の2,000㎡の土地をBが購入した場合、Bは当該土地の所有権移転登記を完了した日から起算して2週間以内に事後届出を行う必要がある。

A 市街化区域内の2,000㎡以上の土地について土地売買等の契約を締結した場合、権利取得者は、**その契約を締結した日**から起算して２週間以内に、事後届出を行わなければなりません。したがって、Bは、「当該土地の所有権移転登記を完了した日」から起算して２週間以内ではなく、売買契約を締結した日から起算して２週間以内に、事後届出を行う必要があります。

5 その他の法令

毎年ではありませんが、これまで学習してきた法令以外の法令から出題されることもあります。ただし、さまざまな法令が出題されますので、個々の法令を事細かに学習するのは非効率です。そこで、試験対策としては、次のように、**各法令での許可権者などを確認しておきましょう。**まずは**「都道府県知事（等）の許可」でない法令をしっかり覚えておき、覚えていない法令が出題されたら、「たぶん『都道府県知事（等）の許可』だろう」と推測できれば十分です。**

＼アドバイス／

許可権者が知事（等）以外の法令については、「父意外！　国立競技場再建後　水道管理者　生死悶々」（意外にも悩みは深い…）と覚えるとよいでしょう。（知事以外：国立公園特別地域→環境大臣、都市再開発法→建築許可権者、水＝さんずい系〈港湾・河川・海岸法〉＆道路法　→○○管理者、生産緑地法→市町村長、文化財保護法→文化庁長官）

必須 その他の法令による主な制限

法令名	制限される区域など	許可権者など
生産緑地法	生産緑地地区	**市町村長**の許可
港湾法	港湾区域	港湾**管理者**の許可
河川法	河川区域・河川保全区域	河川**管理者**の許可
海岸法	海岸保全区域	海岸**管理者**の許可
道路法	道路・道路予定区域	道路**管理者**の許可
津波防災地域づくりに関する法律	津波防護施設区域	津波防護施設**管理者**の許可
都市再開発法	市街地再開発促進区域	**建築許可権者**の許可
文化財保護法	（重要文化財など）	**文化庁長官**の許可
土壌汚染対策法	形質変更時要届出区域	都道府県知事に**届出**
都市緑地法	特別緑地保全地区	都道府県知事（市の区域内にあっては、当該市の長）の許可
流通業務市街地の整備に関する法律	流通業務地区	
密集市街地における防災街区の整備の促進に関する法律	防災街区整備事業の施行地区	
地すべり等防止法	地すべり防止区域・ぼた山崩壊防止区域	都道府県知事の許可
急傾斜地の崩壊による災害の防止に関する法律	急傾斜地崩壊危険区域	
土砂災害警戒区域等における土砂災害防止対策の推進に関する法律	土砂災害特別警戒区域	
森林法	保安林	
自然公園法	国定公園特別地域	
	国立公園特別地域	**環境大臣**の許可

 このレッスンが終わったら「きほんの問題集」の問題62〜70にチャレンジ！

きほんの教科書

第3分冊①

法令上の制限

索引

あ行

か行

さ行

た行

な行

は行

ま行

や行

ら行

第4編 税・その他

第3分冊-②

税・その他 科目概要

1. どのような科目か？

税金、不動産価格の評価、広告等の規制、土地、建物など様々な内容が出題されます。

(1) 税法 2問

だれが何に対して課す税か、税率は何パーセントか、土地や建物の場合にどのような特例があるか等が出題されます。

右側の4つの税法の中では、印紙税から出題されることが最も多いです。

(2) 価格の評定 1問

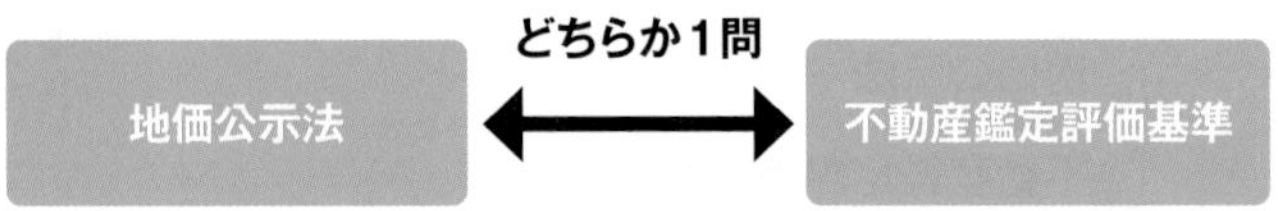

地価公示は、毎年3月下旬に標準地の地価を公示する制度です。不動産鑑定評価基準は、その名のとおり、不動産の価格を評価する際の基準です。

(3) その他　5問

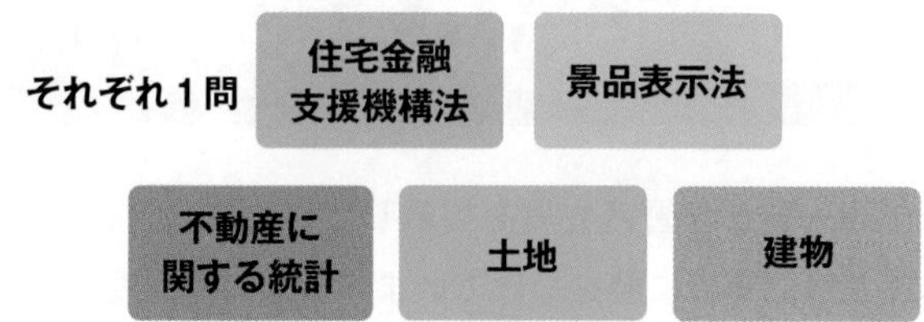

住宅金融支援機構は、長期・固定金利の住宅ローン（フラット35等）の支援等を行うための法人です。

不当景品類及び不当表示防止法は、広告の規制等を行う法律です。

不動産に関する統計では、その年の地価公示や土地白書の内容等が問われます。

土地と建物は、法律科目ではなく、土地や建物そのものに関する知識が問われます。

2. 出題数

合計8問です。内訳は、1のとおりです。

3. 学習の指針

「簡単な問題を確実に得点する」戦略が有効です。すなわち、毎年、8問中6問程度は過去問の焼き直しのような問題が出されるので、そのような問題を取りこぼさないことが重要です。

そのためには、過去問と似た肢が出題されたら確実に正誤判定できるようにすることが必要であり、それで十分です。間違っても「税理士さんレベルまで税法を理解しよう」「不動産鑑定士さんレベルまで不動産鑑定評価基準を極めよう」などと思わないことです。そこを目指すと、いくら時間があっても足りません。

もし過去問レベルの知識で正解が出せないような問題が出題されれば、多くの受験者が正解できないので、合格ラインが下がります。したがって、難しい問題が出たらどうしようなどと心配する必要はありません。

このように、税その他では、いわば「広く浅く」勉強することが大切です。

税その他 過去10年間の出題一覧

ここでは、出題一覧と学習優先度を掲載しています。出題一覧は過去10年間のうち、出題された年度に●をつけています。学習優先度は、受験者の問題ごとの正答率データをもとに合格に必要な知識か否かを徹底的に解析し、ここ30年の出題傾向を踏まえて、合格するための学習優先度を総合的に判断したものです。学習優先度が高いと思われるものから順に、高・中・低の3段階で表示しています。

テーマ	H26	27	28	29	30	R1	2	3	4	5	学習優先度
不動産取得税	●		●		●		●	●		●	高
固定資産税		●		●		●			●		高
印紙税			●				●		●	●	高
所得税				●		●		●			高
登録免許税	●				●						中
贈与税		●									中
地価公示法	●	●		●		●			●		高
不動産鑑定評価基準			●		●		●	●		●	中
住宅金融支援機構	●	●	●	●	●	●	●	●	●	●	高
不当景品類及び不当表示防止法	●	●	●	●	●	●	●	●	●	●	高
土　地	●	●	●	●	●	●	●	●	●	●	高
建　物	●	●	●	●	●	●	●	●	●	●	中

目標得点	6点/8問

論点別の傾向と対策

不動産取得税・固定資産税：ほとんどの場合、どちらか1問出題されます。納税義務者・課税標準・税率等の基本事項や、各種の軽減措置に関する問題が多く見られます。固定資産税では、閲覧・縦覧等の制度についても出題されています。税法の中では比較的得点しやすいところです。特に不動産取得税は、同じ内容が繰り返し出題されているので、出題されたら確実に得点できるようにしておきましょう。

印紙税：2年に1回程度、出題されます。課税文書かどうかの判断や記載金額の決定方法を中心に、同じような問題が繰り返し出題されています。ここも、出題されたら確実に得点できるようにしておきましょう。

所得税・登録免許税・贈与税：平成22年度以降、印紙税が出題されない年は、これら3つの税のうちの1つが出題されています。いずれも特例の適用要件を問うものが多く、特に、3,000万円特別控除・特定の居住用財産の買換え特例（所得税）、居住用家屋に関する軽減措置（登録免許税）、住宅取得等資金の贈与を受けた場合の相続時精算課税の特例（贈与税）がよく出題されます。

地価公示法・不動産鑑定評価基準：どちらか1問出題されます。地価公示法は、同じような出題が繰り返されているので、得点源になるように学習すべきです。不動産鑑定評価基準は、見慣れない言葉が多く、最初は難しく感じられると思います。価格の種類、価格を求める手法に関する出題がほとんどですので、これらの点に絞って学習すると効率的です。

住宅金融支援機構：業務の範囲に関する出題が中心です。住宅金融支援機構がどのような業務を行っているのか、融資の対象や条件はどうなっているのか等についてよく出題されています。もっとも、他の部分もそれほど量は多くないので、ひと通り学習しておいたほうがよいでしょう。

不当景品類及び不当表示防止法：主として表示規約から出題されますが、景品規約から肢1つ程度出題される年もあります。広告をする際にはどのような表示をしなければならないのか、どのような表示が禁止されているのか等に関して、具体的に理解しておく必要があります。

土地・建物：土地から1問、建物から1問出題されます。法律科目ではないため、出題範囲が明確ではありません。ただし、（宅建試験全体にもいえることですが）過去問題と同様の知識が問われることが多いので、過去問題を中心とした学習が有効です。

統計：地価公示、新設住宅着工戸数・床面積、土地白書に関する出題が中心です。

学習優先度 高

LESSON 01 不動産取得税

不動産を買ったら税金を払わなきゃいけないの？

introduction

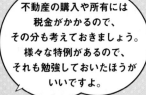

今日は家賃を払わないと…
毎月家賃を払っていると、
ローンで家を買ったほうが
いいのかなと思います。
不動産の購入や所有には
税金がかかるので、
その分も考えておきましょう。
様々な特例があるので、
それも勉強しておいたほうが
いいですよ。

たとえば、不動産取得税には税額が最大36万円安くなる特例があります。適用要件を満たすかどうかで大違いですよ。

それは大きいですね。さっそく、今日から勉強します。

話に出てきた税額が最大36万円安くなる特例とは、このレッスンで学ぶ新築住宅の課税標準の特例のことです。最大で1,200万円の控除×税率3%＝最大で36万円税金が安くなるという仕組みですが、これを理解するためには、税額の計算の仕組みから順番に学んでいく必要があります。

このレッスンでは、税法のポイントと不動産取得税について学びます。

学習のポイント

1. 都道府県が、不動産の取得者に課す
2. 課税標準は、登録価格等
3. 標準税率は、4%または3%
4. 住宅や宅地等について、特例がある

1 税法学習のポイント

税額は、基本的に次のような式で計算します。

課税標準 × 税率 ＝ 税額

課税標準とは、税額計算の基礎になる金額です。この課税標準に税率をかけると、税額が求められます。

そして、土地や建物については、税金を安くするためのさまざまな特例が設けられています。

課税標準 × 税率 ＝ 税額
⇑ ⇑ ⇑
課税標準の特例 **軽減税率** **税額控除**

＼アドバイス／
宅建試験では、土地や建物に関する特例の内容がよく出題されます。

そのほかに、税を課すのは誰か（国か、都道府県か、市町村か）、誰が税を納める義務を負うか（納税義務者）、税金が課されないのはどのような場合か（非課税）なども問われます。

2 不動産取得税とは

◆課税主体・課税客体

不動産取得税は、土地・家屋を取得した者に対して、**不動産の所在地の都道府県**が課す税です。

＼アドバイス／
税を課すのは、不動産の所在する都道府県であり、取得者の住所地の都道府県ではありません。

用語

【課税主体】 税金を課す国、都道府県、市町村のこと。
【課税客体】 課税の対象となる物や行為などのこと。

不動産取得税は、**土地・家屋の取得**に対して課されますが、ここでの「取得」とは、原則 **所有権を取得すること**をいい、たとえば、**売買・交換・贈与・建築（＝新築・増築・改築）**等による取得が対象です。改築については、家屋の価値が増加した場合に取得とみなされます。また、有償・無償や登記の有無を問いません。

これに対し、例外 **相続、法人の合併・分割による取得は非課税です。また、共有物の分割の場合、分割前の持分の割合を超えなければ非課税**です。

また、不動産取得税は、国、非課税独立行政法人、都道府県、**市町村**、**特別区**、地方独立行政法人等には課税されません。

必須 不動産取得税の課税主体・客体等

課税主体	不動産の所在地の**都道府県**
課税客体	不動産の取得（売買・交換・贈与・建築等） ただし、**相続、法人の合併・分割**による取得は非課税 **共有物の分割**の場合、**分割前の持分の割合を超えなければ**非課税
国等に対する非課税	不動産取得税は、国、非課税独立行政法人、都道府県、**市町村**、**特別区**、地方独立行政法人等には課税されない。

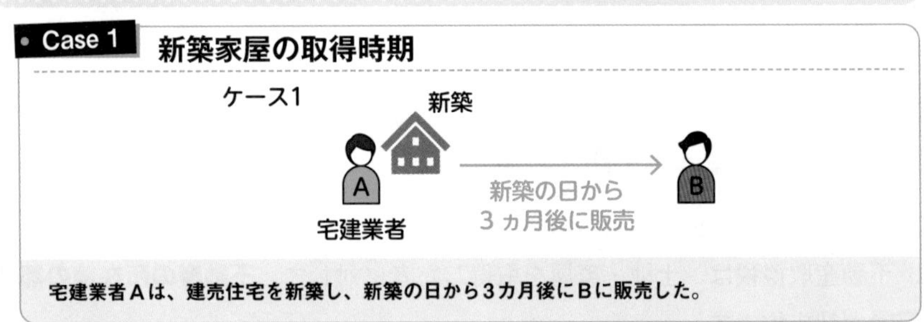

Case 1
新築家屋の取得時期
ケース1
新築
A
宅建業者
新築の日から
3ヵ月後に販売
B
宅建業者Aは、建売住宅を新築し、新築の日から3カ月後にBに販売した。

新築家屋の場合、原則 **最初の使用または譲渡が行われた日に家屋の取得があったとみなされ**、その所有者または譲受人を取得者とみなして、不動産取得税が課されます。

ケース1の場合、Aには不動産取得税が課されず、Bに不動産取得税が課さ

用語

［特別区］ 地方公共団体の1つで、市町村に準ずる自治体のこと。具体的には、千代田区、港区などの東京23区が該当する。

れます。購入時に、最初の譲渡が行われたことになるからです。

ただし、例外 **新築の日から６カ月（宅建業者の場合は１年）を経過しても使用・譲渡がされない場合、新築の日から６カ月（宅建業者の場合は１年）を経過した日に家屋の取得があったとみなされ**、所有者を取得者とみなして不動産取得税が課されます。

ケース１では新築から３カ月で売れましたが、もし新築から１年経っても売れなければ、Aに不動産取得税が課されます。１年経過しても使用・譲渡がされていないからです。

3 税額の計算

1. 課税標準

（1）原則

課税標準は、不動産の価格です。この価格は、固定資産課税台帳［▶L2］に登録されている不動産の場合、その**登録価格**です。

増築・改築の場合は、増築・改築により**増加した価格**が課税標準になります。

（2）新築住宅に係る課税標準の特例

床面積が50m²以上（戸建て以外の賃貸住宅は40m²以上）**240m²以下**の**新築住宅**には、１戸につき**1,200万円を課税標準から控除**できる特例が設けられています。

たとえば、価格が2,000万円の新築住宅の場合、この特例の適用を受けると、課税標準が2,000万円－1,200万円＝800万円になります。

この特例は、個人だけでなく法人が取得した場合にも適用されます。また、自己居住用であるか賃貸用であるかを問いません。この特例、次の既存住宅の特例、次頁の住宅用土地の税額控除の特例は、原則 **住宅の取得者から、特例の適用があるべき旨の申告がなされた場合に限り適用されます**。ただし、都道府県は、例外 **住宅の取得者から申告がなかった場合でも、適用要件に該当すると認めるときは、これらの特例を適用することができます**。

＼アドバイス／
「ここでは、240m²という上限の数字を覚えてください」

なお、**既存住宅**の場合も、①**個人の自己居住用**、②住宅の床面積が50m²以

上240m²以下などの要件を満たせば、課税標準の特例（控除額は、新築時期に応じて100万円～1,200万円）を受けることができます。

(3) 宅地に係る課税標準の特例

宅地には、課税標準を（1）で述べた価格の**1/2**とする特例が設けられています。

＼アドバイス／
1/2という数字が重要です。「価格の1/3とする特例がある」で×のように出題されます。

2. 税率

標準税率は、原則として 原則 4/100（4%）ですが、例外 **住宅・土地の場合は3/100（3%）**です。

＼アドバイス／
つまり、土地はすべて3%、家屋は、住宅が3%、住宅以外の家屋は4%です。

課税標準と税率のポイントをまとめると、次のとおりです。

必須 不動産取得税の課税標準・税率

	課税標準	税率（標準税率）
原則	固定資産課税台帳の登録価格	**4%**
家屋の特例	**50m² 以上240m² 以下の新築住宅** ⇒1,200万円控除	**住宅→3%**
土地の特例	**宅地→価格の1/2**	**すべて3%**

3. 税額

住宅用土地に税額控除の特例が設けられていますが、この特例は試験ではほとんど問われていません。

用語
【**標準税率**】通常の税率のことをいう。地方公共団体は、財政上等の理由があるときは、別の税率を定めることができる。

4 徴収方法等

1. 徴収方法

都道府県から納税通知書が送付され、それを用いて納税します。このような方法を、**普通徴収**といいます。

＼アドバイス／
試験では「特別徴収」で×、のように出題されます。なお、特別徴収とは、いわゆる天引きのことです。

なお、不動産を取得した者は、条例で定める期間内に、原則 **不動産の取得の事実等を申告し、または報告しなければなりません**。ただし、当該期間内に 例外 **表示に関する登記または所有権の登記の申請をした場合は、原則として申告等をする必要はありません**。

2. 免税点

課税標準となるべき額が、次の額に満たない場合は、不動産取得税が課されません。

必須 不動産取得税の免税点

土地の取得 ⇒ **10万円**
建築による家屋の取得 ⇒ 1戸につき**23万円**
建築以外による家屋の取得 ⇒ 1戸につき**12万円**

＼アドバイス／
建築以外による取得とは、購入した場合などのことです。

○×チャレンジ

Q 床面積260m²である新築住宅に係る不動産取得税の課税標準の算定については、当該新築住宅の価格から1,200万円が控除される。

A 床面積50m²（戸建以外の賃貸住宅は40m²）以上240m²以下が要件なので、260m²の場合は控除されません。

×

このレッスンが終わったら「きほんの問題集」の問題01～04にチャレンジ！

LESSON 02 固定資産税

不動産を所有していると、毎年税金が掛かるの？

introduction

亡くなった伯父さんから、土地を遺贈されたんだって？
子供がいないので、先祖代々の土地がうちに来たんです。うれしいけど、税金が心配で…

相続税等も掛かりますが、土地を所有していると、毎年、固定資産税も掛かりますよ。

うーん。これからが大変ですね。一生懸命働いて、税金分も稼がないと…

レッスン1の不動産取得税は、不動産を取得した時に、いわば1回だけ掛かる税金でした。これから学習する固定資産税は、不動産を所有している間、毎年掛かる税金です。これから、その内容を学んでいきましょう。

学習のポイント

1. 市町村が、不動産の所有者に課す
2. 課税標準は、登録価格
3. 標準税率は、1.4%
4. 住宅用地や新築住宅について、特例がある

1 固定資産税とは

1. 課税主体・課税客体等

固定資産税は、**固定資産**（土地・家屋）の所有者に対して、その**固定資産の所在地の市町村**が課す税です。固定資産を所有していれば、毎年、固定資産税が課されます。

＼アドバイス／

不動産取得税は都道府県税ですが、固定資産税は市町村税です。

固定資産税の**賦課期日**（ふか）は、法律により、毎年**1月1日**と定められています。

2. 納税義務者

Case 1　年の途中で売買があった

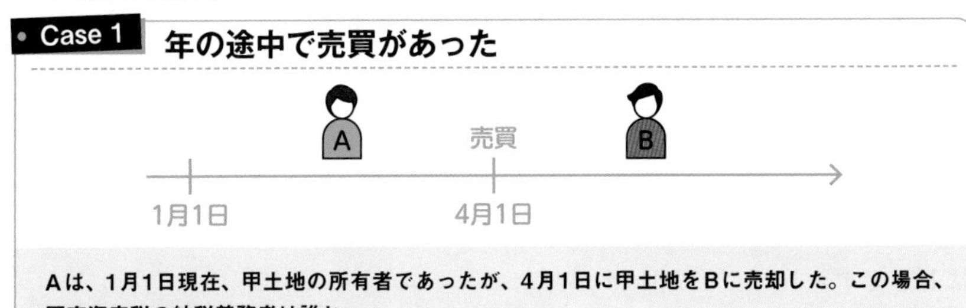

Aは、1月1日現在、甲土地の所有者であったが、4月1日に甲土地をBに売却した。この場合、固定資産税の納税義務者は誰か。

原則 固定資産税の納税義務者は、原則として、固定資産の所有者です。

固定資産の所有者とは、固定資産課税台帳に所有者として登録されている者をいいます。例外として、 例外 **質権または100年より永い存続期間の定めがある地上権の目的である土地については、質権者または地上権者**です。

そして、固定資産税の賦課期日は毎年1月1日なので、たとえば令和7年度の固定資産税の納税義務者は、令和7年1月1日時点での所有者になります。したがって、**ケース1**の納税義務者はAです。

＼アドバイス／

実際の売買では、所有期間に応じて固定資産税を負担するという特約をすることが多いですが、これはあくまで当事者間の負担の取り決めで、市町村に納税する義務を負うのは、1月1日現在の所有者です。

用語

【固定資産】 土地、家屋、償却資産（たとえば、機械式の駐車場施設）をいう。宅建試験では、償却資産の内容については問われないので、このテキストでは土地・家屋に関して説明する。

【賦課期日】 税が課される基準となる日のことをいう。

2 税額の計算

1. 課税標準

（1）原則

固定資産税の課税標準は、**固定資産課税台帳に登録されている価格**です。

この価格は、原則として、基準年度に決定されたものが、3年間据え置かれます。毎年評価しなおすのでは大変だからです。

＼アドバイス／

つまり、登録価格は3年に1回見直されます。これを評価替えといいます。

（2）住宅用地に対する課税標準の特例

200m²以下の住宅用地（**小規模住宅用地**）に対して課す固定資産税の課税標準は、課税標準となるべき価格の**1/6**とされます。

＼アドバイス／

「小規模（＝200m²以下）は1/6」と覚えましょう。

なお、200m²超の住宅用地の場合は、200m²までが1/6、200m²超の部分は1/3です。

2. 税率

固定資産税の標準税率は、1.4/100です。

課税主体である地方公共団体（固定資産税の場合は、市町村）は、例外 **財政上等の理由があるときには、別の税率を定めることができます**。

なお、固定資産税の税率の上限（＝制限税率）は、定められていません。

3. 税額

（1）新築住宅に対する税額控除

固定資産税では、**新築住宅**について、次のような**税額控除**の特例が設けられています。

【新築住宅に対する税額控除の特例】

適用要件		控除年数	控除額
新築住宅	床面積50m²以上（1戸建て以外の貸家住宅の場合，40m²以上）280m²以下	3年度間	120m²までの部分税額×1/2
地上3階建て以上の中高層耐火建築物である新築住宅		5年度間	

＼アドバイス／

「3年度間または5年度間、1/2」と覚えましょう。

(2) マンションに対する固定資産税

区分所有家屋（マンション）の固定資産税は、原則として当該区分所有家屋に係る固定資産税額を専有部分の床面積の割合に応じて按分します。ただし、居住用超高層建築物（タワーマンション）では、高層階になるほど税額が高くなるように補正します。

また、区分所有家屋の土地（マンションの敷地）の固定資産税は、一定の要件を満たせば、各区分所有者が土地の持分割合に応じて納税義務を負います。

3 徴収方法等

1. 徴収方法・納付期日

不動産取得税と同じく、**普通徴収**です。納税通知書は、遅くとも、納期限前10日までに納税者に交付しなければなりません。

原則 **納付期日は、原則として、4月、7月、12月および2月中において、市町村の条例で定めます**。たとえば、「1期4月30日、2期7月31日、3期12月28日、4期2月28日」のように定めるのです。ただし、例外 **特別の事情があるときは、これと異なる納付期日を定めることができます**。

2. 免税点

同一の者が**同一市町村内**に所有する土地・家屋に対する固定資産税の課税標準となるべき額が、**土地の場合は30万円、家屋の場合は20万円**にそれぞれ満たない場合は、固定資産税が課されません。零細な固定資産にまで税負担を求めないためです。

必須 固定資産税の課税標準・税率・税額控除・免税点

	原則	土地	家屋
課税標準	登録価格	小規模住宅用地 （＝200m^{2}以内） 1/6	—
税率	1.4/100	—	—
税額	—	—	新築住宅 3年度間または5年度間 1/2
免税点	—	30万円	20万円

4 登録価格に不服があるときは？

1. 価格の登録

固定資産評価基準（固定資産の評価の基準や、評価の実施方法・手続）は、**総務大臣**が定めます。

そして、固定資産の評価は固定資産評価員によって行われ、その評価に基づき、市町村長が固定資産の価格を決定し、固定資産課税台帳へ登録します。

2. 審査の申出

納税者は、固定資産課税台帳に登録された**価格について不服**がある場合は、固定資産の価格等の登録をした旨の公示の日から納税通知書の交付を受けた日後**3カ月**を経過する日まで等の間において、**固定資産評価審査委員会**に、文書をもって、**審査の申出**をすることができます。

＼アドバイス／

価格に不服がある場合のみの制度である点が重要です。

3. 固定資産課税台帳の閲覧（えつらん）・記載事項の証明

次の者は、固定資産課税台帳の**閲覧**や記載事項の**証明書の交付**を請求することができます。

納税義務者	その者に係る固定資産について
土地の賃借人	その土地について
建物の賃借人	その家屋と敷地について

たとえば土地の所有者は、固定資産課税台帳のうち、自分の所有する土地について記載されている部分を閲覧することができます。

4. 土地価格等縦覧（じゅうらん）帳簿・家屋価格等縦覧帳簿

市町村長は、土地価格等縦覧帳簿・家屋価格等縦覧帳簿を作成し、4月1日から、4月20日または当該年度の最初の納期限の日のいずれか遅い日以後の日までの間、縦覧に供しなければなりません。

縦覧対象者は、当該市町村内に所在する土地・家屋に対する固定資産税の納税義務者です。

＼アドバイス／

閲覧は自分の不動産等についてのみですが、縦覧は、その市町村内にある不動産についてできます。

○×チャレンジ

Q 200m² 以下の住宅用地に対して課する固定資産税の課税標準は、課税標準となるべき価格の2分の1の額とされている。

A 「2分の1」ではなく「6分の1」です。

このレッスンが終わったら「きほんの問題集」の問題05～09にチャレンジ！

LESSON 03 印紙税

印紙は、どんなときに貼るの？

introduction
大家さん、
何か調べものですか？
甲県との土地の
売買契約書を
作っているのですが、
印紙を貼る必要があるか
どうかがわからなくて…

それはね、誰が保存する契約書なのかで決まるのですよ。甲県が保存する分には印紙税がかかります。印紙を貼って国に貢献しないとね…甲県だけに。

おやじギャグ禁止です。

お店で買い物をして領収書をもらう場合、5万円以上だとお店の人が印紙を貼ります。これは、5万円以上の領収書（印紙税法では「受取書」といいます）には印紙税がかかるからです。印紙を貼って消印をすることによって、印紙税を納付しているのです。

このレッスンでは、契約書や受取書にかかる印紙税について学びます。

学習のポイント

1. 国が、課税文書の作成に対して課す
2. 建物の賃貸借契約書は、印紙税が課されない
3. 贈与契約書は、記載金額のない文書になる
4. 5万円未満の受取書は、非課税

1 印紙税とは

1. 課税主体・課税客体

印紙税は、**文書の作成**に対して課される税です。税を課すのは、国です。対象は書面（紙に記載されたもの）での作成に限られ、電磁的記録での作成（たとえばPDFファイルなどの電子文書を電子メールで送る）には課税されません。

2. 納税義務者

印紙税の納税義務者は、文書の作成者です⊕。**2人以上の者が共同して作成**した場合は、それらの者が**連帯して納税義務を負います**。

なお、国・地方公共団体（国等）と国等以外の者とが共同して作成した文書の場合、次のとおりになります。

必須 国等と国等以外の者とが共同して作成した文書

国等が保存するもの ⇒ 国等以外の者が作成したものとみなされる
国等以外の者が保存するもの ⇒ 国が作成したものとみなされ**課税されない**

たとえば、国とAとが土地の売買契約を締結し、売買契約書を作成したとします。この場合、国が保存するものには印紙税が課されますが、Aが保存するものには印紙税が課されません。

3. 課税文書

印紙税法では、課税文書の種類を定めており、そこに含まれない文書は課税されません。もっとも、試験対策としては、課税文書の種類を覚えるより、**次の文書には課税されない**ことを覚えたほうが効率的です。

① **建物の賃貸借**に関する契約書
② 委任に関する契約書（たとえば、媒介契約書）

＼アドバイス／

土地の賃貸借契約書は課税文書ですが、建物の賃貸借契約は課税されません。

⊕補足
委任に基づく代理人が、その委任事務の処理に当たって代理人名義で作成するものは、代理人が納税義務者になる。

なお、売主Ａと買主Ｂとの土地売買契約をＣが仲介して成立させた場合、当事者であるＡやＢが保存する契約書だけでなく、**仲介人Ｃが保存する契約書にも課税**されます。

契約の成立等を証明する目的で作成される文書は、**名称を問わず**「契約書」に該当します。たとえば、土地売買契約の成立を証明する覚書を売主と買主が作成した場合、印紙税が課されます。

覚書等の表題を用いて原契約書の内容を**変更する文書**を作成する場合、その覚書等に重要な事項（契約金額、**契約期間**等）が記載されていれば、印紙税が課されます。

2 印紙税額が決まるまで

1. 記載金額とは

課税文書に該当するとした場合、次に、印紙税額を決定します。そのためには、文書の記載金額がいくらなのかを判断する必要があります。

記載金額とは、契約金額などとして文書に記載されている金額をいいますが、文書に書かれている金額がそのまま記載金額になるとは限りません。以下では、記載金額の決め方を文書の種類ごとに説明します。

2. 記載金額の決め方

(1) 不動産の譲渡に関する契約書・請負に関する契約書

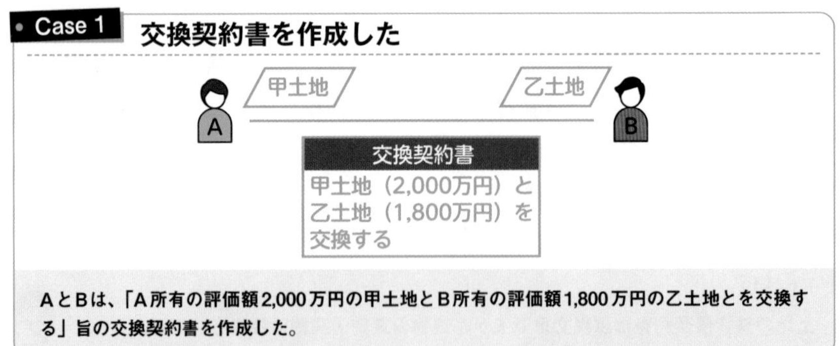

Case 1
交換契約書を作成した
甲土地
乙土地
A
B
交換契約書
甲土地（2,000万円）と
乙土地（1,800万円）を
交換する
AとBは、「A所有の評価額2,000万円の甲土地とB所有の評価額1,800万円の乙土地とを交換する」旨の交換契約書を作成した。

必須 売買契約書等の記載金額

契約書の種類	記載金額	
売買契約書	売買金額	
交換契約書	①交換金額（不動産の価額）が記載されている場合	交換金額（双方の価額が記載されているときは、**高いほう**）
	②交換差金のみが記載されている場合	**交換差金の額**
贈与契約書	**記載金額のない文書**＋になる	
請負契約書	請負金額	

ケース1では、双方の価額が記載されているので、高いほうである2,000万円が記載金額になります。

なお、**不動産の譲渡契約と請負契約を1通の契約書に区分記載**した場合は、次のようになります。

請負金額＞譲渡金額	請負契約書になり、**請負金額が記載金額**
請負金額≦**譲渡金額**	譲渡契約書になり、**譲渡金額が記載金額**

＼アドバイス／

簡単にいえば　高いほうが記載金額になります。

たとえば、土地の売買契約（譲渡金額3,000万円）と建物の建築請負契約（請負金額4,000万円）を1つの契約書に区分記載した場合、請負契約書になり、請負金額4,000万円が記載金額になります。

ところで、請負契約書等で、①消費税額等が区分記載されている場合、または②税込価格と税抜価格が記載されていて**消費税額等が明らか**となる場合は、**消費税額等を記載金額に含めません**。つまり、本体価格が記載金額になります。

たとえば、「請負金額は1,100万円（うち消費税額及び地方消費税額100万円）」との請負契約書を作成した場合、記載金額は1,000万円になります。

＋補足

記載金額のない文書には、200円の印紙税が課される。

(2) 地上権・土地の賃借権に関する契約書

地上権・土地の賃借権に関する契約書の場合、**設定・譲渡の対価である金銭**（権利金その他の名称を問わず、契約に際して貸主などの相手方に交付するもので、後日返還されることが予定されていないもの）が記載金額になります。**賃料**や地代は、設定の対価ではないので、**記載金額になりません**。

＼アドバイス／

賃料は記載金額にならない点がポイントです。

たとえば、「AとBは、A所有の甲土地をBが賃料月額10万円で2年間賃借する」旨の契約書を作成した場合、賃料は記載金額にならないので、記載金額のない文書になります。

(3) 変更契約書

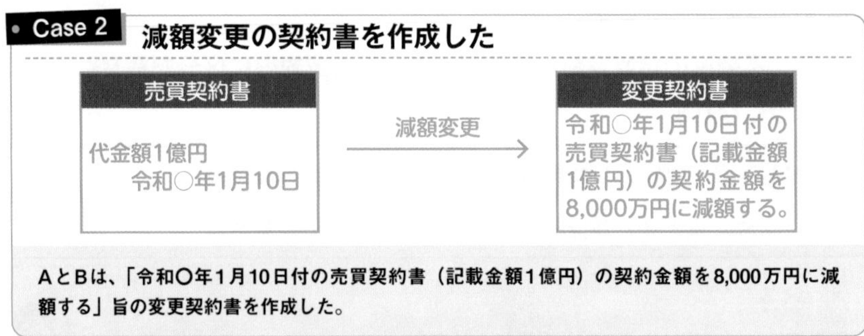

Case 2
減額変更の契約書を作成した
売買契約書
代金額1億円
令和○年1月10日
減額変更
変更契約書
令和○年1月10日付の売買契約書（記載金額1億円）の契約金額を8,000万円に減額する。
AとBは、「令和○年1月10日付の売買契約書（記載金額1億円）の契約金額を8,000万円に減額する」旨の変更契約書を作成した。

契約金額等の記載のある原契約書が作成されていることが明らかであり、かつ、変更契約書に変更金額が記載されている**変更契約書**の場合、記載金額は次のとおりになります。

必須 変更契約書の記載金額

増額変更の場合　⇒　変更金額（増加額）が記載金額
減額変更の場合　⇒　記載金額のない文書になる

ケース2は、上記の減額変更の場合にあたるので、記載金額のない文書となります。

(4) 金銭の受取書

受取書（＝領収書、領収証）の場合、受取金額が記載金額になります。

ただし、以下の受取書は、**非課税文書**になります。

① 記載金額が**5万円未満**の受取書
② 営業に関しない受取書

3. 印紙税額

記載金額が決まったら、その額をもとに印紙税額が決まります。

すなわち、印紙税法では「記載金額が○円を超え△円までは、印紙税額×円」のように定められています。

＼アドバイス／

宅建試験では印紙税額は出題されないので、覚える必要はありません。

3 印紙を貼らないとどうなる？

1. 納付方法

印紙税は、原則として、課税文書に印紙税額相当の印紙を貼り付け、消印をする方法によって納めます。

2. 過怠税（かたいぜい）

課税文書に**印紙を貼り付けなかった**場合には、原則として、原則 納付しなかった印税額とその2倍に相当する金額との合計額（すなわち、印紙税額の3倍）の過怠税が徴収されます。ただし、例外 **自主的に不納付の申出をしたときは、印紙税額の1.1倍**になります。

また、**印紙を貼り付けたが消印をしなかった**場合は、消されていない**印紙の額面金額の過怠税**を徴収されます。

○×チャレンジ

Q 「時価1,000万円の土地を贈与する」旨を記載した贈与契約書は、記載金額1,000万円の不動産の譲渡に関する契約書として印紙税が課される。

A 贈与契約書は、記載金額のない文書になります。

×

LESSON 04 所得税

所得税って、安くならないの？

戸建ての自宅を売却して
マンションに引っ越したい
お客様がいるのですが、
昔に安く買った土地なので
税金が心配だそうです。
所得税には、
3,000万円特別控除や
居住用財産の買換え特例と
いった制度がありますよ。

ちょっと難しいので、お客様に説明してもらっていいですか？

宅くんが勉強して説明してあげてください。

所得税というと、給料にかかる税金のイメージですが、土地や建物などの資産を売った場合にも、譲渡所得という所得が発生し、所得税がかかります。不動産を売ると数千万円、場合によって億単位の収入になることもあり、所得税もかなりの額になります。ただし、土地や建物などを売った場合にはいろいろな特例があります。

学習のポイント

1. 国が、資産の譲渡に対して課す
2. 居住用財産には、3,000万円特別控除、軽減税率などの特例がある
3. 高い物件に買い換えて買換え特例の適用を受ければ、所得税がかからない

1 所得税とは

1. 課税主体・課税客体等

所得税は、個人の所得に対して課される税です。税を課すのは、国です。

所得税法は、所得を給与所得・譲渡所得など10種類に分類しています。これらのうち、宅建試験の出題の中心は**譲渡所得**です。

2. 譲渡所得とは

譲渡所得とは、原則 資産の譲渡による所得をいいます。たとえば、1,000万円で購入した土地を1,500万円で売却した場合、500万円の利得が生じますが、この利得が譲渡所得になり、これに対して所得税が課されます。

＼アドバイス／

簡単にいえば、資産を売った場合の「もうけ」が譲渡所得です。

ただし、例外 **営利を目的として継続的に行われる資産の譲渡による所得は、事業所得等にあたり、譲渡所得にはあたりません。**

＼アドバイス／

商売として資産を売った場合は、譲渡所得にならないのです。

また、原則 不動産の賃貸による所得は、原則として不動産所得になり、譲渡所得にはなりません。ただし、建物等の所有を目的とする地上権・土地の賃借権等の 例外 **設定の対価として支払を受ける金額がその土地の価額の5/10を超えるときは、譲渡所得として課税**されます。

＼アドバイス／

土地の価額の5/10（＝1/2）を超える権利金等を受け取った場合には、譲渡所得になるのです。売った場合に近い金額を受け取ったからです。

3. 土地・建物以外の譲渡所得の計算

土地・建物**以外**の譲渡所得は、譲渡時の所有期間によって**長期譲渡所得**（5年超）と**短期譲渡所得**（5年以下）に分けられます。

そして、所得から50万円を引けるという**特別控除**の制度がありますが、これは、**まず短期譲渡所得から控除**し、控除しきれない額があれば長期譲渡所得から控除します。

短期譲渡所得は前記のようにして求めた全額が総合課税の対象となりますが、**長期譲渡所得は２分の１の額が総合課税の対象**になります。総合課税とは、不動産所得や給与所得などと合計したうえで、所得税額を計算する方法のことです。

2 土地・建物等の譲渡の場合

＼アドバイス／

2はさっと読んで3に進んでください。試験に出るのは、主に3以降です。

土地・建物等の所得税は、他の所得とはまったく別に税額計算します。このような方法を**分離課税**といいます。

税額を計算するには、まず、収入金額（売却価格等）から**取得費**と**譲渡費用**を引き、**（課税）譲渡所得金額**を求めます。

収入金額 － 取得費 － 譲渡費用 ＝ （課税）譲渡所得金額

そして、課税譲渡所得金額に税率をかけ、税額を求めます。このような計算をするにあたって、いろいろな特例があり、宅建試験ではその特例措置から出題されます。

課税譲渡所得金額	×	税率 ＝ 税額
⇑		⇑
・3,000万円特別控除 ・5,000万円特別控除 ・特定の居住用財産の買換え特例 など		・居住用財産の軽減税率 ・優良住宅地の軽減税率

なお、土地や建物の譲渡所得は、**譲渡年の１月１日における所有期間**によって**長期譲渡所得**と**短期譲渡所得**に分けられます。

用語

【取得費】 取得に要した金額。購入代金、購入時の媒介手数料など

【譲渡費用】 譲渡に要した金額。譲渡時の媒介手数料など

【課税譲渡所得金額】 譲渡所得金額がそのまま課税譲渡所得金額になるのが原則であるが、特別控除がある場合は、特別控除後の金額が課税譲渡所得金額になる

【長期譲渡所得】 譲渡した年の１月１日における所有期間が５年を超えるものを譲渡した場合の所得

【短期譲渡所得】 譲渡した年の１月１日における所有期間が５年以下のものを譲渡した場合の所得

3 特別控除・買換え特例等

1. 居住用財産を譲渡した場合の3,000万円特別控除

居住用財産を譲渡した場合の3,000万円特別控除（＝**3,000万円特別控除**）とは、**譲渡所得金額から最大3,000万円を控除することができる特例**です。たとえば、譲渡所得金額が4,000万円の場合、3,000万円を控除すれば、課税譲渡所得金額は1,000万円になります。この特例の適用要件は、次のとおりです。

必須 居住用財産を譲渡した場合の3,000万円特別控除

1. 次の場合、この特例の適用を受けることができる。
   ①**現に自己が居住**している財産の譲渡
   ②**居住しなくなった日**から**3年**を経過する日の属する年の12月31日までの譲渡
2. ただし、次の場合は、適用を受けることができない。
   ①**配偶者・直系血族**など特別の関係にある者に対する譲渡の場合
   ②前年、前々年に、この特例、特定の居住用財産の買換え特例などの適用を受けている場合

2. 収用交換等の場合の5,000万円特別控除

たとえば、道路を作るために土地が収用された場合、その補償金に所得税がかかりますが、その際、課税譲渡所得金額から最大**5,000万円控除**することができる制度です。

＼アドバイス／
この特例に関しては、後で学習する特例の適用関係のために「5,000万円特別控除」という名前だけ覚えてください。

用語
【直系血族】 祖父母、父母、子、孫のように、自分と世代が直線的につながる血族のこと

3. 特定の居住用財産の買換え及び交換の場合の課税の特例

（1）課税の繰延べとは

Case 1　売った金額と同じ金額の物件に買い換えた

ケース1

買換え →

3,000万円で売却　　3,000万円で購入

Aは、2,000万円で取得した甲建物を3,000万円で売却し、3,000万円の乙建物に買い換えた。

特定の居住用財産の買換え及び交換の場合の課税の特例（＝**居住用財産の買換え特例**）は、課税の繰延べの制度です。これは、簡単に言うと、**同じ金額か高い物件に買い換えた場合はその時点では課税されず、安い物件に買い換えた場合は差額にだけ課税される**制度です。

譲渡金額　≦　取得金額	課税されない
譲渡金額　＞　取得金額	差額に課税

ケース1の場合、通常であれば、原則 甲建物を売却した時点で譲渡益1,000万円（3,000万円－2,000万円）に課税されます。これに対し、例外 **居住用財産の買換え特例の適用を受けた場合、同じ金額の物件に買い換えているので、この時点では課税されません**。課税されるのは、将来、乙建物を売却した時点です。このように、居住用財産の買換え特例を適用することにより、課税時期を後に延ばす、つまり、課税を繰り延べることができます。

＼アドバイス／

買換え特例（課税の繰延べ）の仕組みに関しては、大まかなイメージをつかめばOKです。宅建試験で出題されるのは、次に説明する適用要件です。

(2) 居住用財産の買換え特例の要件

必須 居住用財産の買換え特例の要件

譲渡資産		買換資産
①所有者が**現に居住**しているか、**居住しなくなった日**から**3年**を経過する日の属する年の12月31日までに譲渡 ②1月1日における所有期間が**10年超** ③居住期間が**10年以上** ④譲渡に係る対価の額が**1億円以下**	家屋	①床面積**50m²以上** ②使用されたことのある耐火建築物の場合、築後25年以内のものまたは建築基準法施行令の規定もしくは国土交通大臣が財務大臣と協議して定める地震に対する安全性に係る基準に適合することにつき証明がされたものであること ③使用されたことのある**非**耐火建築物の場合、築後25年以内のものまたは譲渡年の12月31日まで（譲渡年の翌年に取得した場合は、その年の12月31日まで）に建築基準法施行令の規定もしくは国土交通大臣が財務大臣と協議して定める地震に対する安全性に係る基準に適合することにつき証明がされたものであること ④建築後使用されたことのない家屋の場合、a）一定の省エネ基準を満たす、b）令和5年12月31日以前に建築確認を受けている、c）令和6年6月30日以前に建築された、のいずれかを満たすこと
	土地	面積**500m²以下**
	取得	譲渡年の前年、譲渡年、翌年のいずれか
	居住	①買換資産を、譲渡年の前年か譲渡年に取得した場合 →譲渡年の翌年の12月31日 ②買換資産を、譲渡年の翌年に取得 →譲渡年の翌々年の12月31日

上記の要件を満たす場合でも、以下に該当するときは、この特例の適用を受けることができません。

① **配偶者・直系血族**など特別の関係にある者に対する譲渡の場合

② **譲渡をした年、前年、前々年**に、**3,000万円特別控除、居住用財産の軽減税率**などの適用を受けている場合

＼アドバイス／

譲渡資産の①は、3,000万円特別控除などと同じ要件です。この特例に関しては、「所有期間10年超」「対価の額1億円以下」「家屋50m²以上」「土地500m²以下」という数字を覚えてください。

4. 収用等に伴い代替資産を取得した場合の課税の特例

たとえば、道路を作るために土地が収用され、2年以内に補償金で代わりの土地を取得した場合、買換え特例と同様、課税の繰延べを受けることができます。

＼アドバイス／

この特例に関しては、名前を聞いたら「あの特例のことだな」と思い出せる程度で十分です。

〇×チャレンジ

Q 譲渡した年の1月1日における所有期間が10年以下である場合、居住用財産を譲渡した場合の3,000万円特別控除の適用を受けることはできない。

A 3,000万円特別控除には、所有期間の要件はありません。

×

4 税率

1. 原則

土地・建物の譲渡所得に対しては、原則として、次の税率が適用されます。

長期譲渡所得	15%
短期譲渡所得	30%

＼アドバイス／

税率のところでは、次に説明する居住用財産を譲渡した場合の軽減税率の特例の適用要件が重要です。税率の数字は、近年は出題されていません。

2. 居住用財産を譲渡した場合の軽減税率の特例

居住用財産を譲渡した場合の軽減税率の特例（＝**居住用財産の軽減税率**）の適用を受けた場合、課税長期譲渡所得金額のうち、6,000万円以下の部分には10%の軽減税率が適用されます。

6,000万円以下の部分	10%
6,000万円超の部分	15%

＼アドバイス／

長期譲渡所得の税率は、原則として15%ですが、この特例の適用を受けると、6,000万円以下の部分が10%になります。

必須 居住用財産の軽減税率の適用要件

1. 次の場合、この特例の適用を受けることができる。
   (1) 譲渡年の1月1日における所有期間が10年を超えること
   (2) ①**現**に自己が**居住**している財産の譲渡
   ②**居住しなくなった日**から**3年**を経過する日の属する年の12月31日までの譲渡
2. ただし、次の場合は、適用を受けることができない。
   ①配偶者・直系血族など特別の関係にある者に対する譲渡の場合
   ②**前年、前々年**に、この特例の適用を受けている場合

＼アドバイス／

3,000万円特別控除と異なるのは、所有期間の要件がある点です。

3. 優良住宅地の造成等のために土地等を譲渡した場合の軽減税率の特例

譲渡年の1月1日における所有期間が5年を超える（＝長期譲渡所得に該当する）土地等を、優良住宅地の造成等のために譲渡した場合、**優良住宅地の造成等のために土地等を譲渡した場合の軽減税率の特例**（＝**優良住宅地の軽減税率**）の適用を受けることができます。

2,000万円以下の部分	10%
2,000万円超の部分	15%

＼アドバイス／

ここは、次に学習する特例の適用関係のために、「優良住宅地の軽減税率」という名前だけ覚えてください。

5 特例の重複適用の可否

Case 2 特例の重複適用

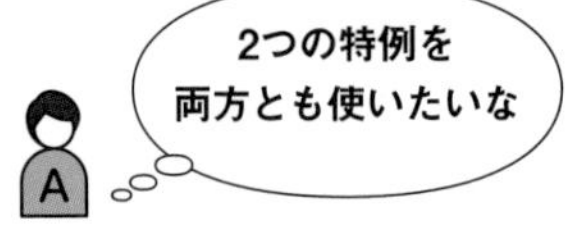

Aは、住んでいる家を売却し、3,000万円特別控除と居住用財産の軽減税率の両方の適用を受けたいと考えている。

これまでに説明した特例は、次のとおりです。

① 3,000万円特別控除
② 5,000万円特別控除
③ 居住用財産の買換え特例
④ 収用等に伴い代替資産を取得した場合の課税の特例
⑤ 居住用財産の軽減税率
⑥ 優良住宅地の軽減税率

これらのうち2つ以上の要件を満たしても、重ねて適用を受けることができるかどうかは別問題です。この点については、次の点を覚えておきましょう。

必須 重複適用が可能な特例

1. 「5,000万円特別控除」と「居住用財産の軽減税率」
2. 「3,000万円特別控除」と「居住用財産の軽減税率」

ケース2の2つの特例は重複適用可能ですので、Aは両方の適用を受けることができます。具体的には、譲渡所得金額から3,000万円特別控除をした後の金額に、居住用財産の軽減税率の税率をかけます。

○×チャレンジ

Q 3,000万円特別控除の適用を受ける場合、特別控除後の譲渡益について、居住用財産の軽減税率の適用を受けることはできない。

A 3,000万円特別控除と居住用財産の軽減税率は、重ねて適用を受けることができます。

×

6 住宅ローン控除（住宅借入金等特別控除）

1. 住宅ローン控除とは

住宅ローン控除は、銀行ローンなどの借金をして住宅を新築・購入・増改築した場合に、借金の残高に応じて所得税を安くしようという制度です。

2. 適用要件

必須 住宅ローン控除の適用要件

住宅ローン控除の主な適用要件は、次のとおりである。

① 新築・購入・増改築から6カ月以内に入居し、原則として適用を受ける**各年の12月31日まで引き続き居住**していること
② 新築・新築住宅の購入の場合、a）一定の省エネ基準を満たす、b）令和5年12月31日以前に建築確認を受けている、c）令和6年6月30日以前に建築された、のいずれかを満たすこと
③ 償還期間10年以上の住宅借入金等があること
④ 新築・新築住宅の購入・既存住宅の購入の場合、住宅の床面積が50m^2以上であり、床面積の2分の1以上の部分が専ら自己の居住用に使用するものであること
⑤ 控除を受ける年の**合計所得金額が2,000万円以下**であること
⑥ **入居年、前年、前々年**に、居住用財産を譲渡した場合の**3,000万円特別控除、居住用財産の軽減税率、居住用財産の買換え特例**の適用を受けていないこと
⑦ 入居年の**翌年以後3年以内**（＝入居年の翌年、翌々年、3年目）に**⑥で挙げた特例**の適用を受けないこと

⑥⑦を具体例で説明すると、令和7年に入居した場合、令和5年、6年または7年に3,000万円特別控除等の適用を受けているか、令和8年、9年または10年にこれらの適用を受けると、住宅ローン控除の適用を受けられなくなります。

なお、住宅ローン控除は、**居住用財産の買換え等の場合の譲渡損失の損益通算および繰越控除**（＝譲渡損失の特例）と重ねて適用することができます。

用語

【譲渡損失の損益通算および繰越控除】 高く買って安く売ったことにより譲渡損失が生じた場合、その損失額を他の所得額から控除できる制度。「買換え」という言葉が入っているので、居住用財産の買換え特例と間違えやすいが、別の特例である。

3. 控除額・控除期間

住宅ローン控除の適用を受けた場合、年末の住宅借入金等の残高に応じて、所定の金額が所得税額から控除されます。

省エネ住宅について、新築・新築住宅の購入をして令和7年中に入居した場合、住宅借入金等の年末残高のうち、省エネ住宅の種類に応じ4,500万円以下～3,000万円以下の部分について、**各年0.7%の控除を13年間**受けることができます。

【住宅ローン控除の控除期間・控除額】

控除期間	控除額
13年※	住宅借入金等の年末残高（4,500万円～3,000万円を限度※）×**0.7%**

※省エネ住宅である既存住宅の取得の場合には、3,000万円を限度とし、控除期間は10年である。また、増改築や省エネ住宅でない既存住宅の取得の場合には、2,000万円を限度とし、控除期間は10年である。

 このレッスンが終わったら「きほんの問題集」の問題14～18にチャレンジ！

学習優先度 中

LESSON 05 登録免許税

登録免許税って、どんな税金？

昨日、司法書士さんに登記申請のお金の支払いをしたのですが、結構な金額でした。僕も司法書士を目指そうかな。

そのお金のかなりの部分は、登録免許税といって、国に納める税金です。全額が司法書士さんの報酬ではないですよ。

登記をするにも税金ですか。かといって、登記しないで二重譲渡されても困りますし…

おっ！民法を勉強した成果が出てますね。

登録免許税は、登記、登録、免許、許可等を受ける際に課される税金です。たとえば、国土交通大臣から宅建業の免許を新たに受ける場合には、登録免許税が課されます。

宅建試験では、主に不動産登記に対する登録免許税について出題されるので、このレッスンでは、その点について学びます。

学習のポイント

1. 納税義務者は、登記を受ける者
2. 登録価格がある不動産については、その登録価格が課税標準
3. 税率は、登記の種類によって異なる
4. 居住用家屋に係る所有権移転登記等には、税率の軽減措置がある

1 登録免許税とは

1. 登録免許税の課税主体・課税客体

登録免許税は、不動産登記等を受けることに対して課される税です。税を課すのは、国です。

2. 納税義務者

納税義務者は、**登記を受ける者**です。**複数の者が共同で登記を受ける**場合は、これらの者が**連帯して納税義務**を負います。

たとえば、所有権移転登記の場合、登記義務者（売主）と登記権利者（買主）が共同して登記を申請するので、連帯して納税義務を負います。

3. 課税標準

課税標準は、登記の種類により異なりますが、多くの場合、**不動産の価額**です。この「価額」とは、登記を受けるときにおける価額（時価）をいい、固定資産課税台帳に登録された価格のある不動産については、その**登録価格**になります。

＼アドバイス／

課税標準は、実際の取引価格ではありません。

4. 税率

税率は、登記の種類によって異なります。たとえば、所有権移転登記の場合、相続⊕・合併、共有物分割は4/1,000、土地の売買は15/1,000、その他は20/1,000です。

＼アドバイス／

近年、税率の数字は出題されていません。

⊕補足

不動産の価額が100万円以下の土地について、表題部所有者の相続人が所有権保存登記を受けるとき、または相続人が相続（相続人に対する遺贈を含む）による所有権移転登記を受けるときは、登録免許税を課さないとされている。

5. 納付方法

登録免許税は、原則 現金で納付するのが原則です。ただし、例外 **税額が3万円以下の場合は、印紙納付**をすることができます。

また、例外 **登記機関等が指定する納付受託者に納付を委託する方法（クレジットカード等を使用する方法）**も認められています。

6. 納税地・納期限

納税地は、不動産の所在地を管轄する登記所の所在地です。また、納期限は、登記を受ける時です。

2 住宅用家屋の税率の軽減措置

下記の要件を満たす所有権保存登記・移転登記、抵当権設定登記には、**税率の軽減措置**があります。

たとえば、建物の売買による所有権移転登記の税率は、20/1,000ですが、この軽減措置が適用されると、3/1,000になります。

＼アドバイス／

近年の登録免許税の問題は、ほとんどがこの軽減措置の要件から出題されています。

必須 住宅用家屋の税率の軽減措置の要件

取得者	個人に限る
家屋の用途	取得者の自己居住用
床面積	**50m²以上**
登記時期	原則として新築後または取得後1年以内に登記を受けること
所有権移転登記の場合	売買または競落（けいらく）による取得に限る
既存住宅の場合	建築基準法施行令の規定もしくは国土交通大臣が財務大臣と協議して定める地震に対する安全性に係る基準に適合するものまたは昭和57年1月1日以後に建築されたもの

なお、この軽減措置の適用を受けるためには、登記の申請書に、その家屋が

一定の要件を満たす住宅用の家屋であることについての**市町村長等の証明書**を添付しなければなりません。

○×チャレンジ

Q 住宅用家屋の所有権移転登記に係る登録免許税の軽減措置は、贈与を原因として取得した住宅用家屋について受ける所有権の移転登記には適用されない。

A この軽減措置は、売買または競落による取得に限り適用されます。

○

LESSON 06

贈与税

贈与税って、高いの？

introduction

30代のお客様が
「親に資金援助を頼んだら、
生前贈与は税金が高いって
断られた」と嘆いて
いました。
その方には、
相続時精算課税制度を
お教えするとよいでしょう。
宅くんはご存じですか？

平成15年にできた制度みたいですが、その頃は子供だったので、よく知らないです。

そういう問題ではないのですが…

贈与税は、贈与を受けた者に課される税金です。贈与税は、1年間に贈与を受けた額の合計に対して課されるのが原則です（暦年（れきねん）課税）。ところが、暦年課税の贈与税は相続税に比べて高いので、高齢者から子・孫世代への資産の移転がなかなか進まないという問題がありました。そこで、相続時精算課税制度が設けられたのです。

学習のポイント

1. 贈与者が60歳以上でなければ、相続時精算課税を選択できないのが原則であるが、住宅取得等資金の贈与の場合には、贈与者の年齢制限がなくなる特例がある。
2. 相続時精算課税の場合、贈与税額は、110万円の基礎控除と2,500万円の特別控除後の額に税率20%

1 贈与税とは

1. 贈与税がかかる場合と課税の方法

贈与税は、個人が個人から贈与を受けたときに課される税です。税を課すのは、国です。納税義務者は、**贈与を受けた者**です。

贈与税では、2で述べる**暦年課税**が原則ですが、一定の要件を満たすときには、3で述べる**相続時精算課税制度を選択**することができます。

2. 暦年課税制度

1月1日から12月31日までに贈与を受けた財産の合計額を課税価格として、贈与税の税額を計算する制度です。原則として、次の算式で税額を求めます。

（課税価格－基礎控除110万円）×税率（10%から55%の累進税率）＝税額

3. 相続時精算課税制度

相続時精算課税制度とは、贈与税と相続税を一体化し、**贈与時の税金を安く**した上で、**相続時に相続税で精算する**というものです。

相続時精算課税制度の要件等は、次のとおりです。

対象者	贈与者	その年の1月1日現在で**60歳以上**の父母、祖父母等
	受贈者	その年の1月1日現在で**18歳以上**の子・孫等
届出		最初の贈与を受けた年の翌年2月1日から3月15日までに届出
税額		（課税価格－年110万円の基礎控除－累計2,500万円の特別控除）×**20%**

相続時精算課税制度を選択した場合、**相続時**には、**贈与を受けた額と相続額とを合計して相続税（10%から55%の累進税率）**が課されます。その際には、相続時精算課税制度によりすでに支払った贈与税の額が、相続税額から控除されます。

＼アドバイス／

暦年課税の贈与税は相続税と比べて高額です。そこで、相続時精算課税制度を設け、とりあえず安い税金で贈与できるようにして、生前贈与をしやすくしているのです。

用語

【累進課税】 課税標準が高くなればなるほど税率も高くなる方式のこと。

② 住宅取得等資金の贈与を受けた場合の特例

1. 相続時精算課税の特例

❶で説明したように、相続時精算課税制度を選択するには、贈与者が60歳以上であることが必要です。その例外として、住宅取得等資金の贈与の場合には、**贈与者が60歳未満でも相続時精算課税制度を選択できる特例**（**特定の贈与者から住宅取得等資金の贈与を受けた場合の相続時精算課税の特例**）が設けられています。この特例の要件は、次のとおりです。

必須 特定の贈与者から住宅取得等資金の贈与を受けた場合の相続時精算課税の特例の要件

資金の使用時期等		①贈与を受けた年の**翌年3月15日**までに、贈与を受けた資金の全額を家屋の取得か増改築に充てること ②その家屋に上記の日までに居住するか、遅滞なく居住すること
取得する家屋	床面積	①**40m²以上**であること ②**1/2以上**を専ら居住の用に供すること
	耐震基準等	取得する家屋が中古の場合、次に該当すること ・建築基準法施行令の規定もしくは国土交通大臣が財務大臣と協議して定める地震に対する安全性に係る基準に適合または家屋が昭和57年1月1日以後に建築されたものであること
増改築	費用	①工事費用が100万円以上 ②居住用部分の工事費が全体の工事費の1/2以上
	床面積	①増改築後の床面積が40m²以上であること ②増改築後の床面積の1/2以上を専ら居住の用に供すること
手続き		贈与税の期限内申告書に特例の適用を受ける旨を記載

上記の要件を満たしても、**配偶者・直系血族**等から**家屋を取得**した場合には、この特例の適用を受けることができません。

アドバイス

つまり、この特例は、親等から資金の贈与を受けて他人から家屋を取得した場合に適用を受けることができます。

○×チャレンジ

Q 床面積の1/3を店舗として使用し、残りの部分は資金の贈与を受けた者の住宅として使用する家屋を新築した場合には、特定の贈与者から住宅取得等資金の贈与を受けた場合の相続時精算課税の特例の適用を受けることができない。

A 床面積の1/2以上を専ら居住の用に供することが要件とされているので、他の要件も満たせば、適用を受けることができます。

×

2. 贈与税の非課税

直系尊属（父母、祖父母等）から住宅取得等資金の贈与を受けた場合、要件を満たせば、**直系尊属から住宅取得等資金の贈与を受けた場合の贈与税の非課税**の適用を受けることができ、省エネ等住宅では1,000万円まで（それ以外の住宅では500万円まで）が非課税になります。

この特例の主な適用要件は、次のとおりです。

贈与者	**年齢制限なし**	
受贈者	その年の1月1日現在で18歳以上	
資金の使途	日本国内における、家屋の新築・取得・増改築	
床面積・贈与を受けた年の合計所得金額	床面積	合計所得金額
	50m^{2}以上240m^{2}以下	**2,000万円以下**
	40m^{2}以上50m^{2}未満	**1,000万円以下**

＼アドバイス／

1の「相続時精算課税の特例」には、合計所得金額の制限がありません。このことと区別して覚えてください。

学習優先度 高

LESSON 07 地価公示法

地価公示って、何のため？

introduction

地価公示って、
毎年3月の終わりごろに
新聞に載るやつですよね？
地価が上がったとか
下がったとか。
まあ、そうですね。
正確には地価公示は
官報で行い、新聞は
それを報道しています。

でも、土地の売買をする場合、値段は交渉で決まりますよね。地価公示は何のためにするのですか？

当事者が値段を決めるときの目安にしてもらうためです。そのほかにもありますが、いい機会なので学んでいきましょう。

地価公示法は、地価公示の手続きや効力などについて定めた法律です。宅建試験では、地価公示法かレッスン8の不動産鑑定評価基準のどちらかが1問出題されます。地価公示法は、比較的易しく、得点しやすいところなので、出題されたら得点できるように、頑張って学習しましょう。

学習のポイント

1. 地価公示は、毎年1回、行われる
2. 標準地は、都市計画区域外でも選定可能
3. 2人以上の不動産鑑定士が鑑定評価をする
4. 土地鑑定委員会が、官報で公示する

1 地価公示とは

売買をする場合、価格は当事者の合意により決まります（契約自由の原則）。

しかし、土地の適正な価格を一般の人が判断するのは困難です。そこで、地価公示法は、価格を決める際の参考等にするために、**土地の価格を判定して公示**（＝地価公示）することにしています⊕。

2 地価公示の手続き

1. 手続きの流れ

地価公示は、**毎年１回**、おおよそ次の２～５のような手続で行われます。

2. 標準地の選定

標準地は、土地鑑定委員会が、**公示区域内**（国土利用計画法により指定された**規制区域を除く**）の土地から選定します。公示区域とは、都市計画区域その他の土地取引が相当程度見込まれるものとして国土交通省令で定める区域をいいます。したがって、**都市計画区域外の土地も標準地に選定される**可能性があります。

なお、標準地は、自然的および社会的条件からみて類似の利用価値を有すると認められる地域において、土地の利用状況、環境等が**通常**と認められる一団の土地について選定するものとされています。

⊕補足

地価公示法は、都市およびその周辺の地域等において、標準地を選定し、その正常な価格を公示することにより、一般の土地の取引価格に対して指標を与え、および公共の利益となる事業の用に供する土地に対する適正な補償金の額の算定等に資し、もって適正な地価の形成に寄与することを目的としている。

＼アドバイス／
たとえば、ひとまとまりの住宅地や商業地等のなかで、環境等が通常である1区画の土地を標準地に選ぶのです。

3. 鑑定評価

標準地が選定されると、土地鑑定委員会は、**2人以上の不動産鑑定士**に鑑定評価をさせます。

不動産鑑定士は、鑑定評価を行うときは、近傍類地（きんぼうるいち）の**取引価格**から算定される推定の価格、近傍類地の**地代**等から算定される推定の価格および同等の効用を有する土地の**造成**に要する推定の費用の額を**勘案**（かんあん）して行わなければなりません。

4. 価格の判定

土地鑑定委員会は、不動産鑑定士による鑑定評価の結果を審査し、必要な調整を行って、**基準日（1月1日）**における当該標準地の単位面積（$1m^2$）当たりの**正常な価格**を判定します。

正常な価格とは、土地について、自由な取引⊕が行われるとした場合におけるその取引において通常成立すると認められる価格をいい、当該土地に建物等の定着物や地上権等の権利が存する場合には、これらの**定着物や権利が存しないもの**として通常成立すると認められる価格をいいます。

＼アドバイス／
たとえば、建物が建っている土地でも、更地だったとした場合の価格を求めるのです。

5. 公示・書面の送付

土地鑑定委員会は、正常な価格を判定したときは、すみやかに、標準地の価格等を**官報で公示**しなければなりません。公示事項は、次のとおりです。

⊕補足

「取引」には、農地、採草放牧地または森林（＝農地等）の取引は含まれないが、それらを農地等以外のものにするための取引は含まれる。つまり、農地等のままにするための取引は含まれないが、住宅地等にするための取引は含まれる。

① 標準地の所在の郡、市、区、町村および字（あざ）ならびに地番
② **標準地の単位面積当たりの価格**および価格判定の基準日
③ 標準地の**地積**および**形状**
④ 標準地およびその周辺の**土地の利用の現況**
⑤ その他国土交通省令で定める事項

そして、土地鑑定委員会は、**関係市町村長に対して**、公示した事項のうち当該市町村が属する都道府県に存する標準地に係る部分を記載した書面および当該標準地の所在を表示する図面を送付しなければなりません。

関係市町村長は、上記の図書を当該**市町村の事務所において一般の閲覧**に供しなければなりません。

必須 **地価公示の手続き**

手続内容	主体	備考
標準地の選定	土地鑑定委員会	**都市計画区域外**にも選定可能
鑑定評価	**２人以上の不動産**鑑定士	土地鑑定委員会が、鑑定評価の結果を審査・調整する
正常な価格の判定	土地鑑定委員会	定着物・権利等が**存しないもの**とした価格
公示		官報で公示
市町村長への書面の送付		当該市町村が属する都道府県に存する標準地の書面等
閲覧	市町村長	市町村の事務所で閲覧に供する

3 公示価格の効力等

1．土地の取引を行う者の責務

都市およびその周辺の地域等において、**土地の取引を行う者**は、取引の対象土地に類似する利用価値を有すると認められる標準地について公示された価格を**指標として取引を行うよう努め**なければなりません。

2. 公示価格の効力

次の場合は、公示価格を**規準**としなければなりません。

① 不動産鑑定士が、公示区域内の土地について**鑑定評価を行う**場合において、当該土地の正常な価格を求めるとき

② 土地収用法等によって**土地を収用することができる事業を行う者**が、公示区域内の土地を当該事業の用に供するため取得する場合において、当該土地の**取得価格**を定めるとき

また、土地収用法の規定により、公示区域内の土地について、当該土地に対する**事業の認定の告示の時における相当な価格**を算定するときは、**公示価格を規準として算定した当該土地の価格を考慮**しなければなりません。

必須 公示価格の効力等

土地の取引を行う者	**指標として取引を行うよう努め**なければならない
不動産鑑定士が、正常な価格を求めるとき	**規準**としなければならない
土地を収用することができる事業を行う者が、取得価格を定めるとき	
事業の認定の告示の時における相当な価格を算定するとき	**規準**として算定した価格を**考慮**しなければならない

なお、公示価格を規準とするとは、対象土地の価格を求めるに際して、当該対象土地とこれに類似する利用価値を有すると認められる**1または2以上**の標準地との位置、地積、環境等の土地の客観的価値に作用する諸要因についての比較を行い、その結果に基づき、当該標準地の公示価格と当該対象土地の価格との間に**均衡**を保たせることをいいます。

○×チャレンジ

Q 標準地の正常な価格とは、土地に関して地上権が存する場合は、この権利が存しないものとして通常成立すると認められる価格をいう。

A 正常価格とは、地上権等の権利が存する場合には、その権利が存しないものとして通常成立すると認められる価格をいいます。

○

このレッスンが終わったら「きほんの問題集」の問題23～26にチャレンジ！

学習優先度 中

LESSON 08 不動産鑑定評価基準

不動産の価格ってどう評価するの？

introduction

宅建試験のために、国土交通省のホームページから不動産鑑定評価基準をダウンロードして読み始めたのですが、何が何だか…
あれは、不動産鑑定士のために書かれたものですから。意欲は素晴らしいですが、そこまでする必要はないでしょう。

そうですよね。たとえば、「限定価格」という言葉の意味だけで5行もあるのですから。不動産鑑定士の人は、あれを全部覚えているのでしょうか。

不動産鑑定士試験の受験者には、不動産鑑定評価基準を丸暗記する人もいるそうですよ。すごいですよね。

不動産鑑定評価基準は、専門家向けに書かれているため、文章が非常に難しいです。もっとも、宅建試験で出題されるのは、不動産鑑定評価基準のうちごく一部です。そこにポイントを絞って学習しましょう。

学習のポイント

1. 価格には、正常価格、限定価格、特定価格、特殊価格がある
2. 価格を求める手法には、原価法、取引事例比較法、収益還元法がある
3. 原価法では、再調達原価を求め、減価修正する
4. 自用の不動産でも、賃貸を想定することにより、収益還元法を適用する

1 不動産鑑定評価基準とは

不動産鑑定評価基準は、不動産鑑定士が鑑定評価をする際のより所となる基準です。不動産鑑定士は、自分勝手な方法で鑑定評価をすることはできず、不動産鑑定評価基準に従って鑑定評価をしなければなりません。

このテキストでは、不動産鑑定評価基準のうち、宅建試験で出題の多い「不動産の価格」「鑑定評価の手法」について説明します。

2 不動産の価格

1. 最有効使用の原則

不動産の価格は、その不動産の効用が最高度に発揮される可能性に最も富む使用（＝**最有効使用**）を前提として把握される価格を標準として形成されます（最有効使用の原則）。

＼アドバイス／

その不動産を最も上手に使える人が一番高い値段をつけるので、その値段がその不動産の価格になるのです。

2. 価格の種類

不動産の価格は、正常価格、限定価格、特定価格、特殊価格に分かれますが、不動産の鑑定評価によって求める価格は、**基本的には正常価格**です。

＼アドバイス／

まず、4つの価格の名称と内容を説明しますが、ここは軽く読み流してください。

正常価格とは、市場性を有する不動産について、現実の社会経済情勢の下で**合理的**と考えられる条件を満たす市場で形成されるであろう市場価値を表示する適正な価格をいいます。つまり、普通の取引で成立する価格のことです。

限定価格とは、市場性を有する不動産について、不動産と取得する他の不動産との併合または不動産の一部を取得する際の分割等に基づき正常価格と同一の市場概念の下において形成されるであろう市場価値と乖離（かいり）することにより、市場が相対的に**限定**される場合における取得部分の当該市場限定に基づく市場価値を適正に表示する価格をいいます。つまり、借地権者が土地を買い取る場合など、限定された場面においてのみ合理性を有する価格のことです。

特定価格とは、市場性を有する不動産について、**法令**等による社会的要請を背景とする鑑定評価目的の下で、正常価格の前提となる諸条件を満たさないことにより、正常価格と同一の市場概念の下において形成されるであろう市場価値と乖離することとなる場合における、不動産の経済価値を適正に表示する価格をいいます。つまり、法令によって通常とは異なった評価が必要とされる場合の価格のことです。

特殊価格とは、文化財等の一般的に**市場性を有しない**不動産について、その利用現況等を前提とした不動産の経済価値を適正に表示する価格をいいます。つまり、宗教建築物などの市場性を有しない不動産をそのまま利用する場合の価格のことです。

＼アドバイス／

宅建試験では、価格の名前と内容を組み替えて出題されます。たとえば、「特殊価格とは」に続けて特定価格の内容を挙げて誤りの肢を作るような問題です。そこで、次の表を参考に、4つの価格の見分けがつくようにしておきましょう。

必須 **価格の種類**

正常価格	市場性を有する不動産	合理的な市場
限定価格		市場限定
特定価格		法令等による社会的要請
特殊価格	市場性を有しない不動産	

○×チャレンジ

Q 特定価格とは、文化財等の一般的に市場性を有しない不動産について、その利用現況等を前提とした不動産の経済価値を適正に表示する価格をいう。

A 特定価格ではなく、特殊価格です。

×

3 価格を求める鑑定評価の手法

1．価格を求める手法

不動産の価格を求める鑑定評価の基本的な手法は、原価法、取引事例比較法、収益還元法に大別されます。そして、対象不動産に係る市場の特性等を適切に反映した**複数の鑑定評価の手法を適用すべき**とされています。

2. 原価法

原価法は、価格時点における対象不動産の**再調達原価**を求め、この再調達原価について**減価修正**を行って対象不動産の試算価格を求める手法です。つまり、対象不動産と同じものを造成・建築した場合の費用を求め、そこから価値の減った分を差し引いて価格を求める手法です。

減価修正の方法には、**耐用年数に基づく方法**と**観察原価法**があり、**これらを併用**するものとされています。

原価法は、対象不動産が建物または建物およびその敷地である場合において、再調達原価の把握および減価修正を適切に行うことができるときに有効であり、**対象不動産が土地のみ**である場合においても、**再調達原価を適切に求めることができるときはこの手法を適用することができます**。

＼アドバイス／

具体的には、昔からの市街地（既成市街地）には原価法は適用できませんが、新しい造成地や埋立地には適用可能です。

3. 取引事例比較法

取引事例比較法は、まず多数の**取引事例を収集**して適切な事例の選択を行い、これらに係る取引価格に必要に応じて**事情補正**および**時点修正**を行い、かつ、地域要因の比較および個別的要因の比較を行って求められた価格を比較考量し、これによって対象不動産の試算価格を求める手法です。つまり、他の不動産の取引価格から対象不動産の価格を求めるものです。

取引事例は、原則として、**近隣地域**または**同一需給圏内の類似地域**に存する不動産に係るもののうちから選択するものとされていますが、必要やむをえない場合は、近隣地域の周辺の地域に存する不動産に係るもののうちから選択す

用語

【再調達原価】 価格を求める時点で、対象不動産を新たに作った場合の費用。
【減価修正】 価値の減った分を引くこと。
【近隣地域】 たとえば、対象不動産が住宅地にあれば、その住宅地のこと。
【同一需給圏内の類似地域】 たとえば、対象不動産が住宅地にあれば、同じ都心へ通勤可能な住宅街のこと。

ることができます。

なお、不動産の鑑定評価の各手法の適用に当たって必要とされる取引事例等は、鑑定評価の各手法に即応し、適切にして合理的な計画に基づき、豊富に秩序正しく収集し、選択すべきであり、**投機的取引**であると認められる事例等適正さを欠くものであってはならないとされています。

4. 収益還元法

収益還元法は、対象不動産が将来生み出すであろうと期待される**純収益**の現在価値の総和を求めることにより対象不動産の試算価格を求める手法です。つまり、対象不動産からあげられる収益から不動産の価格を求める手法です。

収益還元法は、**賃貸用不動産または賃貸以外の事業の用**に供する不動産の価格を求める場合に特に有効ですが、文化財の指定を受けた建造物等の一般的に市場性を有しない不動産以外のものには基本的にすべて適用すべきものであり、**自用の不動産といえども賃貸を想定することにより適用される**ものであるとされています。

＼アドバイス／
たとえば、所有者が自分で住んでいる家でも、「もし貸したらいくら儲かるか」を考えて収益還元法を適用するのです。

なお、**市場における土地の取引価格の上昇が著しいとき**は、その価格と収益価格との乖離が増大するものであるので、先走りがちな取引価格に対する有力な験証（けんしょう）手段として、**この手法が活用されるべき**とされています。

収益価格を求める方法には、一期間の純収益を還元利回りによって還元する方法（**直接還元法**）と、連続する複数の期間に発生する純収益および復帰価格を、その発生時期に応じて現在価値に割り引き、それぞれを合計する方法（**DCF法**）があります。

＼アドバイス／
大まかにいえば、1年分の儲けから計算するのが直接還元法、数年分の儲けとその後の売却価格から計算するのがDCF法です。

用語

【投機的取引】転売等による利益を目的とする取引のこと。

必須 価格を求める手法

原価法	**再調達原価**を求め、**減価修正**を行う
取引事例比較法	取引事例を収集・選択して、**事情補正・時点修正**し、比較考量する
収益還元法	純収益から価格を求める **直接還元法**と**DCF法**がある

○×チャレンジ

Q 収益還元法は、自用の不動産の鑑定評価には適用すべきではない。

A 賃貸を想定することにより適用されます。

×

LESSON 09 住宅金融支援機構

フラット35って？

住宅金融支援機構の「フラット35」という住宅ローンは、どんな特徴があるのですか？

フラット35は、長期固定金利であることが特徴です。固定金利なので、借りる時に決めた金利が最後までずっと適用されます。

銀行等にもフラット35というローンがありますよね。

長期固定金利の住宅ローンは、民間金融機関が貸し付け、住宅金融支援機構が支援しています。たとえば、銀行等が住宅ローンを貸し付け、その住宅ローン債権を住宅金融支援機構が買い取り、回収業務等をその銀行等に委託するのです。

住宅金融支援機構は、上記のような長期固定金利の住宅ローンの支援や、民間では行うことが困難な融資等を行う法人です。

住宅金融支援機構は、毎年1問出題されます。過去問と同じような内容が繰り返し出題されることが多いので、比較的得点しやすい項目です。

学習のポイント

1. 住宅金融支援機構は、長期固定金利の住宅ローンの支援を行う
2. 住宅金融支援機構は、災害復興建築物の建設資金等の融資を行う
3. 一定の直接融資には、高齢者向け返済特例制度が設けられている

1 住宅金融支援機構とは

独立行政法人住宅金融支援機構（以下「**住宅金融支援機構**」）は、民間金融機関が行う**長期・固定金利**の住宅ローン⊕貸付けの支援（＝証券化支援事業）や、民間では困難な融資（＝直接融資）を行う法人です。

固定金利とは、貸出時に設定された金利が最終返済期限までそのまま適用される方法のことです。たとえば、「貸付期間30年間、年利3%の固定金利」であれば、30年の間、金利はずっと3%です。長期・固定金利の住宅ローンを民間金融機関が単独で行うことは難しいため、住宅金融支援機構が支援しています。

2 証券化支援事業

証券化支援事業には、次の２種類があります。

必須 証券化支援事業

買取型	住宅の建設または購入に必要な資金の貸付けに係る金融機関の**貸付債権の譲受け**を行う
保証型	貸付債権を担保とする債券に係る**債務保証**を行う

＼アドバイス／

保証型はほとんど出題されていないので、ここでは買取型について説明します。

証券化支援事業（買取型）では、住宅金融支援機構は、民間金融機関から住宅ローン債権を買い取り、これを担保に**MBS（資産担保証券）**を発行しています。

買取りの対象になるのは、**本人または親族**が住むための**住宅の建設や新築住宅・中古住宅の購入**に係る貸付債権です。また、住宅の**建設・購入に付随する土地や借地権**の取得資金の貸付債権、住宅の**購入に付随する当該住宅の改良資金**の貸付債権も買取りの対象です。

⊕補足
「フラット35」等の名称が付けられている。

住宅ローンの**金利**は各金融機関が決定するので、**金融機関によって異なる場合があります**。なお、機構は、**ZEH**（ゼッチ。ネット・ゼロ・エネルギーハウス）および省エネルギー性、耐震性、バリアフリー性、耐久性・可変性に優れた住宅を取得する場合に、**貸付金の利率を一定期間引き下げる**制度を実施しています（優良住宅取得支援制度）。

返済方法は、元金と利息を毎月返済（ボーナス払い等の併用も可能）していく方法（**割賦償還**）です。**元金均等**の方法と**元利均等**の方法があります。

＼アドバイス／

次の3で説明する高齢者向け返済特例制度は、証券化支援事業の対象となる住宅ローンには設けられていません。

○×チャレンジ

Q 証券化支援事業（買取型）において、住宅ローンの金利は、どの金融機関においても同一の利率が適用される。

A 金利は、金融機関によって異なる場合があります。

×

用語

【ZEH】 断熱・省エネ性能を高めてエネルギー消費を減らすとともに、太陽光発電によってエネルギーを創り出し、エネルギー消費が実質ゼロ以下である住宅のこと。

【元金均等】 元金の返済額が毎月一定である方法

【元利均等】 元金と利息を合わせた返済額が毎月一定である方法

3 融資業務等

1. 融資業務

(1) 融資業務の内容

住宅金融支援機構は、次のような融資業務（直接融資）を行っています。

①**災害復興建築物**の建設・購入、被災建築物の補修に必要な資金の貸付けを行うこと

②災害予防代替建築物の建設・購入や災害予防移転建築物の移転に必要な資金、災害予防関連工事に必要な資金、**地震に対する安全性の向上**を主たる目的とする住宅の改良に必要な資金の貸付けを行うこと

③**合理的土地利用建築物**の建設や合理的土地利用建築物で人の居住の用その他その本来の用途に供したことのないものの購入に必要な資金、**マンションの共用部分の改良**に必要な資金の貸付けを行うこと

④子どもを育成する家庭・高齢者の家庭に適した良好な居住性能・居住環境を有する賃貸住宅や賃貸の用に供する住宅部分が大部分を占める建築物の建設に必要な資金、当該賃貸住宅の改良に必要な資金の貸付けを行うこと

⑤**高齢者**の家庭に適した良好な居住性能・居住環境を有する住宅とすることを主たる目的とする**住宅の改良**（高齢者が自ら居住する住宅について行うものに限る）に必要な資金、高齢者の居住の安定確保に関する法律に規定する登録住宅（賃貸住宅であるものに限る）とすることを主たる目的とする人の居住の用に供したことのある住宅の購入に必要な資金の貸付けを行うこと

⑥**住宅確保要配慮者**に対する賃貸住宅の供給の促進に関する法律に規定する登録住宅の改良に必要な資金の貸付けを行うこと

⑦事業主または事業主団体から独立行政法人勤労者退職金共済機構の行う転貸貸付けに係る住宅資金の貸し付けを受けることができない勤労者に対し、財形住宅貸付けを行うこと

⑧住宅の**エネルギー消費性能の向上**を主たる目的とする**住宅の改良**に必要な資金の貸付けを行うこと

＼アドバイス／

一度に覚えるのは困難ですので、問題を解きながら、徐々に覚えていってください。大まかにいえば、災害関係、子育て・高齢者家庭関係、合理的土地利用建築物関係に対し直接融資をしています。

用語

【合理的土地利用建築物】 市街地再開発事業、マンション建替え事業等による建築物のこと

【住宅確保要配慮者】 高齢者、子育て世帯、低額所得者、障害者、被災者など住宅の確保に特に配慮を要する者のこと

(2) 直接融資の返済方法

直接融資の返済方法は、通常は、元金と利息を毎月返済していく方法（**割賦償還**）です。

ただし、高齢者が自ら居住する住宅に対して行う**バリアフリー工事**または**耐震改修工事**や**エネルギー消費性能の向上を目的とする改良工事**に係る貸付け等については、毎月の返済を利息のみの支払いとし、借入金の元金は債務者本人の死亡時に一括して返済する制度が設けられています（**高齢者向け返済特例制度**）。

また、①**災害復興建築物**、災害予防代替建築物等の建設または購入に係る貸付金、②被災建築物等の補修に係る貸付金等について、**据置期間**（＝元本の返済が猶予される期間）を設けることができます。

住宅金融支援機構は、貸付けを受けた者が経済事情の著しい変動に伴い、元利金の支払いが著しく困難となった場合には、一定の**貸付条件の変更**または**元利金の支払方法の変更**をすることができます。

2. その他の業務

住宅金融支援機構は、これまで述べたほかに、主に次のような業務を行っています。

住宅融資保険	金融機関が貸し付けた住宅ローンについて、**住宅融資保険**を引き受けること
住情報の提供	住宅の建設、購入、改良、移転をしようとする者、住宅の建設等に関する事業を行う者に対し、必要な資金の調達、良質な住宅の設計・建設等に関する情報の提供、相談その他の援助を行うこと
団体信用生命保険	貸付けを受けた者等とあらかじめ契約を締結して、その者が**死亡**した場合や**重度障害**の状態になった場合に支払われる保険金等を当該貸付けに係る債務の弁済に充当すること
家賃債務保証保険契約に係る保険	住宅確保要配慮者に対する賃貸住宅の供給の促進に関する法律の規定による保険を行うこと
空き家対策特別措置法による情報の提供その他の援助	市町村または空家等管理活用支援法人からの委託に基づき、空家等および空家等の跡地の活用の促進に必要な資金の融通に関する情報の提供その他の援助を行うこと

3. 業務の委託

住宅金融支援機構は、金融機関等に業務を委託することができます。金融機関に委託できる業務の概要は次のとおりです。

① 譲り受けた貸付債権の**回収業務**
② 融資保険に関して取得した貸付債権の回収業務
③ 融資業務（貸付けの決定と工事等の審査を除く）

○×チャレンジ

Q 証券化支援事業（買取型）において、住宅金融支援機構は、毎月の返済を利息のみの支払いとし、借入金の元金は債務者本人の死亡時に一括して返済する制度を設けている。

A 高齢者向け特例返済制度は、一定の直接融資に設けられており、証券化支援事業には設けられていません。

このレッスンが終わったら「きほんの問題集」の問題31～35にチャレンジ！

学習優先度 高

LESSON 10 不当景品類及び不当表示防止法

どんな広告が不当表示になるの？

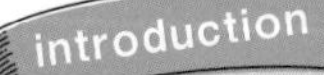

introduction

このアパートの広告、「駅から520メートル。速く歩けば4分」と書かれています。速く歩けば健康にもいいですね。

それは不当表示になりますね。徒歩での所要時間は、道路距離80メートルにつき1分で計算しなければならないと決められています。

520÷80＝6.5だから、6分30秒ですか。

1分未満の端数は切上げですから、7分です。本当は7分程度かかるのに「4分」と表示すると、広告を見た人が誤解します。そこで、表示の仕方が規制されているのです。

不当景品類及び不当表示防止法（景品表示法）は、毎年1問出題されます。そのほとんどが不動産の表示に関する公正競争規約（表示規約）からの出題で、どのような広告が不当表示になるのかが問われています。

たとえば、徒歩による所要時間については、上記のような表示規約の定めがあり、それに違反するかどうかが問われるのです。

学習のポイント

1. 取引態様は「売主」「貸主」「代理」「媒介（仲介）」の語を用いる
2. 徒歩による所要時間は、道路距離80メートルにつき1分間
3. 新築とは、建築後1年未満であって、居住の用に供されたことがないものをいう

1 不当景品類及び不当表示防止法とは

1. 不当景品類及び不当表示防止法とは

過大な景品が提供されると、消費者が景品につられて安易に契約をしてしまうおそれがあります。また、間違った内容の広告は、消費者に損害を与えるおそれがあります。

そこで、不当景品類及び不当表示防止法（**景表法**）が定められ、消費者の保護が図られています。

2. 景品規約・表示規約

不当な景品や表示を防止するとしても、何が不当な景品・表示にあたるかを定めなければ、どのような景品の提供や広告をしてよいのか判断のしようがありません。

そこで、不動産取引に関しては、「不動産業における景品類の提供に関する公正競争規約」（**景品規約**）と「不動産の表示に関する公正競争規約」（**表示規約**）が定められています。

宅建試験では、表示規約からの出題がほとんどです。そこで、まず表示規約の内容について説明していきます。

2 表示規約

＼アドバイス／

表示規約に関しては、数字が出てくるものなど、問題を解くのに事前の知識が必要なものを中心に説明します。

1. 広告等の開始時期の制限

宅地の造成や建物の建築に関する**工事の完了前**においては、宅建業法33条に規定する**許可等の処分があった後**でなければ、取引に関する広告表示をしてはなりません。

2. 特定事項の明示義務

① 市街化調整区域に所在する土地については、原則として「**市街化調整区域。宅地の造成および建物の建築はできません。**」と明示すること（新聞折込チラ

シ等およびパンフレット等の場合には**16ポイント以上**の大きさの文字を用いること)。

② 建築基準法上の**道路に2メートル以上接していない**土地については、原則として「**再建築不可**」または「**建築不可**」と明示すること。

③ **路地状部分**のみで道路に接する土地であって、その路地状部分の面積が当該土地面積のおおむね**30パーセント以上**を占めるときは、**路地状部分を含む旨および路地状部分の割合または面積**を明示すること。

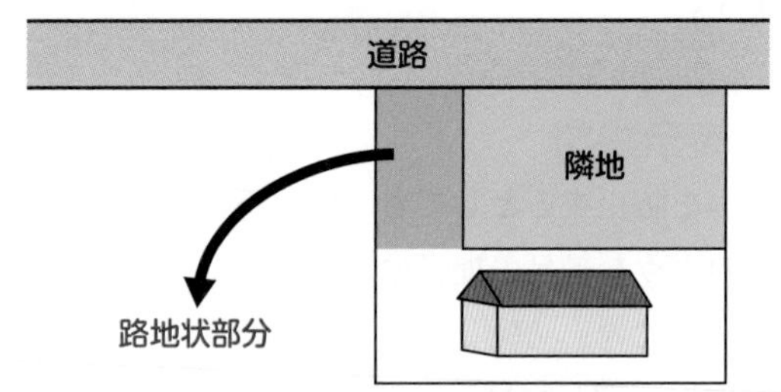

④ 建築基準法の規定により**道路とみなされる部分**(セットバックを要する部分)を含む土地については、**その旨**を表示し、セットバックを要する部分の面積がおおむね**10パーセント以上**である場合は、その**面積**も明示すること。

⑤ 土地の全部または一部が**高圧電線路下**にあるときは、**その旨**および**そのおおむねの面積**を表示すること。建物その他の工作物の建築が禁止されているときは、その旨も併せて明示すること。

⑥ **傾斜地**を含む土地であって

ア. 傾斜地の割合が当該土地面積のおおむね**30パーセント以上**を占める場合(**マンションおよび別荘地等を除く**)は、**傾斜地を含む旨**および**傾斜地の割合または面積**を表示すること。

イ. 傾斜地の割合が30パーセント以上を占めるか否かにかかわらず、傾斜地を含むことにより、当該**土地の有効な利用が著しく阻害**される場合(**マンションを除く**)は、**その旨**および**傾斜地の割合または面積**を明示すること。

用語

【路地状部分】 道路に出るための通路になっている部分のこと。

＼アドバイス／

表示規約の問題は、事前の知識がなくても、試験現場の感覚で解けるものが多くあります。テキストをさっと読んだら、問題を解き、間違えた問題を中心に復習する方法が効率的です。

3. 表示基準

（1）取引態様

取引態様は、「**売主**」、「**貸主**」⊕、「**代理**」または「**媒介**」（「**仲介**」）の別を**これらの用語を用いて**表示すること。

（2）交通の利便性

新設予定の鉄道、都市モノレールの**駅**もしくは路面電車の停留場またはバスの停留所は、当該路線の**運行主体が公表したものに限り**、その**新設予定時期を明示**して表示することができる。

（3）各種施設までの距離または所要時間

徒歩による所要時間は、**道路距離80メートルにつき1分間**を要するものとして算出した数値を表示すること。この場合において、1分未満の端数が生じたときは1分として計算すること。

＼アドバイス／

つまり、1分未満の端数は切上げです。たとえば、5分30秒なら6分と表示しなければなりません。

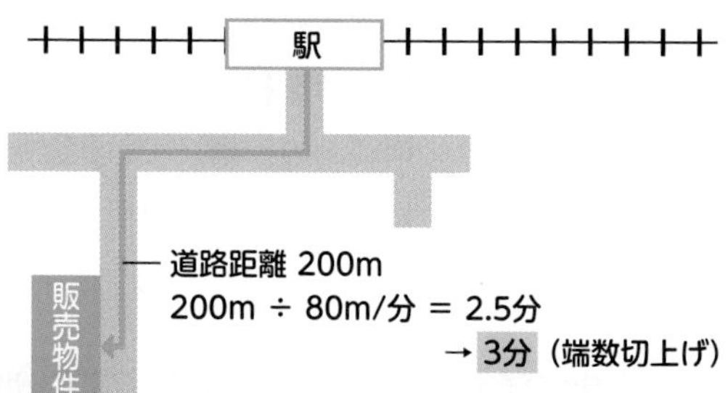

（4）生活関連施設

① **学校**、病院、官公署、公園その他の公共・公益施設は、次に掲げるところにより表示すること。

ア．原則として、**現に利用できるもの**を表示すること。

イ．物件からの**道路距離**または**徒歩所要時間**を明示すること。

⊕**補足**

自ら貸借の場合、宅建業法は適用されないが、表示規約は適用される。

ウ．その施設の名称を表示すること。ただし、公立学校および官公署の場合は、パンフレットを除き、省略することができる。

② デパート、スーパーマーケット、コンビニエンスストア、商店等の**商業施設**は、**現に利用できるもの**を物件からの**道路距離**または**徒歩所要時間**を明示して表示すること。ただし、工事中である等その施設が将来確実に利用できると認められるものにあっては、その整備予定時期を明示して表示することができる。

(5) 価格・賃料

土地の価格は、取引するすべての区画の1区画当たりの価格を表示すること。ただし、分譲宅地については、**パンフレット等の媒体を除き**、1区画当たりの**最低価格、最高価格**および**最多価格帯**ならびにその価格帯に属する販売区画数を表示することができる。また、この場合において、販売区画数が10未満であるときは、最多価格帯の表示を省略することができる。

4. 特定用語の使用基準

① **新築**とは、**建築工事完了後1年未満**であって、**居住の用に供されたことがない**ものをいう。

② **新発売**とは、**新たに造成された宅地、新築の住宅**（造成工事または建築工事完了前のものを含む）または**一棟リノベーションマンション**について、一般消費者に対し、**初めて購入の申込みの勧誘を行う**こと（一団の宅地または建物を数期に区分して販売する場合は、期ごとの勧誘）をいい、その申込みを受けるに際して一定の期間を設ける場合においては、その期間内における勧誘をいう。

＼アドバイス／

たとえば、当初の販売期間中に売れ残った住宅を再度売り出す際には、「新発売」と表示することはできません。初めて購入の申込みの勧誘を行うことに当たらないからです。

用語

【最多価格帯】 100万円刻みで最も販売区画数が多い価格帯のこと。たとえば、3,100万円台が2区画、3,200万円台が4区画、3,500万円台が1区画であれば、3,200万円台が最多価格帯になり、「3,200万円台（4区画）」と表示する。

【一棟リノベーションマンション】 共同住宅等の1棟の建物全体（内装、外装を含む）を改装または改修し、マンションとして住戸ごとに取引するものであって、当該工事完了前のもの、もしくは当該工事完了後1年未満のもので、かつ、当該工事完了後居住の用に供されていないものをいう。

5. 物件の名称の使用基準

①物件が**公園**、**庭園**、**旧跡**その他の施設または**海（海岸）**、**湖沼・河川の岸・堤防**から**直線距離で300メートル以内**に所在している場合は、これらの施設の名称を用いることができる。

②物件から**直線距離で50メートル以内**に所在する街道その他の**道路の名称（坂名を含む）**を用いることができる。

6. 不当な二重価格表示の禁止

Case 1　値下げ表示

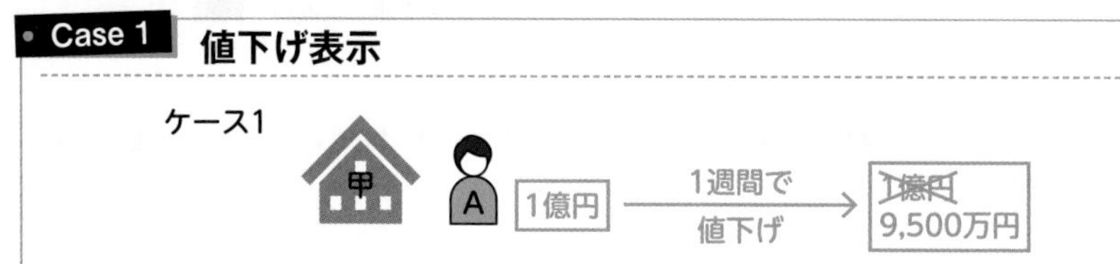

Aは、甲建物を安く販売しているように見せるため、当初1億円で売り出し、1週間後に9,500万円に値下げして、「1億円から9,500万円へ値下げ」と表示した。

過去の販売価格を比較対照価格とする二重価格表示は、次に掲げる要件のすべてに適合し、かつ、実際に、当該期間、当該価格で販売していたことを資料により客観的に明らかにすることができる場合を除き、不当な二重価格表示に該当する。

① 過去の販売価格の公表日および値下げした日を明示すること。

② 比較対照価格に用いる過去の販売価格は、値下げの直前の価格であって、かつ、値下げ前**2か月以上**にわたり**実際に販売のために公表していた価格**であること。

③ **値下げの日から6か月以内に表示**するものであること。

④ 過去の販売価格の公表日から二重価格表示を実施する日まで物件の価値に同一性が認められるものであること。

＼アドバイス／

値下げ前の価格を併記できるのは、原則として値下げから6カ月までです。ただし、値下げ後に災害等により物件の価値が下がった場合には、その時点で値下げ前の価格を併記できなくなるのです。

⑤ 土地（**現況有姿分譲地を除く**）または建物（**共有制リゾートクラブ会員権**

用語

【現況有姿分譲地】 山林や原野を造成工事をせずに分譲する土地のこと。

を除く）について行う表示であること。

ケース1は、過去の販売価格で1週間しか販売していないので、②を満たさず、不当な二重価格表示になります。

7. おとり広告の禁止

• Case 2　おとり広告

Aは、販売済みの甲建物を広告に掲載し続け、甲建物の購入に訪れた客に、他の物件を紹介することを繰り返した。

次に該当する表示（おとり広告）は、してはなりません。

① 物件が**存在しない**ため、実際には取引することができない物件に関する表示

② 物件は存在するが、実際には**取引の対象となり得ない**物件に関する表示

③ 物件は存在するが、実際には**取引する意思がない**物件に関する表示

ケース2の甲建物は販売済みなので、②の実際には取引の対象となり得ない物件に関する表示に該当します。したがって、その広告は不当表示になります。

〇×チャレンジ

Q **分譲宅地の販売広告において、すべての価格を表示することが困難であるときは、宅地の平均価格を表示すればよい。**

A 最低価格、最高価格、（10区画未満の場合を除き）最多価格帯とその価格帯に属する販売区画数を表示しなければなりません。

×

3 景品規約

＼アドバイス／

景品規約に関しては、近年、ほとんど出題されていません。時間がなければパスしてもかまわないでしょう。

1. 懸賞により提供する場合

抽選などの**懸賞**によって景品類を提供する場合には、**取引価額の20倍また**

は10万円のいずれか低い価額の範囲でなければなりません。また、景品類の総額は、当該懸賞に係る取引予定総額の100分の2以内でなければなりません。

2. 懸賞によらないで提供する場合

懸賞によらないで景品類を提供する場合、すなわち、購入者・来店者全員に景品類を提供する場合や、先着順に景品類を提供する場合には、**取引価額の10分の1または100万円のいずれか低い価額**の範囲でなければなりません。

必須 表示規約の数字のまとめ

① 新築とは、建築工事完了後**1**年未満であって、居住の用に供されたことがないもの
② 比較対照価格に用いる過去の販売価格は、値下げの直前の価格であって、かつ、値下げ前**2**か月以上にわたり実際に販売のために公表していた価格であること。値下げの日から**6**か月以内に表示するものであること。
③ セットバックを要する部分の面積がおおむね**10**パーセント以上の場合、その面積も明示すること
④ 「市街化調整区域。宅地の造成および建物の建築はできません。」と明示すること（新聞折込チラシ等およびパンフレット等の場合には**16**ポイント以上の大きさの文字を用いること）
⑤ 路地状部分の面積がおおむね**30**パーセント以上のときは、路地状部分を含む旨および路地状部分の割合または面積を明示すること
⑥ 傾斜地の割合が当該土地面積のおおむね**30**パーセント以上を占める場合（マンションおよび別荘地等を除く）は、傾斜地を含む旨および傾斜地の割合または面積を表示すること。
⑦ 物件から直線距離で**50**メートル以内に所在する街道その他の道路の名称（坂名を含む）を用いることができる。
⑧ 徒歩による所要時間は、道路距離**80**メートルにつき**1**分間を要するものとして算出した数値を表示すること（端数切上げ）。
⑨ 物件が公園、庭園、旧跡その他の施設または海（海岸）、湖沼・河川の岸・堤防から直線距離で**300**メートル以内に所在している場合は、これらの施設の名称を用いることができる。

このレッスンが終わったら「きほんの問題集」の問題36〜42にチャレンジ！

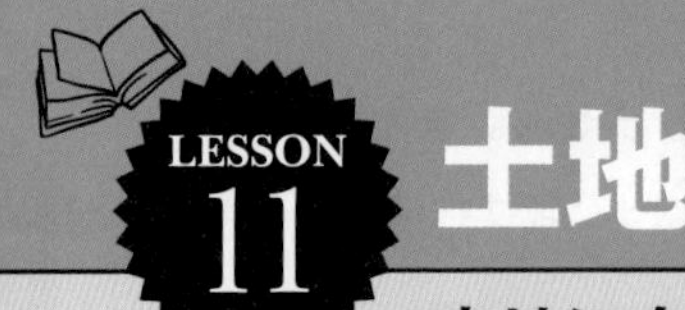

LESSON 11 土地

宅地に向くのはどんな土地？

introduction
東京湾を堤防で閉め切って水を全部抜いたら、東京の土地不足は一挙に解決しませんか？
？
それが可能かどうかはともかくとして、そのようにして造った土地は干拓地（かんたくち）といって、宅地には向きませんよ。

でも、湾岸とか、たくさん建物が建っていますよね。

それは、埋立てによって造った埋立地です。埋立地は、工事がしっかりしていれば、宅地として利用可能です。

宅建試験では、土地に関する問題が毎年1問出題されます。内容は、上記のような宅地としての適否や災害に関することなどです。

同じような内容が繰り返し出題されていますので、対策をしっかりしておけば得点できる可能性が高い項目です。

学習のポイント

1. 丘陵（きゅうりょう）、台地、段丘（だんきゅう）は、一般的には宅地に適している
2. 低地は一般的には宅地に適していないが、日本の大都市の大部分は低地にある
3. 埋立地は、干拓地よりは宅地に適している
4. 液状化は、地下水位の浅い砂地盤（すなじばん）で起こりやすい

1 宅地としての適否

宅地として利用するためには、地震・洪水などの災害に対して強い土地であることが好ましいです。この観点から整理すると、次のようになります。

1．山麓（さんろく）

山麓とは、山のふもとのことです。山麓部を利用する際には、**背後の地形、地質、地盤について十分に注意**する必要があります。

土石流（どせきりゅう）や土砂崩壊による堆積（たいせき）でできた地形、地すべりでできた地形は、なだらかで一見宅地に適しているように見えますが、崩壊等の危険が高いので、注意を要します。

2．丘陵、台地、段丘

丘陵とは、小さな山（が続く地形）のことです。**台地**とは、頂上が平坦で、周りより一段高くなっている地形のことです。**段丘**とは、平坦な土地と急な崖が階段状に並んでいる地形のことです。

これらは、一般的にいえば、水はけがよく、地盤が安定しているので、**宅地に適しています**。ただし、次のような場所は、注意すべきです。

① 台地、丘陵の縁辺部（えんぺんぶ）
崖崩れを起こす危険があります。山腹（さんぷく）で傾斜角が25度を超えると急激に崩壊地が増加します。

② 切土部と盛土部にまたがる宅地
境目では地盤の強度が異なるため、**不同沈下**が起こりやすいといえます。

③ 土留めや排水工事の十分でない盛土地
崩壊のおそれがあります。

④ 台地、丘陵地の小さな谷間
軟弱地盤であることが多く、これを埋土して造成された宅地では、地盤沈下や排水不良を生ずることが多いといえます。

用語
【不同沈下】 建物が不ぞろいに沈下すること。

3. 低地

一般的にいえば、洪水や地震に弱いので、**宅地に適していません**。もっとも、日本の大都市は大部分が低地にあるので、宅地としての利用は避けられないといえます。

低地の中でも、次のような場所は、砂礫質(されきしつ)や砂質(さしつ)の土からなり、**宅地として利用することができます**。

① 扇状地(せんじょうち)の中の微高地
扇状地とは、川が山から平地に流れ出るところに、堆積によりできた扇(おうぎ)形の地形のことです。

② 自然堤防
自然堤防とは、川の両側に自然にできた堤防状の高まりのことです。

③ 砂丘、砂州(さす)、昔の天井川(てんじょうがわ)
砂丘とは、砂が堆積してできた地形のことです。砂州とは、湾の入り口にできた細長い砂浜が対岸まで続いている地形のことです。京都府の天橋立(あまのはしだて)が有名です。天井川とは、川床に砂礫が堆積し、川床が周辺の平坦面より高くなったもののことです。

以上に対し、次のような場所は、**宅地として好ましくありません**。

① デルタ地域
三角州ともいい、河口付近に土砂が堆積してできた地形のことです。

② 旧河道
昔の川の跡で、周囲の土地よりも低くなっている帯状の土地のことです。軟弱な地盤なので、宅地に適しません。

③ 自然堤防に囲まれた後背低地
自然堤防の背後に形成された低湿地のことです。軟弱地盤で、洪水にも弱いので、宅地に適しません。

4. 干拓地(かんたくち)、埋立地

干拓地や**埋立地**は、**宅地としてあまり好ましくありません**。埋立地は宅地としての利用が可能ですが、特に、干拓地は海面以下の場合が多いので、津波・

用語

【干拓地】 海・湖沼などを堤防で閉め切り、排水して造った土地のこと。
【埋立地】 海・川などに土砂等を投入して作った土地のこと。

高潮による被害の可能性があります。

埋立地は、干拓地よりは安全で、宅地としての利用も可能です。

必須 **宅地としての適否**

場所	原則	注意が必要な場所	
山麓	十分注意が必要	土石流、土砂崩壊、地すべりでできた地形	
丘陵、台地、段丘	適している	・台地、丘陵の縁辺部 ・切土部と盛土部にまたがる宅地 ・土留めや排水工事の十分でない盛土地 ・台地、丘陵地の小さな谷間	
		利用可能な場所	好ましくない場所
低地	適していない	・扇状地の中の微高地 ・自然堤防 ・砂丘、砂州、昔の天井川	・デルタ地域 ・旧河道 ・自然堤防に囲まれた後背低地
干拓地、埋立地	適していない	埋立地	干拓地

5. 液状化

液状化とは、地震の際、砂地盤が振動によって液体状になる現象のことです。液状化が生じると、建物が倒れたりマンホールが浮き上がったりするなどの被害が起こることがあります。

液状化は、地表近くの水を含んだ砂質土が液体状になるものなので、液状化が生じる可能性が高いのは、**地下水位の浅い**（＝地表近くの浅いところに地下水がある）砂地盤です。旧河道、低湿地、埋立地、三角州などのほか、台地や段丘上の浅い谷に見られる小さな池沼を埋め立てた所でも、液状化が生じる可能性があります。

〇×チャレンジ

Q 昔の天井川の跡や旧河道は、宅地としての利用に適している。

A 旧河道は、宅地に適していません。

×

2 地形等

これまでに述べたことのほか、地形等による災害の危険性に関しては、次のような事項が出題されています。

地すべり地	特定の地質や地質構造を有する地域に集中して分布する傾向が強く、地すべり地形と呼ばれる地形を形成していることが多い 一見なだらかで、水はけもよく、住宅地として好適のように見えるが、末端の急斜面部等は斜面崩壊の危険度が高い
断層	ある面を境にして地層が上下または水平方向にくい違っているものであり、その周辺では地盤の強度が不安定なので、断層に沿った崩壊、地すべりが発生する危険性が高い
まさ土地帯	花崗岩が風化してできた、まさ土は崩壊しやすいとされており、まさ土地帯においては、近年発生した土石流災害によりその危険性が再認識された
豪雨による深層崩壊	山体岩盤の深い所に亀裂が生じ、巨大な岩塊が滑落し、山間の集落などに甚大な被害を及ぼす
中小河川の氾濫（はんらん）	都市の中小河川の氾濫の原因の1つは、急速な都市化、宅地化に伴い、降雨時に雨水が短時間に大量に流れ込むようになったことにある

○×チャレンジ

Q 地すべり地は、水はけもよく、住宅地として好適であり、すでに地すべりを起こしているので、斜面崩壊の危険度も低い。

A 住宅地として好適に「見える」だけであり、斜面崩壊の危険度は高いです。

×

 このレッスンが終わったら「きほんの問題集」の問題43～46にチャレンジ！

LESSON 12 建物

建物の構造にはどんなものがある？

introduction
耐震構造、免震構造、制震構造の違いがうまく説明できなくて困っています。
耐震構造は、揺れを減らすのではなく、揺れても大丈夫なように建物を強化するものです。

ストレスの多い仕事を、メンタルを鍛えて乗り切る感じですね。

免震構造は、積層ゴムなどで建物の上部構造に揺れを伝えなくするもの、制震構造は、制振装置で揺れを抑えるものです。大家さんのイメージだと、免震はストレス原因から距離を置く、制震はストレスを何かで発散しながら仕事をする感じでしょうか。

建物は、毎年1問出題されます。木造、鉄骨造、鉄筋コンクリート造などに関する問題が多いですが、近年は、基礎構造や耐震構造等についての出題が増えています。

学習のポイント

1. 木材は、乾燥しているほど強度が大きい
2. 鉄骨造を耐火構造とするためには、耐火材料で被覆(ひふく)しなければならない
3. コンクリートの中性化は、建物の寿命等に影響する
4. 制震構造とは、制震ダンパーなどを設置し、揺れを制御する構造のこと

1 木造

1. 木材の性質

木造とは、骨組み（＝柱、はり等の建物の骨格）を木材で構成する建物のことをいいます。

木材の強度は、**含水率（がんすいりつ）が小さい状態の方が大きくなる**（＝**乾燥しているほど強度が大きい**）ため、木造建築物にはできるだけ乾燥した木材を用います。

2. 集成木材構造

木造の一種である集成（しゅうせい）木材構造は、**集成木材**で骨組みを構成した構造で、**体育館等の大規模な建築物にも用いられます**。

必須 木造

1. 木材は、**乾燥しているほど強度が大きい**ので、木造建築物には、できるだけ乾燥した木材を用いる。
2. **集成木材構造**は、体育館等の**大規模な建築物**にも用いられる。

2 鉄骨造

1. 鉄骨造とは

鉄骨造とは、骨組みを鉄鋼材で構成する建物のことをいいます。骨組みは、鋼材をボルト・リベット・溶接で接合して造られます。

鉄は、炭素含有量が多いほど、引張（ひっぱり）強さおよび硬さが増大し、伸びが減少するため、もろくなります。したがって、鉄骨造には、一般に**炭素含有量が少ない鋼**が用いられます。

＼アドバイス／

炭素含有量が多いと、もろくなる（＝地震などで無理な力が加わると破壊されやすくなる）ので、炭素含有量の少ない鋼を使うのです。

用語

【集成木材】 単板等を積層したもので、伸縮、変形、割れなどが少ないという特徴がある。

2. 特徴

鉄骨造は、**自重が軽く**、**靭性**（＝ねばり強さ）**が大きい**ことから**大空間を有する建築や高層建築**の骨組みに適しています。

ただし、火熱による耐力が著しく低下するので、耐火構造とするためには、**耐火材料で被覆**しなければなりません。

鉄骨造は、従来、工場、体育館等に利用されてきましたが、現在は、軽量鉄骨造のプレハブ住宅などに見られるように、住宅、店舗、事務所等にも用いられています。

必須 鉄骨造

1. 鉄は炭素含有量が多いほどもろくなるので、鉄骨造には、一般に**炭素含有量が少ない鋼**が用いられる。
2. 鉄骨造は、**大空間を有する建築物**の骨組みに適しているが、耐火構造とするためには、**耐火材料で被覆**しなければならない。

○×チャレンジ

Q 鉄は、炭素含有量が多いほど、引張強さ及び硬さが増大するので、鉄骨造には、一般に炭素含有量が多い鋼が用いられる。

A 炭素含有量が多いほど、もろくなるので、鉄骨造には炭素含有量が少ない鋼が用いられます。

×

3 鉄筋コンクリート造・鉄骨鉄筋コンクリート造

1. 鉄筋コンクリート造とは

鉄筋コンクリート造は、鉄筋（＝棒鋼）と**コンクリート**により骨組みを形成する建物のことをいいます。また、鉄骨鉄筋コンクリート造は、鉄筋コンクリートと鉄骨を併用して骨組みを形成する建物のことをいいます。

両者とも耐火性、耐久性、耐震性、耐風性に優れており、それにプラスして、鉄骨鉄筋コンクリート造は鉄筋コンクリート造よりさらに強度と靭性が大きいという利点もあります。その反面、両者とも、自重が重く、工期が長く、施工

用語

【コンクリート】 水、セメント、砂、砂利を練り混ぜたもののこと。なお、モルタルとは、水、セメント、砂を練り混ぜたものをいう。

が難しいという短所があります。

2. コンクリートの性質

コンクリートには、次のような性質があります。

① 常温常圧において、鉄筋と普通コンクリートを比較すると、温度上昇に伴う体積の膨張の程度（＝**熱膨張率**）**は、ほぼ等しい**。

② コンクリートの**引張強度**は、一般に**圧縮強度の1/10程度**である

＼アドバイス／

つまり、コンクリートは、押しつぶす力に比べ、引っ張る力に弱いのです。

3. コンクリートの中性化

コンクリートは、本来はアルカリ性ですが、大気中の二酸化炭素と反応すると中性化します。鉄筋コンクリート構造でコンクリートが中性化すると、鉄筋が腐食しやすくなり、それがコンクリートのひび割れ等を招くので、**構造体の耐久性や寿命に影響します**。中性化・ひび割れの防止のために、コンクリートの**かぶり厚さ**を十分に確保する必要があります。

4 基礎構造・耐震構造等

1. 基礎構造

建物は、**上部構造**と**基礎構造**（基礎）からなります。基礎構造は上部構造を支持する役目を負います。

基礎の種類には、**直接基礎**（＝基礎の底面が直接支持地盤に接するもの）、**杭基礎**（＝地盤深くに杭を打ち込むもの）等があります。

直接基礎の種類には、形状により、柱の下に設ける**独立基礎**、壁体等の下に設ける**布基礎**（連続基礎）、建物の底部全体に設ける**べた基礎**等があります。

用語

【かぶり厚さ】 鉄筋の表面からこれを覆うコンクリート表面までの最短寸法のこと。つまり、鉄筋のまわりのコンクリートの厚さのことをいう。

【上部構造】 屋根・柱・壁・床など、基礎より上の部分のこと。

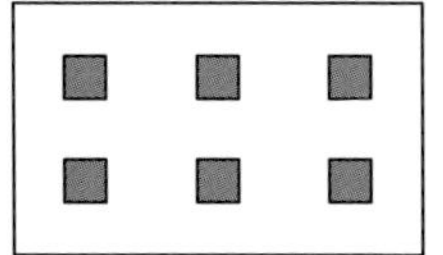

独立基礎

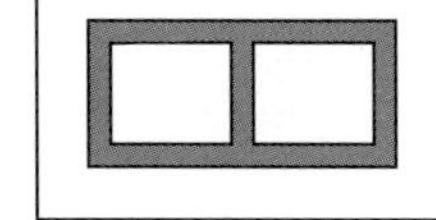

布基礎

ベタ基礎

また、杭基礎の種類には、**木杭、既製コンクリート杭、鋼杭**等があります。

2. 耐震構造等

建物が地震に十分に耐えるようにするための構造には、次のようなものがあります。

必須 耐震構造等

1. 耐震構造
建物の柱、はりなどの剛性を高め耐力壁を多く設置し、その強度や粘り強さで**地震に耐える**構造。揺れを減らすのではなく、揺れても大丈夫なように強い建物にする。
2. 免震構造
建物の下部構造と上部構造との間に**積層ゴムなどを設置**して振動を吸収し、**上部構造の揺れを大幅に減らす**構造
3. 制震構造
制震ダンパーなどを設置し、**揺れを制御**する構造。建物には固有の振動周期があり、それが地震などの周期に共振することで起こる大きな揺れを制御する。

＼アドバイス／

それぞれの構造については、おおよそのイメージがつかめれば**十分**です。

なお、既存不適格建造物の地震に対する補強には、耐震、免振、制震のいずれも利用されています。

○×チャレンジ

Q 制震構造とは、建物の下部構造と上部構造との間に積層ゴムなどを設置して振動を吸収し、上部構造の揺れを大幅に減らす構造をいう。

A 制震構造とは、制震ダンパーなどを設置し、揺れを制御する構造のことです。本問は、免震構造の内容です。

×

このレッスンが終わったら「きほんの問題集」の問題47～50にチャレンジ！

MEMO

索引

た行

な行

は行

ま行

や行

ら行

2025年版

ユーキャンの

宅建士

きほんの教科書

＝ でるとこ論点帖100 ＝

第1編　権利関係

論点1 意思表示 Lesson ▶ 01

1. 意思表示のまとめ

ケース	当事者間	第三者との関係
詐欺	取消しできる	善意無過失の第三者※1に**対抗できない**
強迫	取消しできる	第三者※1へ**対抗できる**
錯誤	原則：重要な錯誤であれば取消しできる 例外：表意者に**重過失**あれば**取消しできない**（例外あり※2）	善意無過失の第三者※1に**対抗できない**
虚偽表示	無効	善意の第三者に**対抗できない**
心裡留保	原則：有効 例外：相手が**悪意か善意有過失**であれば、**無効**	善意の第三者に**対抗できない**

※1取消前の第三者のこと

※2相手方が表意者に錯誤があることを知り、または重過失によって知らなかったとき、相手方が表意者と同一の錯誤に陥っていたときは取り消すことができる。

2. 善意・悪意と過失の有無のまとめ

善意	ある事実を**知らない**こと
善意・無過失	ある事実を**知らない**し、知らないことに**過失もない**こと
善意・有過失	ある事実は**知らない**が、知らないことに**過失がある**こと
悪意	ある事実を**知っている**こと

論点2 未成年者・成年被後見人 Lesson ▶ 02

(1) 未成年者が法定代理人の**同意を得ないでした行為**は、原則として**取り消すことができる。**

(2) 未成年者が**取り消すことができない**場合

① **営業の許可を得た**場合の**その営業上の行為**

② 単に権利を得、または義務を免れる行為

(3) 成年被後見人がした契約は、原則として**取り消すことができる。事前に成年後見人の同意**があっても**取り消すことができる**。ただし、日用品の購入その他の**日常生活に関する行為**は、**取り消すことができない**。

(4) **成年後見人**が、成年被後見人に代わって**成年被後見人が居住している建物を売却**するためには、**家庭裁判所の許可**が必要である。

論点3 代理① Lesson ▶ 03

1. 自己契約・双方代理・利益相反行為

原則		例外	
自己契約 双方代理	**⇒無権代理行為となる**	①本人が**あらかじめ許諾**した場合 ②債務の履行	**⇒有効な代理行為となる**
利益相反行為		本人があらかじめ許諾した場合	

2. 復代理

任意代理人	原則⇒**復代理人を選任できない**。
	例外⇒次のいずれかにあたる場合、復代理人を選任できる。 ①**本人の許諾を得た**とき ②**やむを得ない事由がある**とき
法定代理人	自己の責任で**復代理人を選任できる**。

3. 制限行為能力者が代理人としてした行為

制限行為能力者が代理人としてした行為は、**行為能力の制限によっては取り消すことができない**。ただし、制限行為能力者が他の制限行為能力者の**法定代理人**としてした行為については、取り消すことができる。

4. 代理権の濫用

代理人が**自己・第三者の利益を図る目的**で代理権の範囲内の行為をした場合（**代理権の濫用**）	原則：本人に効力が生じる。
	例外：相手方がその目的を**知り**、または知ることができたときは、**無権代理行為とみなされる**。⇒本人に効力が生じない。

＼アドバイス／

「きほんの教科書」でも、たびたび、指摘しましたが、「図」を描いてから読み進めてください。理解と記憶の定着が進みます。

1. 無権代理の相手方が主張できること

(1) 催告権・取消権

本人が追認していない間	相手方は、**悪意でも**	催告できる
	相手方は、**善意であれば**	取消しできる

(2) 無権代理人への責任追及（履行または損害賠償の請求）

相手方の事情	無権代理人の事情	請求
善意無過失	—	**できる**※1※2
善意有過失	悪意（無権代理人が自己に代理権がないことを知っていた場合）	**できる**※1※2
	善意（無権代理人が自己に代理権がないことを知らない場合）	できない
悪意	—	できない

※1本人が追認していない間
※2無権代理人が制限行為能力者である場合には責任追及できない。

2. 表見代理の成立要件

本人の責任	相手方の事情	表見代理
本人が実際には代理権を与えていないのに、与えた旨の表示（**代理権の授与表示**）をした	**善意無過失**	**表見代理が成立し、本人に効力が生じる**
本人が以前代理権を与えていたが、それが消滅した後（**代理権消滅後**）に代理行為をした	**善意無過失**	
本人から与えられた代理権の範囲を越えて、代理人が行為（**権限外の行為**）をした	代理人の権限があると信ずべき**正当な理由がある**（**＝善意無過失**）	

3. 無権代理と単独相続

本人が死亡 ⇒**無権代理人**が本人を単独相続	無権代理行為は、**当然に有効な代理行為**となる

無権代理人が死亡 ⇒**本人**が無権代理人を単独相続	無権代理行為は、**当然に有効とはならず**、本人は**追認拒絶できる**

4. 無権代理と共同相続

無権代理人が他の相続人と**共同で相続**した場合、他の共同相続人**全員の追認**がなければ、**無権代理人の相続分についても有効にはならない**。

論点5 時効 Lesson▶04

1. 所有権の取得時効の要件のまとめ

所有の意思を持って平穏公然に**占有※を継続**	**占有開始時に善意無過失⇒10年間**	所有権を時効取得する
	占有開始時に悪意または善意有過失⇒20年間	

※占有の承継～**占有者の承継人**は、その選択に従い、自己の占有のみを主張することも、**自己の占有に前の占有者の占有をあわせて主張**することもできる。ただし、前の占有者の占有をあわせて主張する場合、**善意・悪意・過失の有無**は、**前の占有者の占有開始時で判断**する。

2. 消滅時効

(1) 債権は、次に掲げる場合には、時効によって消滅する。

① **債権者が権利を行使することができること**を**知った時**から**5年間**行使しないとき

② **権利を行使することができる時**から**10年間**行使しないとき（人の生命または身体の侵害による損害賠償請求権の場合には、20年間）

(2) 所有権は時効消滅しない。

3. 時効の完成猶予・更新のまとめ

事由	効果
裁判上の請求	**時効の完成が猶予**され、確定判決等によって**権利が確定**したときは、**時効の更新**が生じる。
催告（裁判外の請求）	催告から6カ月間**時効の完成が猶予**される。 **時効の更新の効果を生じない**。
権利（債務）**の承認**	**時効の更新**が生じる。

4. 時効の援用と時効の効力

(1) 消滅時効の援用ができる者（援用権者）

⇒債務者、**保証人**、**物上保証**人、抵当不動産の**第三取得者**等

(2) 債務者が時効の**完成を知らないで債務の承認**をした場合は、**時効の援用はできない**。

(3) 時効の効力は、その**起算日**にさかのぼる。

論点6 条件付き契約 Lesson ▶ 05

① **停止条件付契約**では、原則として、**停止条件が成就した時**からその**効力を生じる**。

② 条件の成否が未定である間における**当事者の権利義務**は、処分（**譲渡**等）・**相続**等できる。

③ 条件が成就することによって不利益を受ける当事者が**故意にその条件の成就を妨げた**ときは、相手方は、その**条件が成就したものとみなすことができる**。

④ 条件が成就することによって利益を受ける当事者が**不正にその条件を成就させた**ときは、相手方は、その**条件が成就しなかったものとみなすことができる**。

⑤ 条件付契約をした当事者は、条件の成否が未定である間は、条件が成就した場合にその契約から生ずべき**相手方の利益を害することができない**。相手方の利益を害した場合、損害賠償責任を負うことがある。

論点7 弁済 Lesson ▶ 06

1. 受領権者としての外観を有する者に対する弁済

受領権者以外の者に弁済しても、原則として、その弁済は無効で債権は消滅しない。ただし、以下の場合には、弁済は有効となり、債権は消滅する。

誰に	どのように	効果
①**債権者の代理人と詐称した者・相続人と詐称した者** ②**預金通帳と届出印を所持して**銀行に来た者 ③**受取証書（＝領収書）を持参して**弁済を請求してきた者	**善意無過失**で弁済	**債権は消滅**

2. 第三者の弁済

債務の弁済は、原則として、債務者以外の第三者もできる（第三者の弁済）。

「**債務者**」の意思に反して弁済できるか？	**正当な利益を有しない第三者**※1**は、弁済できない。** ただし、債務者の意思に反することを債権者が**知らなかったとき**は、弁済できる。
	正当な利益を有する第三者※2**は、弁済できる**
「**債権者**」の意思に反して弁済できるか？	**正当な利益を有しない第三者**※1**は、弁済できない。** ただし、その第三者が債務者の委託を受けて弁済をする場合において、そのことを**債権者が知っていたとき**は、弁済できる。
	正当な利益を有する第三者※2**は、弁済できる**

※1債務者と**親子、兄弟、友人・知人関係**にすぎない者など。
※2**物上保証人、借地上の建物の賃借人**など。

論点8 相殺 Lesson▶06

1. 相殺の要件

原則として、当事者間に債権が対立すること。ただし、**自働債権が時効消滅した後でも、その前に相殺適状**になっていれば、**相殺できる。**
原則として、両債権が弁済期にあること。ただし、**自働債権の弁済期が到来**すれば**相殺できる。**

2. 差押えと相殺

差押えを受けた債権の**第三債務者**は、

① **差押え後**に取得した債権による相殺をもって、原則として、**差押債権者に対抗することはできない。**

② **差押え前**に取得した債権による相殺をもって**対抗することができる。**

3. 不法行為等に基づく損害賠償債権と相殺

(1) ①悪意（加害の意思）による不法行為に基づく損害賠償債権、または②人の生命または身体の侵害（たとえば人身事故）による損害賠償債権を**受働債権とする相殺はできない。⇒加害者は相殺できない。**

(2) ①悪意による不法行為に基づく損害賠償債権、②人の生命または身体の侵害による損害賠償債権を**自働債権とする相殺はできる。⇒被害者は相殺できる。**

論点 9 債権譲渡 Lesson ▶ 06

1. 債権譲渡・譲渡制限の意思表示

(1) 債権は、原則として、自由に譲り渡すことができる。

当事者が譲渡を禁止・制限する旨の意思表示（**譲渡制限の意思表示**）はできるが、**譲渡制限に反する譲渡**も**有効である。**

(2) 譲渡制限に反する譲渡がなされた場合に、譲渡制限の意思表示がされたことを**知り**、または**重大な過失によって知らなかった**譲受人に対しては、債務者は、**履行を拒むことができ**、かつ、**譲渡人に対する弁済等をもって譲受人に対抗することができる**。ただし、債務者が履行をしない場合に、譲受人が相当の期間を定めて譲渡人への履行を催告し、その期間内に履行がないときは、債務者は譲受人への履行を拒むことができない。

2. 債権譲渡の対抗要件

(1) **債務者との関係**

債権譲渡は、譲渡人が債務者に**通知**をし、または債務者が**承諾**をしなければ、債務者に対抗することができない。

(2) 債権の二重譲渡が行われた場合～**譲受人相互の関係**

通知または承諾は、**確定日付のある証書**によってしなければ、債務者以外の**第三者に対抗することができない**。

① 確定日付がある通知または承諾がある者とない者の優劣

⇒**確定日付がある**通知または承諾がある者が**優先する**。

② 双方ともに確定日付がある通知または承諾があるとき

⇒通知が**到達した日時**または承諾の日時の**先後で決める**。

3. 債権の譲渡における債務者の抗弁・相殺権

(1) 債務者は、対抗要件具備時までに**譲渡人に対して生じた事由**をもって**譲受人に対抗することができる**。

(2) 債務者は、対抗要件具備時より前に取得した**譲渡人に対する債権による相殺**をもって**譲受人に対抗することができる**。

＼アドバイス／

次の論点10は、同時履行の関係に立つ場合と立たない場合の具体例をしっかり覚えましょう。

論点10 同時履行の抗弁権 Lesson ▶ 07

同時履行の抗弁権とは、相手方が債務の**履行の提供**をするまでは、自己の債務の**履行を拒むことができる権利**をいう。以下は、同時履行の関係に立つ場合と立たない場合の具体例である。

同時履行の関係に立つ	同時履行の関係に立たない
①不動産売買契約における**目的物引渡債務・所有権移転登記手続債務と代金支払債務** ②売買契約が詐欺を理由として有効に**取り消された**場合や**解除された**場合における当事者双方の**原状回復義務** ③借地権者が建物買取請求権を行使した場合の、代金支払債務と建物の引渡し	①貸金債務の弁済と当該債務の担保のために経由された抵当権設定登記の抹消登記手続 ②賃貸借契約が終了した場合、**建物明渡しと敷金返還**

論点11 債務不履行 Lesson ▶ 07

1. 債務不履行を理由とする損害賠償請求

(1) 債務不履行を理由とする**損害賠償請求権**の成立には、原則として、**債務者の責めに帰すべき事由（帰責事由）が必要**である。

(2) 債務の不履行またはこれによる損害の発生・拡大に関して**債権者に過失があった**ときは、裁判所は、これを考慮して、**損害賠償の責任**およびその**額を定める**（過失相殺）。

(3) 当事者は、債務の不履行について**損害賠償の額を予定**することができる。賠償額の予定をしても、履行の請求または解除権を行使することができる。**違約金**は、**賠償額の予定と推定**される。

2. 債務者の危険負担等

建物売買契約において建物の**引渡債務**が	**当事者双方に帰責事由がなく**履行不能となった場合	⇒債権者は反対給付の履行を**拒絶できる**＝買主は、代金の支払いを拒絶できる
	債権者の帰責事由により履行不能となった場合	⇒債権者は反対給付の履行を**拒絶できない**＝買主は、代金の支払いを拒絶できない

3. 債務不履行による解除

(1) 当事者の一方がその債務を履行しない場合において、相手方が**相当の期間を定めてその履行の催告**をし、その**期間内に履行がない**ときは、相手方は、**契約の解除**をすることができる。

ただし、その期間を経過した時における債務の不履行がその契約および取引上の社会通念に照らして**軽微**（たとえば、不履行の部分が数量的にわずか）であるときは、**契約の解除をすることができない**。

(2) 次の場合には、債権者は、**催告をすることなく**、直ちに**契約の解除**をすることができる。

①**債務の全部の履行が不能**であるとき。
②**債務者がその債務の全部の履行を拒絶する意思を明確に表示**したとき。

(3) 債務の不履行が**債権者の責めに帰すべき事由**によるものであるときは、**債権者**は、**契約の解除をすることができない**。

4. 解除の効果（当事者間）

(1) 当事者の一方がその解除権を行使したときは、各当事者は**原状回復義務**を負う。

(2) 解除権の行使は、**損害賠償の請求**を妨げない（＝損害賠償請求できる）。

5. 解除と第三者

解除権者と解除前の第三者との関係	⇒**解除前の第三者が登記を備えていれば、第三者の勝ち**（第三者の善意悪意は問わない）
解除権者と解除後の第三者との関係	⇒**先に登記を備えた人の勝ち**（第三者の善意悪意は問わない）

論点12 解約手付による解除 Lesson ▶ 07

買主が売主に手付を交付したときは、**買主**はその**手付を放棄**し、**売主**はその**倍額を現実に提供**して、契約の解除をすることができる。ただし、その**相手方が契約の履行に着手した後**は、契約の解除をすることはできない。

＼アドバイス／

次の論点13は、宅建業法でも登場する知識です。しっかり学習しましょう。

論点13 売主の担保責任 Lesson▶08

1. 担保責任の内容

引き渡された目的物が種類・品質・数量に関して契約内容に適合しない（**契約不適合**）場合に、買主は売主に、以下を主張できる。

(1) 債務不履行の規定に基づく、**損害賠償請求**および**解除権の行使**

(2) 追完請求
履行の**追完（目的物の修補・代替物の引渡し・不足分の引渡し）を請求**できる。ただし、契約不適合が**買主の帰責事由**による場合は、**追完請求できない**。

(3) 代金減額請求
買主が**相当期間を定めて履行の追完の催告**をし、その期間内に履行の**追完がない**ときは、買主は、その不適合の程度に応じて**代金減額**を請求できる。ただし、①履行の追完が不能、②売主が履行の追完を拒絶する意思を明確に表示したなどの場合には、催告をすることなく、直ちに代金減額を請求できる。なお、契約不適合が**買主の帰責事由**による場合は、**代金減額を請求できない**。

2. （一部）他人物売買の場合

他人物売買（一部が他人の物である場合を含む）**契約**は**有効**である。

ケース	買主が主張できること
目的物の**一部が他人の物**である場合	債務不履行の規定に基づく**損害賠償請求・契約解除** **追完請求・代金減額請求**※
目的物の**全部が他人の物**である場合	債務不履行の規定に基づく**損害賠償請求・契約の解除**

※契約不適合が買主（債権者）の帰責事由による場合には、追完請求、代金減額請求はできない。

3. 目的物の種類または品質に関する担保責任の期間制限のまとめ

原則	不適合を**知った時から1年以内**にその旨を売主に通知しなければ、**売主の担保責任を追及できない**。
例外	売主が引渡しの時に不適合を**知り**、または**重大な過失によって知らなかった**ときは、**期間制限はない**。

＼アドバイス／

目的物の全部が他人の物である場合、一部が他人物と違い、買主は、債務不履行の規定に基づく損害賠償請求と契約の解除しかできません。
担保責任の期間制限は、目的物の種類または品質に関する不適合がある場合にだけ問題となります。数量についての不適合の場合は含みません。

論点14 請負 Lesson ▶ 09

目的物の引渡しを要する請負契約における**目的物引渡債務**と**報酬支払債務**※とは、**同時履行の関係**に立つ。（※請負人は、注文者が受ける利益の割合に応じた報酬を請求できる場合がある。）

1. 請負人の担保責任（≒売主の担保責任）

引き渡された物が**契約内容に適合しない**（**契約不適合**）場合、注文者は、**損害賠償請求・解除・追完請求・報酬の減額請求**ができる。
種類・品質に関する**不適合**の場合、原則、担保責任の**期間制限**がある。
担保責任を負わない旨の特約は有効である。ただし、請負人が知りながら注文者に告げなかった事実については、責任を免れない。

2. 契約の解除

請負人が**仕事を完成しない間**は、**注文者**は、**いつでも損害を賠償して契約を解除**できる（注文者による契約の解除）。
注文者が破産手続開始の決定を受けたときは、請負人または破産管財人は、契約を解除できる。ただし、**請負人**による契約の解除については、**仕事を完成した後**は、**契約を解除できない**（注文者についての破産手続の開始による解除）。

論点15 物権変動 Lesson ▶ 10

1. 契約（売買契約など）による所有権の移転時期

原則	**契約時**に移転する。
例外	特約があれば、**特約のとおり**になる。

2. 登記が問題（対抗問題）となる場面

ケース	「誰」と「誰」の関係	結論
二重譲渡	「**第一買主**」と「**第二買主**」	「**登記を先に備えた者**」が**勝つ**※
売買と抵当権	「**買主**」と「**抵当権者**」	
売買と賃貸借	「**買主**」と「**賃借人**」	

※借地上の建物登記、建物の引渡しがある場合も含む。

3. 登記がなくても権利を主張できる場合

(1) **買主**は、**売主**に対して、**登記がなくても**、所有権の取得を主張できる。

(2) A（前主）→B→C（買主）と譲渡された場合、**買主**は、**登記がなくても**、**前主**に対して所有権の取得を主張できる。

(3) **買主**は、**売主の相続人**に対して、**登記がなくても**、所有権の取得を主張できる。

(4) 不動産の**二重譲渡**が行われた場合、第一の買主は、以下の①〜③の者に対しては、**登記がなくても**、所有権の取得を主張することができる。
①詐欺や強迫によって登記の申請を妨げた第二の買主
②第一の買主のために登記を申請する義務を負う第二の買主
③第一の買主が登記を備えていないことに乗じ、第一の買主に高値で売りつけて利益を得る目的で売主をそそのかして第二の買主となった者（**背信的悪意者**）

(5) **不法占有者**や、**無権利者**に対しては、**登記がなくても**、所有権の取得等を主張することができる。

4. 取消し・解除・時効完成と第三者

	〜前の第三者との関係	〜後の第三者との関係
取消し	・**詐欺**による取消しは、善意無過失の第三者には**主張できない** ・**強迫**による取消しは、善意無過失の第三者にも**主張できる**	**「登記を先に備えた者」が勝つ**※
解除	第三者が登記を備えると、解除を主張できない※	
時効完成	時効取得者は、登記がなくても、時効による取得を主張できる（**時効取得者が勝つ**）	

※第三者の善意悪意は関係なし

5. 相続と登記

(1) **無権利者**に対しては、**登記がなくても**、所有権の取得を主張することができる。

(2) 土地を共同相続した後、遺産分割前に共同相続人の1人が単独所有とする登記をして、第三者に売却し、その登記をした場合でも、他の共同相続人は、**自己の持分**について、**登記がなくても**、第三者に対抗できる。

＼アドバイス／
物権変動で問われている知識の量は多くありませんが、複雑な事例で問われます。問題演習を通じて知識を確実に身に付けましょう。

論点16 不動産登記法 Lesson ▶ 11

＼アドバイス／

不動産登記法は、専門性が高く、しかも知識の量も莫大です。ここは「過去に頻出」の知識のみを学習する“守りの学習”がお勧めです。論点16に掲載してあるのがその内容です。この範囲の知識が出題されたら得点できるように準備しておきましょう。

1. 所有権の保存の登記の申請ができる者

所有権の保存の登記は、次に掲げる者**以外の者は**、申請することができない。

①**表題部所有者**またはその**相続人**その他の一般承継人

②所有権を有することが確定判決によって確認された者

③収用によって所有権を取得した者

④区分建物（たとえば、マンション）において、表題部所有者から所有権を取得した者

2. 表示に関する登記と権利に関する登記

表示に関する登記	権利に関する登記	
①当事者の申請または官庁・公署の嘱託に基づく登記（申請主義） ②**登記官の職権に基づく登記**	当事者の申請または官庁・公署の嘱託に基づく登記（申請主義）	
原則として、対抗力なし	対抗力あり	
一定の場合に**申請義務あり**※	原則	**申請義務なし**
	例外	相続・相続人に対する遺贈による所有権の移転の登記（**相続登記**）は、**申請義務あり**

※表示に関する登記について申請義務が課せられる場合

どんな場合	誰が	いつまでに
新たに生じた土地または表題登記がない土地の所有権を取得した	所有権を取得した者	所有権の取得の日から**1カ月以内**
新築した建物または区分建物以外の**表題登記がない建物の所有権を取得**した	所有権を取得した者	所有権の取得の日から**1カ月以内**
建物が滅失した	表題部所有者または所有権の登記名義人	滅失の日から**1カ月以内**

3. 共同申請主義とその例外

(1) **権利に関する登記**は、**原則**として、**登記義務者と登記権利者が共同で申請**しなければならない（共同申請主義）。

(2) 次の場合には一定の者が**単独で登記を申請**することができる（**共同申請主義の例外**）。
①**相続・合併**による権利の移転の登記
②所有権保存登記
③**所有権の抹消登記**（所有権移転登記がなされていない所有権の登記（所有権保存登記）を抹消する場合のこと。所有権移転登記の抹消登記は、原則どおり共同申請になる。）
④登記名義人の氏名・名称・住所の変更・更正の登記
⑤**判決**（登記手続きを命じる確定判決）による登記
⑥相続人に対する**遺贈**による所有権の移転の登記
⑦**仮登記**（仮登記義務者の承諾がある場合）
⑧**仮登記**の抹消登記
⑨**信託**に関する登記

論点17 抵当権 Lesson▶12

1. 物上代位

(1) 抵当権者は、**保険金請求権、賃料債権**等に対して、**物上代位**することができる。ただし、その**払渡しの前に差押え**をしなければならない。

(2) **転貸賃料債権**に対しては、原則として、**物上代位することはできない**。

(3) 抵当権者による物上代位権に基づく賃料債権の差押えがあった後に、賃貸借契約が終了し目的物が明け渡された場合、**敷金**が当然に**賃借人の債務**（未払賃料）**に充当される**。

2. 地上権の成立要件・一括競売

(1) 以下の要件を満たすと法定地上権が成立する。

① **抵当権設定当時、土地の上に建物が存在**すること（更地ではないこと）

② **抵当権設定当時**、土地と建物の**所有者が同一**であること

③ **抵当権の実行**により、土地と建物の**所有者が異なる**に至ったこと

(2) **抵当権の設定後に抵当地に建物が築造された**ときは、抵当権者は、土地とともにその建物を競売することができる（**一括競売**）。ただし、その**優先権**は、**土地の代価**についてのみ行使することができる。

3. 抵当権の順位の変更・譲渡・放棄

(1) 同一不動産について数個の抵当権が設定されたときは、その抵当権の順位は、**登記の前後**による。

(2) **抵当権の順位の変更**には、**各抵当権者の合意**と**利害関係者**（抵当権設定者は含まれない）**の同意**が必要である。抵当権の順位の変更は、登記をしなければ効力が生じない。

(3) 抵当権の順位の譲渡・放棄が行われた場合の配当額の計算

抵当権の順位の譲渡・放棄	抵当権の譲渡・放棄
①譲渡や放棄がない場合の配当額を計算する。	
②**両方の抵当権者の配当の合計額**を配当しなおす。 譲渡は、**譲渡された者が優先**する。 放棄は、**債権額に応じて配当**する。	②譲渡・放棄した抵当権者の配当額を配当しなおす。 譲渡は、譲渡された者が優先する。放棄は、債権額に応じて配当する。

4. 普通抵当権と根抵当権の比較

	普通抵当権	根抵当権
被担保債権	**特定の債権**を担保するために設定	**一定の範囲**に属する**不特定の債権**を**極度額の限度**において担保するために設定
利息等	原則、満期となった**最後の2年分**についてのみ担保	**極度額を限度**として担保
被担保債権を取得した者	抵当権を**行使できる**	根抵当権を**行使できない**（元本確定前の場合）

論点18 保証 Lesson ▶ 13

1. 保証契約

保証契約は**書面**または**電磁的記録**でしなければ、その効力を生じない。

2. 保証人の負担・主たる債務者について生じた事由の効力等

(1) 主たる債務の内容と保証人の負担

① 保証債務の内容が主たる債務より重いときは、これを主たる債務の限度に減縮される。

② 主たる債務の内容が保証契約の締結後に加重されたときであっても、保証人の負担は加重されない。

(2) **主たる債務者に生じた事由**は、原則として、**保証人に影響**する。

(3) **保証人に生じた事由**は、原則として、**主たる債務者に影響しない**。ただし、保証人が債権者に弁済した場合などは影響し、主たる債務も消滅する。

3. 催告・検索の抗弁権、分別の利益

保証人には、①**催告の抗弁権**、②**検索の抗弁権**、③**分別の利益**がある。

論点19 連帯保証 Lesson▶13

1. 普通の保証と連帯保証の違い

	普通の保証	連帯保証
催告の抗弁権	○	×
検索の抗弁権	○	×
分別の利益	○	×

○：あり　×：なし

2. 主たる債務者に生じた事由と連帯保証人に生じた事由

(1) **主たる債務者に生じた事由**は、原則として、**連帯保証債務にも影響する**。

(2) 連帯保証人に生じた事由

原則	連帯保証人に生じた事由は、**主たる債務に影響しない**。
例外	・主たる債務者に影響しない事由であっても、債権者と主たる債務者の特約によって、**主たる債務者に影響すると定めることができる**。 ・連帯保証人による弁済等の効果は、主たる債務に影響する。

論点20 連帯債務 Lesson▶13

1. 連帯債務（成立・請求・求償）

(1) 債務の目的がその性質上可分である場合において、法令の規定または当事者の意思表示によって、数人が連帯して債務を負担するときに連帯債務は成立する。

(2) 債権者は、**各連帯債務者**に対して、**債務の全部**または一部の履行の請求を、

全員に同時または順次にすることができる。

(3) **連帯債務者の1人が債務を弁済**※した場合、弁済した額が自己の負担部分を超えるかどうかにかかわらず、その**負担部分の割合に従って**、他の連帯債務者に**求償**することができる。※弁済のほか、代物弁済、供託、相殺なども含む

2. 連帯債務の相対効・絶対効

原則	**連帯債務者の1人について生じた事由は、他の債務者に影響しない**（相対効）。なお、相対効とされている事由について、債権者および他の連帯債務者が特約をしたときは、当該他の連帯債務者に対する効力は、その特約に従う。
例外	連帯債務者の1人について、①**弁済**等、②更改、③**相殺**、④混同があったときは、**他の債務者に影響する**（絶対効）

論点21 賃貸借① Lesson▶14

1. 存続期間を定めのある場合と存続期間を定めのない場合

(1) 存続期間の**定めのある場合**

① 賃貸借の存続期間は**50年を超えることはできない**。

② 中途解約

原則	**中途解約はできない**。
例外	中途解約できる旨の**特約**があればすることができる。この場合、存続期間を定めのない賃貸借の場合と同じく解約の申入れをすることができる。

(2) 契約の更新と解約申入れ

存続期間を定めた場合	存続期間を定めない場合
期間満了で終了 ⇓	当事者はいつでも**解約申入れ**できる ⇓
①合意による更新 ②黙示の更新	①土地については1年 ②建物については**3カ月**　経過した時に終了

2. 賃借人の原状回復義務

損傷の内容	原状回復義務の有無
賃借物を受け取った後に生じた損傷	⇒賃借人に**原状回復義務あり**。ただし、損傷に賃借人の帰責事由がない場合、原状回復義務なし
通常の使用収益によって生じた賃借物の損耗・賃借物の経年変化による損傷	⇒賃借人に**原状回復義務なし**

3. 不動産賃借権と対抗要件

不動産賃借権は、**原則**として、第三者に**対抗できない**。ただし、賃借権の**登記等**をすれば、第三者に賃借権を**対抗**することができる。

4. 賃貸人たる地位の移転

(1) **賃借権の登記等を備えた不動産が譲渡**された場合、**賃貸人たる地位**はその不動産の譲受人に**移転**する。ただし、不動産の譲渡人および譲受人が、賃貸人たる地位を譲渡人に留保する旨およびその不動産を譲受人が譲渡人に賃貸する旨の合意をしたときは、賃貸人たる地位は移転しない。

(2) 賃貸人たる地位の移転について、**賃借人の承諾は不要である**。

(3) 賃貸人たる地位の移転を、賃借人に対抗するためには、賃貸物である不動産について**所有権の移転の登記**をしなければならない。

論点22 賃貸借② Lesson ▶ 14

1. 転貸・賃借権の譲渡

(1) 転貸・賃借権の譲渡をする場合には、**賃貸人の承諾が必要**である。なお、賃貸人の承諾の相手方は、賃借人でも転借人・譲受人でもよい。

(2) 賃借人が賃貸人の承諾を得ずに第三者に使用・収益をさせた場合、原則として、賃貸人は、契約を解除できる。ただし、**背信行為と認めるに足りない特段の事情がある**場合には、賃貸人は契約を解除できない。

2. 転貸・賃借権の譲渡と賃料請求

転貸	賃貸人は、**賃借人**、**転借人**に賃料を請求できる。 ただし、**転借人**は、**賃借人の債務の範囲を限度**として義務を負う。
賃借権の譲渡	賃貸人は、**新賃借人**に対してのみ請求できる。

3. 賃貸借契約の解除と転借人

(1) 賃貸借契約が賃借人の**債務不履行で解除**された場合、転借人に対抗できる。その際、転借人に通知等をする必要はない。

(2) 賃貸借契約を**合意解除**しても、**原則**として、転借人には**対抗できない**。

4. 敷金

(1) 賃貸借継続中、賃借人が賃貸借に基づいて生じた債務を履行しない場合

⇒賃貸人は、敷金をその債務の**弁済に充てることができる**。
⇒賃借人は、賃貸人に対し、敷金をその債務の**弁済に充てることを請求できない**。

(2) 敷金の返還時期賃貸人は、賃貸借が終了し、かつ、**賃貸物の返還を受けたとき**に、敷金（賃借人の債務を控除した残額）を返還しなければならない。**建物明渡債務**と**敷金返還債務**は、原則として、**同時履行の関係に立たない**。

5. 賃借人・賃貸人の交替と敷金関係

(1) 賃借権の譲渡の場合（**賃借人が替わった**場合）

⇒敷金は、原則として、**新賃借人に承継されない**。賃貸人は、敷金（賃借人の債務を控除した残額）を返還しなければならない。

(2) 賃貸人たる地位の移転の場合（**賃貸人が替わった**場合）

⇒敷金（賃借人の債務を控除した残額）は、**新賃貸人に承継される**。

論点23 借地借家法（借家）① Lesson ▶ 15

1. 借地借家法が適用される場合と適用されない場合

建物の賃貸借契約	⇒適用される※
一時使用のために建物を賃借したことが明らかな場合	⇒適用されない

※借地借家法の規定と異なる特約を結んだ場合、その特約が賃借人に不利なものであれば、原則として無効となる。

2. 民法の賃貸借と借家の存続期間

		民法	借家
期間を定める場合	最長	50年を超えることはできない	**制限なし**
	最短	制限なし	**1年未満の期間**を定めたときは、**原則**として**期間の定めのない**ものとなる
期間を定めないこと		可能	可能

3. 期間の定めがある借家契約の更新

(1) 当事者が期間の満了の1年前から6カ月前までの間に**更新をしない旨の通知**(または条件を変更しなければ更新をしない旨の通知)**をしなかった**場合、**更新**したものとみなす。

(2) **賃貸人**による更新拒絶の通知には、「**正当事由**」が必要である。

(3) 更新拒絶の通知をした場合でも、期間満了後に賃借人が**使用を継続**し、賃貸人が**遅滞なく異議を述べなかった**場合、**更新**したものとみなす。

(4) 更新後の契約条件(賃料など)は、従前と同一。ただし、**存続期間**は、**期間の定めがない**ものとなる。

4. 期間の定めがない借家契約の更新

賃貸人からの解約の申入れには、**正当事由が必要**である。解約申入れ**後6カ月経過**で契約が終了する。ただし、6カ月経過後、賃借人が使用を継続し、賃貸人が遅滞なく異議を述べなかった場合、更新したものとみなされる。

5. 建物の賃貸借の終了と転貸借

建物の転貸借がなされている場合に、建物の賃貸借が、①期間満了、②解約の申入れによって終了するとき、建物の賃貸人は、建物の転借人にその旨の**通知**をしなければ、その**終了を対抗できない**。建物の転貸借は、その通知後6カ月を経過することによって終了する。

6. 建物賃借権の対抗要件

賃借権の登記か**建物の引渡し**を受ければ、**建物賃借権を第三者に対抗**できる。

7. 造作買取請求権

(1) 造作買取請求権

建物の賃貸借が期間満了または**解約申入れで終了**	**賃借人⇒造作買取請求**できる。
	建物の適法な**転借人⇒造作買取請求**できる。
建物の賃貸借が**賃借人の債務不履行で終了**	**賃借人⇒造作買取請求できない。**

(2) **造作買取請求を認めない旨の特約**は**有効**。

8. 借賃の増減請求

建物の**借賃が不相当**になった場合、当事者は、将来に向かって、**借賃の額の増減**（**増額**や**減額**）**を請求**することができる。

一定期間は借賃を「**増額**」しない旨の特約がある場合	その期間内の借賃の**増額請求はできない。**
一定期間は借賃を「**減額**」しない旨の特約がある場合	この特約は、**賃借人**に**不利**なものとして**無効**となる。 ⇒**借賃の減額請求**ができる。

論点24 借地借家法（借家）② Lesson▶15

1. 定期建物賃貸借における借主の保護

(1) 賃貸人による説明

定期建物賃貸借契約を締結しようとする建物の賃貸人は、**あらかじめ**、建物の賃借人に対し建物の賃貸借は契約の**更新がなく**、**期間の満了**により当該建物の賃貸借は**終了**する旨を記載した**書面**を**交付**（電磁的方法により提供）して**説明**しなければならない。**説明しなかった**ときは、**更新がない旨の定めは無効**となる。

(2) 契約が終了する旨の通知

期間が1年以上である場合、賃貸人は、期間満了の**1年前から6カ月前まで**の間に、期間満了により契約が終了する旨の**通知**をしなければ、その**終了を賃借人に対抗することができない。**

(3) 賃借人からの解約の申入れ（中途解約）

居住用建物（床面積が**200m²未満**のもの）の定期建物賃貸借において、転勤、療養、親族の介護等のやむを得ない事情により、賃借人が建物を自己の生活の本拠として**使用することが困難**となったときは、**賃借人**は、**解約の申入れ**をすることができる。賃貸借は、解約の申入れの日から**1カ月で終了**する。

2. 普通借家と定期建物賃貸借の比較

	普通借家	定期建物賃貸借
期間の定め	不要	**必要**
書面の要否	不要	**必要**
対象建物	用途の制限なし	用途の制限なし
借賃の増減額請求	当事者は、将来に向かって借賃の額の増減を請求することができる	
	一定の期間建物の借賃を増額しない旨の特約がある場合には、その定めに従う	**借賃の改定に係る特約がある**場合には、借賃増減額請求権の規定は適用されない

※電磁的記録によってなされたときは、書面によってなされたものとみなす。

論点25 借地借家法（借地） Lesson▶16

1. 借地借家法が適用される場合

建物所有を目的とする地上権または**土地の賃借権**	**⇒適用される※**
一時使用のために借地権を設定したことが明らかな場合	**⇒適用されない**

※借地借家法の規定と異なる特約を結んだ場合、その特約が賃借人に不利なものであれば、原則として無効となる。

2. 借地権の存続期間

借地権の存続期間は、**30年**とする。ただし、契約でこれより長い期間を定めたときは、その期間とする。

契約で30年より**長い期間**（たとえば50年）を定めたとき	**⇒その期間**（50年）となる
契約で30年より**短い期間**（たとえば20年）を定めたとき	**⇒30年**となる
期間を定めないとき	**⇒30年**となる

3. 借地契約の更新

借地権の存続期間が満了する場合に、借地権者が契約の**更新を請求**したときは、**建物がある場合に限り**、従前の契約と同一の条件※で契約を**更新**したものとみなされる。	⇒借地権設定者が遅滞なく**正当事由ある異議**を述べたときは、契約は**更新されない**。
借地権の存続期間が満了した後、借地権者が土地の**使用を継続**するときも、**建物がある場合に限り**、従前の契約と同一の条件※で契約を**更新**したものとみなされる。	

※存続期間は、1回目の更新は20年、2回目以降は10年となる。

4. 建物買取請求権

(1) 存続期間が満了したが契約の**更新がない**場合、**建物買取請求**できる。

(2) 借地権者の**債務不履行を理由とする解除**により契約が終了する場合、**建物買取請求できない**。

5. 借地上の建物滅失と借地権

(1) **当初の存続期間中**に建物が滅失した場合

築造について承諾がある場合	⇒借地権は20年間延長
築造について承諾がない場合	⇒存続期間の延長なし

(2) **契約更新後**に建物が滅失した場合

① **借地権者**は、賃貸借の解約申入れ（または地上権の放棄）ができる。

② 借地権者が、借地権設定者の承諾を得ないで建物を築造した場合には、**借地権設定者**は、賃貸借の解約申入れ（または地上権の消滅請求）ができる。

6. 借地権の対抗要件

(1) 借地権の登記か**借地権者名義の建物の登記**（**表示に関する登記**を含む）がある場合、借地権を第三者に対抗できる。

(2) 建物の登記名義が借地権者**以外**の場合には、借地権を第三者に**対抗できない**。

(3) 借地上の借地権者名義の**登記のある建物が滅失**した場合、一定事項を**掲示**すれば、**2年間**借地権を第三者に対抗できる。

7. 普通借地権と定期借地権等

	普通借地権	事業用定期借地権	一般定期借地権	建物譲渡特約付借地権
存続期間	30年以上	**10年以上50年未満**	**50年以上**	30年以上
更新	認める	**認めない**	**認めない**	建物譲渡により借地権が消滅するので**更新なし**
建物買取請求権	認める	**認めない**	**認めない**	―
書面の要否	不要	**公正証書が必要**	**必要**※1	不要
建物の用途制限	なし	**専ら事業用**※2 **(居住用を除く)**	なし	なし

※1電磁的記録によってなされたときは、書面によってされたものとみなす。
※2一個の建物の一部を事業用、一部を居住用とすることはできない。

論点26 不法行為 Lesson▶17

1. 不法行為による損害賠償請求

(1) **故意**または**過失**によって**他人の権利等を侵害した者**は、これによって生じた**損害を賠償する責任**(不法行為責任)を負う。

(2) 被害者側に過失があったときは、当事者の主張の有無にかかわらず、裁判所は、これを考慮して、損害賠償の額を定めることができる。

(3) 被害者が**死亡**(**即死**)した場合、被害者には死亡による損害の賠償請求権が発生し、それを**相続人が相続**する。

2. 使用者責任

(1) **使用者**は、**被用者**が**事業の執行**につき**第三者に加えた損害を賠償する責任**を負う。「事業の執行につき」とは、被用者の行為の外形を客観的にみて判断する。

(2) 使用者責任が成立すれば、被害者は、**被用者**と**使用者**双方に**損害賠償を請求**することができる。

(3) 被害者に損害を賠償した**使用者**は、**被用者**に**信義則上相当と認められる範囲**で**求償**することができる。

3. 工作物責任

土地の工作物による責任を負う者

第一次的な責任を負う者	占有者	必要な注意をしたときは、責任を免れる。
第二次的な責任を負う者	所有者	必要な注意をしても、責任を免れない。 所有者は無過失責任を負う。

4. 共同不法行為

数人が共同の不法行為により他人に損害を与えた場合、それらの者は**連帯して被害者に損害賠償の責任**を負う。

5. 不法行為による損害賠償債務の履行遅滞・時効消滅

(1) 不法行為による損害賠償債務⇒**不法行為の時**から遅滞になる。

(2) 不法行為による損害賠償請求権

① 被害者または法定代理人が損害および加害者を知った時から**3年**（人の生命または身体を害する不法行為の場合は**5年**）を経過⇒時効消滅。

② 不法行為の時から**20年**を経過⇒時効消滅。

論点27 地役権の時効取得 Lesson▶18

継続的に行使され、かつ、外形上認識することができる場合、**通行地役権**を時効取得できる。⇒「継続的に行使」というためには、**要役地所有者**によって、承役地上に**通路が開設**されていることが必要。

論点28 共有 Lesson▶18

1. 共有物の持分

(1) 共有者は、**共有物の全部**について、その**持分に応じて使用**できる。

(2) 持分の放棄・死亡の場合

共有者の1人が	⇒持分を放棄	⇒その持分は、他の共有者に帰属する
	⇒死亡（相続人がいない場合）※	

※ただし、特別縁故者への持分の分与が優先する。

2　共有物の変更・管理・保存

行為	具体例	どのように行うか
変更※	建物の建替え	**共有者全員の同意**
管理	・**軽微変更**（建物の外壁の大規模修繕工事等） ・**共有物の賃貸借契約の解除** ・**共有物の管理者の選任・解任**	**持分価格の過半数の同意**
保存	不法占拠者への明渡請求	**共有者単独**

※形状または効用の著しい変更を伴わないもの（＝軽微変更）を除く

3　共有物の分割

(1) 各共有者は、いつでも**共有物の分割**を請求できる。ただし、不分割特約（**5年を超えない期間**）を締結できる。

(2) 裁判所は、以下の方法による共有物の分割を命じることができる。

① 共有物の現物を分割する方法（**現物分割**）

② 共有者に債務を負担させて、他の共有者の持分の全部（一部）を取得させる方法（**賠償分割**）

③ ①②の方法により共有物を分割できないか、分割によってその価格を著しく減少させるおそれがある場合には、競売を命ずることができる（**競売分割**）

論点29 区分所有法

Lesson ▶ 19

1. 共用部分の共有関係・管理等

原則	**全体共用部分**	**区分所有者全員**の共有
	一部共用部分	**一部共用部分を共用すべき区分所有者**の共有
例外	規約で別段の定めができる 例：共用部分を特定の区分所有者の所有とする※	

※管理者が規約の特別の定めに基づき共用部分を所有（管理所有）する場合を除いて、区分所有者以外の者を共用部分の所有者と定めることはできない。

2. 管理組合・管理者

(1) 管理組合

区分所有者は、全員で、当然に管理組合を構成する。管理組合は、所定の手続きを経て管理組合法人となることができる。

(2) 管理者

選任・解任	・規約に別段の定めがない限り、集会の決議による。 ・自然人でも法人でもよく、**区分所有者以外の者**から選任できる。
管理所有	管理者は、規約に特別の定めがあるときは、**共用部分を所有**することができる。
事務の報告	管理者は、集会において、**毎年1回**一定の時期に、その事務に関する**報告**をしなければならない。

3. 規約の設定・変更・廃止

原則	**集会の決議**による ➡区分所有者および議決権の各**3/4以上**の決議
例外	**公正証書**で設定できる ➡**最初に**建物の専有部分の**全部を所有**する者のみ設定できる ➡規約共用部分を定める等一定の事項について設定できる

4. 規約の保管・閲覧

保管場所の告知方法	建物内の見やすい場所に掲示しなければならない（掲示をすればよく、区分所有者に通知する必要なし）。	
利害関係人の閲覧請求	原則	保管者は規約の**閲覧を拒めない**。
	例外	**正当な理由**がある場合は拒める。

5. 集会の決議事項・議事等

集会の議事	**集会の議事**は、区分所有法または規約に別段の定めがない限り、区分所有者および議決権の**各過半数**で決する。
議決権の行使方法	・議決権は、**書面**または**代理人**によって行使できる。 ・区分所有者は、規約または集会の決議により、書面による議決権の行使に代えて、**電磁的方法**（電子情報処理組織を使用する方法その他の情報通信の技術を利用する方法）**によって議決権を行使**することができる。
占有者の意見陳述権	占有者は、会議の目的たる事項につき利害関係を有する場合には、集会に**出席**して**意見を述べる**ことができる。ただし、**議決権はない**。

6. 議長・議事録等

議長	集会においては、規約に別段の定めがある場合および別段の決議をした場合を除いて、**管理者**または**集会を招集した区分所有者の1人**が議長となる。
議事録の作成・署名	議事録が書面で作成されているときは、議長および集会に出席した区分所有者の**2人がこれに署名**しなければならない。
保管・閲覧	議事録の保管および閲覧については、**規約と同じ**である。

論点30 相続 Lesson▶20

＼アドバイス／
相続では、出題パターンが決まっている法定相続人と法定相続分、そして遺留分についてしっかり準備しましょう。

1. 相続人と相続順（法定相続人）

配偶者※1 **＝常に相続人**となる※2	①第一順位　**子**※3
	②第二順位　**直系尊属（父母・祖父母）**
	③第三順位　**兄弟姉妹**

※1**法律上の婚姻関係がある場合に限る**。したがって、離婚をした者やいわゆる内縁関係にある者（内縁の妻、内縁の夫）は相続人とはならない。
※2**配偶者がいない場合に**は、①**子のみ**、②**直系尊属のみ**、③**兄弟姉妹のみ**が相続する。
※3婚姻（結婚）した相手が連れてきた前の配偶者との間にできた子（いわゆる、連れ子）は含まれない。

2. 相続人の範囲（代襲相続と再代襲）

（1）被相続人の**子**は、**相続人となる**。

⇒嫡出子、嫡出でない子、胎児、養子（人数に制限なし）は子に含まれる。

（2）代襲相続まとめ

被相続人の子が相続人の場合	被相続人の兄弟姉妹が相続人の場合
⇒**被相続人の子**が、相続の開始以前に死亡・相続欠格・廃除により**相続権を失った場合**には、その者の子（**被相続人の孫**）がこれを**代襲して相続人**となる（代襲相続）。 ただし、被相続人の子が、**相続放棄**した場合には、その者の子（**被相続人の孫**）はこれを**代襲して相続人とはならない**。	⇒**被相続人の兄弟姉妹**が相続の開始以前に死亡・相続欠格・廃除により**相続権を失った場合**には、その者の子（被相続人の甥・姪）がこれを**代襲して相続人**となる（代襲相続）。 ただし、被相続人の兄弟姉妹が、**相続放棄**した場合には、その者の子（被相続人の甥・姪）はこれを**代襲して相続人とはならない**。

3. 法定相続分

相続人	相続分			
	配偶者	子	直系尊属	兄弟姉妹
配偶者のみ	**全て**	—	—	—
配偶者と子	1/2	**1/2**	—	—
配偶者と直系尊属	2/3	—	**1/3**	—
配偶者と**兄弟姉妹**	3/4	—	—	**1/4**

※**配偶者がいない場合は、優先順位の高い相続人がすべて相続**する。たとえば、配偶者がいない場合で子のみがいるとき、子がすべて相続する。

4. 同順位の相続人が複数いる場合の相続分

子が複数いる場合	子の相続分は平等（**頭数で割る**）
直系尊属が複数いる場合	直系尊属の相続分は平等（**頭数で割る**）
兄弟姉妹が複数いる場合	①兄弟姉妹の相続分は平等（**頭数で割る**） ②ただし、**父母の一方のみを同じく**する兄弟姉妹の相続分は、**父母の双方を同じく**する兄弟姉妹の相続分の**1/2**となる。

5. 共同相続の法律関係

相続財産	法律関係
不動産	遺産分割協議が成立するまで、**共同相続人の共有**に属し、各相続人は相続分に応じた持分を有する。その後、遺産分割協議によって、その土地を売却してその代金を各共同相続人に相続分に応じて相続させる等を決める。
預貯金債権	相続開始と同時に相続分に応じて分割されることはなく、**遺産分割の対象**となる。
金銭債務	**遺産分割**を待たずに各共同相続人の**相続分に応じて当然に分割**さる。そして、各共同相続人は、相続分により分割された範囲で金銭債務を承継（負担）する。

6. 相続の承認・相続の放棄

承認	単純承認
	限定承認⇒相続人が数人あるときは、共同相続人の**全員が共同**してのみすることができる。
相続放棄	・**相続開始前**にすることはできない。 ・**家庭裁判所**に**申述**しなければならない。 ・初めから相続人とならなかったものとみなされる。

7. 遺言

①遺言は、法律で定められた方法に従って作成する必要がある。

②**15歳**に達すれば、**遺言**をすることができる。

③**遺言者**は、いつでも、遺言の方式に従って、その遺言の全部または一部を**撤回**することができる。

④後の遺言が前の遺言と矛盾し、その内容が抵触するときは、その**抵触する部分**については、**後の遺言で前の遺言を撤回**したものとみなされる。遺言者が、遺言と抵触する法律行為（譲渡等）をした場合も同様である。

8. 遺留分

①**遺留分を侵害する遺贈も有効**であるが、遺留分権利者は、**遺留分侵害額に相当する金銭の支払いを請求**することができる。

②**兄弟姉妹**および甥・姪には、**遺留分はない**。

③直系尊属以外の遺留分＝被相続人の財産の**1/2**。

④**相続開始前の遺留分の放棄**には、**家庭裁判所の許可**が必要である。

⑤遺留分を放棄しても、相続を放棄したことにはならない⇒相続をすることはできる

＼アドバイス／

権利関係では、「誰」と「誰」の関係が問題となっているのかが分かると理解が進みます。そのためには「図」を描きながらの学習が効果的です。このことは、問題演習でも同じです。

第2編　宅建業法

論点31 免許の要否 Lesson▶01

1. 宅地とは

① 建物の敷地に供せられる土地
現に建物が建っているか、**建てる目的**で取引する土地。どのような区域等にあるのかは関係ない。
② ①以外で、**用途地域内**の土地
ただし、**現に道路・公園・河川・広場・水路であるものは除く**。

2. 取引とは

① 売買・交換を**自ら**行う
② 売買・交換・貸借の**代理**を行う
③ 売買・交換・貸借の**媒介**を行う

＼アドバイス／

貸ビル業などの「自ら貸借」は、取引にあたりません。

3. 免許の要否

原則	宅地・建物の取引を業として行う場合には、免許が必要	
例外	国、地方公共団体、都市再生機構、地方住宅供給公社等	宅建業法が適用されないので、免許不要
	信託会社、信託業務を兼営する金融機関	免許に関する規定が適用されないので、免許不要 国土交通大臣へ届出が必要

論点32 免許の申請 Lesson ▶ 02

1．誰の免許を受けるのか

免許の種類

① **2以上**の都道府県内に事務所を設置　⇒　**国土交通大臣免許**
② **1つ**の都道府県内に**のみ**事務所を設置　⇒　**都道府県知事免許**

2．事務所とは

① 本店（主たる事務所）
② 支店（従たる事務所）で、宅建業に係る業務を行っているところ
③ 継続的に業務を行うことができる施設を有する場所で、宅建業に係る契約を締結する権限を有する使用人を置くもの

論点33 免許の基準 Lesson ▶ 02

免許の欠格要件は、次のとおりです。

1．破産をした人

免許の欠格要件①

① **破産手続開始の決定**を受けて**復権を得ない者**

2. 免許の不正取得を理由に免許を取り消された者等

免許の欠格要件②〜④

② 宅建業法66条1項8号または9号に該当することにより免許を取り消され、その**取消しの日から5年**を経過しない者（免許を取り消された者が法人である場合は、その取消しに係る聴聞（ちょうもん）の期日・場所の**公示日前60日以内**にその法人の**役員**であった者でその取消しの日から5年を経過していない者を含む）

③ 宅建業法66条1項8号または9号に該当するとして**免許取消処分の聴聞の期日・場所の公示日**から処分をするかしないかを決定する日までの間に、**解散**（合併・破産による場合を除く）、**廃業の届出**をした者（解散・廃業をするについて相当の理由がある者を除く）で、**届出の日から5年**を経過しない者

④ ③の期間内に合併により消滅した法人または解散・廃業の届出があった法人（相当の理由がある場合を除く）の聴聞の期日・場所の**公示日前60日以内に役員**であった者で、その消滅または届出の日から5年を経過しない者

3. 刑に処せられた者

免許の欠格要件⑤〜⑥

⑤ **禁錮以上の刑**に処せられ、その**刑の執行を終わり**、または刑の執行を受けることがなくなった日から**5年**を経過しない者

⑥ **宅建業法**もしくは暴力団員による不当な行為の防止等に関する法律の規定に違反したことにより、または傷害罪、傷害現場助勢罪、暴行罪、凶器準備集合罪、脅迫罪、**背任罪**もしくは暴力行為等処罰に関する法律の罪を犯したことにより、**罰金の刑**に処せられ、その**刑の執行を終わり**、または執行を受けることがなくなった日から**5年**を経過しない者

宅建業法

4. 上記以外で宅建業者としてふさわしくない者

免許の欠格要件　⑦～⑨

⑦ 暴力団員による不当な行為の防止に関する法律に規定する**暴力団員**、またはそのような**暴力団員でなくなった日から5年**を経過しない者（以下「暴力団員等」という）
⑧ 免許の申請前5年以内に宅建業に関し**不正または著しく不当**な行為をした者
⑨ 宅建業に関し**不正または不誠実な行為をするおそれが明らか**な者

5. 心身の故障がある者

免許の欠格要件⑩

⑩ **心身の故障**により宅建業を適正に営むことができない者として国土交通省令で定めるもの（**精神の機能の障害**により宅建業を適正に営むにあたって必要な認知、判断および意思疎通を適切に行うことができない者）

6. 関係者に欠格要件に該当する者がいる場合

免許の欠格要件⑪～⑭

⑪ 営業に関し**成年者と同一の行為能力を有しない未成年者**で、その法定代理人（法人の場合、その役員を含む）が①～⑩のいずれかに該当する者
⑫ 法人で、その**役員または政令で定める使用人**が①～⑩のいずれかに該当する者
⑬ 個人で、**政令で定める使用人**が①～⑩のいずれかに該当する者
⑭ **暴力団員等**がその事業活動を支配する者

7. その他

免許の欠格要件⑮⑯

⑮ 事務所ごとに従業者5人に1人以上の**専任の宅建士**を置いていない者
⑯ 免許申請書やその添付書類中に、重要な事項について**虚偽の記載**をしたり、重要な事実の記載が欠けていたりした者

論点34 免許の効力等 Lesson▶03

1. 変更の届出

宅建業者は、次の事項に変更があった場合には、**30日以内**に、当該変更に係る事項を記載した届出書を、その免許を受けた**国土交通大臣または都道府県知事に提出**しなければならない。

① **商号・名称**
② 法人の場合、その**役員・政令で定める使用人の氏名**
③ 個人の場合、その**個人・政令で定める使用人の氏名**
④ **事務所の名称・所在地**
⑤ 事務所ごとに置かれる**専任の宅建士の氏名**

2. 免許の効力・有効期間・更新

1. 免許の有効期間は**5年**である。
2. 免許の更新の申請は、有効期間満了日の**90日前から30日前まで**の間に行わなければならない。
3. 免許の更新の申請があった場合において、有効期間の満了日までにその申請について処分がなされないときは、従前の免許は、有効期間の満了後もその**処分がなされるまでの間**は、なお**効力を有する**。

3 免許換え

＼アドバイス／

事務所の設置・廃止前と後で誰の免許を受けるべきかを考え、それが異なっていたら免許換えが必要と覚えればOKです。

4. 廃業等の届出

1. 届出が必要な場合

届出事由	届出義務者	免許失効時期
死亡	相続人	死亡時
合併消滅	**合併消滅した法人**を代表する役員であった者	合併消滅時
破産手続開始の決定	**破産管財人**	**届出時**
合併・破産手続開始の決定以外の理由による解散	清算人	
宅建業の廃止	個人の場合 ➡ 本人 法人の場合 ➡ その法人を代表する役員	

2. 届出期間
その日から（死亡の場合は、**相続人が死亡の事実を知った日**から）**30日以内**

5. 免許の効力が失われた場合の取引の結了

宅建業者の免許の失効・取消し等の場合、その宅建業者や一般承継人（相続人や合併により成立した法人）は、その宅建業者が締結した契約に基づく**取引を結了する目的の範囲内においては**宅建業者とみなされる。

論点35 宅建士登録 Lesson ▶ 04

1. 登録の基準

1. 宅地・建物の取引に関し**2年以上の実務経験**を有するか、または国土交通大臣がその実務経験を有する者と同等以上の能力を有すると認める者（たとえば、**国土交通大臣**の登録を受けた講習（登録実務講習）を修了した者）であること
2. 以下の欠格要件にあたらないこと
① 宅建業に係る営業に関し、**成年者と同一の行為能力を有しない**未成年者

② **破産手続開始の決定**を受けて**復権を得ない**者
③ 宅建業法66条1項8号または9号に該当することにより免許を取り消され、その**取消しの日から5年**を経過しない者（免許を取り消された者が法人である場合は、その取消しに係る聴聞の期日・場所の**公示日前60日以内**にその法人の**役員**であった者で当該取消しの日から5年を経過しない者）
④ 宅建業法66条1項8号または9号に該当するとして**免許取消処分の聴聞の期日・場所の公示日**から処分をするかしないかを決定する日までの間に、**廃業の届出**をした者（廃業をするについて相当の理由がある者を除く）で、**届出の日から5年**を経過しない者
⑤ ④の期間内に合併により消滅した法人または解散・廃業の届出があった法人（相当の理由がある場合を除く）の聴聞の期日・場所の**公示日前60日以内に役員**であった者で、その消滅または届出の日から5年を経過しない者
⑥ **禁錮以上の刑**に処せられ、その**刑の執行を終わり**、または刑の執行を受けることがなくなった日から**5年**を経過しない者
⑦ **宅建業法**もしくは暴力団員による不当な行為の防止等に関する法律の規定に違反したことにより、または傷害罪、傷害現場助勢罪、暴行罪、凶器準備集合罪、脅迫罪、**背任罪**もしくは暴力行為等処罰に関する法律の罪を犯したことにより、**罰金の刑**に処せられ、その**刑の執行を終わり**、または執行を受けることがなくなった日から**5年**を経過しない者
⑧ **暴力団員等**
⑨ **不正登録**等の理由で**登録消除処分**を受け、その**処分の日から5年**を経過しない者
⑩ ⑨の**登録消除処分に係る聴聞の期日・場所の公示日**から処分をするかしないかを決定する日までの間に、**登録の消除の申請**をした者（相当な理由がある者を除く）で、**登録が消除された日から5年**を経過しない者
⑪ **事務禁止処分**を受け、その禁止期間中に、本人からの**申請により登録が消除**され、まだその**期間が満了しない**者
⑫ **心身の故障**により宅建士の事務を適正に行うことができない者として国土交通省令で定めるもの（**精神機能の障害**により宅建士の事務を適正に行うにあたって必要な認知、判断および意思疎通を適切に行うことができない者）

2. 変更の登録・登録の移転

登録の移転

1. 登録を受けている者は、**登録を受けている都道府県以外**に所在する**宅建業者の事務所の業務に従事し**、または**従事しようとする**ときは、その事務所の所在地を管轄する都道府県知事に対し**登録の移転**を申請することができる。
2. 登録の移転の申請は、**現に登録を受けている都道府県知事を経由**して行う。
3. **事務禁止処分期間中**は、登録の移転の申請を行うことができない。

「変更の登録」と「登録の移転」

	変更の登録	登録の移転
事　由	**氏名、本籍、住所、勤務先の宅建業者**の商号・名称・免許証番号等の変更	**登録をしている都道府県以外**の都道府県に所在する**宅建業者の事務所**の業務に従事または従事しようとするとき
期間制限	**遅滞なく**	なし
申請義務	あり	**なし**

3. 死亡等の届出

1. 届出が必要な場合

届出事由	届出義務者
死亡したとき	**相続人**
登録の欠格要件①～⑧に該当するようになったとき	**本人**
心身の故障により宅建士の事務を適正に行うことができない者として国土交通省令で定める者（精神機能の障害により宅建士の事務を適正に行うにあたって必要な認知、判断および意思疎通を適切に行うことができない者）になったとき	**本人、法定代理人、同居の親族**

2. 届出期間
その日（死亡の場合、**相続人が死亡の事実を知った日**）から**30日**以内

論点36 宅建士証 Lesson ▶ 05

1. 宅建士証の交付

1. 宅建士証の交付申請は、**登録をしている都道府県知事**に対して行う。
2. 宅建士証の交付を受けようとする者は、次の①②を除き、登録をしている**都道府県知事**が指定する講習で交付の**申請前６カ月以内**に行われるものを受講しなければならない。
① 試験に**合格した日から１年以内**に宅建士証の交付を受けようとする者
② すでに宅建士証の交付を受けている場合で、**登録の移転とともに新たな宅建士証の交付**を受けようとする者

宅建士証の有効期間は、原則として5年間で、有効期間の更新を受ける（＝新たな宅建士証の交付を受ける）には、都道府県知事が指定する講習（＝法定講習）を受講しなければならない。

2. 宅建士証の書換え交付

宅建士は、その**氏名または住所に変更**が生じたときは、遅滞なく、変更の登録の申請をするとともに、**宅建士証の書換え交付の申請**をしなければならない。

3. 宅建士証の提示・返納・提出

1. **提示義務**
① 重要事項の説明の場合　⇒　**必ず**※
② その他の場合　⇒　**取引の関係者から請求**があったとき
2. **返納義務**
① 宅建士証が効力を失ったとき
② 登録が消除されたとき
3. **提出義務**
事務禁止処分を受けたとき（**交付を受けた**都道府県知事に提出）

※相手方が宅建業者の場合は、重要事項説明書の交付で足り、説明をする必要がないので、宅建士証の提示も不要である。

宅建業法

4. 登録の移転と宅建士証

1. **登録の移転**があったときは、宅建士証は**効力を失う**。
2. 登録の移転の申請とともに新たな宅建士証の交付を申請する場合、**都道府県知事が指定する講習**（=法定講習）**を受講する必要はない**。
3. 2の場合、新たな宅建士証の有効期間は、**前の宅建士証の有効期間が経過するまでの期間**（=前の宅建士証の有効期間の残りの期間）である。
4. 2の場合、新たな宅建士証は、**前の宅建士証と引換え**に交付される。

論点37 営業保証金 Lesson▶06

1. 営業保証金の額等

1. 金額
主たる事務所につき**1,000万円**、その他の事務所につき事務所**1カ所ごとに500万円**の合計額
2. 有価証券の評価額
① **国債証券** ⇒ **額面金額**（の100%）
② **地方債証券・政府保証債証券** ⇒ 額面金額の**90%**
③ その他の債券 ⇒ 額面金額の80%
3. 供託場所
主たる事務所の最寄りの供託所

2. 事業開始との関係

新たに宅建業を開始する場合	供託した旨を免許権者に**届け出**なければ、**事業を開始してはならない**。
事業開始後に、新たな事務所を設置した場合	供託した旨を免許権者に**届け出**なければ、**新たに設置した事務所で事業を開始してはならない**。

3. 営業保証金の保管替え等

1. **金銭のみ**で営業保証金を供託している場合
　遅滞なく、営業保証金を供託している供託所に対し、移転後の主たる事務所の最寄りの供託所への営業保証金の**保管替えを請求**しなければならない。
2. **有価証券のみ**、または**金銭と有価証券**で営業保証金を供託している場合
　遅滞なく、営業保証金を**移転後の主たる事務所の最寄りの供託所に新たに供託**しなければならない。

4. 営業保証金の還付

1. 還付請求権者
　宅建業者と宅建業に関する取引をし、その取引より生じた債権を有する者（**宅建業者を除く**）
2. 還付額
　供託されている**営業保証金の額の範囲内**
3. 営業保証金の補充供託
　①宅建業者は、営業保証金が還付されたため免許権者から不足額を供託すべき旨の**通知書の送付を受けたときは、その日から２週間以内**に不足額を**供託**しなければならない。
　②上記の**供託をしたときは、その日から２週間以内**に、その旨を免許権者に**届け出**なければならない。

5. 営業保証金の取戻し

取戻し事由	公告の要否
① 免許の有効期間が満了したとき ② 廃業等の届出により免許が効力を失ったとき ③ 宅建業者が死亡・合併消滅したとき ④ 免許を取り消されたとき ⑤ 事務所の一部の廃止により、営業保証金の額が規定額を超えたとき	原則…必要 例外…取戻し事由発生から**10年**を経過したときは不要
⑥ 主たる事務所が移転して、最寄りの供託所が変わり、新たに供託したとき ⑦ 保証協会の社員になって、営業保証金の供託を免除されたとき	**不要**

論点38 弁済業務保証金 Lesson ▶ 07

1. 弁済業務保証金分担金の納付

1. 納付時期
   保証協会に**加入しようとする日**までに、保証協会に納付
2. 弁済業務保証金分担金の額等
   主たる事務所につき**60万円**、その他の事務所につき事務所**1カ所ごとに30万円**の合計額を**金銭**で納付

新たに事務所を設置したときは、その日から2週間以内に、その事務所の分の弁済業務保証金分担金を納付しなければならない。

2. 弁済業務保証金の還付

1. 還付請求権者
　保証協会の社員と宅建業に関し取引をし、その取引により生じた債権を有する者（**宅建業者を除く**）。その社員が社員となる前に取引をした者も含まれる
2. 還付額
　営業保証金の場合と同じ
3. 手続き
　保証協会の認証を受け、**供託所に還付請求**する

3. 補充供託・還付充当金の納付

1. 補充供託
　保証協会は、国土交通大臣から還付の**通知書の送付を受けた日から２週間以内**に、還付額に相当する弁済業務保証金を**供託**しなければならない。そして、供託をしたときは、供託書の写しを添付して、供託した旨を、**社員である宅建業者の免許権者に届け出**なければならない。
2. 還付充当金の納付
　還付充当金を納付すべき旨の通知を受けた**社員**は、**通知を受けた日から２週間以内**に、**還付充当金を保証協会に納付**しなければならず、納付しなかったときは、**保証協会の社員の地位を失う**。

4. 弁済業務保証金の取戻し

取戻し事由	公告の要否
① 社員である宅建業者が社員でなくなったとき	必要
② 社員である宅建業者がその**一部の事務所を廃止**したとき	**不要**

宅建業法

5. 社員の地位を失った場合

保証協会の社員が社員としての地位を失ったときは、その日から**1週間以内**に営業保証金を供託しなければならない。

論点39 媒介契約の種類と規制 Lesson ▶ 08

1. 媒介契約の種類に応じた規制

	一般媒介契約	(非専属型)専任媒介契約	専属専任媒介契約
有効期間	制限なし	**3カ月以内**	
業務処理状況の報告義務	なし	**2週間に1回以上**	**1週間に1回以上**
指定流通機構への登録義務	なし	**7日以内** (休業日は除く)	**5日以内** (休業日は除く)
申込みがあった旨の報告義務	**遅滞なく**		

有効期間は、依頼者の申出により更新することができるが、この申出は更新の際にされることが必要である。事前に自動更新する旨の約束等をしても無効となる。

2. 登録を証する書面の引渡し等

1　指定流通機構に登録をした宅建業者は、指定流通機構が発行する**登録を証する書面**を、遅滞なく、**依頼者に引き渡さなければならない**※。
2　宅建業者は、指定流通機構へ登録した宅地・建物の**売買・交換契約が成立したとき**は、遅滞なく、①登録番号、②取引価格、③契約成立年月日を、**指定流通機構に通知**しなければならない。

※　宅建業者は、依頼者の書面等による承諾を得れば、書面の引渡しに代えて電磁的方法で提供することができる。

論点40 媒介契約書面 Lesson▶08

1. 宅建業者は、宅地・建物の売買・交換の媒介契約を締結したときは、遅滞なく、媒介契約の内容を記載した書面（＝媒介契約書面）を作成し、**記名押印**したうえで、依頼者に交付しなければならない。※
2. 契約書面の記載事項

① 宅地の所在・地番等、建物の所在・種類・構造等

② **宅地・建物を売買すべき価額・評価額**

③ 依頼者が他の宅建業者にも依頼することの許否（＝専任媒介契約かどうか）、依頼できる場合に他の業者を明示する義務の存否（＝明示型かどうか）

④ **既存建物**の場合、依頼者に対する**建物状況調査を実施する者のあっせん**に関する事項

⑤ 媒介契約の有効期間、解除に関する事項

⑥ 指定流通機構への登録に関する事項

⑦ 報酬に関する事項

⑧ 専任媒介契約の場合、依頼者が他の宅建業者の媒介・代理によって売買・交換契約を成立させたときの措置

⑨ 専属専任媒介契約の場合、依頼者が宅建業者の探索した相手方以外の者と売買・交換契約を締結したときの措置

⑩ 明示型の一般媒介契約の場合、依頼者が明示していない宅建業者の媒介・代理によって売買・交換契約を成立させたときの措置

⑪ 当該媒介契約が国土交通大臣が定める**標準媒介契約約款に基づくものであるか否かの別**

3. 宅建業者は、媒介契約書面に記載した宅地・建物を売買すべき価額またはその評価額について**意見を述べるとき**は、その**根拠を明らかに**しなければならない。

※宅建業者は、依頼者の書面等による承諾を得れば、書面の交付に代えて、電磁的方法で提供することができる（記名押印に代わる措置が必要）。

論点41 広告に関する規制 Lesson ▶ 09

1. 誇大広告等の禁止

宅建業者は、広告をするときは、所在・規模・形質等について、**著しく事実に相違**する表示をし、または**実際のものより著しく優良・有利であると人を誤認**させるような表示をしてはならない。

2. 広告開始時期の制限

宅建業者は、宅地造成・建物建築に関する**工事の完了前**においては、当該工事に必要とされる**開発許可・建築確認等の処分があった後**でなければ、当該工事に係る宅地建物の売買その他の業務（**＝すべての取引**）**に関する広告をしてはならない**。

3. 取引態様の明示

1. 宅建業者は、宅地・建物の売買・交換・貸借に関する**広告**をするときは、**取引態様の別**を**明示**しなければならない。
2. 宅建業者は、宅地・建物の売買・交換・貸借に関して**注文を受けたときは、遅滞なく**、その注文をした者に対し、**取引態様の別**を**明示**しなければならない。

論点42 重要事項の説明の方法 Lesson ▶ 10

1. 宅建業者は、宅地・建物を**取得し、または借りようとしている者**に対して、売買・交換・貸借の**契約が成立するまでの間**に、原則として、**宅建士をして**、説明内容を記載し**宅建士が記名した書面**（重要事項説明書）**を交付して**※**説明**をさせなければならない。宅建士は、重要事項の説明をするときは、相手方に対し**宅建士証を提示**しなければならない。
2. **相手方が宅建業者**である場合は、宅建士が記名した重要事項説明書を相手方に交付すれば足り、**説明は不要**である。
3. 重要事項の説明は、テレビ会議等の**IT を活用**して行うこともできる。

※相手方の書面等による承諾を得れば、重要事項説明書の交付に代えて、電磁的方法で提供することができる（宅建士の記名に代わる措置が必要）。

論点43 重要事項の説明の内容 Lesson ▶ 10

1. 対象となる宅地・建物に直接関係する説明事項

① 当該宅地・建物の上に存する**登記された権利**の種類・内容・登記名義人等
② 法令に基づく制限に関する事項の概要
③ 私道に関する負担に関する事項（**建物の貸借の場合を除く**）
④ 飲用水・電気・ガスの供給や排水のための施設の整備の状況（整備されていない場合は、その整備の見通し・整備についての特別の負担に関する事項）
⑤ **工事完了時における形状・構造**等（未完成物件の場合に限る）
⑥ 当該建物が既存の建物であるときは、次に掲げる事項
　イ　**建物状況調査（実施後１年※を経過していないものに限る）を実施しているかどうか**、これを実施している場合におけるその**結果の概要**
　　※鉄筋コンクリート造または鉄骨鉄筋コンクリート造の**共同住宅等**については**２年**
　ロ　設計図書、点検記録その他の建物の建築・維持保全の状況に関する**書類の保存の状況**（売買・交換の場合に限る）
⑦ 当該宅地・建物が造成宅地防災区域内にあるときは、その旨
⑧ 当該宅地・建物が土砂災害警戒区域内にあるときは、その旨
⑨ 当該宅地・建物が津波災害警戒区域内にあるときは、その旨
⑩ 水防法施行規則の規定により当該宅地・建物が所在する市町村の長が提供する図面に当該宅地・建物の位置が表示されているときは、当該図面における当該宅地・建物の所在地
⑪ 当該建物について、**石綿の使用の有無の調査の結果**が記録されているときは、その**内容**
⑫ 当該建物（**昭和56年6月1日以降**に新築の工事に着手したものを除く）が一定の**耐震診断**を受けたものであるときは、その**内容**
⑬ 当該建物が**住宅性能評価**を受けた新築住宅であるときは、**その旨**（**貸借の場合を除く**）

2. 取引条件に関する説明事項

① 代金・交換差金・借賃**以外に授受される金銭の額**・授受目的
② **契約の解除**に関する事項
③ **損害賠償額の予定・違約金**に関する事項
④ 手付金等を受領しようとする場合における保全措置の概要
⑤ 支払金・預り金を受領しようとする場合において、保全措置を講ずるかどうか、保全措置を講ずる場合におけるその措置の概要
⑥ 代金・交換差金に関する金銭の貸借のあっせんの内容・当該あっせんに係る金銭の貸借が成立しないときの措置（貸借の場合を除く）
⑦ 当該宅地・建物が種類・品質に関して契約の内容に適合しない場合におけるその不適合を担保すべき責任の履行に関し保証保険契約の締結等の措置を講ずるかどうか、講ずる場合におけるその措置の概要
⑧ 割賦販売に関する事項（割賦販売の場合のみ）
　イ　現金販売価格
　ロ　割賦販売価格
　ハ　宅地・建物の引渡しまでに支払う金銭の額
　ニ　賦払金の額・支払時期・支払方法

3. 区分所有建物の場合に加わる説明事項

区分所有建物（マンション）の場合、次の内容が説明事項に加わります。ただし、**貸借の場合は❸と❽のみです**。

① 当該建物を所有するための一棟の建物の敷地に関する権利の種類・内容
② **共用部分に関する規約**の定め（案を含む）があるときは、その内容
❸**専有部分の用途その他の利用の制限に関する規約**の定め（案を含む）があるときは、その内容
④ 当該一棟の建物またはその敷地の一部を特定の者にのみ使用を許す旨の規約の定め（案を含む）があるときは、その内容
⑤ 当該一棟の建物の計画的な維持修繕のための費用、通常の管理費用その他の当該建物の所有者が負担しなければならない費用を**特定の者にのみ減免する旨の規約**の定め（案を含む）があるときは、その内容
⑥ 当該一棟の建物の**計画的な維持修繕のための費用の積立て**を行う旨の規約の定め（案を含む）があるときは、その**内容・すでに積み立てられている額**
⑦ 当該建物の所有者が負担しなければならない通常の管理費用の額
❽当該一棟の**建物およびその敷地の管理が委託**されているときは、その委託を受けている者の**氏名**（法人にあっては、その商号・名称）・**住所**（法人にあっては、その主たる事務所の所在地）
⑨ 当該一棟の建物の**維持修繕の実施状況が記録**されているときは、その**内容**

4. 貸借の場合に加わる説明事項・供託所に関する説明

宅地の貸借の場合は②～⑦、建物の貸借の場合は①～⑥が、それぞれ説明事項に加わります。

① **台所、浴室、便所**その他の当該建物の設備の**整備の状況**
② 契約期間・契約の更新に関する事項
③ 定期借地権・定期建物賃貸借※・終身建物賃貸借の場合には、その旨
④ 当該宅地・建物（区分所有建物を除く）の用途その他の利用の制限に関する事項
⑤ 敷金その他契約終了時において精算することとされている**金銭の精算に関する事項**
⑥ 当該宅地・建物（区分所有建物を除く）の管理が委託されているときは、その委託を受けている者の氏名（法人にあっては、その商号・名称）・住所（法人にあっては、その主たる事務所の所在地）
⑦ 契約終了時における当該宅地の上の建物の取壊しに関する事項を定めようとするときは、その内容

※定期建物賃貸借（権利関係レッスン15）における賃貸人による事前説明と重要事項の説明とは別個の説明義務であるが、重要事項説明書に所定事項を記載し、当該重要事項説明書を交付して賃貸人から代理権を授与された宅建士が重要事項の説明を行うことで、定期建物賃貸借の事前説明書の交付および事前説明を兼ねることができる。

宅建業者は、宅建業者の相手方等（**宅建業者を除く**）に対して、売買・交換・貸借の契約が成立するまでの間に、営業保証金を供託した主たる事務所の最寄りの供託所等を説明するようにしなければならない（供託所に関する説明）。

論点44 契約締結時期制限 Lesson ▶ 11

1. 契約締結時期制限

宅建業者は、宅地造成・建物建築に関する**工事の完了前**においては、当該工事に必要とされる開発許可・建築確認等の**処分があった後**でなければ、自ら当事者としてまたは当事者を代理して**売買・交換**契約を締結したり、**売買・交換**契約の媒介をしたりしてはならない。

2. 広告開始時期制限との比較

広告開始時期制限と契約締結時期制限

	広告開始時期制限	契約締結時期制限
対　象	すべての取引態様	売買・交換を自ら行う 売買・交換の媒介・代理 （貸借の媒介・代理は制限されない）
監督処分	指示処分	業務停止処分 情状が特に重いときは免許取消処分
罰　則	なし	なし

論点45 37条書面の作成・交付 Lesson ▶ 11

1. 37条書面の作成・交付

1. 宅建業者は、売買・交換・貸借契約の**成立後**、**遅滞なく**、**契約の当事者**に契約内容を記載した書面（37条書面）を交付※しなければならない。
2. 宅建業者は、37条書面を作成したときは、**宅建士**をして、当該書面に**記名**させなければならない。

※当事者の書面等による承諾を得れば、書面の交付に代えて、電磁的方法で提供することができる（宅建士の記名に代わる措置が必要）。

2. 重要事項の説明との比較

重要事項の説明方法と37条書面の交付方法

	重要事項の説明	37条書面の交付
時　期	契約が成立するまで	契約後、遅滞なく
担当者	宅建士が説明	誰が交付してもよい
相手方	取得しようとする者 借りようとする者	契約の当事者
記名	宅建士	宅建士
説明の要否	原則として必要	不要
場　所	制限なし	制限なし

論点46 37条書面の記載事項 Lesson▶11

	売買・交換	貸借
定めの有無にかかわらず記載すべき事項	① 当事者の氏名（法人の場合、その名称）、住所 ② 宅地・建物を特定するために必要な表示	
	❸ 代金・交換差金の額・支払時期・支払方法 ❹ 宅地・建物の**引渡しの時期** ❺ **移転登記の申請時期** ⑥ **既存建物**の場合、建物の構造耐力上主要な部分等の状況について当事者の双方が**確認した事項**※	③ 貸借の**額**・支払時期・支払方法 ④ 宅地・建物の**引渡しの時期**
定めがあれば記載すべき事項	① 契約の**解除**に関する定めがあるときは、その内容 ② **損害賠償額の予定**・違約金に関する定めがあるときは、その内容 ③ 天災その他不可抗力による損害の負担に関する定めがあるときは、その内容	
	④ 代金・交換差金**以外**の金銭の授受に関する定めがあるときは、その額・授受時期・授受目的 ⑤ 代金・交換差金についての金銭の貸借の**あっせん**に関する定めがあるときは、そのあっせんが**成立しないときの措置** ⑥ 種類・品質に関する**契約不適合を担保すべき責任**またはその履行に関して講ずべき保証保険契約の締結等の措置について定めがあるときは、その内容 ⑦ **租税**その他の公課の負担に関する定めがあるときは、その内容	④ 借賃**以外**の金銭の授受に関する定めがあるときは、その額・授受時期・授受目的

※「当事者の双方が確認した事項」とは、原則として、建物状況調査等の専門的な第三者による調査が行われ、その調査結果の概要を重要事項として宅建業者が説明したうえで契約締結した場合の当該「調査結果の概要」のことである。

＼アドバイス／

❸代金・交換差金の額等、❹引渡しの時期、❺移転登記の申請時期は、売買・交換の37条書面には定めの有無にかかわらず記載すべきですが、重要事項の説明の対象ではありません。この点は、よく出題されます。

論点47 業務に関する禁止事項等 Lesson▶12

1. 守秘義務

1. 宅建業者は、**正当な理由**がある場合でなければ、業務上知り得た**秘密**を他に漏らしてはならない。**宅建業を営まなくなった後**も、同様である。
2. 宅建業者の従業者は、**正当な理由**がある場合でなければ、宅建業の業務を補助したことについて知り得た**秘密**を他に漏らしてはならない。**従業者でなくなった後**も、同様である。

2. 手付貸与等の禁止

宅建業者は、手付について**貸付けその他信用の供与**をすることにより契約の締結を誘引してはならない。

手付金を貸し付けることのほか、手付の後払いや分割払いを認めること、手付金を手形で受け取ることなどが「信用の供与」にあたります。

3. 業務に関する禁止事項

1. 宅建業者等（＝宅建業者、その代理人・使用人その他の従業者）は、宅建業に係る契約の締結を勧誘するに際し、相手方等に対し、**利益が生ずることが確実であると誤解させるべき断定的判断を提供**する行為をしてはならない。
2. 宅建業者等は、宅建業に係る契約を締結させ、または契約の申込みの撤回・解除を妨げるため、**相手方等を威迫**してはならない。
3. 宅建業者等は、宅建業に係る契約の締結の勧誘をするに際し、相手方等に対し、次に掲げる行為をしてはならない。
   ① 当該契約の目的物である宅地・建物の**将来の環境・交通その他の利便について誤解させるべき断定的判断を提供**すること
   ② 正当な理由なく、当該契約を締結するかどうかを判断するために**必要な時間を与えることを拒む**こと
   ③ 当該**勧誘に先立って**宅建業者の商号・名称、当該勧誘を行う者の氏名、当該契約の締結について勧誘をする目的である旨を**告げずに、勧誘**を行うこと
   ④ 相手方等が当該契約を**締結しない旨の意思**（当該勧誘を引き続き受けることを希望しない旨の意思を含む）を表示したにもかかわらず、

当該勧誘を継続すること
⑤ **迷惑を覚えさせるような時間**に電話し、または訪問すること
⑥ 深夜または長時間の勧誘その他の**私生活または業務の平穏を害するような方法**によりその者を困惑させること
4. 宅建業者等は、**相手方等が契約の申込みの撤回を行うに際し、すでに受領した預り金を返還することを拒んではならない**。
5. 宅建業者等は、**相手方等が手付を放棄して契約の解除を行うに際し、正当な理由なく、当該契約の解除を拒み**、または**妨げてはならない**。

論点48 従業者証明書等・帳簿 Lesson ▸ 12

事務所には、**従業者名簿・帳簿・報酬額の掲示・専任の宅建士・標識**の5つが必要です。専任の宅建士は、**従業者5人に1人以上**です。

1. 従業者証明書・従業者名簿

従業者証明書

1. 宅建業者は、従業者に、その従業者であることを証する証明書（**従業者証明書**）を携帯させなければ、その者を業務に従事させてはならない。
2. 従業者は、**取引の関係者の請求**があったときは、従業者証明書を**提示**しなければならない。

従業者名簿

1. 宅建業者は、その**事務所ごとに**、従業者名簿を備えなければならない。
2. 従業者名簿の保存期間は、**最終の記載をした日から10年間**である。
3. 宅建業者は、取引の関係者から請求があったときは、従業者名簿をその者の**閲覧**に供しなければならない。

2. 帳簿の備付け

1. 宅建業者は、その**事務所ごとに**、その業務に関する帳簿を備え、宅建業に関し**取引のあったつど**、その取引の内容等を記載しなければならない。
2. 帳簿は**各事業年度の末日に閉鎖**し、**閉鎖後５年間**（当該宅建業者が自ら売主となる新築住宅に係るものは**10年間**）保存しなければならない。

論点49 案内所等の規制 Lesson▶12

案内所等には、**専任の宅建士の設置、標識の掲示、案内所等の届出**が必要なものと、**標識の掲示**だけが必要なものとがあります。

1. 専任の宅建士の設置等が必要な案内所等

次の場所には、**専任の宅建士の設置、標識の掲示、案内所等の届出**が必要です。

次のうち、そこで**契約（予約を含む）を締結し、または契約の申込みを受ける**場所
① 継続的に業務を行うことができる施設を有する場所で事務所以外のもの
② 宅建業者が一団の宅地・建物の分譲を案内所を設置して行う場合の**当該案内所**
③ 他の宅建業者が行う一団の宅地・建物の分譲の代理・媒介を案内所を設置して行う場合の当該**案内所**
④ 宅建業者が業務に関し展示会その他これに類する催しを実施する場合のこれらの**催しを実施する場所**

専任の宅建士は、**業務に従事する者の数に関係なく1人**で足ります。

2. 標識の掲示のみが必要な場所

①〜④のうち、そこで契約（予約を含む）の締結も、契約の申込みの受領も**しない**場所

① 継続的に業務を行うことができる施設を有する場所で事務所以外のもの
② 宅建業者が一団の宅地・建物の分譲を案内所を設置して行う場合の当該案内所
③ 他の宅建業者が行う一団の宅地・建物の分譲の代理・媒介を案内所を設置して行う場合の当該案内所
④ 宅建業者が業務に関し展示会その他これに類する催しを実施する場合のこれらの催しを実施する場所
⑤ 宅建業者が一団の宅地・建物の分譲をする場合における当該**宅地・建物の所在場所**（契約の締結等をするか否かは関係なし）

3. 案内所等の届出

1. 届出方法

免許を受けた国土交通大臣（案内所等の所在地の都道府県知事を経由する）**または都道府県知事**と、**案内所等の所在地を管轄する都道府県知事**に対し、その案内所等で**業務を開始する日の10日前まで**に、届け出なければならない。

2. 届出事項

① 所在地
② 業務内容
③ 業務を行う期間
④ 専任の宅建士の氏名

論点50 事務所・案内所等に関する規制のまとめ Lesson ▶ 05,12,17

【事務所・案内所等に必要なもののまとめ】

	従業者名簿 帳簿 報酬額の掲示	専任の 宅建士	標識	届出
事務所	○	5人に 1人以上	○	変更の届出 (免許換え)
契約締結等 をする案内所等	×	1人で 足りる	○	案内所等の 届出
契約締結等 をしない案内所等	×	×	○	×
宅地・建物の 所在場所	×	×	○	×

○必要　×不要

論点51 自ら売主制限1 Lesson ▶ 13

1．自ら売主制限の適用範囲

自ら売主制限は、**宅建業者が自ら売主**となって**宅建業者でない買主**と宅地・建物の売買契約を締結する場合に適用される。

2. クーリング・オフ制度の適用の有無

クーリング・オフができない「事務所等」

① 宅建業者の**事務所**

② 宅建業者の**事務所以外の場所で継続的に業務を行うことができる施設**を有するもの

③ 宅建業者の**案内所（土地に定着**したものに限る）

④ 売主である宅建業者から代理・媒介の依頼を受けた宅建業者の①～③の場所

⑤ 宅建業者（代理・媒介をする宅建業者を含む）が、**専任の宅建士を置くべき場所（土地に定着する建物内のもの**に限る）で契約に関する説明をした後、展示会等の催しを土地に定着する建物内において実施する場合の、催しを実施する場所

（②～⑤のうち、**専任の宅建士の設置義務**があるもの）

⑥ **相手方（＝申込者・買主）から**その自宅・勤務場所で売買契約に関する説明を受ける旨を**申し出た場合の、相手方の自宅・勤務場所**

＼アドバイス／

喫茶店・ホテルは、クーリング・オフ制度の適用がある場所として試験によく出てきます。

3. クーリング・オフの制限

次のいずれかに該当する場合は、クーリング・オフをすることができなくなる。

1. 宅建業者が申込みの撤回等を行うことができる旨およびその方法を**書面で告知した日から起算**して、**8日間**を経過したとき
2. 買主が宅地・建物の**引渡しを受け、かつ代金の全部を支払った**とき

4. クーリング・オフの方法・効果

1. クーリング・オフは書面で行う必要があり、その**書面を発した時**にクーリング・オフの効力が生じる
2. クーリング・オフが行われた場合、宅建業者は、速やかに、受領していた**手付金その他の金銭を返還**しなければならない。
3. 宅建業者は、クーリング・オフに伴う**損害賠償・違約金の支払を請求することができない**。
4. クーリング・オフに関する特約で、**申込者・買主に不利なものは、無効**となる。

論点52 自ら売主制限2 Lesson▶14

1. 他人物売買の制限

1. 原則
宅建業者は、自己の所有に属しない宅地・建物については、自ら売主となる**売買契約（予約を含む）を締結してはならない**。
2. 例外
宅建業者が当該**宅地・建物を取得する契約**（**予約を含み、その効力の発生が条件に係るものを除く**）を締結している等、当該宅地・建物を取得できることが明らかな場合には、売買契約を締結することができる。

2. 担保責任の特約の制限

1. 原則
宅建業者が自ら売主となる売買契約においては、種類・品質に関する契約不適合責任につき**民法の規定よりも買主に不利な特約をしてはならない**。
2. 例外
種類・品質に関する契約不適合責任についての**通知期間を引渡しの日から２年以上**とする特約は、許される。
3. 1・2に違反する**買主に不利な特約は無効**となる。その場合、民法の規定どおりの責任を負う。

3. 損害賠償額の予定等の制限

宅建業者が自ら売主となる売買契約において、債務不履行を理由とする契約の解除に伴う**損害賠償額の予定や違約金の定め**をするときは、それらの**合計額が代金額の2/10**（＝2割、20%）**を超えてはならない**。
2/10を超える定めは、**超える部分につき無効**になる。

論点53 自ら売主制限3 Lesson ▶ 15

1. 手付額等の制限

宅建業者が自ら売主となる売買契約の締結に際して、

1. 宅建業者は、**代金額の2/10を超える**手付を受領してはならない。
2. 手付が支払われたときは、相手方が履行に着手するまでは、**買主は手付を放棄**して、**売主は手付の倍額を現実に提供**して、契約を解除することができ、これよりも**買主に不利な特約は無効**になる。

2. 手付金等の保全措置の要否

手付金等の保全措置（原則）

1. 宅建業者は、自ら売主となる売買契約においては、原則として**保全措置を講じた後**でなければ、買主から**手付金等を受領**してはならない。
宅建業者が必要な保全措置を講じない場合は、買主は、**手付金等を支払わないことができる**。
2. **引渡しと同時または引渡し後**に支払われる金銭は「手付金等」にあたらず、その受領に際して**保全措置を講じる必要はない**。

手付金等の保全措置（例外）

次の場合、宅建業者は、保全措置を講じなくても、手付金等を受領することができる。

1. 受領しようとする手付金等の額が（**既に受領した手付金等と合わせて**）、

① **工事完了前**に契約を締結した場合は、代金の額の**5/100**（5%）**以下かつ1,000万円以下**

② **工事完了後**に契約を締結した場合は、代金の額の**1/10**（10%）**以下かつ1,000万円以下**

であるとき

2. 買主に**所有権移転の登記**がされたとき、または買主が**所有権の登記**をしたとき

3. 手付金等の保全措置の方法

1. **工事完了前**に売買契約を締結した場合（未完成物件）

① **銀行**等による保証

② **保険事業者**による保証保険

2. **工事完了後**に売買契約を締結した場合（完成物件）

上記①、②に加え、

③ **指定保管機関**による保管

論点54 報酬に関する制限1（売買・交換）

Lesson ▶ 16

1. 売買・交換の媒介・代理の報酬限度額

速算式

・代金額**200万円**以下	代金の**5%**
・代金額**200万円**超**400万円**以下	代金の**4%＋2万円**
・代金額**400万円**超	代金の**3%＋6万円**

売買の媒介・代理の報酬限度額

1. 当事者の一方から受領する報酬の限度額
媒介の場合　⇒　**速算式**
代理の場合　⇒　**速算式の２倍**
2. １件の取引における報酬の**合計**限度額
⇒　**速算式の２倍**

交換の場合、目的物の評価額に差があるときは、高いほうを基準にします。

2. 低廉な空家等の場合の特例

1. 低廉な空家等とは、消費税抜きの代金額（交換の場合、高いほうの評価額）が**800万円以下**の宅地・建物をいう。
2. 報酬限度額
① **媒介**の場合　→　一方の依頼者から**30万円以内**
② **代理**の場合　→　代理の依頼者から**60万円以内**

3. 消費税

1. 報酬額は、消費税分を除いた代金（**税抜価格**）をベースに計算する。
2. **課税事業者**は、計算によって求めた額（消費税抜きの報酬額）に、**10%**を上乗せして受領することができる。
3. **免税事業者**は、計算によって求めた額（消費税抜きの報酬額）に、**4%**を上乗せして受領することができる。

論点55 報酬に関する制限2（貸借） Lesson▶17

1．借賃を基準にする場合

1. 合計額
貸主・借主から**合わせて借賃の１カ月分**以内
2. 依頼者のそれぞれからの受領額
原則：合計して1カ月分の範囲内で、自由に決めることができる。
例外：**居住用建物の賃貸借の媒介**の場合
媒介の依頼を受けるに当たって当該依頼者の承諾を得ている場合を除き、依頼者の一方からは借賃0.5カ月分までしか受領することができない。
３．長期の空家等の特例
貸主からは、借賃の２カ月分以内（合計額の限度も２カ月分以内になるが、借主からの限度額は２．のとおり）

2．権利金を基準にする場合

居住用建物以外の賃貸借の場合、権利金の授受があるときは、**権利金の額をもとに売買の方法**で報酬の額を計算することもできる。
この場合、借賃を基準にした場合と比べて**高いほう**が限度額になる。

3．その他の報酬に関する規制

依頼者の依頼によって行う**特別の広告**や遠隔地での調査など、依頼者の特別の依頼による特別の費用は、報酬とは別に受領することができる。

宅建業者は、**不当に高額の報酬を要求**してはならない。

論点56 監督処分 Lesson▶18

【宅建業者に対する監督処分】 ○=必要 ×=不要

	処分権者	聴聞	公告
指示処分	免許権者・処分対象行為が行われた都道府県の知事	○	×
業務停止処分※	免許権者・一定の処分対象行為が行われた都道府県の知事	○	○
免許取消処分	免許権者のみ	原則として○	原則として○

※業務停止処分は、1年以内の期間を定めて行う。

論点57 住宅瑕疵担保履行法 Lesson▶19

1. 適用対象

住宅瑕疵担保履行法の適用対象

1. 資力確保義務が課されるのは、自ら売主として、**宅建業者でない買主**と、**新築住宅**の売買契約を締結し引き渡した宅建業者である。
2. 資力を確保する義務の対象となるのは、住宅の基本構造部分（**構造耐力上主要な部分または雨水の侵入を防止する部分**）の瑕疵に関する損害に限られる。

2. 資力確保措置

資力確保措置の状況についての届出等

1. 資力確保措置の状況についての届出
   基準日から３週間以内に免許権者に届け出なければならない。
2. 売買契約締結の制限
   基準日の翌日から起算して50日を経過した日以後、新たに自ら売主となる新築住宅の売買契約を締結できない。

3. 供託所の所在地等の説明

保証金の供託をしている宅建業者は、自ら売主となる新築住宅の買主に対し、当該新築住宅の**売買契約を締結するまでに**、その保証金の供託をしている供託所の所在地等について、**書面を交付して**※説明しなければならない。

※宅建業者は、書面の交付に代えて、買主の書面等による承諾を得て、当該書面に記載すべき事項を電磁的方法により提供することができる

第3編 法令上の制限

論点58 都市計画の内容① Lesson▶01

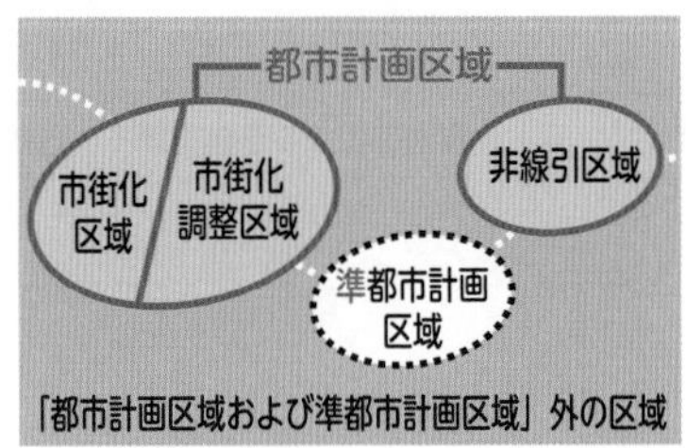

1. 区域区分

都道府県は、都市計画に、市街化区域と市街化調整区域との区分（**区域区分**）を定めることができる。

⇒区域区分は、一定の都市計画区域を除き、**必ず定めなければならないものではない**。

市街化区域	①**すでに市街地を形成している区域** ＋ ②おおむね10年以内に優先的かつ計画的に市街化を**図るべき区域**	⇒**少なくとも**（＝必ず）用途地域を定める
市街化調整区域	市街化を**抑制**すべき区域	⇒原則として用途地域を定め**ない**

2. 用途地域に関する都市計画で必ず定める事項

容積率	**すべての用途地域**
建蔽率	**商業地域以外の用途地域**
高さ	**第一種・第二種低層住居専用地域、田園住居地域**

3. 用途地域の種類

	種類	意味
住居系	第一種低層住居専用地域	低層住宅に係る良好な住居の環境を保護するため定める地域
	第二種低層住居専用地域	**主として**低層住宅に係る良好な住居の環境を保護するため定める地域
	第一種中高層住居専用地域	中高層住宅に係る良好な住居の環境を保護するため定める地域
	第二種中高層住居専用地域	**主として**中高層住宅に係る良好な住居の環境を保護するため定める地域
	第一種住居地域	住居の環境を保護するため定める地域
	第二種住居地域	**主として**住居の環境を保護するため定める地域
	準住居地域	**道路の沿道**としての地域の特性にふさわしい業務の利便の増進を図りつつ、これと調和した住居の環境を保護するため定める地域
	田園住居地域	**農業**の利便の増進を図りつつ，これと調和した**低層住宅**に係る良好な住居の環境を保護するため定める地域
商業系	近隣商業地域	近隣の住宅地の住民に対する**日用品の供給**を行うことを主たる内容とする商業その他の業務の利便を増進するため定める地域
	商業地域	主として商業その他の業務の利便を増進するため定める地域
工業系	準工業地域	主として**環境の悪化をもたらすおそれのない**工業の利便を増進するため定める地域
	工業地域	**主として**工業の利便を増進するため定める地域
	工業**専用**地域	工業の利便を増進するため定める地域

＼アドバイス／

用途地域は、全部で13種類あります。後で登場する建築基準法の学習の基礎になりますから、どのようなものがあるのか、イメージできるようにしましょう！

論点59 都市計画の内容② Lesson▶01

◆用途地域以外の地域地区

用途地域内	**特別用途地区**	**用途地域内**の一定の地区における当該地区の特性にふさわしい土地利用の増進、環境の保護等の特別の目的の実現を図るため当該**用途地域の指定を補完**して定める地区
	高層住居誘導地区	住居と住居以外の用途とを適正に配分し、利便性の高い高層住宅の建設を誘導するため、容積率の最高限度などを定める地区 ⇒**第一種住居地域、第二種住居地域、準住居地域、近隣商業地域、準工業地域内**にのみ定められる
	高度地区	**用途地域内**において市街地の環境を維持し、または土地利用の増進を図るため、建築物の「**高さ**」の最高限度または最低限度を定める地区
	高度利用地区	**用途地域内**の市街地における土地の合理的かつ健全な高度利用と都市機能の更新とを図るため、「**容積率**」の最高限度および最低限度、建蔽率の最高限度、建築面積の最低限度、壁面の位置の制限を定める地区
用途地域内・外	特定街区	市街地の整備改善を図るため街区の整備または造成が行われる地区について、街区内における容積率・建築物の高さの最高限度、壁面の位置の制限を定める街区
	防火地域・準防火地域	市街地における火災の危険を防除するため定める地域
	風致地区	**都市の風致**を維持するため定める地区
用途地域外	**特定用途制限地域**	**用途地域が定められていない**土地の区域（市街化調整区域を除く）内において、その良好な環境の形成または保持のため当該地域の特性に応じて合理的な土地利用が行われるよう、**制限**すべき**特定**の建築物等の**用途**の概要を定める地域

＼アドバイス／

高度地区と高度利用地区は、ひっかけ問題のネタになります。高度地区：「高さ」⇔高度利用地区：「容積率」というキーワードで判別しましょう。

論点60 都市計画の内容③ Lesson ▶ 01

◆準都市計画区域内の都市計画

準都市計画区域内に定めることができる都市計画は、**積極的なまちづくりを規制するプラン**に限られます。

定めることができる都市計画	定めることができない都市計画
用途地域 特別用途地区 **高度地区**（建築物の高さの最高限度のみ） **特定用途制限地域** 風致地区　など	**区域区分** 高層住居誘導地区 **高度利用地区** 特定街区 **防火地域・準防火地域** **市街地開発事業** 地区計画　など

論点61 開発許可制度 Lesson ▶ 02

1. 開発許可制度

開発行為をしようとする者は、**原則**として、**都道府県知事の許可**（＝**開発許可**）を受けなければならない。

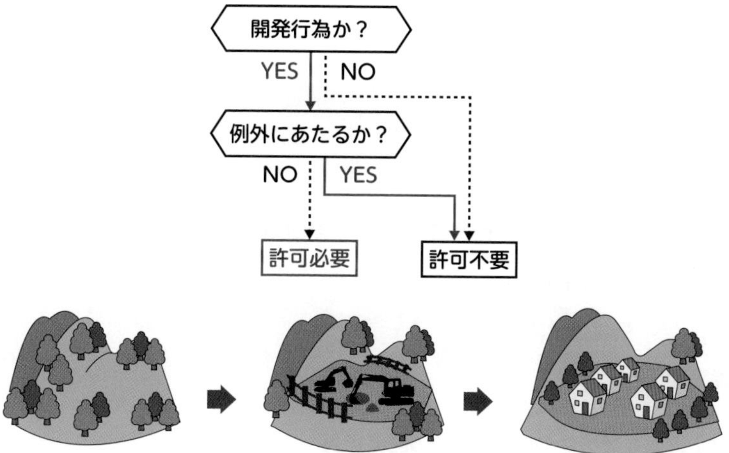

2. 開発行為の意味

① 開発行為

主として**建築物の建築**または**特定工作物の建設**の用に供する目的で行う**土地の区画形質の変更**

② 特定工作物

第一種特定工作物	コンクリートプラント、アスファルトプラントなど
第二種特定工作物	**ゴルフコース**（面積の限定なし） **1ヘクタール**（10,000m²）**以上の野球場・庭球場・遊園地・墓園など**

論点62 開発許可が不要となる例外 Lesson ▶ 02

◆開発許可の要否の判断のまとめ

①その行為は開発行為にあたるか？ …あたらなければ開発許可不要

◆建築物の建築または特定工作物の建設の用に供する目的で行うものか？

◆土地の区画形質の変更を行うものか？

②例外にあてはまるか？ …あたれば開発許可不要

	都市計画区域			準都市計画区域	都市計画区域および準都市計画区域外
	市街化区域	市街化調整区域	非線引区域		
・**小規模な**開発行為	**1,000m²未満の場合は**許可**不要**	**面積による例外なし**	**3,000m²未満の場合**は許可**不要**		**1ha（10,000m²）未満の場合は**許可**不要**
・**農林漁業用建築物**	**農林漁業用建築物の例外なし**	**許可不要**			

・**公益上必要な建築物**の建築のための開発行為
・都市計画事業、土地区画整理事業などの施行として行う開発行為
・**非常災害のため必要な応急措置**として行う開発行為
・通常の管理行為や軽易な行為　など

論点63 開発許可に関連する手続き Lesson ▶ 02

1．事前準備（申請前の手続き）

申請前に、あらかじめ	①	**関係がある**公共施設の管理者	**協議＋同意**
	②	設置される公共施設の管理者となる者	**協議**
	③	開発区域内の土地の権利者など	**相当数の同意**

法令上の制限

2．開発許可後に変更があった場合

① 開発許可の申請内容を変更する場合

	変更内容	手続き
原則	例．開発区域の区域変更や予定建築物等の用途変更など	都道府県知事の**変更の許可**
例外	軽微な変更 例．工事の完了予定年月日の変更	都道府県知事へ**届出**
	開発許可を要しない開発行為に変更 例．住宅建築目的を図書館建築目的に変更	許可・届出とも**不要**

② 開発行為に関する工事を廃止した場合

開発行為に関する工事を廃止	都道府県知事へ**届出**

③ 開発許可に基づく地位の承継

	具体例	手続き
一般承継人	・相続人 ・合併後の存続会社	許可・承認**不要**
特定承継人	・開発許可を受けた土地の買主 ・開発許可に関する工事施行の権原を取得した者	都道府県知事の**承認**

論点64 開発区域内・外の建築制限 Lesson ▶ 02

1. 開発区域内の建築制限

	工事完了公告前	工事完了公告後
原則	**建築物の建築**などの禁止	**予定建築物以外**の建築物の新築などの禁止
例外	①～③のいずれかにあたる場合 ①**工事用の仮設建築物**の建築など ②**都道府県知事**が支障がないと認めたとき ③開発行為に**同意をしていない土地の権利者**（所有者など）がその権利の行使として建築物の建築などをするとき	①②のいずれかにあたる場合 ①**都道府県知事**が支障がないと認めて**許可**したとき ②開発区域内の土地について**用途地域**等が定められているとき

＼アドバイス／

出題のポイントは、**例外**です！

2. 市街化調整区域内の建築制限

市街化調整区域内の「開発許可を受けた開発区域」**以外**の区域内の建築制限

原則	建築物の新築・改築などには、**都道府県知事の許可**が必要
例外	以下の場合には、**許可不要** ①**農林漁業用**の建築物・**農林漁業を営む者の居住用**の建築物の建築を行う場合 ②**公益上必要**な建築物（例. 図書館、公民館など）の建築を行う場合 ③都市計画事業の**施行として**行う場合 ④**非常災害のため必要な応急措置**として行う場合 ⑤**仮設**建築物の新築　など

＼アドバイス／

この許可は、開発許可ではなく、**建築物の新築・改築等の許可**です。許可不要となる**例外が開発許可と似ています**ので、開発許可と区別しつつ、一緒に整理しておきましょう。

論点65 地区計画の区域内の制限 Lesson ▶ 02

◆地区計画の区域内の制限

場所	地区整備計画等が定められている**地区計画の区域内**
対象行為	①土地の区画形質の変更 ②建築物の建築 ③工作物の建設　など
内容	原則として、行為に着手する日の**30日前**までに**市町村長**に**届出** ⇒届出に係る行為が地区計画に適合しない場合、市町村長は設計変更などを**勧告**できる

＼アドバイス／

「行為に着手した後」、「都道府県知事」、「許可」と出題されたらひっかけです。注意しましょう！

論点66 都市施設等に関連する制限 Lesson ▶ 02

◆都市施設や市街地開発事業に関連する建築等の制限

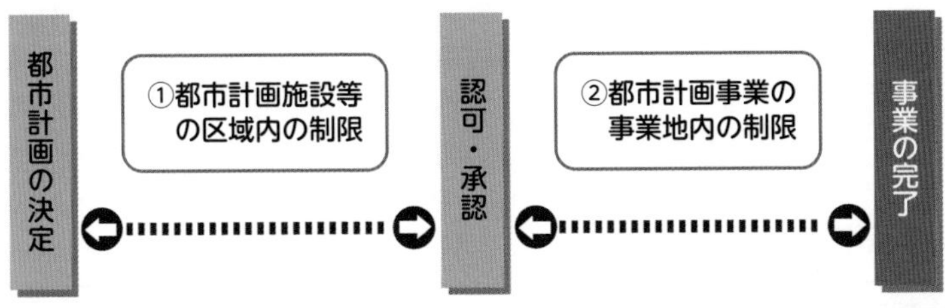

<table>
<tr><th></th><th>都市計画施設等の区域内</th><th>都市計画事業の事業地内</th></tr>
<tr><td>建築物の建築</td><td>知事等の許可必要※1</td><td rowspan="3">知事等の許可必要※2</td></tr>
<tr><td>土地の形質の変更</td><td rowspan="2">知事等の許可不要</td></tr>
<tr><td>その他一定の行為</td></tr>
</table>

※1**非常災害のため必要な応急措置**などは例外的に**許可不要**
※2許可不要となる**例外なし**

＼アドバイス／

①都市計画施設等の区域内の制限（計画段階の緩やかな制限）と②都市計画事業の事業地内の制限（工事実施段階の厳しい制限）を対比しましょう。

論点67 建築確認の要否 Lesson ▶ 03

◆建築確認の要否

① 規模の基準

	新築	10m²超の増築・改築・移転 ※1	大規模の修繕 大規模の模様替	用途変更 ※2
規模の大きい特殊建築物	**必要**			**必要** ※3
規模の大きい建築物一般 ※4				

※1増築の場合、増築後の面積で「規模の大きい建築物」かどうかを判断する
※2規模の大きい特殊建築物に用途変更する場合のみ
※3**類似の用途相互間**の用途変更の場合、例外として建築確認は**不要**。類似の用途とは、たとえば、ホテルと旅館、劇場と映画館と演芸場、下宿と寄宿舎など。
※4木造・鉄骨造・鉄筋コンクリート造などの**構造を問わない**

「規模の大きい建築物」

	階数	面積
特殊建築物		**200m²超**
建築物一般 (右のいずれかにあたるもの)	**2階以上**	**200m²超**

② 場所の基準

都市計画区域 **準都市計画区域** など	新築（規模問わない） 10m²超の増築・改築・移転	**必要**
防火地域 **準防火地域**	新築、増築・改築・移転 **(規模問わない)**	

＼アドバイス／

①規模の基準か、②場所の基準のどちらかにあたれば、建築確認が必要です。

論点68 道路規定 Lesson ▶ 04

1. 建築基準法の「道路」

原則	「**道路**」とは、都市計画区域・準都市計画区域の指定・変更などにより建築基準法3章の規定（集団規定）が適用されるに至った際現に存在する道などのうち幅員が**4m以上**のものをいう
例外	建築基準法3章の規定が適用されるに至った際現に建築物が立ち並んでいる幅員**4m未満**の道で、**特定行政庁の指定**したものは、「**道路**」とみなされる（2項道路） ⇒道路の中心線から両側にそれぞれ**2m後退した線**をその**道路の境界線**とみなす

2. 接道義務

原則	建築物の敷地は、道路に**2m以上**接してなければならない
例外	建築物の敷地の周囲に**広い空地**がある場合などで、**特定行政庁**が交通上・安全上・防火上・衛生上支障がないと認めて建築審査会の同意を得て**許可**したものなどについては、道路に2m以上接していなくてもよい

3. 条例による制限の付加

地方公共団体は、一定の建築物※については、**条例**で、その敷地が接しなければならない道路の幅員やその敷地が道路に接する部分の長さなど、その敷地または建築物と道路との関係に関して必要な制限を「**付加**」（加重）できる
⇒「**緩和**」は**できない**
※　過去に出題されたのは、①延べ面積が1,000m^{2}を超える建築物、②敷地が袋路状道路にのみ接する建築物で延べ面積が150m^{2}を超えるもの（**一戸建ての住宅を除く**）など

4. 道路内の建築制限

原則	建築物などは、**道路内**に建築したり道路に突き出して建築したりしてはならない
例外	①地下（**地盤面下**）に設ける建築物（例. 地下街） ②**公衆便所**や**巡査派出所**などの公益上必要な建築物で**特定行政庁**が通行上支障がないと認めて建築審査会の同意を得て**許可**したもの　など

法令上の制限

論点69 用途制限 Lesson▶04

1. 用途制限（工業専用地域に建築できない建築物）

○=自由に建築できる　×=特定行政庁の許可がなければ建築できない

建築物の用途＼用途地域	第一種低層住居専用	第二種低層住居専用	田園住居	第一種中高層住居専用	第二種中高層住居専用	第一種住居	第二種住居	準住居	近隣商業	商業	準工業	工業	工業専用
住宅・共同住宅	○	○	○	○	○	○	○	○	○	○	○	○	×
老人ホーム	○	○	○	○	○	○	○	○	○	○	○	○	×
図書館・博物館・美術館	○	○	○	○	○	○	○	○	○	○	○	○	×

2. 用途制限（教育施設・医療施設）

建築物の用途＼用途地域	第一種低層住居専用	第二種低層住居専用	田園住居	第一種中高層住居専用	第二種中高層住居専用	第一種住居	第二種住居	準住居	近隣商業	商業	準工業	工業	工業専用
診療所・保育所・幼保連携型認定こども園	○	○	○	○	○	○	○	○	○	○	○	○	○
小学校・中学校・高校	○	○	○	○	○	○	○	○	○	○	○	×	×
大学・高専、専修・各種学校	×	×	×	○	○	○	○	○	○	○	○	×	×
病院	×	×	×	○	○	○	○	○	○	○	○	×	×

＼アドバイス／

①神社・教会・寺院などの宗教施設、②診療所・公衆浴場・保育所・幼保連携型認定こども園などの医療福祉的性格の施設、③巡査派出所・公衆電話所などの公益施設は、すべての用途地域で建築できます。

3. 用途制限（商業・娯楽施設等）

建築物の用途＼用途地域	第一種低層住居専用	第二種低層住居専用	田園住居	第一種中高層住居専用	第二種中高層住居専用	第一種住居	第二種住居	準住居	近隣商業	商業	準工業	工業	工業専用
ホテル・旅館	×	×	×	×	×	○※1	○	○	○	○	○	×	×
劇場・映画館・ナイトクラブ①（客席部分の床面積の合計が200m²未満）	×	×	×	×	×	×	×	○	○	○	○	×	×
劇場・映画館・ナイトクラブ②（客席部分の床面積の合計が200m²以上）	×	×	×	×	×	×	×	×	○	○	○	×	×
カラオケボックス・ダンスホール	×	×	×	×	×	×	○※2	○※2	○	○	○	○※2	○※2
店舗・飲食店（2階以下かつ床面積の合計が150m²以内）	×	○	○	○	○	○	○	○	○	○	○	○	×
店舗・飲食店（床面積の合計が10,000m²超）	×	×	×	×	×	×	×	×	○	○	○	×	×
料理店・キャバレー	×	×	×	×	×	×	×	×	×	○	○	×	×
倉庫業を営む倉庫	×	×	×	×	×	×	×	○	○	○	○	○	○
床面積の合計が150m²以内の自動車修理工場	×	×	×	×	×	×	×	○	○	○	○	○	○

※1床面積の合計が3,000m²以下
※2床面積の合計が10,000m²以下

4. 敷地が2以上の用途地域にまたがる場合

敷地の過半の属する地域の用途制限が、敷地の全部に適用される

論点70 建蔽率の制限等 Lesson ▶ 04

1．建蔽率制限が緩和される場合

<table>
<tr><th rowspan="3">用途地域</th><th colspan="4">緩和される割合</th></tr>
<tr><th colspan="2">①</th><th>②</th><th rowspan="2">①②の両方</th></tr>
<tr><th>防火地域内の耐火建築物等</th><th>準防火地域内の耐火建築物等・準耐火建築物等</th><th>特定行政庁が指定する角地にある建築物</th></tr>
<tr><td>第一種低層住居専用地域
第二種低層住居専用地域
田園住居地域
第一種中高層住居専用地域
第二種中高層住居専用地域
工業専用地域</td><td colspan="2">$+\frac{1}{10}$</td><td rowspan="4">$+\frac{1}{10}$</td><td>$+\frac{2}{10}$</td></tr>
<tr><td>第一種住居地域
第二種住居地域
準住居地域
準工業地域
近隣商業地域</td><td>$+\frac{1}{10}$
（建蔽率の限度が$\frac{8}{10}$の地域では制限なし）</td><td>$+\frac{1}{10}$</td><td>$+\frac{2}{10}$
（建蔽率の限度が$\frac{8}{10}$の地域では制限なし）</td></tr>
<tr><td>商業地域</td><td>制限なし</td><td>$+\frac{1}{10}$</td><td>制限なし</td></tr>
<tr><td>工業地域</td><td colspan="2">$+\frac{1}{10}$</td><td>$+\frac{2}{10}$</td></tr>
</table>

＼覚えるポイント／

<table>
<tr><td rowspan="2">①</td><td>防火地域内の耐火建築物等</td><td rowspan="3">＋1/10</td></tr>
<tr><td>準防火地域内の耐火建築物等・準耐火建築物等</td></tr>
<tr><td>②</td><td>特定行政庁が指定する角地にある建築物</td></tr>
<tr><td>③</td><td>①②の双方</td><td>＋2/10</td></tr>
<tr><td>④</td><td>指定建蔽率が 8/10 の地域＋防火地域内の耐火建築物等</td><td>制限なし</td></tr>
</table>

2. 敷地が建蔽率制限の異なる２以上の地域にまたがる場合

敷地全体の建蔽率の限度は、それぞれの地域に属する敷地の部分の**割合に応じて計算**（按分計算）して算出した数値となる。

＼アドバイス／

要するに、**それぞれの地域の数値を混ぜる**わけです。

3. 敷地面積の最低限度

すべての用途地域において、都市計画で**200m²**を**超えない**範囲で**敷地面積の最低限度**を定めることができる。

論点71 容積率の制限 Lesson ▶ 04

1. 前面道路の幅員と容積率（前面道路の幅が12m未満の場合）

	用途地域	容積率の計算方法	適用される容積率
住居系の用途地域	第一種低層住居専用地域 第二種低層住居専用地域 田園住居地域	前面道路の幅※×$\frac{4}{10}$	左の計算式で出した数値と指定容積率の数値を比べて**小さいほう**が適用される
	第一種中高層住居専用地域 第二種中高層住居専用地域 第一種住居地域 第二種住居地域 準住居地域	原則として 前面道路の幅※×$\frac{4}{10}$	
	上記以外の地域	原則として 前面道路の幅※×$\frac{6}{10}$	

※前面道路が２以上あるときは、**幅員の最大のもの**

2. 敷地が容積率制限の異なる２以上の地域にまたがる場合

敷地全体の容積率の限度は、それぞれの地域に属する敷地の部分の**割合に応じて計算**（按分計算）して算出した数値となる。

＼アドバイス／

要するに、**それぞれの地域の数値を混ぜる**わけです。

3. 容積率の特例等

住宅などの地下室に関する特例	一定の建築物の**地階**で ①**住宅**の部分の床面積 ②**老人ホーム等**の部分の床面積	その建築物のうち住宅・老人ホーム等の部分の床面積の**1/3**を限度として、延べ面積に**算入しない**
共同住宅の共用の廊下などに関する特例	①**エレベーター**の**昇降路**の部分の床面積 ②**共同住宅・老人ホーム等**の**共用の廊下・階段**の用に供する部分の床面積 ③**住宅・老人ホーム等**に設ける**給湯設備の機械室**等で一定のものの床面積	延べ面積に**算入しない**（一定の場合を除く）
宅配ボックス設置部分に関する規定	宅配ボックス設置部分の床面積 ⇒建築物の用途や設置場所は関係ない	敷地内の建築物の各階の床面積の合計の1/100を限度として、延べ面積に算入しない（一定の場合を除く）

＼アドバイス／

(1) の住宅などの**地下室**に関する特例には「**1/3を限度**」という制約があるのに対して、(2) の**共同住宅の共用の廊下**などに関する特例にはそのような制約がないことに注意！

論点72 高さに関する制限等 Lesson ▶ 04

1. 斜線制限の適用地域

<table>
<tr><th>用途地域等／制限</th><th>第一種低層住居専用</th><th>第二種低層住居専用</th><th>田園住居</th><th>第一種中高層住居専用</th><th>第二種中高層住居専用</th><th>第一種住居</th><th>第二種住居</th><th>準住居</th><th>近隣商業</th><th>商業</th><th>準工業</th><th>工業</th><th>工業専用</th><th>指定のない区域</th></tr>
<tr><td>道路斜線制限</td><td colspan="14">○</td></tr>
<tr><td>隣地斜線制限</td><td colspan="3">×</td><td colspan="11">○</td></tr>
<tr><td>北側斜線制限</td><td colspan="3">○</td><td colspan="2">●</td><td colspan="9">×</td></tr>
</table>

○適用される　●日影規制の対象区域外に適用　×適用されない

＼アドバイス／

斜線制限は、種類により適用される地域が異なります。ポイントは、隣地斜線制限が適用されない地域と北側斜線制限が適用される地域です。

2. 斜線制限の異なる２以上の区域にまたがる場合

建築物が斜線制限の異なる２以上の区域にまたがる場合、**区域ごとに**適用の有無が決まるので、建築物のうち斜線制限の適用区域に存する部分にのみ斜線制限が適用される。

3. 日影規制の対象区域

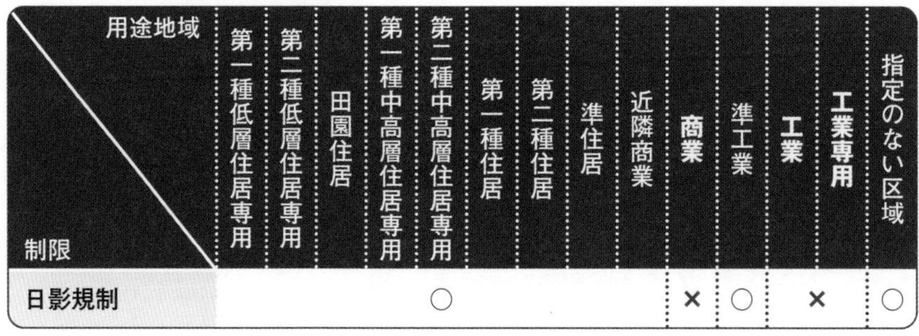

<table>
<tr><th>用途地域／制限</th><th>第一種低層住居専用</th><th>第二種低層住居専用</th><th>田園住居</th><th>第一種中高層住居専用</th><th>第二種中高層住居専用</th><th>第一種住居</th><th>第二種住居</th><th>準住居</th><th>近隣商業</th><th>商業</th><th>準工業</th><th>工業</th><th>工業専用</th><th>指定のない区域</th></tr>
<tr><td>日影規制</td><td colspan="9">○</td><td>×</td><td>○</td><td colspan="2">×</td><td>○</td></tr>
</table>

○地方公共団体の条例で指定された区域に適用される　**×適用なし**

4.「低層住宅」系の用途地域特有の制限

高さ制限	**第一種・第二種低層住居専用地域、田園住居地域**では、建築物の**高さ**は、原則として、**10mまたは12m**のうち**都市計画**で定められた高さの限度を超えてはならない
外壁の後退距離の限度	**第一種・第二種低層住居専用地域、田園住居地域**では、建築物の外壁などから敷地境界線までの距離(**外壁の後退距離**)は、原則として、**1.5mまたは1m**のうち**都市計画**で定められた外壁の後退距離の限度以上でなければならない

5. 制限の異なる区域にまたがる場合のまとめ

制限の種類	どのような場合?	どのように適用されるか?
用途制限	敷地が2以上の用途地域にまたがる場合	敷地の**過半**の属する地域の用途制限が、敷地の全部に適用される
建蔽(ぺい)率・容積率制限	敷地が建蔽率制限・容積率制限の異なる2以上の地域にまたがる場合	それぞれの地域に属する敷地の部分の**割合に応じて計算**(按分計算)して算出した数値が、敷地の全部に適用される
斜線制限	建築物が斜線制限の異なる2以上の区域にまたがる場合	**区域ごと**に適用の有無が決まるので、建築物のうち斜線制限の適用区域に存する部分にのみ適用される
防火地域・準防火地域内の制限	建築物が防火地域・準防火地域の内外にまたがる場合	より**厳しいほう**の規定が、原則として建築物の全部に適用される

論点73 単体規定 Lesson ▶ 05

1. 防火壁等

延べ面積が1,000m²を超える建築物は、原則として、防火上有効な構造の**防火壁**または**防火床**によって有効に区画し、かつ、各区画の床面積の合計をそれぞれ1,000m²以内としなければならない。ただし、**耐火建築物・準耐火建築物**などは**例外**である。

2. 居室の採光と換気

採光に有効な部分の面積	住宅の場合、居室の床面積に対して**1/7以上**（床面において50ルックス以上の照度を確保することができるよう照明設備を設置している居室にあっては、その居室の床面積に対して**1/10以上**）
換気に有効な部分の面積	居室の床面積に対して、**1/20以上**

3. 飛散・発散に対する衛生上の措置で規制対象の物質

① **石綿**
② **クロルピリホス**
③ **ホルムアルデヒド**

4. 建築物の建築設備等

避雷設備	高さ**20mを超える**建築物には、周囲の状況によって安全上支障がない場合を除き、有効に**避雷設備**を設けなければならない
非常用昇降機	高さ**31mを超える**建築物には、原則として、**非常用の昇降機**を設けなければならない
手すり壁等	共同住宅など一定の用途に供する特殊建築物や階数が3以上である建築物などの屋上広場または**2階以上の階**にあるバルコニーその他これに類するものの周囲には、安全上必要な高さが1.1m以上の**手すり壁**、さくまたは金網を設けなければならない

＼アドバイス／

得点しにくい出題も多いので、ポイントを絞って学習すれば十分です。

論点74 宅地造成等工事規制区域 Lesson ▶ 06

1. 宅地造成等工事規制区域

必須 宅地造成等工事規制区域

宅地造成等工事規制区域とは	宅地造成等（＝宅地造成・特定盛土等・土石の堆積）に伴い災害が生ずるおそれが大きい市街地等区域（＝市街地・市街地となろうとする土地の区域または集落の区域〈これらの区域に隣接・近接する土地の区域を含む〉）であって、**宅地造成等に関する工事**について規制を行う必要があるものとして指定された区域
指定できる場所	**都市計画区域の内・外関係なし**
指定権者	**都道府県知事**　×「国土交通大臣」

＼アドバイス／

宅地造成等工事規制区域のイメージは、盛土等により人家等に被害を及ぼす可能性がある場所のうち、人家等のある有人エリアです。

論点75 宅地造成等工事規制区域内での規制 Lesson ▶ 06

1. 宅地造成等に関する工事の許可

① **宅地造成等工事規制区域内**において行われる「**宅地造成等に関する工事**」については、**工事主**は、工事に着手する前に、原則として、都道府県知事の**許可**を受けなければならない

② 工事主とは、**宅地造成等に関する工事の請負契約の注文者**または請負契約によらないで自らその工事をする者をいう

2.「宅地造成等」

「**宅地造成等**」とは、**宅地造成、特定盛土等**または**土石の堆積**をいう。

宅地造成等工事規制区域内で**許可**が必要となる宅地造成・特定盛土等・土石の堆積とは、次のものをいう。

宅地造成	**宅地以外**の土地を**宅地**にするために行う**盛土**その他の**土地の形質**の変更で**一定規模（A）-1**のもの 宅地以外→宅地 ＋ 一定規模（A）-1の土地の形質の変更
特定盛土等	**宅地**または**農地等**において行う**盛土**その他の**土地の形質の変更**で**一定規模（A）-1**のもの 宅地・農地等 ＋ 一定規模（A）-1の土地の形質の変更
土石の堆積	**宅地**または**農地等**において行う**土石の堆積**で**一定規模（B-1）**のもの（一定期間の経過後に当該土石を除却するものに限る） 宅地・農地等 ＋ 一定規模（B）-1の土石の堆積

宅地造成等工事規制区域内で許可が必要な「一定規模」

【一定規模（A）-1】　宅地造成・特定盛土等の規模要件

（①～⑤のいずれかにあたるもの）

①	**盛土**	高さが**1m**を**超える崖**を生ずるもの
②	**切土**	高さが**2m**を**超える崖**を生ずるもの
③	**盛土＋切土**	盛土と切土をした土地の部分に高さが**2m**を**超える崖**を生ずるもの（①②を除く）
④	**①③以外の盛土** （こんもり盛土）	①③に該当しない盛土（①③の崖を生じない、こんもりした盛土）で、高さが**2m**を**超える**もの
⑤	**面積**	①～④に該当しない盛土または切土で、盛土または切土をする土地の面積が**500㎡**を**超える**もの

法令上の制限

【一定規模（B）-1】 **土石の堆積**の規模要件

（①または②のいずれかにあたるもの）

①	高さ＋面積	高さが**2m を超える**土石の堆積で、土石の堆積を行う土地の面積が**300㎡を超える**もの
②	面積	①に該当しない土石の堆積で、土石の堆積を行う土地の面積が**500㎡を超える**もの

3. 宅地造成等に関する工事の許可の手続き（抜粋）

許可申請	**工事主**は、工事に着手する前に、原則として、都道府県知事の**許可**を受けなければならない	
計画変更	原則	都道府県知事の**許可**（変更の許可）
	例外	**軽微変更**（例．工事施行者の氏名・名称などの変更）の場合、遅滞なく、都道府県知事に**届出**
工事完了の検査	宅地造成または特定盛土等に関する工事の許可を受けた者（＝工事主）は、許可を受けた工事を完了した場合、都道府県知事の**検査**を申請しなければならない	

4. 工事等の届出

届出義務者	届出期間	届出先
宅地造成等工事規制区域の**指定の際**、その宅地造成等工事規制区域内で**行われている**宅地造成等に関する工事の工事主	指定があった日から**21日以内**	都道府県知事
宅地造成等工事規制区域内の土地（公共施設用地を除く）で、**擁壁等に関する工事**（＝高さが**2mを超える擁壁**・崖面崩壊防止施設や**地表水等を排除するための排水施設**などの**除却**の工事）を行おうとする者※	工事に着手する日の**14日前まで**	
宅地造成等工事規制区域内で、公共施設用地を宅地または農地等に**転用**した者※	転用した日から**14日以内**	

※宅地造成等に関する工事の許可を受けた者など一定の者を除く

論点76 特定盛土等規制区域内での規制 Lesson ▶ 06

1. 特定盛土等規制区域

特定盛土等規制区域とは	宅地造成等工事規制区域**以外**の土地の区域であって、土地の傾斜度、渓流の位置その他の自然的条件および周辺地域における土地利用の状況その他の社会的条件からみて、当該区域内の土地において**特定盛土等**または**土石の堆積**が行われた場合には、これに伴う災害により市街地等区域その他の区域の**居住者等の生命または身体に危害を生ずるおそれが特に大きい**と認められるとして指定された区域

＼アドバイス／

特定盛土等規制区域のイメージは、盛土等により人家等に被害を及ぼす可能性がある場所のうち、人家等のない無人エリアです。

2. 特定盛土等・土石の堆積に関する工事の届出

特定盛土等規制区域内において行われる**特定盛土等・土石の堆積に関する工事**については、**工事主**は、**工事に着手する日の30日前までに**、原則として、工事の計画を都道府県知事に**届け出**なければならない

なお、届出が必要とされる「特定盛土等」と「土石の堆積」の意味や規模要件は、「宅地造成等」の意味（宅地造成等規制区域内で許可が必要な「一定規模」）で学習した内容と共通である（**一定規模（A）-1・一定規模（B）-1**）。

3. 特定盛土等・土石の堆積に関する工事の許可

特定盛土等規制区域内において行われる**特定盛土等・土石の堆積**（大規模な崖崩れまたは土砂の流出を生じさせるおそれが大きい**一定規模**（次頁の**一定規模（A）-2・一定規模（B）-2**のものに限る）**に関する工事**については、**工事主**は、当該工事に着手する前に、原則として、都道府県知事の**許可**を受けなければならない
⇒3. の許可を受けた者は、2. の**届出は不要**

特定盛土等規制区域内で許可が必要な「**一定規模**」

【一定規模（A）-2】 特定盛土等の規模要件

（①～⑤のいずれかにあたるもの）

①	**盛土**	高さが**2mを超える**崖を生ずるもの
②	**切土**	高さが**5mを超える**崖を生ずるもの
③	**盛土＋切土**	盛土と切土をした土地の部分に高さが**5mを超える**崖を生ずるもの（①②を除く）
④	**①③以外の盛土** （こんもり盛土）	①③に該当しない盛土（①③の崖を生じない、こんもりした盛土）で、高さが**5mを超える**もの
⑤	**面積**	①～④に該当しない盛土または切土で、盛土または切土をする土地の面積が**3,000㎡を超える**もの

【一定規模（B）-2】 土石の堆積の規模要件

（①または②のいずれかにあたるもの）

①	**高さ＋面積**	高さが**5mを超える**土石の堆積で、土石の堆積を行う土地の面積が**1,500㎡を超える**もの
②	**面積**	①に該当しない土石の堆積で、土石の堆積を行う土地の面積が**3,000㎡を超える**もの

論点77 造成宅地防災区域 Lesson▶06

◆造成宅地防災区域

造成宅地防災区域とは	宅地造成または特定盛土等（宅地において行うものに限る）に伴う災害で相当数の居住者等に危害を生ずるものの発生のおそれが大きい一団の造成宅地の区域であって政令で定める基準に該当するもの ×「**宅地造成等に関する工事**について規制を行う」
指定できる場所	宅地造成等工事規制区域**外**
指定権者	都道府県知事
指定の解除	都道府県知事は、区域の指定の事由がなくなったと認めるときは、その**指定を解除**する

＼アドバイス／

造成宅地防災区域のイメージは、既存の造成宅地のうち、地震などによる地すべり的崩落の危険のある場所です。特に、指定できる場所が宅地造成等工事規制区域外に限られることに注意しましょう。

論点78 土地区画整理事業の流れ Lesson▶07

◆土地区画整理組合が施行する場合

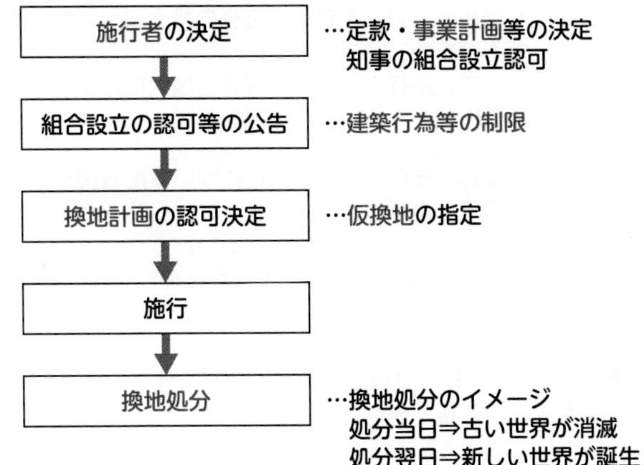

論点79 土地区画整理事業の施行者 Lesson▶07

1. 施行者の種類と土地区画整理審議会

<table>
<tr><td rowspan="3">民間施行</td><td>個人施行者</td><td rowspan="3">土地区画整理審議会を置かない※
⇒換地計画に保留地を定める場合、仮換地を指定する場合などについて、土地区画整理審議会の同意や意見聴取が必要となることはない</td></tr>
<tr><td>土地区画整理組合</td></tr>
<tr><td>区画整理会社</td></tr>
<tr><td>公的施行</td><td colspan="2">地方公共団体（都道府県・市町村）、国土交通大臣、都市再生機構（UR）などの公的機関
⇒施行する土地区画整理事業ごとに土地区画整理審議会を置く</td></tr>
</table>

※**土地区画整理審議会**とは換地計画、仮換地の指定等について審議する諮問機関（ご意見番）。公的施行の場合に、地主・借地権者や有識者の意見を反映させるために設置される。

＼アドバイス／

出題が多いのは土地区画整理組合施行（組合施行）の場合なので、組合施行を中心に学習すれば十分です。

2. 土地区画整理組合

<table>
<tr><td>設立</td><td colspan="3">土地区画整理組合を設立しようとする者は、7人以上共同して、定款と事業計画（または事業基本方針）を定め、組合の設立について、都道府県知事の認可を受けなければならない
⇒定款などについて、施行地区となるべき区域内にある宅地の所有者や借地権者のそれぞれ2/3以上の同意が必要</td></tr>
<tr><td rowspan="2">組合員</td><td colspan="3">組合が設立されると、施行地区内の宅地について所有権や借地権を有する者は、すべてその組合の組合員とされる
⇒建物の賃借人（借家人）は、組合員にならない
⇒登記をしていない借地権は、申告または届出をしておかなければ、存在しないものとみなされる</td></tr>
<tr><td colspan="3">組合員の有する所有権・借地権の全部・一部を承継した者
⇒組合員がその所有権・借地権の全部・一部について組合に対して有する権利義務は承継した者に移転し、承継した者は組合員となる</td></tr>
<tr><td>経費</td><td colspan="3">組合は、その事業に要する経費に充てるため、組合員から賦課金等の金銭を徴収できる
⇒組合員が組合に対して債権をもっているときでも、その債権との相殺を主張して、賦課金等の金銭の納付を免れることはできない
⇒組合の総会で賦課金徴収の議決があったときは、組合員から所有権・借地権を承継して組合員となった者も、賦課金の納付義務を負う</td></tr>
<tr><td rowspan="6">解散</td><td>①</td><td>総会の議決</td><td rowspan="3">⇒解散につき都道府県知事の認可が必要
⇒組合に借入金があるときは、解散につき債権者の同意が必要</td></tr>
<tr><td>②</td><td>定款で定めた解散事由の発生</td></tr>
<tr><td>③</td><td>事業の完成または完成の不能</td></tr>
<tr><td>④</td><td colspan="2">設立についての認可の取消</td></tr>
<tr><td>⑤</td><td colspan="2">合併</td></tr>
<tr><td>⑥</td><td colspan="2">事業の引継</td></tr>
</table>

論点80 換地計画 Lesson▶07

◆換地計画

換地計画の決定・認可	施行者（都道府県・国土交通大臣施行を除く）は、換地計画について**都道府県知事の認可**を受けなければならない
換地計画に定める内容	①換地設計 ②**清算金** ③**保留地**　など ⇒**土地区画整理事業の施行の費用**に充てるなどの目的で、一定の土地を換地として定めないで、保留地として定めることができる ⇒**公的施行**で保留地を定める場合、**土地区画整理審議会**の同意が必要
換地照応の原則	換地計画で換地を定める場合は、できるだけ不公平にならないように**換地と従前の宅地の位置・地積・土質・水利・利用状況・環境などが照応**するように定めなければならない（**換地照応の原則**） ⇒**公共施設**の用に供している宅地などに対しては、換地計画において、その位置、地積等に**特別の考慮**を払い、換地を定めることができる

論点81 建築行為等の制限

◆建築行為等の制限

土地区画整理事業の施行の障害となるおそれがある

- **土地の形質の変更**
- **建築物**その他の工作物の**新築**・改築・増築　など

国土交通大臣が施行する場合	国土交通大臣の許可が必要
国土交通大臣以外が施行する場合 例. 組合施行の場合	**都道府県知事等**（都道府県知事または**市長**）の許可が必要

論点82 仮換地 Lesson ▶ 07

1. 仮換地を指定できる場合と指定前の手続き

① 施行者は、換地処分を行う前において、**換地計画に基づき換地処分を行うため必要**があるなどの場合には、施行地区内の宅地について**仮換地**を指定できる。

② 仮換地を指定する場合、あらかじめ、以下の手続きが必要である。

組合施行	総会などの**同意**を得なければならない
公的施行	**土地区画整理審議会**の**意見**を聴かなければならない ⇒**民間施行**（個人・組合・区画整理会社施行）の場合、**土地区画整理審議会の意見を聴く必要はない**

2. 仮換地の指定方法

仮換地の指定は、その**仮換地**となるべき土地の所有者と**従前の宅地**の所有者に対し、仮換地の位置・地積・仮換地の指定の効力発生の日を**通知**して行う。

3. 仮換地指定の効果

従前の宅地（所有者＝X）	仮換地（所有者＝Y）
売却、抵当権の設定・登記 ⇒**X**ができる	売却、抵当権の設定・登記 ⇒**Y**ができる
使用・収益 ⇒Xはできない ⇒**施行者**が**管理**し、必要があれば、建築物を移転・除却できる	使用・収益 ⇒Yはできない ⇒**X**が、**従前の宅地**について有する権利の内容である使用・収益と**同じ**使用・収益ができる

施行者は、仮換地に使用・収益の障害となる物件が存するなど特別の事情があるときは、**仮換地の使用・収益の開始の日**を、仮換地指定の効力発生日と**別に定める**ことができる。

論点83 換地処分 Lesson▶07

1. 換地処分の時期・方法

① **換地処分**は、原則として、換地計画に係る区域全部について土地区画整理事業の工事が完了した**後**に、遅滞なく行わなければならない。

⇒**例外**として、土地区画整理組合の定款などに別段の定めがあれば、区域全部について工事が完了する**以前**でも、換地処分できる場合があることに注意。

② 換地処分は、施行者が関係権利者に換地計画で定められた関係事項を**通知**して行う。

⇒「公告」ではなく「通知」によって行うことに注意。

2. 換地処分の効果

効果1～終わる物語	効果2～始まる物語
換地処分の公告があった日の**終了時**に生じる効果	換地処分の公告があった日の**翌日**に生じる効果
①換地計画で**換地を定めなかった従前の宅地に存する権利**の消滅 ②仮換地指定の効果の消滅 ③事業の施行により**行使する利益がなくなった地役権**の消滅※	①換地計画で定められた**換地**が、**従前の宅地**とみなされる ②清算金の確定 ③**施行者**による**保留地**の取得 ④事業の施行により生じた**公共施設の用に供する土地**が、原則、**公共施設を管理すべき者**に帰属 ⑤事業の施行により設置された**公共施設**を、原則、**市町村**が管理

※施行地区内の宅地について存する**地役権**は、「事業の施行により行使する利益がなくなった」場合を除き、換地処分の公告があった日の翌日以後においても、なお**従前の宅地の上に存する**

3. 換地処分に伴う登記等

① **施行者**は、換地処分の公告があった場合において、施行地区内の土地や建物について土地区画整理事業の施行により変動があったときは、遅滞なく、その**変動に係る登記**を申請等しなければならない。

② 換地処分の公告があった日以後は、施行地区内の土地や建物に関しては、その**変動に係る登記がされるまで**は、**原則**として、**他の登記をすることができない**。

論点84 農地法のまとめ Lesson▶08

<table>
<tr><th colspan="2">種類</th><th>3条許可
（使う人の変更）</th><th>4条許可
（使い方の変更）</th><th>5条許可
（使い方と使う人の変更）</th></tr>
<tr><td colspan="2">具体例</td><td>Aの(農)→Bの(農)
Aの(採)→Bの(採)
Aの(採)→Bの(農)</td><td>Aの(農)→Aの(農)以外</td><td>Aの(農)→Bの(農)以外
Aの(採)→
Bの(農)(採)以外</td></tr>
<tr><td colspan="2">許可権者</td><td>農業委員会</td><td colspan="2">都道府県知事等</td></tr>
<tr><td rowspan="3">許可不要となる例外</td><td>共通の例外</td><td colspan="3">・土地収用法などによって権利が収用または使用される場合、土地収用法などによって収用した農地を転用する場合</td></tr>
<tr><td rowspan="2">特有の例外</td><td rowspan="2">・国または都道府県が権利を取得する場合
・民事調停法による農事調停によって権利が取得される場合
・相続・遺産の分割・包括遺贈・相続人に対する特定遺贈などにより権利が取得される場合（ただし、遅滞なく、農業委員会に届け出なければならない）</td><td>・耕作の事業を行う者がその農地（2アール未満のものに限る）を農業用施設として利用する目的で転用する場合</td><td></td></tr>
<tr><td colspan="2">・国や都道府県等が、道路、農業用用排水施設などの一定の施設の用に供するため、転用・権利取得する場合
・市街化区域内にある農地について、あらかじめ農業委員会に届け出て、転用・権利取得する場合
↔3条許可には、市街化区域内の例外はない（市街化区域内でも許可必要）</td></tr>
<tr><td rowspan="4">許可を受けなかった場合</td><td>行為の効力</td><td>効力を生じない</td><td></td><td>効力を生じない</td></tr>
<tr><td>違反是正措置</td><td></td><td colspan="2">都道府県知事等は、違反転用者等に対して、工事の停止や原状回復を命ずることができる</td></tr>
<tr><td rowspan="2">罰則</td><td colspan="3">3年以下の懲役または300万円以下の罰金</td></tr>
<tr><td>法人：300万円以下の罰金（両罰規定）</td><td colspan="2">法人：1億円以下の罰金（両罰規定）</td></tr>
</table>

(農)：農地　(採)：採草放牧地

＼アドバイス／

採草放牧地については、出題がきわめて少ないです。3条・5条許可のみで、4条許可はないことを確認しておけば十分です。

論点85 事後届出の必要な契約 Lesson ▶ 09

事後届出が必要かどうかは、次の①→②→③の順序で判断します。

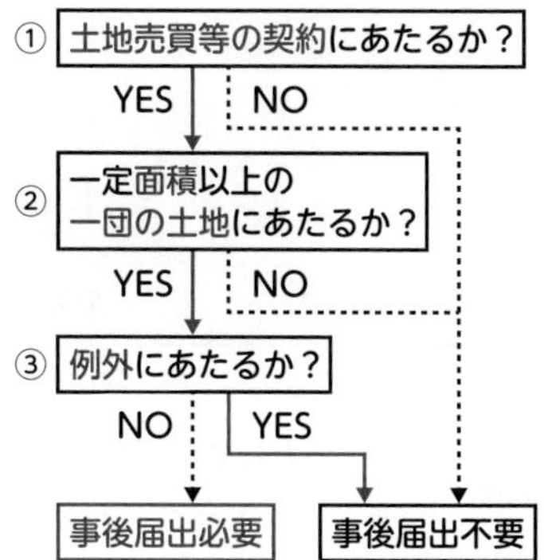

◆「土地売買等の契約」

「土地売買等の契約」を締結した場合には、原則として、**事後届出**が必要。

「土地売買等の契約」にあたる ⇒原則、事後届出必要	「土地売買等の契約」にあたらない ⇒事後届出不要
売買契約 **売買予約** **停止条件付き売買契約** **交換契約** **賃借権・地上権**の設定・移転契約 （設定・移転の**対価**が**ある**場合）	抵当権の設定契約 **贈与契約** **相続** **時効** **賃借権・地上権**の設定・移転契約 （設定・移転の**対価**が**ない**場合）

＼アドバイス／

あたらないものに注目しましょう。たとえば、贈与契約は対価の授受がない、相続は対価の授受がないだけでなくそもそも契約でないという理由で、「土地売買等の契約」にあたりません。

論点86 事後届出が不要となる場合 Lesson ▶ 09

1．区域ごとの面積要件

区域	面積
市街化区域	2,000m²以上
市街化調整区域	5,000m²以上
非線引区域	5,000m²以上
都市計画区域外（準都市計画区域も含む）	10,000m²（1ha）以上

＼アドバイス／

「土地売買等の契約」にあたるとしても、面積要件を満たしていなければ、事後届出は不要です。

2．面積要件の判断

① 買主が隣り合った土地を計画的に買い集めたような場合、「**一団の土地**」として、**合計面積**で届出の要否を判断する（買いの一団）。
② 面積要件を満たす「一団の土地」にあたるかどうかの判断は、**買主**などの「**権利取得者**」を基準に行う。
③ 面積要件を満たす「一団の土地」について複数回に分割して土地売買等の契約を締結した場合、各契約が面積要件を満たさなかったとしても、**契約ごとに事後届出が必要**である。

【設例】

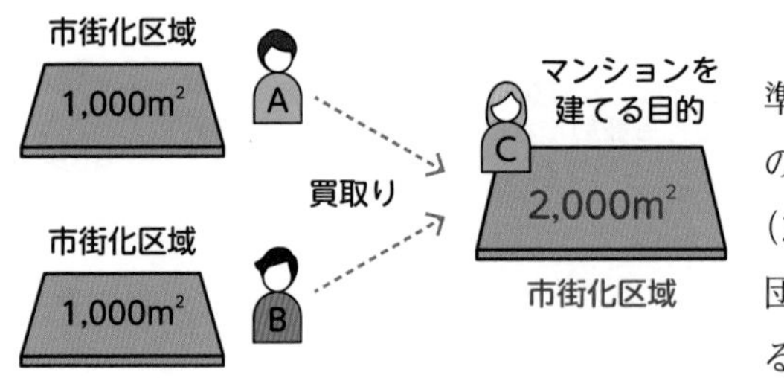

権利取得者である買主Cを基準にすると合計2,000m²となるので、市街化区域内の面積要件（2,000m²以上）を満たす「一団の土地」の売買契約といえる。

⇒Cは、A・Bとのそれぞれの契約について事後届出が必要である。

3. 届出不要な例外

① **民事調停法による調停**に基づく場合
② 当事者の**一方**または双方が**国**や**地方公共団体**などである場合
③ **農地法3条許可**を受けて契約を締結した場合（レッスン8参照）
⇒×「農地法5条許可」

＼アドバイス／
「土地売買等の契約」にあたり、面積要件を満たしていても、**届出不要な例外**にあたれば、**事後届出は不要**です。

法令上の制限

論点87 事後届出の手続き Lesson ▶ 09

◆事後届出の手続き

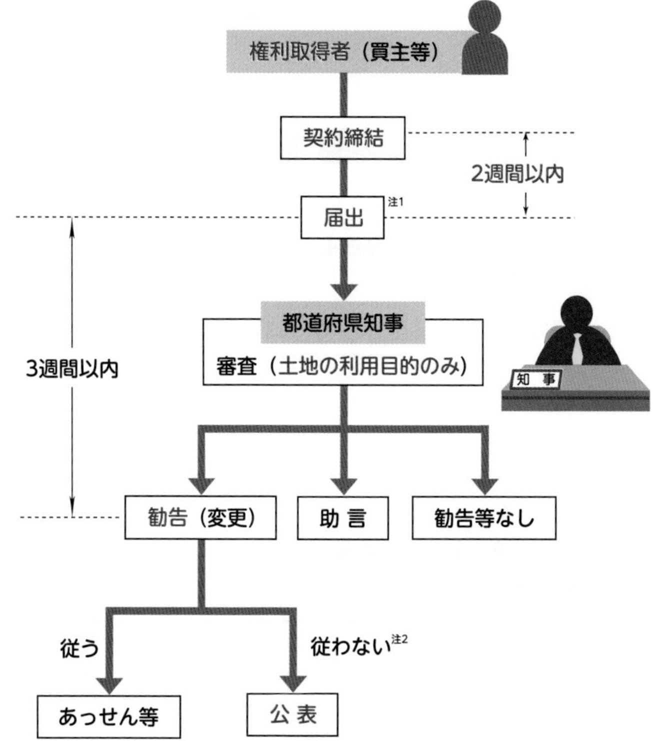

注1）無届の場合、罰則の適用あり。
注2）勧告に従わなくても、罰則の適用なし。契約も有効。

＼アドバイス／
事後届出制では、対価の額は審査対象ではないので、**対価の額**を変更するように勧告することはできないことに注意しましょう。

第4編 税・その他

論点88 不動産取得税 Lesson ▶ 01

1. 課税主体・課税客体

課税主体	不動産の所在地の**都道府県**
課税客体	不動産の取得（売買・交換・贈与・建築等） ただし、**相続**、**法人の合併・分割**による取得は非課税 **共有物の分割**の場合、**分割前の持分の割合を超えなければ**非課税
国等に対する非課税	不動産取得税は、国、非課税独立行政法人、都道府県、**市町村**、**特別区**、地方独立行政法人等には課税されない。

2. 課税標準・税率

	課税標準	税率（標準税率）
原則	固定資産課税台帳の登録価格	**4%**
家屋の特例	**50m^{2}以上240m^{2}以下の新築住宅** ⇒1,200万円控除	**住宅→3%**
土地の特例	**宅地→**価格の**1/2**	**すべて3%**

3. 免税点

土地の取得　⇒　**10万円**
建築による家屋の取得　⇒　1戸につき**23万円**
建築以外による家屋の取得　⇒　1戸につき**12万円**

論点89 固定資産税 Lesson▶02

1. 課税主体・納税義務者

課税主体	固定資産の所在地の市町村
納税義務者	1月1日現在の所有者※

※質権または100年より永い存続期間の定めがある地上権の目的である土地については、質権者または地上権者

2. 課税標準・税率・税額控除・免税点

	原則	土地	家屋
課税標準	登録価格	小規模住宅用地 (＝200m^{2}以内) 1/6	—
税率	1.4/100	—	—
税額	—	—	新築住宅 3年度間または5年度間 1/2
免税点	—	30万円	20万円

【新築住宅に対する税額控除の特例】

<table>
<tr><th colspan="2">適用要件</th><th>控除年数</th><th>控除額</th></tr>
<tr><td>新築住宅</td><td rowspan="2">床面積50m^{2}以上
(1戸建て以外の貸家住宅の場合，40m^{2}以上) 280m^{2}以下</td><td>3年度間</td><td rowspan="2">120m^{2}までの部分
税額×1/2</td></tr>
<tr><td>地上3階建て以上の中高層耐火建築物である新築住宅</td><td>5年度間</td></tr>
</table>

＼アドバイス／

「3年度間または5年度間、1/2」と覚えましょう。

3. 徴収方法等

徴収方法	普通徴収
納付期日	原則　4月、7月、12月および2月中において、市町村の条例で定める 例外　特別の事情があるときは、これと異なる納付期日を定めることができる

4. 価格との登録・審査の申出・閲覧・縦覧

価格の登録	固定資産評価基準は、総務大臣が定める。 価格の決定・固定資産課税台帳への登録は、市町村長が行う。
審査の申出	価格について不服がある場合は、固定資産評価審査委員会に審査の申出をすることができる。
閲覧	納税義務者や土地・建物の賃借人は、固定資産課税台帳の閲覧や記載事項の証明書の交付を請求することができる。
縦覧	市町村長は、土地価格等縦覧帳簿・家屋価格等縦覧帳簿を作成し、4月1日から、4月20日または当該年度の最初の納期限の日のいずれか遅い日以後の日までの間、縦覧に供しなければならない。 縦覧対象者は、当該市町村内に所在する土地・家屋に対する固定資産税の納税義務者である。

論点90 印紙税 Lesson ▶ 03

1. 納税義務者

国等が保存するもの　⇒　国等以外の者が作成したものとみなされる
国等以外の者が保存するもの　⇒　国が作成したものとみなされ**課税されない**

2. 記載金額

(1) 売買契約書等の記載金額

契約書の種類	記載金額	
売買契約書	売買金額	
交換契約書	①交換金額（不動産の価額）が記載されている場合	交換金額（双方の価額が記載されているときは、**高いほう**）
	②**交換差金のみ**が記載されている場合	**交換差金の額**
贈与契約書	**記載金額のない文書**になる	
請負契約書	請負金額	

(2) 不動産の譲渡契約と請負契約を１通の契約書に区分記載した場合

請負金額＞譲渡金額	請負契約書になり、**請負金額が記載金額**
請負金額≦**譲渡金額**	譲渡契約書になり、**譲渡金額が記載金額**

(3) 地上権・土地の賃借権に関する契約書の記載金額

記載金額になる	設定・譲渡の対価である金銭
記載金額にならない	後日返還されることが予定される金銭 賃料・地代

＼アドバイス／

記載金額のない契約書には、200円の印紙税が課されます。「印紙税は課されない」で×、のように出題されるので注意してください。

(4) 変更契約書の記載金額

増額変更の場合　⇒　**変更金額（増加額）**が記載金額
減額変更の場合　⇒　**記載金額のない**文書になる

3. 金銭の受取書

非課税となる受取書	① 記載金額が5万円未満の受取書 ② 営業に関しない受取書

4. 過怠税

印紙を貼り付けなかった場合	原則　納付しなかった印税額とその2倍に相当する金額との合計額 例外　自主的に不納付の申出をしたときは、印紙税額の1.1倍
消印をしなかった場合	消されていない印紙の額面金額

論点91 譲渡所得の特例（所得税） Lesson ▶ 04

1. 居住用財産を譲渡した場合の3,000万円特別控除の要件

1. 次の場合、この特例の適用を受けることができる。
 ①**現に**自己が**居住**している財産の譲渡
 ②**居住しなくなった日**から**3年**を経過する日の属する年の12月31日までの譲渡
2. ただし、次の場合は、適用を受けることができない。
 ①**配偶者・直系血族**など特別の関係にある者に対する譲渡の場合
 ②前年、前々年に、この特例、特定の居住用財産の買換え特例などの適用を受けている場合

2. 居住用財産の買換え特例の要件

<table>
<tr><th>譲渡資産</th><th colspan="2">買換資産</th></tr>
<tr><td rowspan="4">①所有者が現に居住しているか、居住しなくなった日から3年を経過する日の属する年の12月31日までに譲渡
②1月1日における所有期間が10年超
③居住期間が10年以上
④譲渡に係る対価の額が1億円以下</td><td>家屋</td><td>①床面積50m²以上
②使用されたことのある耐火建築物の場合、築後25年以内のものまたは建築基準法施行令の規定もしくは国土交通大臣が財務大臣と協議して定める地震に対する安全性に係る基準に適合することにつき証明がされたものであること
③使用されたことのある非耐火建築物の場合、築後25年以内のものまたは譲渡年の12月31日まで（譲渡年の翌年に取得した場合は、その年の12月31日まで）に建築基準法施行令の規定もしくは国土交通大臣が財務大臣と協議して定める地震に対する安全性に係る基準に適合することにつき証明がされたものであること
④建築後使用されたことのない家屋の場合、a）一定の省エネ基準を満たす、b）令和5年12月31日以前に建築確認を受けている、c）令和6年6月30日以前に建築された、のいずれかを満たすこと</td></tr>
<tr><td>土地</td><td>面積500m²以下</td></tr>
<tr><td>取得</td><td>譲渡年の前年、譲渡年、翌年のいずれか</td></tr>
<tr><td>居住</td><td>①買換資産を、譲渡年の前年か譲渡年に取得した場合
→譲渡年の翌年の12月31日
②買換資産を、譲渡年の翌年に取得
→譲渡年の翌々年の12月31日</td></tr>
</table>

※上記の要件を満たす場合でも、以下に該当するときは、この特例の適用を受けることができない。

① 配偶者・直系血族など特別の関係にある者に対する譲渡の場合

② 譲渡をした年、前年、前々年に、3,000万円特別控除、居住用財産の軽減税率などの適用を受けている場合

3. 居住用財産を譲渡した場合の軽減税率の特例の要件

1. 次の場合、この特例の適用を受けることができる。
 (1) 譲渡年の1月1日における所有期間が10年を超えること
 (2) ①**現に**自己が**居住**している財産の譲渡
  ②**居住しなくなった日**から**3年**を経過する日の属する年の12月31日までの譲渡
2. ただし、次の場合は、適用を受けることができない。
 ①配偶者・直系血族など特別の関係にある者に対する譲渡の場合
 ②**前年、前々年**に、この特例の適用を受けている場合

4. 特例の重複適用の可否

① 3,000万円特別控除

② 5,000万円特別控除

③ 居住用財産の買換え特例

④ 収用等に伴い代替資産を取得した場合の課税の特例

⑤ 居住用財産の軽減税率

⑥ 優良住宅地の軽減税率

上記の特例のうち、重複適用が可能な特例は、次のとおりである。

重複適用が可能な特例

1. 「5,000万円特別控除」と「居住用財産の軽減税率」
2. 「3,000万円特別控除」と「居住用財産の軽減税率」

論点92 住宅ローン控除（所得税） Lesson ▶ 04

住宅ローン控除の適用要件

住宅ローン控除の主な適用要件は、次のとおりである。

① 新築・購入・増改築から6カ月以内に入居し、原則として適用を受ける**各年の12月31日まで引き続き居住**していること
② 新築・新築住宅の購入の場合、a）一定の省エネ基準を満たす、b）令和5年12月31日以前に建築確認を受けている、c）令和6年6月30日以前に建築された、のいずれかを満たすこと
③ 償還期間10年以上の住宅借入金等があること
④ 新築・新築住宅の購入・既存住宅の購入の場合、住宅の床面積が50m^2以上であり、床面積の2分の1以上の部分が専ら自己の居住用に使用するものであること
⑤ 控除を受ける年の**合計所得金額が2,000万円以下**であること
⑥ **入居年、前年、前々年**に、居住用財産を譲渡した場合の**3,000万円特別控除、居住用財産の軽減税率、居住用財産の買換え特例**の適用を受けていないこと
⑦ 入居年の**翌年以後3年以内**（＝入居年の翌年、翌々年、3年目）に⑤**で挙げた特例**の適用を受けないこと

論点93 登録免許税 Lesson ▶ 05

【住宅用家屋の税率の軽減措置の要件】

取得者	個人に限る
家屋の用途	取得者の自己居住用
床面積	**50m^2以上**
登記時期	原則として新築後または取得後1年以内に登記を受けること
所有権移転登記の場合	売買または競落（けいらく）による取得に限る
既存住宅の場合	建築基準法施行令の規定もしくは国土交通大臣が財務大臣と協議して定める地震に対する安全性に係る基準に適合するものまたは昭和57年1月1日以後に建築されたもの

論点94 贈与税 Lesson ▶ 06

1. 特定の贈与者から住宅取得等資金の贈与を受けた場合の相続時精算課税の特例の要件

資金の使用時期等	①贈与を受けた年の**翌年3月15日**までに、贈与を受けた資金の全額を家屋の取得か増改築に充てること ②その家屋に上記の日までに居住するか、遅滞なく居住すること	
取得する家屋	床面積	①**40m²以上**であること ②**1/2以上**を専ら居住の用に供すること
	耐震基準等	取得する家屋が中古の場合、次に該当すること ・建築基準法施行令の規定もしくは国土交通大臣が財務大臣と協議して定める地震に対する安全性に係る基準に適合または家屋が昭和57年1月1日以後に建築されたものであること
増改築	費用	①工事費用が100万円以上 ②居住用部分の工事費が全体の工事費の1/2以上
	床面積	①増改築後の床面積が40m²以上であること ②増改築後の床面積の1/2以上を専ら居住の用に供すること
手続き	贈与税の期限内申告書に特例の適用を受ける旨を記載	

※上記の要件を満たす場合でも、配偶者・直系血族等から家屋を取得した場合には、この特例の適用を受けることはできません。

2. 直系尊属から住宅等取得資金の贈与を受けた場合の贈与税の非課税の主な要件

贈与者	**年齢制限なし**	
受贈者	その年の1月1日現在で18歳以上	
資金の使途	日本国内における、家屋の新築・取得・増改築	
床面積・贈与を受けた年の合計所得金額	床面積	合計所得金額
	50m²以上240m²以下	**2,000万円以下**
	40m²以上50m²未満	**1,000万円以下**

論点95 地価公示法 Lesson ▸ 07

1. 地価公示の手続き

手続内容	主体	備考
標準地の選定	土地鑑定委員会	**都市計画区域外**にも選定可能
鑑定評価	**2人以上の不動産**鑑定士	土地鑑定委員会が、鑑定評価の結果を審査・調整する
正常な価格の判定	土地鑑定委員会	定着物・権利等が**存しないもの**とした価格
公示		官報で公示
市町村長への書面の送付		当該市町村が属する都道府県に存する標準地の書面等
閲覧	市町村長	市町村の事務所で閲覧に供する

2. 地価公示の効力等

土地の取引を行う者	**指標として取引を行うよう努め**なければならない
不動産鑑定士が、正常な価格を求めるとき	**規準**としなければならない
土地を収用することができる事業を行う者が、取得価格を定めるとき	
事業の認定の告示の時における相当な価格を算定するとき	**規準**として算定した価格を考慮しなければならない

論点96 不動産鑑定評価基準 Lesson ▸ 08

1. 価格の種類

正常価格	市場性を**有する**不動産	**合理的**な市場
限定価格		**市場限定**
特定価格		**法令**等による社会的要請
特殊価格	市場性を**有しない**不動産	

税・その他

2. 価格を求める手法

原価法	再調達原価を求め、減価修正を行う。 減価修正の方法には、耐用年数に基づく方法と観察原価法があり、これらを併用する。 対象不動産が土地のみである場合でも、再調達原価を適切に求められるときは原価法を適用できる。
取引事例比較法	取引事例を収集・選択して、事情補正・時点修正し、比較考量する 取引事例は、原則として、近隣地域または同一需給圏内の類似地域に存する不動産から選択するが、必要やむをえない場合は、近隣地域の周辺の地域に存する不動産から選択できる。 取引事例は、投機的取引であると認められる事例であってはならない。
収益還元法	純収益から価格を求める 直接還元法とDCF法がある 自用の不動産にも賃貸を想定することにより適用される。 土地の取引価格の上昇が著しいときは、収益還元法が活用されるべきである。

論点97 住宅金融支援機構法 Lesson ▶ 09

1. 証券化支援事業の種類

買取型	住宅の建設または購入に必要な資金の貸付けに係る金融機関の**貸付債権の譲受け**を行う
保証型	貸付債権を担保とする債券に係る**債務保証**を行う

2. 証券化支援事業（買取型）

買取りの対象	本人または親族が住むための住宅の建設や新築住宅・中古住宅の購入に係る貸付債権 住宅の建設・購入に付随する土地や借地権の取得資金の貸付債権 住宅の取得に付随する当該住宅の改良資金の貸付債権
金利	各金融機関が決定するので、金融機関によって異なる場合がある。
返済方法	割賦償還 元金均等と元利均等の方法がある。
MBSの発行	買い取った債権を担保にMBS（資産担保証券）を発行している。

論点98 不当景品類及び不当表示防止法 Lesson ▶ 10

表示規約の数字のまとめ

① 新築とは、建築工事完了後**1**年未満であって、居住の用に供されたことがないもの

② 比較対照価格に用いる過去の販売価格は、値下げの直前の価格であって、かつ、値下げ前**2**か月以上にわたり実際に販売のために公表していた価格であること。値下げした日から**6**か月以内に表示するものであること。

③ セットバックを要する部分の面積がおおむね**10**パーセント以上の場合、その面積も明示すること

④ 「市街化調整区域。宅地の造成および建物の建築はできません。」と明示すること（新聞折込チラシ等およびパンフレット等の場合には16ポイント以上の大きさの文字を用いること）

⑤ 路地状部分の面積がおおむね**30**パーセント以上のときは、路地状部分を含む旨および路地状部分の割合または面積を明示すること

⑥ 傾斜地の割合が当該土地面積のおおむね**30**パーセント以上を占める場合（マンションおよび別荘地等を除く）は、傾斜地を含む旨および傾斜地の割合または面積を表示すること。

⑦ 物件から直線距離で**50**メートル以内に所在する街道その他の道路の名称（坂名を含む）を用いることができる。

⑧ 徒歩による所要時間は、道路距離**80**メートルにつき**1**分間を要するものとして算出した数値を表示すること（端数切上げ）。

⑨ 物件が公園、庭園、旧跡その他の施設または海（海岸）、湖沼・河川の岸・堤防から直線距離で**300**メートル以内に所在している場合は、これらの施設の名称を用いることができる。

論点99 土地 Lesson ▶ 11

1. 宅地としての適否

<table>
<tr><th>場所</th><th>原則</th><th colspan="2">注意が必要な場所</th></tr>
<tr><td>山麓</td><td>十分注意が必要</td><td colspan="2">土石流、土砂崩壊、地すべりでできた地形</td></tr>
<tr><td>丘陵、台地、段丘</td><td>適している</td><td colspan="2">・台地、丘陵の縁辺部
・切土部と盛土部にまたがる宅地
・土留めや排水工事の十分でない盛土地
・台地、丘陵地の小さな谷間</td></tr>
<tr><td rowspan="2">低地</td><td rowspan="2">適していない</td><th>利用可能な場所</th><th>好ましくない場所</th></tr>
<tr><td>・扇状地の中の微高地
・自然堤防
・砂丘、砂州、昔の天井川</td><td>・デルタ地域
・旧河道
・自然堤防に囲まれた後背低地</td></tr>
<tr><td>干拓地、埋立地</td><td>適していない</td><td>埋立地</td><td>干拓地</td></tr>
</table>

2. 液状化

液状化が生じる可能性が高いのは、地下水位の浅い砂地盤である。
旧河道、低湿地、埋立地、三角州などのほか、台地や段丘上の浅い谷に見られる小さな池沼を埋め立てた所でも、液状化が生じる可能性がある。

3. 地形等による災害の危険性

地すべり地	特定の地質や地質構造を有する地域に集中して分布する傾向が強く、地すべり地形と呼ばれる地形を形成していることが多い 一見なだらかで、水はけもよく、住宅地として好適のように見えるが、末端の急斜面部等は斜面崩壊の危険度が高い
断層	ある面を境にして地層が上下または水平方向にくい違っているものであり、その周辺では地盤の強度が不安定なので、断層に沿った崩壊、地すべりが発生する危険性が高い
まさ土地帯	花崗岩が風化してできた、まさ土は崩壊しやすいとされており、まさ土地帯においては、近年発生した土石流災害によりその危険性が再認識された
豪雨による深層崩壊	山体岩盤の深い所に亀裂が生じ、巨大な岩塊が滑落し、山間の集落などに甚大な被害を及ぼす
中小河川の氾濫(はんらん)	都市の中小河川の氾濫の原因の1つは、急速な都市化、宅地化に伴い、降雨時に雨水が短時間に大量に流れ込むようになったことにある

1 木造

1. 木材は、**乾燥しているほど強度が大きい**ので、木造建築物には、できるだけ乾燥した木材を用いる。
2. **集成木材構造**は、体育館等の**大規模な建築物**にも用いられる。

2 鉄骨造

1. 鉄は炭素含有量が多いほどもろくなるので、鉄骨造には、一般に**炭素含有量が少ない鋼**が用いられる。
2. 鉄骨造は、**大空間を有する建築物**の骨組みに適しているが、耐火構造とするためには、**耐火材料で被覆**しなければならない。

3　鉄筋コンクリート造

1. コンクリートの性質
　① 常温常圧において、鉄筋と普通コンクリートの熱膨張率は、ほぼ等しい。
　② コンクリートの引張強度は、一般に圧縮強度の1/10 程度である。
2. コンクリートの中性化
コンクリートの中性化は、構造体の耐久性や寿命に影響する。

4　耐震構造等

1. 耐震構造
建物の柱、はりなどの剛性を高め耐力壁を多く設置し、その強度や粘り強さで**地震に耐える**構造。揺れを減らすのではなく、揺れても大丈夫なように強い建物にする。
2. 免震構造
建物の下部構造と上部構造との間に**積層ゴムなどを設置**して振動を吸収し、**上部構造の揺れを大幅に減らす**構造。
3. 制震構造
制震ダンパーなどを設置し、**揺れを制御**する構造。建物には固有の振動周期があり、それが地震などの周期に共振することで起こる大きな揺れを制御する。